Über das Buch:

Hundert Jahre Einsamkeit ist die Geschichte vom Aufstieg und Niedergang der Familie Buendía und des von ihr gegründeten Dorfes Macondo. Durch Sümpfe und Urwald, durch eine undurchdringliche Sierra von der Außenwelt abgeschnitten, ist Macondo der einzigartige Schauplatz einer Welt, in der sich geschichtliche Entwicklungen, alle Träume, Alpträume und Entdeckungen des Menschen noch einmal wiederholen. Gabriel García Márquez erzählt vom Leben und Sterben der Buendías, von ihrer Abenteuerlust und ihrer Erfindungsgabe, von ihren Triumphen und von ihren Niederlagen, ihren Wahnvorstellungen, von der unbändigen, aber auch fatalen Vitalität ihrer Männer und der Klugheit ihrer Frauen. Es sind bildhafte, anekdotische Geschichten, in denen phantastische und realistische Elemente unmittelbar nebeneinander stehen, Mythos und Wirklichkeit verschmelzen. Von der ersten Seite an gerät der Leser in den Bann des großen Erzählers García Márquez, der in dem Mikrokosmos Macondo die geschichtliche Wirklichkeit Lateinamerikas und die Tragödie seiner Verlorenheit und Einsamkeit enthüllt.

Über den Autor:

Gabriel García Márquez, geb. 1927 in Aracataca, Kolumbien, arbeitete nach dem Jurastudium zunächst als Journalist. 1982 erhielt er den Nobelpreis für Literatur. García Márquez hat ein umfangreiches erzählerisches und journalistisches Werk vorgelegt. Er gilt als einer der bedeutensten und erfolgreichsten Schriftsteller der Welt.

Das gesamte Werk von Gabriel García Márquez ist lieferbar bei Kiepenheuer & Witsch

KiWi

740

Franziska Persicke

Gabriel García Márquez

Hundert Jahre Einsamkeit

Roman

Aus dem Spanischen
von Curt Meyer-Clason

Kiepenheuer & Witsch

3. Auflage 2002

Titel der Originalausgabe: CIEN AÑOS DE SOLEDAD

Aus dem Spanischen von Curt Meyer-Clason

Umschlaggestaltung: Barbara Thoben, Köln
Umschlagmotiv: Archiv für Kunst und Geschichte, Berlin
Foto Rückseite: © dpa
Gesamtherstellung: Clausen & Bosse, Leck
ISBN 3-462-03200-3

Für Jomi García Ascot
und María Luisa Elío

Viele Jahre später sollte der Oberst Aureliano Buendía sich vor dem Erschießungskommando an jenen fernen Nachmittag erinnern, an dem sein Vater ihn mitnahm, um das Eis kennenzulernen. Macondo war damals ein Dorf von zwanzig Häusern aus Lehm und Bambus am Ufer eines Flusses mit kristallklarem Wasser, das dahineilte durch ein Bett aus geschliffenen Steinen, weiß und riesig wie prähistorische Eier. Die Welt war noch so jung, daß viele Dinge des Namens entbehrten, und um sie zu benennen, mußte man mit dem Finger auf sie deuten. Alljährlich im Monat März schlug eine Familie zerlumpter Zigeuner ihr Zelt in der Nähe des Dorfes auf und gab mit einem gewaltigen Getöse aus Pfeifen und Trommeln die neuesten Erfindungen bekannt. Als erstes zeigten sie den Magneten. Ein massiger Zigeuner mit wildem Bart und Spatzenfingern, der sich als Melchíades einführte, stellte öffentlich das zur Schau, was er das achte Wunder der alchimistischen Weisen Mazedoniens nannte. Zwei Metallbarren hinter sich herschleifend, zog er von Haus zu Haus, und alle erschraken, als sie sahen, wie Kessel, Becken, Zangen und eiserne Tragöfen von ihren Plätzen fielen, wie die Hölzer unter dem verzweifelten Versuch der Nägel und Schrauben, sich ihnen zu entwinden, ächzten, wie sogar langvermißte Gegenstände gerade da auftauchten, wo man sie am heftigsten gesucht hatte, und in lärmender Flucht hinter Melchíades' Zaubereisen herschleiften. »Die Dinge haben ihr Eigenleben«, verkündete der Zigeuner mit kehliger Aussprache, »es kommt nur darauf an, ihre Seelen zu erwecken.« José Arcadio Buendía, dessen zügellose Phantasie stets die Erfindungsgabe der Natur übertrumpfte, ja sogar die des Wunders und der Magie, hielt es für möglich, sich dieser unnützen Erfindung zu bedienen, um den Eingeweiden der Erde Gold zu entreißen. Melchíades, ein ehrlicher Mann, warnte ihn: »Dazu taugt sie nicht.« Doch damals glaubte José Arcadio Buendía nicht an die Ehrlichkeit der Zigeuner, und so handelte er die beiden Zauberstangen gegen einen Maulesel und ein Rudel Ziegenböcke ein. Ursula Iguarán, seine Frau, die damit gerechnet hatte, den kümmerlichen Haushalt mit diesen Tieren aufzupäppeln, vermochte ihn nicht davon abzuhalten. »Demnächst werden wir so viel Gold übrig haben, daß wir damit den Boden des Hauses pflastern können«, erwiderte ihr Mann. Monatelang bemühte er sich, die Richtigkeit seiner Mutmaßungen zu beweisen. Die beiden Eisenbarren hinter sich herzerrend und Melchíades' Beschwörungsformel laut aufsagend, durchforschte er die Umgebung Handbreit um Handbreit, den Flußboden eingeschlossen. Das einzige, was er zutage förderte, war eine Rüstung aus dem fünfzehnten Jahrhundert mit allen von einer Rostschicht zusammengelöteten Teilen, aus der es wie aus einer riesigen steingefüllten Kalebasse hervortönte. Als es José Arcadio Buendía und den vier Männern seiner Expedition gelang, die Rüstung auseinanderzunehmen, fanden sie darin ein verkalktes Gerippe, das ein kupfernes Medaillon mit der Haarlocke einer Frau darin um den Hals trug.

Im März kamen die Zigeuner wieder. Diesmal brachten sie ein Fernrohr und eine trommelgroße Lupe mit, die sie als die letzte Entdeckung der Amsterdamer Juden ausstellten. Sie setzten eine Zigeunerin an das eine Ende des Dorfs und pflanzten das Fernrohr am Eingang zum Zelt auf. Gegen Zahlung von fünf Reales preßten die Leute das Auge an das Fernrohr und sahen die Zigeunerin zum Greifen nahe. »Die Wissenschaft hat die Entfernungen ausgelöscht«, verkündete Melchíades. »In Kürze wird der Mensch alles sehen können, was auf der Erde vor sich geht, ohne sich von der Stelle rühren zu müssen.« An einem glutheißen Mittag führten sie mit ihrer Riesenlupe ein überwältigendes Experiment vor: Sie legten einen Haufen dürres Laub auf die Straße und zündeten es an, indem sie die gebündelten Sonnenstrahlen darauf richteten. José Arcadio Buendía, noch immer untröstlich über den Mißerfolg seiner Magnetbarren, kam auf den Einfall, diese Erfindung als Kriegswaffe zu verwenden. Wieder suchte Melchíades es ihm auszureden. Doch dann nahm er die beiden Magnetstangen und drei Münzen aus der Kolonialzeit im Austausch gegen die Lupe entgegen. Ursula weinte fassungslos. Das Geld stammte aus einem Kästchen voller Goldstücke, die ihr Vater in einem entbehrungsreichen Leben zusammengescharrt und die sie unter dem Bett vergraben hatte in Erwartung einer guten Gelegenheit, sie anzulegen. José Arcadio Buendía versuchte sie nicht einmal zu trösten, so vertieft war er in seine taktischen Versuche, selbstlos wie ein Wissenschaftler und ohne sein eigenes Leben zu schonen. In der Absicht, die Wirkung der Lupe auf feindliche Truppen zu beweisen, setzte er sich selber den gebündelten Sonnenstrahlen aus und erlitt Verbrennungen, die zu Geschwüren wurden und lange nicht heilten. Angesichts der Einwände seiner über eine so gefährliche Erfindungsgabe entsetzten Frau war er nahe daran, das Haus in Brand zu stecken. Lange Stunden verbrachte er in seinem Zimmer und stellte Berechnungen über die strategischen Möglichkeiten seiner neuartigen Waffe an, bis es ihm gelang, ein Handbuch von verblüffender didaktischer Klarheit und unwiderstehlicher Überzeugungskraft zu verfassen. Er ergänzte es durch zahlreiche Zeugnisse über seine Erfahrungen und verschiedene erläuternde Zeichnungen, dann sandte er das Ganze an die Behörden durch einen Boten, der die Sierra überquerte, durch endlose Sümpfe irrte, sich reißende Flüsse hinaufarbeitete und fast ein Opfer der Raubtiere, der Verzweiflung und der Pest wurde, bevor er auf einen Saumpfad stieß, der ihn zur Maultierpost führte. Obgleich eine Reise zur Hauptstadt in jener Zeit nahezu unmöglich war, versprach José Arcadio Buendía es zu versuchen, sobald die Regierung es ihm befahl, um den Spitzen der Militärs seine Erfindung praktisch vorzuführen und sie persönlich in die komplizierten Künste des Sonnenkrieges einzuweihen. Mehrere Jahre wartete er auf eine Antwort. Schließlich, des Wartens müde, beschwerte er sich bei Melchíades über seine fehlgeschlagene Unternehmung, und nun lieferte der Zigeuner ihm einen schlagenden Beweis seiner Ehrlichkeit: Er gab ihm die Dublonen gegen das Brennglas zurück und überließ ihm überdies einige portugiesische Landkarten und verschiedene nautische Geräte. Außerdem stellte er ihm eine eigenhändig niedergeschriebene Kurzfassung der Studien des Mönchs Hermann zur Verfügung, damit er sich des Astrolabiums, der Magnetnadel und des Sextanten bedienen konnte. José Arcadio Buendía schloß sich während der Regenmonate in einer Kammer ein, die er im Hinterhaus eingerichtet hatte, um seinen Experimenten ungestört nachgehen zu können. Da er seine häuslichen Obliegenheiten vollständig aufgegeben hatte, verbrachte er Nächte hindurch im Innenhof, beobachtete den Lauf der Sterne und zog sich bei dem Versuch, eine genaue Methode zur Feststellung der Mittagshöhe auszuarbeiten, um ein Haar einen Sonnenstich zu. Als er mit seinen Instrumenten leidlich umzugehen verstand, kannte er sich so weit im Weltall aus, daß er imstande war, unbekannte Meere zu durchschiffen, unbewohnte Gebiete zu besuchen und Beziehungen zu herrlichen Wesen anzuknüpfen, ohne dafür sein Arbeitszimmer verlassen zu müssen. In dieser Zeit gewöhnte er sich daran, Selbstgespräche zu führen, und, niemandes achtend, durchs Haus zu streifen, während Ursula und die Kinder sich im Gemüsegarten bei der Pflege der Bananenstauden und der Malanga, der Jukka- und Yamswurzel, der Ahuyama und Auberginen fast das Kreuz brachen. Plötzlich, ohne vorherige Ankündigung, wich seine fieberhafte Tätigkeit einer Art von Verzauberung. Einige Tage war er wie verhext und murmelte unablässig eine Litanei erstaunlicher Mutmaßungen vor sich hin, ohne der eigenen Einsicht Glauben zu schenken. Endlich, an einem Dienstag im Dezember, brach beim Mittagessen plötzlich seine ganze Qual aus ihm hervor. Seine Kinder sollten sich für den Rest ihres Lebens an die erhabene Feierlichkeit erinnern, mit der ihr Vater fieberschlotternd, aufgerieben von den langen Nachtwachen und seiner schwärenden Phantasie, sich am Kopfende des Tisches niederließ und ihnen seine Entdekkung offenbarte:

»Die Erde ist rund wie eine Orange.«

Ursula verlor die Geduld. »Wenn du wahnsinnig werden mußt, werde allein wahnsinnig«, schrie sie. »Aber verschone gefälligst die Kinder mit deinen Zigeunerideen.« José Arcadio Buendía blieb gleichgültig und ließ sich nicht von der Verzweiflung seiner Frau einschüchtern, die in einem Wutanfall das Astrolabium auf dem Fußboden zerschmetterte. Er baute ein neues, versammelte in seiner Kammer die Männer des Dorfes und bewies ihnen an Hand von Theorien, die keiner begriff, daß man nur ostwärts zu segeln brauchte, um an den Ausgangspunkt zurückzukehren. Der ganze Ort war überzeugt, das José Arcadio Buendía den Verstand verloren hatte, als Melchíades kam, um die Dinge wieder einzurenken. Vor aller Öffentlichkeit rühmte er die Klugheit des Mannes, der durch reine astronomische Spekulation eine von der Praxis bereits bewiesene, wenngleich in Macondo bisher unbekannte Theorie entwickelt hatte, und machte ihm zum Beweis seiner Bewunderung ein Geschenk, das einen entscheidenden Einfluß auf die Zukunft des Dorfs ausüben sollte: ein alchimistisches Laboratorium.

Mittlerweile war Melchíades erstaunlich rasch gealtert. Bei seinen ersten Reisen schien er das Alter José Arcadio Buendías gehabt zu haben. Doch während dieser seine ungewöhnliche Spannkraft bewahrte, die ihm erlaubte, ein Pferd an den Ohren zu Fall zu bringen, schien der Zigeuner von einem hartnäckigen Leiden ausgehöhlt zu werden. In Wirklichkeit waren vielfältige, seltene Krankheiten daran schuld, die er sich bei seinen zahllosen Reisen um die Welt zugezogen hatte. Wie er selbst José Arcadio Buendía erzählte, während er ihm beim Einrichten des Laboratoriums half, war ihm der Tod allerwärts auf den Fersen und beschnupperte seine Hosenbeine, ohne sich indes entschließen zu können, ihm den Vernichtungsschlag zu versetzen. Er war schon so ziemlich allen Plagen und Verhängnissen entronnen, die je das Menschengeschlecht gegeißelt hatten. Er hatte die Pellagra in Persien überlebt, den Skorbut im Malaiischen Archipel, den Aussatz in Alexandrien, die Beriberi in Japan, die Beulenpest in Madagaskar, das sizilianische Erdbeben und einen Massenschiffbruch in der Magellanstraße. Jene Fabelgestalt, die den Schlüssel des Nostradamus zu besitzen behauptete, war ein trauerumhüllter düsterer Mensch mit einem asiatisch anmutenden Blick, der die andere Seite der Dinge zu kennen schien. Er trug einen großen, schwarzen Strohhut mit Krempen wie Rabenschwingen und eine vom Grünspan der Jahrhunderte patinierte Samtjoppe. Doch trotz seiner unermeßlichen Weisheit und seiner geheimnisvollen Ausstrahlung lastete Menschliches auf ihm, eine irdische Bedingtheit, die ihn an die kleinsten Gegebenheiten des Alltags fesselte. So klagte er über Altersbeschwerden, litt unter den kleinlichsten Geldnöten und hatte längst das Lachen verlernt, seit der Skorbut ihm die Zähne entrissen hatte. An jenem erstikkend heißen Mittag, an dem er José Arcadio Buendía seine Geheimnisse enthüllte, gewann dieser die Gewißheit, daß mit diesem Tag eine große Freundschaft begann. Die Kinder wunderten sich über seine phantastischen Erzählungen. Aureliano, der damals kaum fünf Jahre alt war, sollte sein ganzes Leben nicht mehr vergessen, wie Melchíades an jenem Nachmittag vor der metallisch schillernden Helligkeit des Fensters saß und mit seinem tiefen Orgelbaß die dunkelsten Gebiete der Einbildungskraft erhellte, während die in der Hitze geschmolzene Pomade von seinen Schläfen troff. José Arcadio, sein älterer Bruder, sollte dieses wundersame Bild wie ein Erinnerungserbe seiner ganzen Nachkommenschaft überliefern. Ursula hingegen bewahrte ein böses Andenken an jenen Besuch, weil sie in dem Augenblick ins Zimmer trat, als Melchíades in seiner Zerstreutheit eine Flasche Quecksilberbichlorid zerbrach.

»Das ist der Gestank des Teufels«, sagte sie.

»Keineswegs«, verbesserte Melchíades. »Erwiesenermaßen hat der Teufel schweflige Eigenschaften, und dies ist nichts als ein wenig Quecksilbersublimat.«

Belehrend wie immer gab er eine wissenschaftliche Darstellung der teuflischen Tugenden des Zinnobers zum besten, doch Ursula beachtete ihn nicht, sondern führte ihre Kinder zum Beten hinaus. Der beizende Geruch, verknüpft mit der Erinnerung an Melchíades, würde für immer in ihrem Geruchssinn haftenbleiben.

Das primitive Laboratorium – abgesehen von einer Unmenge von Pfannen, Trichtern, Retorten, Filtern und Sieben – bestand aus einer primitiven Brunnenröhre, einem lang- und enghalsigen Reagenzglas, Nachbildung des *philosophischen Eis,* und einem Destillierkolben, den die Zigeuner eigenhändig nach modernen Beschreibungen des Dreihalskolbens der Jüdin Maria hergestellt hatten. Außer diesen Dingen hatte Melchíades Proben der den sieben Planeten entsprechenden sieben Metalle hinterlassen sowie die Rezepte von Moses und Zosimus zur Verdopplung des Goldes, außerdem eine Reihe von Aufzeichnungen und Skizzen zu den Verfahren des *Großen Magisteriums,* mit denen einer, sofern er sie zu deuten verstand, versuchen konnte, den Stein der Weisen herzustellen. Von der Einfachheit der Formeln zur Verdopplung des Goldes verführt, umschmeichelte José Arcadio Buendía

Ursula manche Woche hindurch, um ihre Erlaubnis zu erlangen, ihre Kolonialmünzen auszugraben und sie so oft zu vervielfältigen, wie Quecksilber sich teilen ließ. Wie immer gab Ursula der unerschütterlichen Hartnäkkigkeit ihres Mannes nach. Nun legte José Arcadio Buendía dreißig Dublonen in eine Pfanne und schmolz sie unter Zusatz von Kupferspänen, Operment, Schwefel und Blei. Dann kochte er das Ganze bei starkem Feuer in einem mit Rizinusöl gefüllten Kessel zu einem zähflüssigen, stinkenden Sirup auf, der eher gewöhnlichem Karamel glich als dem prächtigen Gold. Nach gewagten, verzweifelten Destillationsverfahren, nach einer Verschmelzung mit den sieben Planetenmetallen, nach einer Behandlung mit Quecksilber und zyprischem Vitriol, nach nochmaligem Aufkochen in Schweineschmalz mangels Rettichöls blieb von Ursulas kostbarer Erbschaft nur eine verkohlte, am Kesselboden festgebackene Kruste übrig.

Als die Zigeuner wiederkamen, hatte Ursula die ganze Bevölkerung gegen sie aufgehetzt. Doch Neugierde vermochte mehr als Furcht, da die Zigeuner diesmal, mit allen Arten von Musikinstrumenten einen ohrenbetäubenden Lärm vollführend, durch die Gassen zogen, während der Ausrufer die Vorführung der fabelhaftesten Entdeckung der Nazianzener verkündete. So strömte denn alles Volk ins Zelt und erblickte dort gegen Zahlung eines Centavo einen jugendlichen, wiederhergestellten, entrunzelten Melchíades mit neuer schimmernder Zahnreihe. Wer sich an sein vom Skorbut zernagtes Zahnfleisch, seine ausgezehrten Wangen und seine welken Lippen erinnerte, entsetzte sich über diesen schlagenden Beweis der übernatürlichen Kräfte des Zigeuners. Und das Entsetzen wurde zu panischer Angst, als Melchíades die tadellosen, ins Zahnfleisch eingelassenen Zähne herauszog und sie den Zuschauern einen Augenblick zeigte – einen flüchtigen Augenblick, in dem er wieder der hinfällige Mensch vergangener Jahre wurde –, sie von neuem einsetzte und wiederum im Vollbesitz seiner wiederhergestellten Jugend lächelte. Selbst José Arcadio Buendía war der Meinung, die Kenntnisse des Melchíades hätten die Grenzen des Erträglichen erreicht, war jedoch angenehm enttäuscht, als der Zigeuner ihm unter vier Augen den Mechanismus seines falschen Gebisses erklärte. Dieses kam ihm so einfach und wunderbar zugleich vor, daß er über Nacht jedes Interesse an seinen alchimistischen Untersuchungen verlor; wieder wurde er von Übellaunigkeit befallen, wieder nahm er keine regelmäßigen Mahlzeiten zu sich und verbrachte seine Tage, indem er ruhelos durchs Haus streifte. »Unglaubliche Dinge gibt es in der Welt«, sagte er zu Ursula. »In nächster Nähe, auf dem anderen Flußufer, gibt es alle Arten von magischen Apparaten, und wir leben hier noch immer wie die Maulesel.« Wer ihn aus der Zeit von Macondos Gründung kannte, staunte, wie sehr er sich unter Melchíades' Einfluß verändert hatte.

Anfangs war José Arcadio Buendía eine Art jugendlicher Patriarch gewesen, der Anweisungen für die Aussaat und Ratschläge für die Aufzucht von Kindern und Tieren erteilte, der zum Gedeihen der Gemeinde bei allem, auch bei der körperlichen Arbeit, mitwirkte. Da sein Haus von Anfang an das beste des Orts war, wurden die anderen nach seinem Vorbild gebaut. Es hatte ein geräumiges, gut erleuchtetes Wohnzimmer, ein terrassenartiges Eßzimmer mit farbenfrohen Blumen, zwei Schlafzimmer, einen Innenhof mit einer riesigen Kastanie, einen wohlbestellten Gemüsegarten und einen Korral, in dem Ziegen, Schweine und Hühner einträchtig beieinander wohnten. Die einzigen, nicht nur im Hause, sondern im ganzen Dorf verbotenen Tiere waren die Kampfhähne. Ursulas Arbeitseifer war nicht geringer als der ihres Mannes. Tatkräftig, genau, streng, schien diese stahlnervige Frau, die nie jemand singen hörte, allgegenwärtig vom Morgengrauen bis zum Einbruch der Nacht und immer verfolgt vom sanften Geraschel ihrer Leinenröcke. Dank ihrer waren die Fußböden aus gestampfter Erde, die ungekalkten Lehmwände, die ländlichen, selbstgezimmerten Holzmöbel stets sauber, und die alten Truhen, in denen die Wäsche aufbewahrt lag, verströmten den lauen Duft von Basilikum.

José Arcadio Buendía, der unternehmungsfreudigste Mann, der je im Dorf gesehen worden war, hatte die Siedlung so geplant, daß man von jedem der Häuser den Fluß erreichen und mit gleicher Mühe Wasser schöpfen konnte, er hatte auch die Straßen so geschickt gezogen, daß in der Stunde der größten Hitze kein Haus mehr Sonne empfing als ein anderes. In wenigen Jahren war Macondo das ordentlichste und arbeitsamste Dorf von all denen, die seine dreihundert Einwohner bisher gekannt hatten. Es war wahrlich ein glücklicher Ort, in dem niemand älter als dreißig Jahre und in dem noch niemand gestorben war.

Seit den Tagen der Gründung baute José Arcadio Buendía Fallen und Käfige. In kurzer Zeit füllte er nicht nur sein eigenes Haus, sondern auch alle anderen des Dorfes mit Turpialen, Kanarienvögeln, Meisen und Rotkehlchen. Das Konzert so vieler verschiedener Vögel wurde jedoch so betäubend, daß Ursula sich die Ohren mit Bienenwachs zustopfen mußte, um nicht den Sinn für die Wirklichkeit zu verlieren. Das erste Mal, als die Sippe des Melchíades erschien und Glaskugeln gegen Kopfschmerzen feilbot, war jedermann überrascht, daß sie das im brütenden Sumpfland verirrte Dorf hatte finden können, worauf die Zigeuner gestanden, Vogelgesang hätte sie geleitet.

Doch dieser fortschrittliche Gemeinsinn wurde in kurzer Zeit vom Fieber der Magnete, der astronomischen Berechnungen, der Verwandlungsträume und der Begierde, die Wunder der Welt kennenzulernen, verdrängt. Aus einem unternehmungslustigen, säuberlichen Mann verwandelte sich José Arcadio Buendía in einen nachlässig gekleideten Müßiggänger mit wildem Bart, den Ursula nur mühsam mit einem Küchenmesser zu stutzen vermochte. Es fehlten auch nicht solche, die ihn für das Opfer eines absonderlichen Zauberspuks hielten. Doch selbst die von seinem Wahnwitz Überzeugtesten verließen Arbeit und Familie, um ihm zu folgen, als er seine Holzfällerwerkzeuge schulterte und alle anderen aufforderte, beim Schlagen einer Schneise mitzuwirken, die Macondo mit der Welt der großen Erfindungen verbinden würde.

José Arcadio Buendía tappte über die Geographie der Umgebung völlig im dunkeln. Er wußte zwar, daß gen Osten die undurchdringliche Sierra lag und dahinter die alte Stadt Riohacha, in der in vergangenen Zeiten – nach den Erzählungen des ersten Aureliano Buendía, seines Großvaters – Sir Francis Drake sich damit ergötzt hatte, mit Kanonen auf Kaimane zu schießen, die er flicken und mit Stroh ausstopfen ließ, um sie der Königin Elisabeth mitzubringen. In seiner Jugend hatten er und seine Männer mit Frauen, Kindern, Tieren und aller Art von Hausgerät die Sierra auf der Suche nach einem Zugang zum Meer überschritten, hatten jedoch nach sechsundzwanzig Monaten die Unternehmung aufgegeben und Macondo gegründet, um nicht den Rückweg antreten zu müssen. Denn das war eine Strecke, die sie nicht mehr lockte, da sie nur in die Vergangenheit führen konnte. Im Süden lagen die von einem ewigen Pflanzenschleim überzogenen Sümpfe sowie das weite Weltall des großen Moors, das nach der Zeugenaussage der Zigeuner grenzenlos war. Das große Moor verschwamm im Westen mit einer unübersehbaren Wasserfläche, in der zarthäutige Wale mit weiblichem Kopf und Oberkörper hausten, welche die Seefahrer mit dem Zauber ihrer außergewöhnlichen Brüste ins Verderben lockten. Die Zigeuner segelten sechs Monate auf dieser Route, bevor sie den Festlandgürtel erreichten, auf dem die Mauleselpost verkehrte. Nach José Arcadio Buendías Berechnungen bestand die einzige Möglichkeit, mit der Zivilisation in Verbindung zu kommen, in der Nordroute. Somit versah er eben jene Männer, die ihn auf dem Gründungszug von Macondo begleitet hatten, mit Rodewerkzeugen und Jagdwaffen; seine Orientierungsinstrumente und Landkarten verwahrte er in einem Quersack und unternahm das kühne Abenteuer.

Während der ersten Tage stießen sie auf kein nennenswertes Hindernis. Sie marschierten auf dem steinigen Ufer flußabwärts bis zu der Stelle, an der sie Jahre zuvor die Ritterrüstung gefunden hatten, und betraten auf einem von Waldorangenbäumen gesäumten Saumpfad den Urwald. Nach Ablauf der ersten Woche erlegten und brieten sie einen Hirsch, beschlossen jedoch nur die Hälfte davon zu essen und den Rest für die nächsten Tage zu pökeln. Mit dieser Vorsichtsmaßnahme gedachten sie den Zeitpunkt hinauszuschieben, von dem an sie sich wieder von Guacamayas ernähren mußten, deren bläuliches Fleisch aufreizend nach Moschus schmeckte. Dann sahen sie über zehn Tage lang keinen Sonnenstrahl. Der Erdboden wurde wieder weich und feucht wie vulkanische Asche, der Pflanzenwuchs immer heimtückischer, immer ferner klangen die Vogelschreie und das Gekreisch der Affen, und die Welt wurde für immer trostlos. In jenem Paradies aus Feuchtigkeit und Schweigen vor dem Sündenfall, wo die Stiefel in dampfenden Ölpfützen versanken und die Buschmesser blutende Lilien und goldene Salamander köpften, wurden die Männer der Expedition von ihren ältesten Erinnerungen heimgesucht. Eine Woche lang rückten sie fast wortlos wie Schlafwandler durch ein Weltall des Alptraums, der einzige Lichtschimmer ein schwacher Widerschein von Leuchtkäfern, und ihre Lungen gedrückt von beklemmendem Blutgeruch. Zurück konnten sie nicht, weil die Schneise, die sie im Vorrücken schlugen, sich mit einem unvermuteten Lianengewirr, das sie fast wachsen sahen, rasch hinter ihnen schloß. »Macht nichts«, sagte José Arcadio Buendía. »Wichtig ist, daß wir nicht die Orientierung verlieren.« Immer dem Kompaß vertrauend, führte er seine Männer unbeirrt dem unsichtbaren Norden entgegen, bis sie endlich aus dem verhexten Waldgebiet herausgelangten. Es war eine finstere, sternlose Nacht, doch die Dunkelheit war von neuer, reiner Luft getränkt. Vom langen Marsch erschöpft, spannten sie die Hängematten auf und schliefen zum erstenmal in zwei Wochen tief. Als sie bei hohem Sonnenstand erwachten, waren sie starr vor Staunen. Dicht vor ihnen, umwachsen von Farnen und Palmen, weiß und staubig im stillen Morgenlicht, lag eine riesige spanische Galeone. Sie war leicht nach Steuerbord geneigt, von ihren ungebrochenen Masten hing zwischen der orchideengeschmückten Takelage das schmutzige Segelwerk. Der mit einem glatten Panzer aus versteinerten Saugfischen und weichem Moos überzogene Rumpf war fest in einen Steinboden gepflanzt. Das ganze Gefüge schien eine eigene Welt zu behaupten, einen Raum aus Einsamkeit und Vergessen, unversehrt von den Lastern der Zeit und den Gewohnheiten der Vögel. Im Schiffsbauch, den die Expeditionsteilnehmer mit verschwiegenem Eifer durchsuchten, fand sich nichts als ein dichter Blumenwald.

Der Fund der Galeone, Anzeichen für die Nähe des Meeres, brach José Arcadios Schwung. Er hielt es für einen schlechten Scherz seines launischen Schicksals, daß er das Meer gesucht hatte, ohne es zu finden, und zwar um den Preis von Opfern und Mühsalen ohne Zahl, und nun, ohne es gesucht zu haben, es fand wie ein unüberwindliches Hindernis, das ihm im Weg lag. Viele Jahre später, als bereits ein regelmäßiger Postverkehr bestand, durchquerte Oberst Aureliano Buendía wieder das Gebiet, und das einzige, was er noch von dem Schiff vorfand, war ein verkohltes Gerippe in einem Mohnfeld.

Erst jetzt davon überzeugt, daß die Geschichte nicht eine Ausgeburt der Phantasie seines Vaters gewesen war, fragte er sich, wie die Galeone so tief ins Festland hatte vorstoßen können. Doch José Arcadio Buendía zerbrach sich nicht den Kopf, als er nach weiteren vier Marschtagen, zwölf Kilometer von der Galeone entfernt, ans Meer stieß. Angesichts dieses aschgrauen, schäumenden und schmutzigen Meeres, das nicht die Gefahren und Opfer seines Abenteuers verdiente, waren seine Träume zu Ende.

»Verdammt!« schrie er. »Macondo ist auf allen Seiten von Wasser umgeben.«

Die Vorstellung von einem Halbinsel-Macondo, hervorgerufen von einer Landkarte, die José Arcadio Buendía willkürlich nach der Rückkehr von seiner Expedition entworfen hatte, wirkte lange bei ihm nach. Er hatte sie wütend gezeichnet und die Schwierigkeiten der Verbindung mit der Außenwelt böswillig übertrieben, wie um sich selbst für seine völlige Willkür bei der Wahl des Orts zu strafen. »Wir werden nie im Leben irgendwohin kommen«, klagte er vor Ursula. »Hier werden wir leibhaftig verfaulen, ohne die Wohltaten der Wissenschaft empfangen zu haben.« Diese in seiner Laboratoriumskammer monatelang wiedergekäute Gewißheit brachte ihn auf den Gedanken, Macondo an einen geeigneteren Ort zu verpflanzen. Diesmal kam Ursula seinen fieberhaften Plänen zuvor. Mit dem unerbittlich-geheimen Fleiß einer Ameise hetzte sie die Frauen des Dorfs gegen die Gelüste ihrer Männer auf, die sich bereits für den Umzug vorbereiteten. José Arcadio Buendía erfuhr nie, in welchem Augenblick und dank welcher widrigen Kräfte seine Pläne in ein Netz von Vorwänden, Ärgernissen und Ausflüchten gerieten, bis sie sich in eine schlichte, reine Selbsttäuschung verwandelten. Ursula beobachtete ihn mit unschuldiger Aufmerksamkeit und empfand sogar für ihn ein Gran Mitleid an dem Morgen, als sie ihn in seiner Hinterhauskammer antraf, wie er zwischen den Zähnen von seinen

Umzugsträumen brummte, während er die Laboratoriumsstücke in ihre Originalkisten packte. Sie ließ ihn zu Ende packen. Sie ließ ihn die Kisten zunageln und seine Initialen mit einem tintengetränkten Wedel daraufschreiben, ohne ihm den geringsten Vorwurf zu machen, jedoch wohl wissend, daß er wußte (hatte sie es ihn doch in seinen dumpfen Selbstgesprächen sagen hören), daß die Männer des Dorfs bei seiner Unternehmung nicht mitmachen würden. Erst als er die Tür der Kammer auszuhängen begann, wagte Ursula die Frage, warum er das tue, worauf er mit einem Anflug von Bitterkeit erwiderte: »Und wenn kein Mensch mitgeht, gehen wir allein!« Ursula verlor nicht die Fassung.

»Wir gehen nicht«, sagte sie. »Wir bleiben hier, weil hier unser Sohn geboren wurde.«

»Noch ist hier keiner gestorben«, sagte er. »Man ist nirgends zu Hause, solange man keinen Toten unter der Erde hat.«

Ursula entgegnete mit sanfter Festigkeit:

»Wenn es not tut, daß ich sterbe, damit ihr hierbleibt, dann sterbe ich.«

José Arcadio Buendía hätte nie geglaubt, daß der Wille seiner Frau so unbeugsam sein könnte. Er versuchte sie zwar mit der Zaubermacht seiner Phantasie zu verführen, mit der Verheißung einer Wunderwelt, wo man nur ein paar Zaubertropfen in die Erde zu träufeln brauchte, damit die Pflanzen nach Belieben Früchte trugen, und wo alle Arten von schmerzstillenden Apparaten zu Spottpreisen feilgeboten wurden. Doch Ursula war unempfindlich gegen seine Hellsicht.

»Statt Hirngespinste auszubrüten, solltest du dich lieber um deine Kinder kümmern«, gab sie zurück. »Schau sie dir an, wie sie aussehen, der Güte Gottes überlassen wie die Maulesel.«

José Arcadio Buendía nahm die Worte seiner Frau wörtlich, schaute zum Fenster hinaus, sah die beiden

Kinder barfuß im sonnenheißen Gemüsegarten und hatte den Eindruck, daß sie erst seit diesem Augenblick, erschaffen durch Ursulas Beschwörung, auf der Welt waren. Nun geschah etwas in seinem Innern; etwas Geheimnisvolles und Endgültiges, das ihn der augenblicklichen Zeit entriß und ihn in ein unerforschtes Gebiet seiner Erinnerungen hinabtrieb. Während Ursula ihr Haus weiterfegte in der Gewißheit, es für den Rest ihres Lebens nicht mehr zu verlassen, betrachtete er noch immer gedankenverloren seine Kinder, bis ihm die Augen feucht wurden, die er, einen tiefen Seufzer ausstoßend, mit dem Handrücken trocknete.

»Gut«, sagte er. »Sag ihnen, sie sollen kommen und mir beim Auspacken der Kisten helfen.«

José Arcadio, der ältere der beiden Knaben, hatte soeben das vierzehnte Jahr erreicht. Er besaß den viereckigen Schädel, das widerborstige Haar und den Eigensinn seines Vaters. Wenn auch der gleiche Drang nach Wachstum und Körperkraft in ihm wohnte, so zeigte sich schon jetzt, daß er der Einbildungskraft entbehrte. Er war während der mühseligen Überschreitung der Sierra, noch vor der Gründung Macondos, gezeugt und geboren worden, und seine Eltern wußten dem Himmel Dank bei der Feststellung, daß er kein einziges tierisches Organ aufwies. Aureliano, das erste Menschenwesen, das in Macondo geboren wurde, sollte im März das sechste Lebensjahr vollenden. Er war still und in sich gekehrt. Er hatte im Leib seiner Mutter geweint und wurde mit geöffneten Augen geboren. Während man ihm die Nabelschnur abschnitt, bewegte er den Kopf hin und her, erkannte die Dinge des Zimmers und musterte die Gesichter der Menschen mit einer Neugier ohne Staunen. Dann, gleichgültig gegen die, welche näher traten, um ihn kennenzulernen, blickte er aufmerksam auf zur Decke aus Palmblättern, die unter dem gewaltigen Druck des Regens einzustürzen drohte. Ursula erinnerte sich erst wieder an die

Eindringlichkeit dieses Blicks, als der kleine Aureliano eines Tages, dreijährig, in dem Augenblick in die Küche trat, als sie einen Topf mit siedender Suppe vom Feuer nahm und auf den Tisch stellte. Der Junge blieb verblüfft an der Tür stehen und sagte: »Gleich fällt er 'runter.« Der Topf stand genau in der Mitte des Tischs, doch kaum hatte der Junge seine Ankündigung ausgesprochen, bewegte er sich auch schon, wie getrieben von innerer Schwungkraft, unwiderstehlich auf den Tischrand zu und zerschellte am Boden. Bestürzt erzählte Ursula das Geschehen ihrem Mann, doch dieser deutete es als natürliche Erscheinung. So war er immer, Weiten entfernt vom Dasein seiner Kinder, teils, weil er die Kindheit als Zeit geistiger Unzulänglichkeit ansah, teils, weil er stets viel zu versponnen war in seine eigenen grillenhaften Grübeleien.

Doch seit dem Nachmittag, an dem er seine Kinder rief, damit sie ihm beim Auspacken seiner Laboratoriumsgegenstände helfen sollten, widmete er ihnen seine besten Stunden. In der abgelegenen Kammer, deren Wände sich nach und nach mit unwahrscheinlichen Landkarten und fabelhaften Zeichnungen bedeckten, lehrte er sie Lesen, Schreiben und Rechnen und erzählte ihnen von den Wundern der Welt, doch nicht nur, soweit seine Kenntnisse reichten, sondern indem er die Grenzen seiner Phantasie bis zu einem unglaublichen Übermaß ausdehnte. So kam es, daß die Knaben zu guter Letzt lernten, im äußersten Süden Afrikas wohnten so kluge und friedliche Menschen, daß ihre einzige Kurzweil im Dasitzen und Denken bestehe und daß es möglich sei, das Ägäische Meer von Insel zu Insel hüpfend bis zum Hafen Saloniki zu überqueren. Diese betörenden Sitzungen blieben derart im Gedächtnis der Knaben haften, daß der Oberst Aureliano Buendía viele Jahre später, eine Sekunde bevor der Offizier der regulären Streitkräfte dem Erschießungskommando den Befehl zum Feuern gab, wieder den milden Märznachmittag durchlebte, an dem sein Vater die Physikstunde unterbrach und gebannt mit erhobener Hand und reglosen Augen dem fernen Pfeifen, Trommeln und Schellen der Zigeuner lauschte, die wieder einmal ins Dorf kamen, um die letzte überwältigende Entdeckung der Weisen von Memphis zu verkünden.

Es waren neue Zigeuner. Junge Männer und Frauen, die nur ihre eigene Sprache sprachen, schöne Menschenkinder mit olivfarbener Haut und klugen Händen, deren Tänze und Musik auf den Straßen einen Wirbel ausgelassenster Fröhlichkeit entfesselten. Und sie kamen mit ihren buntgefleckten Papageien, die italienische Romanzen aufsagten, mit ihrem Huhn, das zum Klang des Tamburins hundert goldene Eier legte, mit ihrem abgerichteten Affen, der Gedanken lesen konnte, mit der Allerweltsmaschine, die zur gleichen Zeit Knöpfe anzunähen und das Fieber zu senken verstand, und mit dem Apparat zum Vergessen von Erinnerungen, mit dem Pflaster zum Auslöschen der Zeit und mit tausend anderen Erfindungen, so sinnreich und ungewöhnlich, daß José Arcadio Buendía die Gedächtnismaschine hätte erfinden mögen, um sich an alle zu erinnern. Im Handumdrehen verwandelten sie das Dorf. Die Bewohner Macondos, von dem kurzweiligen Jahrmarkt benommen, kannten sich plötzlich in ihren eigenen Straßen nicht mehr aus.

Einen Jungen an jeder Hand fassend, um sie nicht in dem Getümmel zu verlieren, gegen Gaukler mit goldplombierten Zähnen und sechsarmige Verrenkungskünstler rennend, erstickt vom Geruchsgemisch aus Mist und Sandelholz, das die Menge verströmte, suchte José Arcadio Buendía wie ein Wahnsinniger überall nach Melchíades, damit dieser ihm die unbegrenzten Geheimnisse jenes fabelhaften Alptraums enthülle. Er wandte sich an verschiedene Zigeuner, die seine Sprache nicht verstanden. Endlich kam er an den Platz, an dem Melchíades gewöhnlich sein Zelt aufspannte, und fand einen wortkargen Armenier, der ihm auf spanisch einen Sirup zum Unsichtbarmachen anbot. Er hatte soeben ein Glas des bernsteinfarbenen Stoffs mit einem Schluck geleert, als José Arcadio Buendía sich mit den Ellbogen einen Weg durch die Gruppe bahnte, die versunken dem Schauspiel beiwohnte, und noch gerade seine Frage stellen konnte. Der Zigeuner umhüllte ihn mit seinem rätselhaften Blick, um sich alsbald in eine stinkende, dampfende Teerlache zu verwandeln, über der das Echo seiner Antwort schwebte: »Melchíades ist tot.« Über die Nachricht bestürzt, blieb José Arcadio Buendía regungslos stehen, bemüht, seinen Schmerz zu überwinden, bis die Menschenschar, von anderem Blendwerk angelockt, sich verlief und die Lache des wortkargen Armeniers zu nichts verdampfte. Später bestätigten ihm andere Zigeuner, Melchíades sei tatsächlich in Singapurs Dünen dem Fieber erlegen, und sein Leichnam sei an der tiefsten Stelle der Java-Bucht versenkt worden. Den Kindern war diese Nachricht gleichgültig. Sie waren wild darauf, vom Vater zu der vielversprechenden Neuigkeit der Weisen von Memphis mitgenommen zu werden, angekündigt am Eingang eines Zeltes, das laut Aussage einst König Salomon gehört hatte. Sie drängten so lange, bis José Arcadio Buendía die dreißig Reales zahlte und sie in die Mitte der Bude führte, wo ein Riese mit zottigem Oberkörper und glattgeschorenem Schädel, einem kupfernen Ring durch die Nase und schweren eisernen Ketten an den Fesseln eine Seeräubertruhe bewachte. Als der Riese den Deckel aufklappte, entströmte der Truhe eisiger Hauch. Drinnen lag nur ein mächtiger durchsichtiger Block, durchzogen von ungezählten Adern, in denen sich das Dämmerlicht in bunten Sternen brach. Wohl wissend, daß die Knaben eine sofortige Antwort erwarteten, brachte José Arcadio Buendía in seiner Verwirrung nur murmelnd hervor:

»Das ist der größte Diamant der Welt.«

»Nein«, verbesserte der Zigeuner. »Das ist Eis.«

José Arcadio Buendía streckte verständnislos die Hand nach der Eisscholle aus, doch der Riese schob sie beiseite. »Weitere fünf Reales für das Berühren«, sagte er. José Arcadio Buendía zahlte sie, dann legte er die Hand auf das Eis und ließ sie mehrere Minuten darauf liegen, während sein Herz bei der Berührung des Geheimnisses vor Angst und Jubel schwoll. Ohne zu wissen, was er sagen sollte, zahlte er weitere zehn Reales, damit seine Söhne auch die wunderbare Erfahrung machen konnten. Der kleine José Arcadio weigerte sich, es zu berühren. Aureliano hingegen machte einen Schritt vorwärts, legte die Hand darauf und zog sie unverzüglich zurück. »Es kocht«, rief er erschrocken. Doch sein Vater achtete nicht auf ihn. Trunken von dem Beweis des Wunders, vergaß er in diesem Augenblick den Fehlschlag seiner Wahnunternehmungen und den dem Heißhunger der Kraken überlassenen Leichnam des Melchíades. Er zahlte weitere fünf Reales und, die Hand auf dem Eisblock ruhen lassend, rief er, als schwöre er bei der Heiligen Schrift:

»Das ist die größte Erfindung der Welt.«

Als im sechzehnten Jahrhundert der Seeräuber Francis Drake Riohacha überfiel, erschrak Ursulas Urgroßmutter dermaßen über Sturmläuten und Kanonendonner, daß sie die Nerven verlor und sich auf einen brennenden Herd setzte. Die Brandwunden machten sie für den Rest ihres Lebens zu einer untauglichen Ehefrau. Fortan konnte sie nur noch, gebettet auf Kissen, auf einer Seite sitzen, außerdem war wohl ihr Gang in Mitleidenschaft gezogen worden, da sie sich nie mehr gehend in der Öffentlichkeit zeigte. Von der Vorstellung besessen, ihr Körper verströme Brandgeruch, verzichtete sie nunmehr auf jede Art von Geselligkeit. Der Tagesanbruch überraschte sie im Innenhof, wo sie nicht zu schlafen wagte, da sie geträumt hatte, die Engländer brächen mit ihren wütenden Schweißhunden durch ihr Schlafzimmerfenster ein, um sie mit rotglühenden Eisen schamlosen Folterungen auszusetzen. Ihr Mann, ein Händler aus Aragonien, von dem sie zwei Kinder hatte, opferte seinen halben Kramladen für Arzneien und Zerstreuungen, um sie von ihren Schrecknissen zu heilen. Schließlich verkaufte er sein Geschäft und zog mit seiner Familie fort vom Meer in eine am Fuß der Sierra gelegene friedliche Indiosiedlung, wo er für seine Frau ein fensterloses Schlafzimmer baute, in das keine Alptraumpiraten eindringen konnten.

In der abgelegenen Siedlung wohnte seit langer Zeit ein Tabak pflanzender Kreole, Don José Arcadio Buendía, mit dem Ursulas Urgroßvater eine so vorteilhafte Geschäftsverbindung einging, daß sie in wenigen Jahren ein Vermögen anhäuften. Mehrere Jahrhunderte später heiratete der Ururgroßenkel des Kreolen die Ururgroßenkelin des Aragoniers. Wenn daher Ursula über die Verrücktheiten ihres Mannes aus dem Häuschen geriet, übersprang sie dreihundert Jahre der Zufälligkeiten und verwünschte die Stunde, da Francis Drake Riohacha überfallen hatte. Damit wollte sie ihr Herz nur erleichtern, denn in Wirklichkeit waren sie durch ein stärkeres Band als die Liebe bis zum Tode miteinander verbunden: durch gemeinsame Gewissensbisse. Sie waren direkte Vettern. Gemeinsam waren sie aufgewachsen in der alten Siedlung, die beider Vorfahren mit ihrer Arbeit und ihrer anständigen Lebensführung in eines der blühendsten Dörfer der Provinz verwandelt hatten. Wenngleich ihre Eheschließung vorauszusehen gewesen war, als sie auf die Welt kamen, suchten ihre eigenen Verwandten diese zu vereiteln, als sie ihren Heiratswunsch kundtaten. Die Verwandten befürchteten, die beiden gesunden Sprosse zweier jahrhundertelang vermischter Geschlechter möchten zur allseitigen Schande Leguane zeugen. Es gab nämlich bereits einen entsetzlichen Präzedenzfall. Eine mit einem Onkel José Arcadio Buendías verheiratete Tante Ursulas hatte einen Sohn, der sein ganzes Leben in weiten, schlenkernden Hosen umherging und an Ausblutung starb, nachdem er zweiundvierzig Jahre in keuschester Jungfräulichkeit gelebt hatte, da er mit einem knorpeligen Korkzieherschwanz mit Pinselende geboren worden und herangewachsen war. Mit einem Schweineschwanz, mit dem er sich nie vor einer Frau sehen ließ und der ihn das Leben kostete, als ein befreundeter Schlachter ihm den Gefallen tat, das Schwanzende mit einem Hackmesser zu entfernen. Mit der Leichtfertigkeit seiner neunzehn Jahre tat José Arcadio Buendía das Problem indes mit einem einzigen Satz ab: »Es macht mir nichts aus, Ferkel zu bekommen, solange sie sprechen können.« Und so feierten sie mit Musik und Feuerwerk das Hochzeitsfest, das drei Tage dauerte. Sie wären auch vom ersten Tag an glücklich gewesen, hätte Ursulas Mutter sie nicht mit allen Arten von düsteren Voraussagen über ihre Nachkommenschaft geängstigt, mit dem Erfolg, daß die Neuvermählte sich weigerte, die Ehe zu vollziehen. Aus Furcht, der feiste, begehrliche Ehemann möchte sie im Schlaf vergewaltigen, zog Ursula vor dem Schlafengehen ein Paar derbe Hosen an, die ihre Mutter aus Segelzeug geschneidert sowie mit verschränkten Riemen verstärkt hatte und die vorne mit einer robusten Eisenschnalle verschlossen wurden. So lebten sie mehrere Monate. Tagsüber züchtete er seine Kampfhähne, und sie machte Rahmenstickereien mit ihrer Mutter. Nachts kämpften sie mehrere Stunden heftig, begehrlich, und das war schon fast ein Ersatz für den Liebesakt, bis das ahnungsvolle Volk Ungewöhnliches witterte wegen der Impotenz des Mannes und das Gerücht verbreitete, Ursula sei noch ein Jahr nach der Hochzeit Jungfrau. José Arcadio Buendía war der letzte, dem das Gerücht zu Ohren kam.

»Siehst du, Ursula, was die Leute sagen?« sagte er seelenruhig zu seiner Frau.

»Laß sie reden«, antwortete sie. »Wir wissen, daß es nicht stimmt.«

So ging es die nächsten sechs Monate weiter bis zu jenem tragischen Sonntag, an dem José Arcadio Buendía gegen Prudencio Aguilar einen Hahnenkampf gewann. Wütend und durch das Blut seines Tieres gereizt, trat der Verlierer ein paar Schritte von José Arcadio Buendía zurück, damit die ganze Arena hören konnte, was er zu sagen hatte.

»Meinen Glückwunsch!« schrie er. »Wollen mal sehen, ob dieser Hahn endlich deine Frau befriedigt.«

Seelenruhig nahm José Arcadio Buendía seinen Hahn an sich. »Ich komme gleich wieder«, sagte er zu allen gewandt. Und dann zu Prudencio Aguilar:

»Und du geh nach Hause und bewaffne dich, denn ich werde dich töten.«

Zehn Minuten später kehrte er mit dem mordgierigen Langspieß seines Großvaters wieder. Am Tor des Kampfplatzes, wo das halbe Dorf zusammengelaufen war, erwartete ihn Prudencio Aguilar. Dieser fand keine Zeit, sich zu verteidigen. José Arcadio Buendías Spieß, mit Stierkraft geworfen und mit der gleichen Zielsicherheit, mit der der erste Aureliano Buendía die Tiger des Gebiets ausgerottet hatte, durchbohrte seine Kehle. In jener Nacht, während man in der Hahnenkampfarena bei der Leiche Totenwache hielt, betrat José Arcadio Buendía das Schlafzimmer, als seine Frau ihre Keuschheitshose anzog. Den Langspieß vor ihr schwingend, befahl er: »Zieh das aus!« Ursula zweifelte nicht am Entschluß ihres Mannes. »Du trägst die Verantwortung für alle Folgen«, murmelte sie. José Arcadio Buendía rammte den Spieß in den Erdboden.

»Wenn du Leguane gebärst, werden wir Leguane aufziehen«, sagte er. »Aber deinetwegen soll es keine Toten mehr geben im Dorf.«

Es war eine schöne kühle Mondnacht im Juni, und ausgelassen blieben sie bis zum Tagesanbruch wach im Bett liegen, unbekümmert um den Wind, der das Wehklagen von Prudencio Aguilars Verwandten durchs Schlafzimmer wehte.

Die Angelegenheit wurde als Ehrenduell angesehen, und doch blieb Unbehagen in beider Gewissen zurück. Eines Nachts, als Ursula nicht schlafen konnte, ging sie in den Patio zum Wassertrinken und sah Prudencio Aguilar am Wasserkrug. Er war aschfahl, trug einen todtraurigen Gesichtsausdruck zur Schau und versuchte mit einem Bausch Espartogras das Loch in seiner Kehle zu verstopfen. Er erregte keine Angst in ihr, nur Mitleid. Sie ging ins Zimmer zurück und erzählte ihrem Mann das Gesehene, doch der machte sich nichts daraus. »Die Toten kehren nicht zurück«, sagte er. »Wir halten nur die Gewissenslast nicht aus.« Zwei Nächte danach sah Ursula Prudencio Aguilar von neuem, diesmal im Bad, wie er mit seinem Espartogras das am Hals geronnene Blut abwusch. In einer anderen Nacht sah sie ihn im Regen umhergehen. Erbost über die Wahnvorstellungen seiner Frau, ging José Arcadio Buendía mit seinem Spieß bewaffnet in den Innenhof hinaus. Dort stand der Tote mit seinem traurigen Gesichtsausdruck.

»Geh zum Teufel!« schrie José Arcadio Buendía. »So oft du auch wiederkommst, so oft töte ich dich.«

Prudencio Aguilar wich nicht von der Stelle, und José Arcadio Buendía wagte auch nicht, den Langspieß nach ihm zu werfen. Von da an schlief er nicht mehr gut. Ihn quälte die ungeheure Trostlosigkeit, mit der der Tote ihn im Regen angeblickt hatte, die tiefe Sehnsucht, die jener nach den Lebenden empfand, die Begierde, mit der er das Haus nach Wasser durchsuchte, um seinen Espartograsbausch zu befeuchten. »Er muß arg leiden«, sagte er zu Ursula. »Man sieht, daß er sehr allein ist.« Das ging ihr so nahe, daß sie, als sie das nächste Mal den Toten die Kochtöpfe auf dem Herd aufdecken sah, begriff, was er suchte, und danach Wasserbecken im ganzen Haus aufstellte. Eines Nachts, als José Arcadio Buendía ihn in seinem eigenen Zimmer die Wunden waschen sah, hielt es ihn nicht länger.

»Es ist gut, Prudencio«, sagte er. »Wir gehen fort aus diesem Dorf, so weit fort, wie wir können, und werden nie zurückkehren. Nun geh in Frieden.«

So traten sie denn die Überquerung der Sierra an. Mehrere Freunde José Arcadio Buendías, jung wie er und angelockt vom Abenteuer, lösten ihren Hausstand auf und machten sich mit ihren Frauen und Kindern auf in das Land, das ihnen niemand verheißen hatte. Vor dem Aufbruch vergrub José Arcadio Buendía den Langspieß im Patio und köpfte seine prachtvollen Kampfhähne einen nach dem anderen im Vertrauen darauf, Prudencio Aguilar auf diese Weise ein wenig Frieden zu schenken. Das einzige, was Ursula mitnahm, war eine Truhe mit ihrer Brautausstattung, ein paar Hausgegenstände und das Kästchen mit den Goldmünzen, die sie von ihrem

Vater geerbt hatte. Sie hatten sich keine bestimmte Marschroute vorgenommen und achteten lediglich darauf, die Riohacha entgegengesetzte Richtung einzuschlagen, um weder Spuren zu hinterlassen noch bekannten Leuten zu begegnen. Es war eine widersinnige Reise. Nach vierzehn Monaten, mit einem von Affenfleisch und Schlangensuppe verdorbenen Magen, brachte Ursula einen mit allen menschlichen Organen ausgestatteten Knaben zur Welt. Die Hälfte des Weges hatte sie in einer von zwei Männern an einer Stange getragenen Hängematte zurückgelegt, weil ihre Beine von Schwellungen entstellt waren und ihre Krampfadern wie Wasserbläschen platzten. Selbst wenn die geblähten Leiber und hohlen Augen der Kinder ein Bild des Jammers waren, so hielten diese die Reise dennoch besser aus als ihre Eltern und hatten die meiste Zeit doch ihre Freuden. Eines Morgens nach nahezu zwei Jahren Marsch waren sie die ersten Sterblichen, die den Westhang der Sierra erblickten. Vom nebelverhängten Kamm aus betrachteten sie die gewaltige Wasserfläche des bis ans andere Ende der Welt gebreiteten Großen Moors. Doch das Meer fanden sie nicht. Eines Nachts, nach monatelangem Irrweg durch die Sümpfe, fern der letzten, unterwegs angetroffenen Eingeborenen, lagerten sie am Rand eines steinigen Flusses, dessen Wasser einem Sturzbach aus gefrorenem Glas glich. Jahre später, während des zweiten Bürgerkriegs, versuchte Oberst Aureliano Buendía, genau denselben Marsch zu wiederholen, um Riohacha durch einen Handstreich zu nehmen, begriff jedoch nach sechs Tagen Marsch, daß sein Unternehmen Wahnsinn war. Im übrigen sahen die Kämpfer seines Vaters in der Nacht der Lagerung am Fluß aus wie rettungslose Schiffbrüchige, obgleich ihre Anzahl während der Überfahrt gewachsen war und alle entschlossen waren, alt zu sterben. Was auch allen gelang. In dieser Nacht träumte José Arcadio Buendía, daß just an jenem Ort eine lärmende Stadt mit spiegelwändigen Häusern stehe. Er fragte, welche Stadt dies sei, und erfuhr einen Namen, den er nie gehört, der keinerlei Bedeutung, der indes in seinem Traum einen übernatürlichen Klang hatte: Macondo. Am nächsten Tag überzeugte er seine Männer davon, daß sie nie das Meer erreichen würden. Befahl, Bäume zu fällen, um eine Flußlichtung an der kühlsten Uferstelle zu schlagen; und daselbst gründeten sie das Dorf.

José Arcadio Buendía gelang es nicht, den Traum von den spiegelwändigen Häusern zu enträtseln, bis zu dem Tag, an dem er das Eis kennenlernte. Nun erst glaubte er seinen tiefen Sinn zu verstehen und dachte, daß es in nächster Zukunft möglich sein müsse, Eisblöcke in großem Rahmen herzustellen, und zwar aus einem so alltäglichen Stoff wie Wasser, und mit ihnen die neuen Häuser des Dorfes zu bauen. Macondo würde aufhören, ein glutheißer Ort zu sein, dessen Scharniere und Sicherheitsriegel sich in der Hitze verbogen, und sich in eine winterliche Stadt verwandeln. Wenn er nicht auf seinen Versuchen beharrte, eine Eisfabrik zu bauen, so deshalb, weil er sich mittlerweile für die Erziehung seiner Söhne buchstäblich begeistert hatte, besonders für die Aurelianos, der vom ersten Augenblick an eine seltene Begabung für Alchimie gezeigt hatte. Das Laboratorium war aus dem Staub erstanden. Melchíades' Aufzeichnungen in ausgedehnten, geduldigen Sitzungen überprüfend, versuchten sie nunmehr gemeinsam, Ursulas Gold von dem am Kesselgrund festgebackenen Klumpen zu lösen. Der junge José Arcadio beteiligte sich kaum an dem Verfahren. Während sein Vater nur Auge und Ohr war für seine Brunnenröhre, verwandelte sich der eigenwillige Erstgeborene, der für sein Alter immer zu groß gewesen war, in einen überdimensionalen jungen Mann. Seine Stimme brach. Zaghafter Flaum bedeckte seine Oberlippe. Eines Abends trat Ursula in sein Zimmer, als er sich zum Schlafengehen auszog, und empfand ein Gemisch aus Scham und Mitleid: Nach ihrem Ehemann war er der erste Mann, den sie nackt sah, und dieser war fürs Leben so gut ausgerüstet, daß er ihr anormal vorkam. Zum dritten Male schwanger, durchlebte Ursula von neuem die Schrecknisse einer Neuvermählten.

Zu jener Zeit kam eine fröhliche Person ins Haus, eine vorlaute Lästerzunge, die im Haushalt half und die Zukunft aus den Karten zu lesen verstand. Ursula sprach ihr von ihrem Sohn. Sie dachte, sein Unmaß sei etwas so Unnatürliches wie der Schweineschwanz des Vetters. Das Weib ließ ein hemmungsloses Lachen erschallen, das wie Glasklirren durchs Haus hallte. »Im Gegenteil«, sagte sie, »er wird glücklich sein.« Um ihre Voraussage zu bestätigen, brachte sie ein paar Tage später ihre Kartenspiele mit und schloß sich mit José Arcadio in einer neben der Küche gelegenen Kornkammer ein. In aller Ruhe breitete sie die Karten auf einem alten Tischlertisch aus und sprach über Beiläufiges, während der junge Mann eher gelangweilt als neugierig neben ihr wartete. Plötzlich streckte sie die Hand aus und berührte ihn. »Donnerwetter«, sagte sie ehrlich erschrocken, mehr brachte sie nicht heraus. José Arcadio fühlte, daß seine Knochen sich mit Schaum füllten, er fühlte verzehrende Angst und schreckliches Verlangen zu weinen. Die Frau hatte ihn keineswegs herausgefordert. Dennoch suchte José Arcadio sie die ganze Nacht in dem Rauchgeruch ihrer Achseln, der ihm unter die Haut gegangen war. Er wollte alle Augenblicke bei ihr sein, wollte sie zur Mutter haben und nie mehr die Kornkammer mit ihr verlassen, er wollte, sie solle »Donnerwetter« zu ihm sagen, sie solle ihn von neuem berühren und von neuem »Donnerwetter« zu ihm sagen. Eines Tages hielt er es nicht länger aus und suchte sie zu Hause auf. Stattete ihr einen förmlichen, unverständlichen Besuch ab und saß wortlos in ihrem Wohnzimmer. In diesem Augenblick begehrte er sie nicht. Er fand sie verschieden und völlig abweichend von dem Bild, das ihr

Geruch hervorrief, als sei sie eine ganz andere. Er trank seinen Kaffee, niedergeschlagen verließ er das Haus. In jener Nacht, im Schrecken des Wachens, begehrte er sie von neuem mit grausamem Drang, doch nun wollte er sie nicht mehr so, wie sie in der Kornkammer gewesen war, sondern wie er sie am Nachmittag gesehen hatte.

Tage später rief die Frau ihn zur Unzeit in ihr Haus, wo sie allein mit ihrer Mutter war, und führte ihn unter dem Vorwand, ihm ein Kartenkunststück zeigen zu wollen, in das Schlafzimmer. Dort berührte sie ihn mit solchem Freimut, daß er nach dem ersten Erschauern eine Enttäuschung erlitt und eher Angst als Vergnügen empfand. Sie bat ihn, er solle sie in der gleichen Nacht abholen. Er stimmte zu, nur um fortzukommen, wohl wissend, daß er außerstande sein würde, hinzugehen. Doch nachts, im blühenden Bett, begriff er, daß er sie holen müsse, auch wenn er dazu nicht imstande war. So zog er sich aufs Geratewohl an, während er im Dunkeln den gleichmäßigen Atem seines Bruders hörte, den trockenen Husten seines Vaters im Nebenzimmer, das Asthma der Hühner im Hof, das Summen der Mücken, das Pochen seines Herzens und das unmäßige Getöse der Welt, das er bis dahin nicht wahrgenommen hatte, und trat auf die schlummernde Straße. Er wünschte von ganzem Herzen, daß die Tür verschlossen wäre und nicht nur angelehnt, wie sie versprochen hatte. Aber sie war offen. Er stieß sie mit den Fingerspitzen auf, die Angeln gaben einen düsteren, deutlichen Klagelaut von sich, der eisig in seinen Eingeweiden widerhallte. Vom ersten Augenblick an, als er jeden Lärm vermeidend sich seitlich hereinschob, spürte er ihren Geruch. Noch stand er in dem Wohnzimmerchen, in dem die drei Brüder der Frau in Hängematten lagen, deren Stellung er nicht kannte und die er in der Dunkelheit nicht erraten konnte, so daß er sich aufs Geratewohl vorwärts bewegte, die Tür zum Schlafzimmer aufstieß und sich dort zurechtfinden mußte, um sich nicht im Bett zu irren. Es gelang. Er stieß gegen die Bügel der Hängematten, die niedriger hingen, als er vermutet hatte, und ein Mann, der bisher geschnarcht hatte, drehte sich im Traum herum und sagte wie enttäuscht: »Es war Mittwoch.« Als er die Schlafzimmertür aufdrückte, konnte er es nicht vermeiden, auf dem unebenen Fußboden zu scharren. Plötzlich, in der vollkommenen Dunkelheit, begriff er mit unwiderstehlicher Sehnsucht, daß er völlig ratlos war. In dem engen Raum schliefen die Mutter, eine andere Tochter mit Mann und zwei Kindern, sowie die Frau, die ihn womöglich nicht erwartete. Er hätte sich nach dem Geruch richten können, wäre der Geruch nicht im ganzen Haus gewesen, ebenso verführerisch wie unverkennbar, wie er ihn immer unter der Haut gehabt hatte. Eine lange Weile blieb er regungslos stehen und fragte sich verwundert, wie er in diesen Abgrund von Hilflosigkeit geraten war, als eine im Dunkeln tastende Hand mit weitgespreizten Fingern gegen sein Gesicht stieß. Er war nicht überrascht, denn ohne zu wissen, hatte er genau dies erwartet. Er vertraute sich der Hand an und ließ sich im Zustand schrecklicher Erschöpfung zu einem formlosen Ort führen, wo man ihn auszog, wie einen Kartoffelsack schüttelte und ihn auf den Bauch und auf den Rücken legte, und zwar in einer undurchdringlichen Dunkelheit, in der seine Arme überflüssig waren, wo es nicht mehr nach Frau, sondern nach Ammoniak roch, wo er sich an ihr Gesicht zu erinnern suchte und statt dessen Ursulas Gesicht fand und sich unbestimmt bewußt war, daß er etwas tat, von dem er seit langem wünschte, daß man es tun könne, von dem er sich aber nie vorgestellt hatte, daß man es in Wirklichkeit tun könne, ohne zu wissen, wie er es tat, weil er nicht wußte, wo die Füße und wo der Kopf, auch nicht, wo wessen Füße und wo wessen Kopf waren, und wo er fühlte, daß er nicht länger dem eisigen Rauschen seiner Nieren und der Luft seiner Eingeweide widerstehen könne und der Angst und dem betäubenden Drang zu fliehen und gleichzeitig für immer dabeizubleiben in jener verzweifelten Stille und jener entsetzlichen Einsamkeit.

Sie hieß Pilar Ternera. Sie war bei dem Auszug dabeigewesen, der in der Gründung von Macondo gipfelte, mitgeschleppt von ihrer Familie, um sie von dem Mann zu trennen, der sie mit vierzehn Jahren vergewaltigt hatte und sie bis zu ihrem zweiundzwanzigsten Jahr liebte, sich jedoch nie entschließen konnte, ihre Lage offiziell zu klären, weil er nicht frei war. Er versprach, ihr bis ans Ende der Welt zu folgen, freilich erst später, sobald er seine Angelegenheiten geordnet hatte; sie aber wurde es müde, auf ihn zu warten, weil sie ihn stets mit den großen und kleinen, blonden und dunklen Männern gleichsetzte, die das Kartenspiel ihr auf Land- und Seewegen verhieß, und zwar innerhalb von drei Tagen, drei Monaten oder drei Jahren. Wartend hatte sie die Kraft der Muskeln eingebüßt, die Härte der Brüste, die Übung der Zärtlichkeit, doch unversehrt bewahrte sie den Wahnsinn ihres Herzens. Bezaubert von dem wunderbaren Gesellschaftsspiel, suchte José Arcadio jede Nacht ihre Spur im Labyrinth des Schlafzimmers. Einmal fand er die Tür verriegelt und klopfte mehrmals an, wohl wissend, daß, wenn er den Schneid gehabt hatte, das erstemal zu klopfen, er bis zum letztenmal klopfen mußte, und nach unermeßlich langem Warten öffnete sie die Tür. Tagsüber, sobald er den Traum abgeschüttelt hatte, genoß er insgeheim die Erinnerungen an die vergangene Nacht. Kam sie aber ins Haus, fröhlich, gleichgültig, derb daherschwatzend, brauchte er sich keineswegs anzustrengen, seine Spannung zu verbergen, da diese Frau, deren schallendes Gelächter die Tauben erschreckte, nichts mit der unsichtbaren Macht zu tun hatte, die ihn lehrte, nach innen zu atmen und die Schläge seines Herzens zu beherrschen, und die ihm zu verstehen gab, warum die Menschen vor dem Tode Angst hatten. Er war so in sich gekehrt, daß er nicht einmal die allgemeine Fröhlichkeit begriff, als sein Vater und sein Bruder das Haus mit der Nachricht erfreuten, es sei ihnen gelungen, die Metallhülle zu zerschlagen und damit Ursulas Gold loszulösen.

Tatsächlich hatten sie es nach mehreren Tagen verwikkelter, beharrlicher Arbeit fertiggebracht. Ursula war glücklich und dankte sogar Gott für die Erfindung der Alchimie, während die Dorfleute sich im Laboratorium drängten; sie bewirtete sie mit Goiyabapaste und Gebäck, um das Wunder zu feiern, und José Arcadio Buendía zeigte ihnen den Tiegel mit dem wiedergewonnenen Gold, als habe er es gerade erfunden. Vom vielen Vorzeigen stand er zu guter Letzt vor seinem ältesten Sohn, der in der letzten Zeit so gut wie nie im Laboratorium aufgetaucht war. Hielt ihm den trockenen, gelblichen Klumpen dicht vor die Augen und fragte: »Wie kommt dir das vor?« José Arcadio erwiderte ehrlich:

»Wie Hundescheiße.«

Sein Vater schlug ihm mit dem Handrücken so heftig auf den Mund, daß ihm das Blut kam und die Tränen. In jener Nacht legte Pilar Ternera ihm Arnikakompressen auf die Geschwulst, sie erriet in der Dunkelheit Fläschchen und Watte und tat alles, was er wünschte, ohne ihm zur Last zu fallen, um ihn zu lieben, ohne ihm weh zu tun. Dabei erreichten sie einen derartigen Zustand der Vertraulichkeit, daß sie einen Augenblick später, ohne es zu merken, im Flüsterton plauderten.

»Ich möchte allein mit dir sein«, sagte er. »Eines Tages werde ich allen alles erzählen, und dann hat es mit den Heimlichkeiten ein Ende.«

Sie suchte ihn nicht zu beschwichtigen.

»Das wäre sehr gut«, sagte sie. »Wenn wir allein sein werden, wollen wir die Lampe angezündet lassen, damit wir uns gut sehen, damit ich alles herausschreien kann, was ich will, ohne daß sich jemand einmischt, und damit du mir alle Schweinereien ins Ohr sagen kannst, die dir einfallen.«

Diese Unterhaltung, der nagende Groll, den er gegen seinen Vater empfand, und die bevorstehende Möglichkeit einer ungehemmten Liebe erweckten in ihm Gelassenheit und Mut. Unwillkürlich, ohne jede Vorbereitung, erzählte er es seinem Bruder. Zunächst begriff der kleine Aureliano nur das Ausmaß des Wagnisses, die ungeheure Möglichkeit der Gefahr, die das Abenteuer seines Bruders einschlossen, doch das Berauschende des Ziels ging ihm nicht ein. Doch nach und nach wurde er von der Begierde angesteckt. Er ließ sich die kleinsten Verhängnisse erzählen, erlebte die Leiden und Freuden des Bruders mit, fühlte mit ihm Bangigkeit und Glück. Hellwach wartete er auf ihn bis zum Morgengrauen in dem einsamen Bett, das einen glühenden Rost zu haben schien, und dann redeten sie schlaflos bis zur Stunde des Aufstehens, so daß sie bald an der gleichen Schläfrigkeit litten, die gleiche Verachtung für die Alchimie und die Weisheit ihres Vaters empfanden und sich gemeinsam in die Einsamkeit flüchteten. »Diese Jungen sind wie benebelt«, sagte Ursula. »Sie müssen Würmer haben.« Und sie braute ihnen einen widerwärtigen Absud aus gestampften Paicoblättern, den beide mit unvermutetem Gleichmut tranken, und beide setzten sich an einem einzigen Tag zu gleicher Zeit elfmal auf ihre Nachttöpfe und sonderten etliche rosige Schmarotzer ab, die sie frohlockend herumzeigten, weil diese es ihnen ermöglichten, Ursula über den Anlaß ihrer Zerstreutheit und ihrer Mattigkeit im dunkeln zu halten. Nun konnte Aureliano die Erfahrungen seines Bruders nicht nur verstehen, sondern sogar selbst durchleben, denn einmal, als dieser ihm den Mechanismus der Liebe in allen Einzelheiten erklärte, unterbrach er ihn mit der Frage: »Was fühlt man?« Und José Arcadio antwortete unverzüglich:

»Es ist wie ein Erdbeben.«

An einem Donnerstag im Januar gegen zwei Uhr morgens wurde Amaranta geboren. Bevor jemand ins Zimmer treten konnte, untersuchte Ursula sie bis ins kleinste. Sie war federleicht und wasserartig wie eine Mauereidechse, doch alle ihre Organe waren menschlich. Aureliano wurde sich der Neuheit erst bewußt, als sich das Haus mit Menschen füllte. Im Schutz des Durcheinanders machte er sich auf die Suche nach seinem Bruder, der seit elf Uhr nicht mehr in seinem Bett lag; sein Entschluß kam so spontan, daß er nicht einmal Zeit zu der Frage fand, wie er es anstellen sollte, ihn aus Pilar Terneras Schlafzimmer zu schaffen. Privatsignale pfeifend, umschlich er mehrere Stunden das Haus, bis der anbrechende Tag ihn zum Umkehren zwang. Er fand José Arcadio mit dem Gesicht eines Unschuldslamms im Schlafzimmer seiner Mutter, wo er mit dem neugeborenen Schwesterchen spielte.

Ursula hatte gerade ihre vierzigtägige Ruhezeit beendet, als die Zigeuner wiederkamen. Es waren dieselben Gaukler und Gleichgewichtskünstler, die das Eis mitgebracht hatten. Im Gegensatz zu Melchíades' Sippe hatten sie in kurzer Zeit bewiesen, daß sie keine Fortschrittsherolde waren, sondern Belustigungshausierer. Als sie übrigens seinerzeit das Eis brachten, rühmten sie auch nicht seine Nützlichkeit für das Leben der Menschen, sondern priesen es als reine Zirkusneuigkeit. Diesmal brachten sie unter vielen anderen Zauberstücken eine fliegende Matte mit, die sie freilich nicht als grundlegenden Beitrag zur Entwicklung der Verkehrsmittel, sondern als Gegenstand der Unterhaltung vorstellten. Natürlich gruben die Leute ihre letzten kleinen Goldmünzen aus, um einen kurzen Flug über die Häuser des Dorfes zu genießen. Beschützt von der köstlichen Straflosigkeit der allgemeinen Unordnung, erlebten José Arcadio und Pilar Stunden der Zwanglosigkeit. Unter all den Menschen waren sie ein glückliches Liebespaar und kamen sogar auf die Vermutung, daß die Liebe ein ruhigeres, tieferes Gefühl sein könne als das berauschende, wiewohl kurz bemessene Glück ihrer geheimen Nächte. Doch Pilar brach den Zauber. Angespornt von der Begeisterung, mit der José Arcadio ihre Gesellschaft genoß, vergriff sie sich in der Form und der Gelegenheit, fiel ihm mit der Tür ins Haus. »Nun bist du ein Mann«, sagte sie. Und da er nicht verstand, was sie damit meinte, erklärte sie es ihm buchstäblich:

»Du wirst einen Sohn bekommen.«

Mehrere Tage wagte sich José Arcadio nicht mehr aus dem Haus. Er brauchte nur Pilars zwerchfellerschütterndes Gelächter in der Küche zu hören, um ins Laboratorium zu flüchten, wo dank Ursulas Segenswort die Erzeugnisse der Alchimie wiederauferstanden waren. Freudig empfing José Arcadio Buendía den verlorenen Sohn und weihte ihn in die endlich begonnene Suche nach dem Stein der Weisen ein. Eines Nachmittags gerieten die jungen Männer in Verzückung über die fliegende Matte, die pfeilgeschwind auf Fensterhöhe des Laboratoriums vorüberglitt, auf ihr der Zigeunerführer und mehrere ausgelassen winkende Dorfkinder, doch José Arcadio Buendía würdigte sie keines Blickes. »Laß sie träumen«, sagte er. »Wir fliegen besser als sie, und zwar mit wissenschaftlicheren Hilfsmitteln als einer armseligen Bettdecke.« Trotz seines gespielten Interesses verstand José Arcadio keineswegs die Macht des *philosophischen Eis*, das ihm nichts anderes schien als ein schlechtgeblasener Flakon. Es wollte ihm nicht gelingen, seine Sorgen loszuwerden. Er verlor den Appetit und den Schlaf, verfiel in Übellaunigkeit wie sein Vater, wenn ihm irgendein Unternehmen mißlang, und seine Verstörung steigerte sich so sehr, daß selbst José Arcadio Buendía ihn seiner Laboratoriumspflichten enthob in dem Glauben, der Junge nehme die Alchimie allzu ernst. Aureliano begriff natürlich, daß der Kummer des Bruders nicht in der Suche nach dem Stein der Weisen beruhte, vermochte ihm indes kein Wort des

Geständnisses zu entlocken. Er hatte seine einstige Ungezwungenheit vollständig verloren. Aus einem mitteilsamen Mitverschworenen war ein feindseliger Schweiger geworden. Begierig auf Einsamkeit und von wütendem Weltgroll zerfressen, schlüpfte er eines Nachts wie üblich aus dem Bett, strebte aber nicht zu Pilar Terneras Haus, sondern mischte sich in das Getriebe des Marktes. Nachdem er sich zwischen allen Arten von Zauberapparaten herumgetrieben hatte, ohne indes an irgendeinem Gefallen zu finden, blieb sein Blick auf etwas haften, was nichts mit Spielereien zu tun hatte: auf einer blutjungen Zigeunerin, fast ein Kind, überladen mit Glasperlen, das schönste weibliche Wesen, das José Arcadio je in seinem Leben gesehen hatte. Er stand in der Menge, die gerade dem trostlosen Schauspiel eines Menschen beiwohnte, der aus Ungehorsam gegen seine Eltern in eine Schlange verwandelt worden war.

José Arcadio achtete nicht darauf. Während das traurige Verhör des Schlangenmenschen vor sich ging, hatte er sich durch die Menge einen Weg bis zur ersten Reihe gebahnt, wo die Zigeunerin stand, und blieb hinter ihr stehen. Er drückte sich an ihren Rücken. Die junge Frau wollte sich losmachen, doch José Arcadio preßte sich stärker an sie. Nun fühlte sie ihn und blieb unbeweglich an ihn gelehnt stehen, zitternd vor Überraschung und Schrecken, ohne dem Augenschein glauben zu können, doch schließlich wandte sie den Kopf und blickte ihn unsicher lächelnd an. In diesem Augenblick trieben die beiden Zigeuner den Schlangenmenschen in seinen Käfig und zogen diesen ins Innere des Zeltes. Der Zigeuner, der das Schauspiel leitete, verkündete:

»Und nun, meine Damen und Herrn, zeigen wir Ihnen das fürchterliche Kunststück der Frau, die einhundertfünfzig Jahre hindurch jede Nacht zu dieser Stunde enthauptet wird, als Strafe dafür, daß sie gesehen hat, was sie nicht sehen sollte.«

José Arcadio und das junge Mädchen wohnten nicht der Enthauptung bei. Sie gingen in ihr Zelt, wo sie, während sie sich entkleideten, einander mit verzweifeltem Begehren küßten. Die Zigeunerin entledigte sich ihrer übereinandergezogenen Mieder, ihrer zahlreichen gestärkten Spitzenröcke, ihres unnützen drahtverstärkten Korsetts, ihrer Glasperlenlast und stand plötzlich da, gewissermaßen zu nichts verwandelt. Sie war ein froschartiges Geschöpfchen mit kaum sichtbaren Brüsten und spilllerigen Beinchen, die nicht einmal den Durchmesser von José Arcadios Armen erreichten; dafür war sie von einer Entschlossenheit und Heißblütigkeit, die ihre Zerbrechlichkeit wettmachten. Im übrigen konnte José Arcadio nicht ihren Erwartungen entsprechen, weil sie sich in einer Art öffentlichem Zelt befanden, wo die Zigeuner sich mit ihren Zirkusgegenständen aufhielten, ihre Angelegenheiten regelten und sogar in der Nähe des Bettes stehenblieben, um ein Würfelspielchen einzulegen. Die am Mittelpfosten hängende Lampe erleuchtete den ganzen Raum. In einer Kosepause streckte José Arcadio sich nackt auf dem Bett aus, unschlüssig, was er tun sollte, während das hübsche Kind ihn zu ermutigen suchte. Kurz darauf trat eine üppig gewachsene Zigeunerin in Begleitung eines Mannes ein, der nicht zu den Komödianten, aber auch nicht zum Dorf gehörte, und schon begannen beide, sich vor dem Bett auszuziehen. Unbeabsichtigt blickte die Frau auf José Arcadio und musterte mit einer Art leidenschaftlichen Eifers sein prachtvolles, in Ruhe befindliches Tier.

»Junger Mann«, rief sie aus, »möge Gott dir das bewahren.«

José Arcadios Gefährtin bat die anderen, sie in Ruhe zu lassen, und das Paar legte sich in nächster Nähe des Betts auf den Erdboden nieder. Die Leidenschaft der beiden weckte José Arcadios Fieber. Bei der ersten Berührung schienen die Knochen des jungen Mädchens unregelmäßig zu rasseln wie ein Dominokästchen, ihre Haut schien sich in bleichen Schweiß aufzulösen, ihre Augen füllten sich mit Tränen, und ihr ganzer Körper verströmte einen düsteren Klagelaut und einen vagen Schlammgeruch. Doch sie ertrug den Anprall mit Charakterfestigkeit und bewunderungswürdiger Tapferkeit. Nun fühlte José Arcadio sich in einen Zustand seraphischer Erleuchtung erhoben, in dem sein Herz in einem Born zärtlicher Schamlosigkeiten zerfloß, die ins Ohr der jungen Frau glitten und, in ihre Sprache übersetzt, aus ihrem Munde tönten. Es war Donnerstag. Am Samstagabend band sich José Arcadio einen roten Fetzen um den Kopf und machte sich mit den Zigeunern auf den Weg.

Als Ursula seine Abwesenheit entdeckte, suchte sie ihn im ganzen Dorf. Von dem abgebrochenen Zeltdorf der Zigeuner war nichts übrig als eine Abfallrinne zwischen der noch immer rauchenden Asche der erloschenen Feuerstellen. Jemand, der unter dem Unrat Glasperlen suchte, sagte Ursula, in der vergangenen Nacht habe er ihren Sohn im Trubel der Schmierenspieler gesehen, wie er einen Handkarren mit dem Käfig des Schlangenmenschen schob. »Er ist Zigeuner geworden!« schrie sie ihren Mann an, der angesichts seines verschwundenen Sohnes nicht die geringste Beunruhigung zur Schau stellte.

»Hoffentlich ist es wahr«, sagte José Arcadio Buendía, während er in seinem Mörser den tausendmal gestampften, wieder erhitzten und von neuem zu stampfenden Stoff zerstampfte. »So lernt er, ein Mann zu werden.«

Ursula fragte, wohin die Zigeuner gezogen seien. Sie fragte auf dem Weg, den man ihr gewiesen hatte, immer wieder und entfernte sich in dem Glauben, sie könne sie noch einholen, immer weiter von dem Dorf, bis sie einsah, daß sie schon so weit entfernt war, daß sie nicht mehr an Rückkehr denken konnte. José Arcadio Buendía entdeckte das Fehlen seiner Frau erst um acht Uhr abends, als er seinen Stoff, der in einem Dungbad schmorte, sich selbst überließ, und nun schaute er bei der kleinen Amaranta herein, die heiser war vom Weinen. In wenigen Stunden trommelte er einen Trupp gutausgerüsteter Männer zusammen, legte Amaranta in die Hände einer Frau, die sich erbot, das Kind zu stillen, und verlor sich in unsichtbaren Wildpfaden auf der Suche nach Ursula. Aureliano ging mit. Etliche einheimische Fischer, deren Sprache sie nicht verstanden, bedeuteten ihnen im Morgengrauen durch Zeichen, daß sie keine Fremde hatten vorbeikommen sehen. Nach drei Tagen nutzlosen Suchens traten sie den Rückweg zum Dorf an.

Mehrere Wochen hindurch war José Arcadio Buendía reichlich niedergeschlagen. Wie eine Mutter umsorgte er die kleine Amaranta. Badete sie und zog ihr frische Wäsche an, brachte sie viermal am Tag zum Stillen und sang ihr sogar abends die Lieder vor, die Ursula nie hatte singen können. Bei einer bestimmten Gelegenheit erbot sich Pilar Ternera, den Haushalt bis zu Ursulas Rückkehr zu führen. Aureliano, dessen geheimnisvolles Ahnungsvermögen sich im Unglück geschärft hatte, hatte eine blitzschnelle Eingebung, als er die Frau eintreten sah. Plötzlich wußte er, ohne es sich erklären zu können, daß sie an seines Bruders Flucht und folglich an dem Verschwinden seiner Mutter schuld war, und begegnete ihr mit so stummer erbarmungsloser Feindseligkeit, daß sie nicht wiederkam.

Mit der Zeit renkten sich die Dinge wieder ein. José Arcadio Buendía und sein Sohn wußten nicht, von welchem Augenblick an sie von neuem im Laboratorium standen, Pulver schüttelten, Feuer unter der Brunnenröhre machten und sich von neuem geduldig der Handhabung der seit Monaten in ihrem Dungbett schlafenden Materie widmeten. Sogar Amaranta in ihrem Weidenkörbchen beobachtete neugierig die anspruchsvolle Arbeit ihres Vaters und ihres Bruders in der vom Quecksilberdunst vernebelten Kammer. Einmal, Monate nach Ursulas Aufbruch, begannen merkwürdige Dinge zu geschehen. Eine lange Zeit in einem Schrank vergessene leere Flasche wurde mit einemmal so schwer, daß sie sich unmöglich fortrücken ließ. Ein auf dem Arbeitstisch stehender Wasserkessel kochte ohne Feuer eine halbe Stunde lang, bis das Wasser vollständig verdampft war. José Arcadio Buendía und sein Sohn beobachteten diese Erscheinungen mit erschrockenem Frohlocken, ohne sie sich erklären zu können, deuteten sie jedoch als Bekundungen der Materie. Eines Tages setzte sich Amarantas Körbchen selbsttätig in Bewegung und beschrieb zu Aurelianos Bestürzung, der es hastig anhielt, in der Kammer einen vollständigen Kreis. Doch sein Vater blieb ungerührt. Stellte das Weidenkörbchen wieder an seine Stelle und band es an einem Tischbein fest, überzeugt, daß das erwartete Ereignis bevorstand. Bei dieser Gelegenheit hörte Aureliano ihn sagen:

»Wenn du Gott nicht fürchtest, so fürchte wenigstens die Metalle.«

Plötzlich, fast fünf Monate nach ihrem Verschwinden, kehrte Ursula zurück. Sie kam in gehobener Stimmung, verjüngt, in neuen Kleidern eines im Dorf unbekannten Stils. Mühsam widerstand José Arcadio Buendía dem Schock. »Das war es!« schrie er. »Ich wußte, daß es kommen mußte.« Und er glaubte es wirklich, denn in seiner langen Zurückgezogenheit, während er seinen Stoff behandelte, hatte er im Grunde seines Herzens gebetet, das erwartete Wunder möge nicht der Fund des Steins der Weisen sein, nicht die Befreiung vom Hauch, der den Metallen Leben einflößt, nicht die Fähigkeit, die Scharniere und Schlösser des Hauses in Gold zu verwandeln, sondern genau das, was jetzt eintraf: Ursulas Rückkehr. Sie indes teilte nicht seine Freude. Sie gab ihm einen förmlichen Kuß, als sei sie kaum eine Stunde fortgewesen, und sagte:

»Geh an die Tür.«

José Arcadio Buendía brauchte lange, um sich von seiner Verblüffung zu erholen, als er auf die Straße hinaustrat und die Menschenmenge sah. Es waren keine Zigeuner. Es waren Männer und Frauen wie sie selber, mit losem Haar und dunkler Haut, die ihre eigene Sprache sprachen und über die gleichen Beschwerden klagten. Sie brachten proviantbeladene Maulesel mit, Ochsenkarren mit Mobiliar und Hausrat, schlichtes, harmloses, irdisches Zubehör, das sie ohne die Gebärdensprache der Hausierer alltäglicher Wirklichkeit feilboten. Sie kamen vom anderen Ende des nur zwei Tagereisen entfernten Moors, wo Dörfer lagen, die jeden Monat Post bekamen und die Maschinen des Wohlstands kannten. Ursula hatte die Zigeuner nicht eingeholt, war jedoch auf die Straße gestoßen, die ihr Mann in seiner gescheiterten Suche nach den großen Erfindungen verfehlt hatte.

Pilar Terneras Sohn wurde zwei Wochen nach seiner Geburt ins Haus der Großeltern gebracht. Ursula nahm ihn widerwillig auf und ließ sich nur wieder einmal von der Starrköpfigkeit ihres Mannes überzeugen, der den Gedanken, ein Sproß seines Blutes könne seinem Schicksal überlassen werden, nicht ertragen konnte; jedoch stellte sie die Bedingung, dem Kind müsse seine wahre Herkunft verheimlicht werden. Obgleich es den Namen José Arcadio erhielt, nannte man es schließlich schlicht Arcadio, um Verwechslungen zu vermeiden. Zu jener Zeit gab es im Dorf so viel Umtrieb und im Haus so viel Trubel, daß die Betreuung der Kinder ins Hintertreffen geriet. Diese wurde Visitación übertragen, einer Guajira-Indiofrau, die auf der Flucht vor einer Schlaflosigkeitsplage, die ihren Stamm seit Jahren geißelte, mit ihrem Bruder ins Dorf gekommen war. Beide waren so gefügig und diensteifrig, daß Ursula sich ihrer annahm, damit sie ihr im Haushalt hülfen. So kam es, daß Arcadio und Amaranta die Guajira-Sprache vor dem Spanischen sprachen, so wie sie Eidechsensuppe und Spinneneier zu essen bekamen, ohne daß Ursula es merkte, da sie mit einem vielversprechenden Geschäft von Karameltierchen beschäftigt war. Macondo war verwandelt. Die Leute, die mit Ursula angekommen waren, verkündeten bald die gute Beschaffenheit seines Bodens und die außergewöhnlich günstige Lage im Hinblick aufs Moor, so daß der bescheidene Flecken früherer Zeiten sich sehr rasch in ein emsiges Dorf mit Läden und Werkstätten verwandelte; außerdem hatte es eine zuverlässige Handelsstraße, auf der die ersten Araber mit Pantoffeln und Ohrringen ankamen, um Glasperlenhalsbänder gegen Papageien einzuhandeln. José Arcadio Buendía fand keine Ruhepause mehr. Überwältigt von einer unmittelbaren Wirklichkeit, die ihn phantastischer anmutete als das weite Weltall seiner Einbildungskraft, verlor er jedes Interesse an seinem alchimistischen Laboratorium, ließ die von langen Monaten der Behandlung erschöpfte Materie ruhen und wurde wieder der unternehmungslustige Mensch der ersten Zeit, der die Anordnung der Straßen und die Stellung der neuen Häuser bestimmte, damit niemand Vorrechte genoß, die nicht der Allgemeinheit offenstanden. Er erwarb so viel Ansehen unter den Neuankömmlingen, daß ohne seine Zustimmung weder Grundmauern gelegt noch Zäune gezogen wurden, und so wurde beschlossen, daß er die Verteilung des Landes leiten solle. Als die Zigeunerkomödianten mit ihrem nunmehr in einen riesigen Betrieb von Glücks- und sonstigen Spielen umgewandelten Wandermarkt wiederkamen, wurden sie freudig empfangen, weil man dachte, José Arcadio würde vielleicht mitkommen. Doch José Arcadio kehrte nicht zurück, und auch der Schlangenmensch, der nach Ursulas Ansicht als einziger über ihres Sohnes Verbleib Auskunft hätte geben können, war nicht dabei, so daß man den Zigeunern untersagte, sei es, sich im Dorf niederzulassen, sei es, in Zukunft wiederzukehren, weil man sie als Boten der Lüsternheit und der Entartung betrachtete. José Arcadio Buendía wies übrigens ausdrücklich darauf hin, daß dagegen der alten Stammessippe des Melchíades, der mit seiner tausendjährigen Weisheit und seinen sagenhaften Erfindungen so viel zur Entwicklung des Dorfes beigetragen hatte, die Tore des Dorfes jederzeit offenstünden. Doch Melchíades' Stamm war laut Aussage der Weltenbummler wegen Übertretung der Grenzen menschlichen Wissens vom Antlitz der Erde verschwunden.

Wenigstens vorübergehend von den Qualen der Phantasie befreit, erzwang José Arcadio Buendía in kurzer Zeit einen ordnungs- und arbeitsfördernden Zustand, in dem nur etwas erlaubt war: die Vögel zu befreien, die seit der Gründung die Zeit mit ihrem Flöten versüßten, und an ihrer Stelle in allen Häusern Musikuhren aufzustellen. Es waren kostbare geschnitzte Holzuhren, welche die Araber gegen Papageien tauschten und deren Schlagwerk José Arcadio Buendía mit solcher Genauigkeit gleichzuschalten verstand, daß das Dorf sich jede halbe Stunde an den fortschreitenden Akkorden eines einzigen Stückes erfreute, bis mit dem vollständigen Walzer der Höhepunkt eines genauen, einstimmigen Mittags erreicht war. Es war auch José Arcadio Buendía, der in jenen Jahren entschied, in den Dorfgassen seien Mandelbäume statt Akazien zu säen, und der die niemandem offenbare Methode entdeckte, sie ewig zu machen. Viele Jahre später, als Macondo eine Siedlung weißblechgedeckter Holzhäuser war, standen noch in den ältesten Gassen die verkommenen, staubigen Mandelbäume, wenngleich niemand wußte, wer sie gesät hatte. Während sein Vater Ordnung im Dorf schuf und seine Mutter mit ihrer wunderbaren Industrie von Zuckerhähnen und -fischen, die, auf Rohrstöcke gespießt, zweimal täglich das Haus verließen, den Hausbesitz mehrte, verbrachte Aureliano endlose Stunden in dem verlassenen Laboratorium und erlernte auf dem reinen Forschungswege die Kunst der Silber- und Goldschmiedearbeit. Er war so schnell gewachsen, daß er nach kurzer Zeit die von seinem Bruder zurückgelassene Kleidung ablegte und die väterliche anzuziehen begann, doch mußte Visitación Falten in die Hemden und Säume in die Hosen nähen, weil Aureliano nicht die Schwerleibigkeit der anderen geerbt hatte. Die Jünglingszeit hatte ihm die Weichheit der Stimme geraubt und ihn überdies wieder schweigsam und einsam gemacht, hatte ihm aber dafür den tiefen Ausdruck der Augen wiedergegeben, den er bei der Geburt gehabt hatte. Er war derart vertieft in seine Goldschmiedeversuche, daß er das Laboratorium nur zu den Mahlzeiten verließ. Über seine Vereinsamung besorgt, gab José Arcadio Buendía ihm die Hausschlüssel und etwas Geld, weil er dachte, daß ihm vielleicht eine Frau fehle. Doch Aureliano gab das Geld für Salzsäure aus, um Königswasser herzustellen, und verschönte die Schlüssel in einem Goldbad. Seine Übertreibungen waren nur mit denen von Arcadio und Amaranta zu vergleichen, die bereits die Milchzähne verloren und noch den ganzen Tag am Rockzipfel der Indios hingen, hartnäckig gewillt, kein Spanisch und nur die Guajira-Sprache zu sprechen. »Du brauchst dich nicht zu beklagen«, sagte Ursula zu ihrem Mann. »Die Kinder erben die Narrheiten der Eltern.« Und während sie ihr böses Geschick beklagte, überzeugt, daß die Überspanntheiten ihrer Söhne ebenso schlimm seien wie ein Schweineschwänzchen, heftete Aureliano einen Blick auf sie, der sie ins Ungewisse stürzte.

»Es wird jemand kommen«, sagte er.

Wie jedes Mal, wenn er eine Prophezeiung äußerte, suchte sie ihn mit ihrer hausbackenen Logik zu entmutigen. Es war normal, daß jemand kam. Dutzende von Fremden zogen Tag für Tag durch Macondo, ohne Unruhe zu erwecken oder sich im voraus insgeheim anzukündigen. Doch ungeachtet aller Logik war Aureliano seiner Vorahnung sicher.

»Ich weiß nicht, wer es ist«, beharrte er. »Jedenfalls ist der Betreffende bereits unterwegs.«

In der Tat kam am Sonntag Rebeca. Sie war kaum elf Jahre alt. Sie hatte die beschwerliche Reise von Manaure mit etlichen Fellhändlern zurückgelegt, die zwar den Auftrag erhalten hatten, sie mit einem Brief im Hause José Arcadio Buendías abzuliefern, aber nicht genau erklären konnten, wer sie um diesen Gefallen gebeten hatte. Ihr ganzes Gepäck bestand aus der kleinen Wäschetruhe, einem hölzernen, blumenbemalten Schaukelstühlchen und einem Segeltuchsack, der dauernd klock-klock-klock machte und die Knochen ihrer Eltern beherbergte. Der an José Arcadio Buendía gerichtete Brief war in höchst liebevollen Tönen abgefaßt von jemandem, der diesen trotz Zeit und Ferne in lieber Erinnerung bewahrte und sich durch ein urtümliches Gefühl der Menschlichkeit dem Akt der Nächstenliebe verpflichtet fühlte, ihm dieses schutzlose Waisenkind zu schicken, das Ursulas Kusine ersten Grades war und folglich auch eine wiewohl fernere Verwandte José Arcadio Buendías, denn sie war die Tochter des unvergeßlichen Freundes Nicanor Ulloa und seiner hochwohllöblichen Gemahlin Rebeca Montiel, die Gott in sein heiliges Reich aufgenommen hatte und deren sterbliche Reste er mitschickte, damit man ihnen ein christliches Begräbnis gewähre. Die erwähnten Namen wie die Unterschrift des Briefes waren durchaus lesbar, doch weder José Arcadio Buendía noch Ursula erinnerten sich, Verwandte mit diesem Namen gehabt zu haben, auch kannten sie niemanden, der wie der Absender hieß und schon gar nicht in der entlegenen Ortschaft Manaure. Auch von der Kleinen war keine ergänzende Auskunft zu erhalten. Vom ersten Augenblick ihrer Ankunft an setzte sie sich daumenlutschend in ihr Schaukelstühlchen und beobachtete alle Anwesenden mit ihren großen erschrockenen Augen, ohne zu erkennen zu geben, daß sie verstand, was sie gefragt wurde. Sie trug ein zerschlissenes, schräggestreiftes schwarzes Kleidchen und ein Paar rissige Lacklederstiefeletten. Ihr Haar war hinter den Ohren zu schwarzbebänderten Zöpfen geflochten. Sie trug ein Skapulier mit schweißverwischten Bildern und am rechten Handgelenk einen kupfergefaßten Raubtierzahn als Amulett gegen den bösen Blick. Ihre grünliche Haut, ihr runder und paukenpraller Leib ließen auf eine schlechte Gesundheit und einen Hunger schließen älter als sie selbst, doch als man ihr zu essen gab, hielt sie den Teller auf den Knien fest, ohne von ihm zu kosten. Man vermutete sogar, sie sei taubstumm, bis die Indios sie in ihrer Sprache fragten, ob sie Wasser wolle, und sie bewegte die Augen, als habe sie jene erkannt, und sagte ja mit dem Kopf.

Man nahm sie an, weil es keine andere Lösung gab. Man beschloß, sie Rebeca zu nennen, dem Brief zufolge der Name ihrer Mutter, weil Aureliano die Geduld besessen hatte, ihr das gesamte Kirchenhandbuch vorzulesen, ohne zu erreichen, daß sie auf irgendeinen Heiligennamen einging. Da es zu jener Zeit keinen Friedhof in Macondo gab, da bis dahin niemand gestorben war, bewahrten sie den Knochensack auf in der Erwartung, daß sich ein würdiger Beerdigungsplatz finde, und lange Zeit stand er ihnen denn auch allenthalben im Wege und tauchte da auf, wo man ihn am wenigsten vermutete, immer mit seinem glucksenden Gegacker von Bruthennen. Viel Zeit verging, ehe Rebeca sich im Familienleben zurechtfand. Immer saß sie im entlegensten Winkel des Hauses fingerlutschend auf ihrem Schaukelstühlchen. Nichts fesselte ihre Aufmerksamkeit, ausgenommen die Uhrmusik, die sie jede halbe Stunde mit schreckhaften Augen suchte, als habe sie sie irgendwo in der Luft erwartet. Mehrere Tage lang nötigte man sie vergebens zum Essen. Niemand begriff, daß sie nicht längst Hungers gestorben war, bis die Eingeborenen, die alles merkten, weil sie auf ihren schweigsamen Sohlen unablässig durchs Haus huschten, entdeckten, daß Rebeca nur die feuchte Erde des Innenhofs aß und Kalkkuchen, die sie mit den Fingernägeln von den Wänden kratzte. Es war offensichtlich, daß ihre Eltern oder wer sie aufgezogen hatte, sie wegen dieser Gewohnheit gescholten hatten, denn sie tat es heimlich und schuldbewußt und suchte ihre Rationen zu verstecken, um sie unbeobachtet zu verzehren. Seither unterwarf man sie einer unerbittlichen Überwachung. Man schüttete Kuhgalle in den Innenhof und bestreute die Wände mit pikantem Pfefferstaub im Glauben, mit diesen Maßnahmen ihr das schädliche Laster auszutreiben, doch sie legte bei der Suche nach Eßerde so viel Durchtriebenheit und Erfindungsgabe an den Tag, daß Ursula sich zur Anwendung drastischerer Maßnahmen gezwungen sah. So stellte sie einen Topf mit rhabarbervermischtem Orangensaft die ganze Nacht ins Freie und gab ihr am nächsten Morgen das Gebräu auf leeren Magen zu trinken. Wenngleich ihr niemand gesagt hatte, daß das die besondere Arznei gegen das Laster des Erdessens sei, dachte sie, auf irgendwelchen bitteren Stoff auf leeren Magen müsse die Leber reagieren. Rebeca war trotz ihrer Magerkeit so rebellisch und stark, daß man sie wie ein Kalb festhalten mußte, um ihr die Medizin einzuflößen. Auch wurde man nur mühsam ihres Stampfens Herr und ertrug kaum ihr aufsässiges Kauderwelsch, mit dem sie ihr Beißen und Gespucke unterbrach und das nach den Aussagen der empörten Einheimischen die in ihrer Sprache erdenklich größten Unanständigkeiten waren. Als Ursula das erfuhr, ergänzte sie die Behandlung durch Riemenhiebe. Es wurde nie festgestellt, ob der Rhabarber oder die Schläge die erhoffte Wirkung taten oder etwa beides zusammengenommen, jedenfalls gab Rebeca binnen weniger Wochen die ersten Anzeichen der Besserung. So nahm sie teil an den Spielen Arcadios und Amarantas, die sie wie eine ältere Schwester aufnahmen, aß mit Appetit und bediente sich manierlich der Bestecke. Bald stellte sich auch heraus, daß sie das Spanische mit ebenso großer Leichtigkeit wie die Indiosprache beherrschte, daß sie eine bemerkenswerte Geschicklichkeit in Handarbeiten besaß und den Walzer mit einem höchst anmutigen, selbsterfundenen Wortlaut sang. Binnen kurzem wurde sie als Familienmitglied angesehen. Sie zeigte eine Zuneigung zu Ursula, wie ihre eigenen Kinder es nie getan hatten, und nannte Amaranta und Arcadio Brüderchen und Schwesterchen, Aureliano Onkel und José Arcadio Buendía Großväterchen. So verdiente sie sich schließlich wie die anderen den Namen Rebeca Buendía, den einzigen, den sie je besaß und den sie bis zu ihrem Tod mit Würde tragen sollte.

Eines Abends, in der Zeit, als Rebeca vom Laster des

Erdessens genas, wachte die Indiofrau, die bei ihnen schlief, zufällig auf und hörte ein seltsames, unregelmäßiges Geräusch im Winkel. Bestürzt richtete sie sich auf im Glauben, ein Tier sei ins Zimmer gedrungen, und nun sah sie Rebeca in ihrem Schaukelstuhl, fingerlutschend und mit leuchtenden Augen wie Katzenaugen im Dunkeln. Von Entsetzen gepackt, gepeinigt vom Verhängnis ihres Schicksals, erkannte Visitación in diesen Augen die Anzeichen der Krankheit, deren Bedrohung sie und ihren Bruder gezwungen hatte, sich für immer aus einem tausendjährigen Reich zu verbannen, in dem sie Fürsten gewesen waren. Es war die Pest der Schlaflosigkeit.

Cataure, der Indio, erwartete nicht den Morgen im Haus. Seine Schwester blieb, weil ihr schicksalverhaftetes Herz ihr sagte, das tödliche Leiden werde sie auf jeden Fall bis in den letzten Winkel der Erde verfolgen. Niemand begriff Visitacións Bestürzung. »Wenn wir nicht mehr schlafen, um so besser«, sagte José Arcadio Buendía gut gelaunt. »Auf diese Weise wird uns das Leben mehr geben.« Doch die Indiofrau erklärte ihnen, das schlimmste an der Schlaflosigkeitskrankheit sei nicht die Unmöglichkeit, zu schlafen, denn der Körper fühle kein Schlafbedürfnis, sondern die Tatsache, daß sie unweigerlich zu einer weit kritischeren Ausdrucksform führe: zum Vergessen. Mit anderen Worten: sobald der Kranke sich an den Zustand des Wachens gewöhnt habe, begännen seine Kindheitserinnerungen zu verblassen, bald darauf vergesse er seinen Namen und die Bezeichnungen der Dinge, zu guter Letzt den Namen der Menschen und sogar das Bewußtsein des eigenen Ich, bis er einer Art von vergangenheitslosem Stumpfsinn verfalle. José Arcadio Buendía lachte sich halbtot und fand, hier handle es sich um eine der zahllosen, vom Eingeborenenaberglauben erfundenen Gebrechen. Ursula jedenfalls war vorsichtig genug, Rebeca von den anderen Kindern abzusondern.

Nach Ablauf mehrerer Wochen, als Visitacións Schrekken abgeebbt zu sein schien, ertappte José Arcadio Buendía sich eines Nachts dabei, wie er sich schlaflos im Bett wälzte. Ursula, die gleichfalls erwacht war, fragte, was er habe, und er antwortete: »Ich denke wieder an Prudencio Aguilar.« Zwar taten sie kein Auge mehr zu, fühlten sich jedoch am nächsten Tag so ausgeruht, daß sie die böse Nacht vergaßen. Verwundert erwähnte Aureliano beim Mittagessen, er fühle sich so wohl, obgleich er die ganze Nacht im Laboratorium mit dem Vergolden einer Brosche zugebracht habe, die er Ursula an ihrem Geburtstag zu schenken gedenke. Erst am dritten Tag, als sie beim Schlafengehen keine Müdigkeit spürten, beunruhigten sie sich und machten sich klar, daß sie seit fünfzig Stunden kein Auge geschlossen hatten.

»Auch die Kinder sind wach«, sagte die Indiofrau mit ihrer schicksalsergebenen Überzeugung. »Wer einmal das Haus betritt, entgeht nicht der Pest.«

In der Tat hatten sie die Schlaflosigkeitskrankheit bekommen. Ursula, die von ihrer Mutter den Arzneiwert der Pflanzen erlernt hatte, mischte ein Gebräu aus Eisenhut, das alle trinken mußten, doch niemand konnte schlafen, sondern jeder verbrachte den ganzen Tag traumwachend. In diesem Zustand sinnvernebelter Hellsicht sahen sie nicht nur die Bilder der eigenen Träume, sondern die einen sahen auch die Traumbilder der anderen. Es war, als habe sich das Haus mit Besuchern gefüllt. Auf ihrem Schaukelstuhl in einer Küchenecke sitzend, träumte Rebeca, ein ihr sehr ähnlicher Mann in weißem Leinen und in einem am Hals mit einem goldenen Knopf verschlossenen Hemd bringe ihr einen Strauß Rosen. Ihn begleitete eine Frau mit feingliedrigen Händen, die eine Rose herausnahm und sie der Kleinen ins Haar steckte. Ursula begriff, daß der Mann und die Frau Rebecas Eltern waren, doch wenngleich sie sich übermäßig anstrengte, sie zu erkennen, fühlte sie sich in ihrer Gewißheit bestärkt, daß sie das Elternpaar nie gesehen hatte. Mittlerweile wurden die hausgemachten Karameltierchen auf Grund eines Versehens, das José Arcadio Buendía sich nie verzieh, nach wie vor im Dorf verkauft. Entzückt lutschten Kinder und Erwachsene die köstlichen, schlaflosgrünen Hähnchen, die erlesenen schlaflosrosenroten Fische und die zarten schlaflosgelben Pferdchen, mit dem Erfolg, daß der anbrechende Montag das ganze Dorf in wachem Zustand überraschte. Zunächst erschrak kein Mensch. Im Gegenteil, man freute sich darüber, nicht geschlafen zu haben, da es zu jener Zeit in Macondo so viel zu tun gab, daß die Zeit kaum ausreichte. Man arbeitete so fleißig, daß bald nichts mehr zu tun war, und ertappte sich um drei Uhr in der Frühe mit verschränkten Armen und zählte die Anzahl der Noten, die der Uhrenwalzer hatte. Wer schlafen wollte, nicht etwa aus Müdigkeit, sondern aus Sehnsucht nach den Träumen, nahm seine Zuflucht zu allen Arten der Erschöpfung. Man setzte sich zu endlosen Unterhaltungen zusammen, man wiederholte Stunden um Stunden dieselben Witze, man dehnte die Geschichte vom Kapaunhahn bis zu den Grenzen der Verzweiflung aus: Dies war ein endloses Spiel, bei dem der Erzähler fragte, ob sie wünschten, daß er ihnen die Geschichte vom Kapaunhahn erzähle, und wenn sie ja antworteten, sagte der Erzähler, er habe nicht verlangt, daß sie ja sagten, sondern daß sie wünschten, er solle ihnen die Geschichte vom Kapaunhahn erzählen, und wenn sie nein antworteten, sagte der Erzähler, er habe nicht verlangt, daß sie nein sagten, sondern daß sie wünschten, er solle ihnen die Geschichte vom Kapaunhahn nicht erzählen, und wenn sie stumm blieben, sagte der Erzähler, er habe nicht verlangt, daß sie stumm blieben, sondern daß sie wünschten, er solle ihnen die Geschichte vom Kapaunhahn erzählen, und es durfte auch niemand fortgehen, weil der Erzähler sagte, er habe nicht verlangt, daß sie fortgingen, sondern daß sie wünschten, er solle ihnen die Geschichte vom Kapaunhahn erzählen, und so weiter in einem Teufelskreis, der sich nächtelang hinzog.

Als José Arcadio Buendía bewußt wurde, daß die Pest ins Dorf eingedrungen war, berief er die Familienvorstände, um ihnen zu erklären, was er von der Schlaflosigkeitskrankheit wußte, und man besprach Maßnahmen, um zu verhindern, daß die Plage auf andere Siedlungen des Moors übergriff. So nahm man denn den Ziegenböken die kleinen Schellen ab, welche die Araber gegen die Papageien geliefert hatte, und stellte sie am Dorfeingang denjenigen zur Verfügung, welche die Ratschläge und Bitten der Wachtposten in den Wind schlugen und darauf bestanden, das Dorf zu besuchen. Jeder Fremde, der zu jener Zeit Macondos Gassen durchwanderte, mußte seine Schelle erklingen lassen, damit die Kranken wußten, daß er gesund war. Während seines Aufenthalts durfte er weder essen noch trinken, da kein Zweifel darüber bestand, daß die Krankheit sich nur durch den Mund übertrug und daß alles Eß- und Trinkbare von der Schlaflosigkeit angesteckt war. Auf diese Weise wurde die Plage auf den Umkreis des Dorfes beschränkt. Die Quarantäne war wirksam, so wirksam, daß der Tag kam, an dem der Notstand als etwas Natürliches galt und das Leben sich so einrenkte, daß die Arbeit ihren Rhythmus wiederfand und niemand mehr der überflüssigen Gewohnheit des Schlafens nachtrauerte.

Aureliano ersann als erster die Formel, welche die Einwohner mehrere Monate hindurch gegen den Gedächtnisschwund verteidigen sollte. Er entdeckte sie zufällig. Da er als einer der ersten von dem Leiden heimgesucht worden war, hatte er als erfahrener Schlafloser die Silberschmiedekunst bis zur Vollkommenheit erlernt. Eines Tages suchte er das kleine Eisending, das er zum Auswalzen des Metalls verwendete, und besann sich nicht mehr auf dessen Namen. Sein Vater nannte ihn ihm: »Amboß«.

Aureliano schrieb den Namen auf einen Zettel und klebte ihn an den Fuß des kleinen Eisendings: *Amboß.* So war er gewiß, ihn zukünftig nicht wieder zu vergessen. Dabei fiel ihm nicht auf, daß dies der erste Ausdruck des Vergessens war, weil der Gegenstand einen schwer zu behaltenden Namen besaß. Doch wenige Tage darauf entdeckte er, daß es ihm schwerfiel, sich an nahezu alle Dinge des Laboratoriums zu erinnern. Dann bezeichnete er sie mit dem entsprechenden Namen, so daß er nur die Beschriftung zu lesen brauchte, um sie benennen zu können. Als sein Vater ihm seine Bestürzung darüber mitteilte, er habe sogar die eindrucksvollsten Begebenheiten seiner Kindheit vergessen, erklärte Aureliano ihm seine Methode, und José Arcadio Buendía wandte sie im ganzen Haus an und machte sie später für das ganze Dorf zur Pflicht. Mit einem tintenfeuchten Dorn beschriftete er jedes Ding mit seinem Namen: *Tisch, Stuhl, Uhr, Tür, Wand, Bett, Topf.* Er ging in den Pferch und zeichnete alle Tiere und Pflanzen: *Kuh, Ziegenbock, Schwein, Huhn, Jukka, Malanga, Bananenbaum.* Nach und nach wurde ihm beim Studium der unendlichen Möglichkeiten des Vergessens bewußt, daß man die Dinge eines Tages zwar an ihren Inschriften erkannte, sich jedoch vielleicht nicht mehr an ihre Nützlichkeit erinnerte. Nun wurde er genauer. Das Schild, das er der Kuh um den Hals hing, wurde ein Vorbild für die Art und Weise, nach der Macondos Bewohner gegen das Vergessen anzukämpfen gewillt waren: *Das ist die Kuh, die man jeden Morgen melken muß, damit sie Milch gibt, und die Milch muß man aufkochen, um sie mit Kaffee zu mischen und damit Milchkaffee zu machen.* So lebten sie in einer schlüpfrigen Wirklichkeit dahin, die sie vorübergehend mit dem Wort festhielten, die ihnen jedoch unrettbar entglitt, sobald sie den Wert des geschriebenen Buchstabens vergaßen.

Am Eingang zum Moorweg hatte man ein Schild mit der Aufschrift GOTT EXISTIERT aufgestellt. Alle Häuser waren mit Schlüsselwörtern zum Memorieren der Gegenstände und Gefühle beschriftet. Doch das System erforderte so viel Wachsamkeit und so große moralische Stärke, daß viele dem Zauber einer eingebildeten, selbsterfundenen Wirklichkeit anheimfielen, die sie weniger praktisch als tröstlich anmutete. Pilar Ternera trug am meisten zur Verbreitung dieser Vernebelung bei, als sie den Kunstgriff ersann, die Vergangenheit in den Karten zu lesen, so wie sie daraus vorher die Zukunft gelesen hatte. Mit diesem Hilfsmittel begannen die Schlaflosen in einer von der unzuverlässigen Wahl der Kartenspiele erbauten Welt zu leben, in der man sich an den Vater nur wie an den dunkelhäutigen Mann erinnerte, der Anfang April gekommen war, in der man sich an die Mutter nur wie an die brünette Frau erinnerte, die einen goldenen Ring an der linken Hand trug, in der ein Geburtsdatum sich auf den letzten Dienstag beschränkte, an dem die Lerche im Lorbeerbaum gesungen hatte. Von diesen Praktiken der Tröstung vernichtet, beschloß José Arcadio Buendía, die Gedächtnismaschine zu bauen, die er sich einst gewünscht hatte, um sich an die wunderbaren Erfindungen der Zigeuner erinnern zu können. Die Zaubermaschine fußte auf der Möglichkeit, jeden Morgen die Gesamtheit der im Leben erworbenen Kenntnisse von Anfang bis zu Ende an sich vorbeiziehen zu lassen. Er sah den Apparat als ein drehbares Wörterbuch, das von der Achse aus mit einem Hebel zu bedienen war, so daß ein Mensch die lebensnotwendigsten Kenntnisse in wenigen Stunden Revue passieren lassen konnte. Er hatte etwa vierzehntausend Karten ausgefüllt, als auf dem Moorweg ein wunderlicher Greis mit dem trostlosen Glöckchen der Schläfer erschien, der einen strickverschnürten bauchigen Handkoffer schleppte und ein mit schwarzen Stoffetzen beladenes Kärrchen zog. Dieser begab sich unmittelbar zu José Arcadio Buendías Haus.

Visitación kannte ihn beim Öffnen der Tür nicht und dachte, er wolle etwas verkaufen und wisse nur nicht, daß in einem Dorf, das unrettbar im Zitterboden des Vergessens versank, nichts zu verkaufen sei. Der Mann war hinfällig. Wenn auch seine Stimme vor Unsicherheit zu splittern und seine Hände am Dasein der Dinge zu zweifeln schienen, kam er offensichtlich aus jener Welt, in der die Menschen noch schlafen und sich erinnern konnten. José Arcadio Buendía fand ihn im Wohnzimmer sitzend, wo er sich mit seinem geflickten schwarzen Strohhut fächelte, während er die an den Wänden hängenden Schilder mit mitleidiger Aufmerksamkeit las. Er begrüßte ihn mit übertriebener Herzlichkeit, aus Furcht, ihn womöglich früher gekannt zu haben, sich jetzt aber nicht mehr auf ihn zu besinnen. Doch der Besucher merkte seine Heuchelei. Er fühlte sich vergessen, doch nicht mit dem wiedergutzumachenden Vergessen des Herzens, sondern mit einem anderen, grausameren, unwiderruflichen Vergessen, das er sehr gut kannte, weil es das Vergessen des Todes war. Nun begriff er. Er öffnete den mit unentzifferbaren Gegenständen vollgestopften Handkoffer und förderte dazwischen eine mit Fläschchen angefüllte Handtasche zutage. Er gab José Arcadio Buendía eine Substanz von einnehmender Farbe zu trinken, und es wurde Licht in seiner Erinnerung. Seine Augen wurden feucht von Tränen, bevor er sich selbst in einem widersinnigen Wohnzimmer sah, in dem die Gegenstände beschildert waren, bevor er sich über die an die Wände gepinselten feierlichen Torheiten schämen konnte, und sogar noch, bevor er den Neuankömmling im betörenden Widerschein der Freude erkennen konnte. Es war Melchíades.

Während Macondo die Wiedergewinnung der Erinnerungen feierte, schüttelten José Arcadio Buendía und Melchíades den Staub von ihrer alten Freundschaft. Der Zigeuner war bereit, im Dorf zu bleiben. Er war in der Tat im Tod gewesen, war jedoch zurückgekehrt, weil er die Einsamkeit nicht ertragen konnte. Von seiner Sippe verbannt, als Strafe für seine Treue zum Leben jeder übernatürlichen Fähigkeiten beraubt, beschloß er in den vom Tod noch unentdeckten Winkel der Welt zu flüchten und dort ein Laboratorium der Daguerreotypie zu eröffnen. José Arcadio Buendía hatte nie von dieser Erfindung gehört, doch als er sich selbst und seine ganze Familie in einem ewigen Alter auf eine schillernde Metallplatte gebannt sah, war er stumm vor Staunen. Aus dieser Zeit stammte der oxydierte Daguerreotyp, auf dem José Arcadio Buendía zu sehen war mit gesträubtem, aschgrauem Haar, mit gestärktem, von einem Kupferknopf verschlossenen Hemdkragen und einem Gesichtsausdruck von verdutzter Feierlichkeit, und den Ursula, halbtot vor Lachen, als »erschrockenen General« beschrieb. In Wirklichkeit war José Arcadio Buendía an jenem durchsichtigen Dezembermorgen, an dem der Daguerreotyp gemacht wurde, nur so verschreckt, weil er dachte, man verbrauche sich nach und nach, sobald man sein Abbild auf Metallplatten übertragen habe. Durch eine merkwürdige Umkehrung der Gewohnheit schlug Ursula ihm diese Idee aus dem Kopf, wie auch sie es war, die ihren alten Groll vergaß und beschloß, Melchíades solle fortan bei ihnen wohnen, wenngleich sie nie erlaubte, daß ein Daguerreotyp von ihr gemacht wurde, weil sie (ihren eigenen Worten gemäß) nicht wünschte, zum Gespött ihrer Enkelkinder zu werden. An jenem Morgen zog sie ihren Kindern den Sonntagsstaat an, puderte ihnen das Gesicht und flößte einem jeden von ihnen einen Löffel Marksaft ein, damit sie sich vor Melchíades' eindrucksvoller Kamera zwei Minuten lang vollkommen unbeweglich verhalten konnten. Auf dem Familiendaguerreotyp, dem einzigen, das je gemacht wurde, erschien Aureliano ganz in schwarzem Samt zwischen Amaranta und Rebeca. Er trug die gleiche Mattigkeit und den gleichen hellsichtigen Blick zur Schau, den er Jahre später vor dem Erschießungskommando zur Schau tragen sollte. Doch noch hatte er keine Vorahnung seines Schicksals. Er war ein erfahrener, im ganzen Moorgebiet wegen seiner kostbaren Arbeiten geschätzter Goldschmied. In der Werkstatt, die er mit Melchíades teilte, hörte man ihn kaum atmen. Er schien in eine andere Zeit geflüchtet, während sein Vater und der Zigeuner schreiend die Voraussagen des Nostradamus deuteten, mit Gläsern klapperten, Säuren verschütteten und durch das gegenseitige Gepuffe mit Ellbogen und Füßen Silberbromid vergeudeten. Der Arbeitseifer und der hohe Verstand, mit denen er seinen Interessen nachging, hatten es Aureliano ermöglicht, in kurzer Zeit mehr Geld zu verdienen als Ursula mit ihrer köstlichen Karameltierwelt, und doch wunderte sich jedermann, daß er bereits ein fix und fertiger Mann war, ohne – so schien es – je Frauen gekannt zu haben. In der Tat hatte er bislang keine derartige Bekanntschaft gemacht.

Monate später kehrte Francisco-der-Mann wieder, ein uralter Landstreicher von nahezu zweihundert Jahren, der häufig durch Macondo kam und dabei seine selbstkomponierten Lieder zum besten gab. In ihnen erzählte Francisco-der-Mann eingehend von den in den Dörfern seines Wanderwegs geschehenen Neuigkeiten, von Manaure bis zu den Rändern des Moors, so daß der, welcher eine Botschaft zu übermitteln oder eine Begebenheit bekanntzumachen hatte, ihm zwei Centavos zahlte, damit er sie in sein Vortragsprogramm aufnahm. So kam es, daß Ursula eines Abends, als sie in der Hoffnung, etwas über ihren Sohn José Arcadio zu hören, den Liedern lauschte, durch reinen Zufall vom Tod ihrer Mutter erfuhr. Francisco-der-Mann, so genannt, weil er den Teufel in einem Wettstreit des Stegreifgesangs geschlagen hatte, und dessen wirklichen Namen niemand kannte, verschwand aus Macondo während der Schlaflosigkeitspest und tauchte eines Nachts ohne Vorankündigung in Catarinos Zelt wieder auf. Das ganze Dorf lief zusammen, um zu hören, was sich mittlerweile in der Welt zugetragen hatte. Diesmal kam er in Begleitung einer Frau, die so dickleibig war, daß sie von vier Indios in einem Schaukelstuhl getragen werden mußte, sowie einer halbwüchsigen Mulattin von hilflosem Aussehen, die sie mit einem Regenschirm gegen die Sonne schützte. An diesem Abend suchte Aureliano Catarinos Zelt auf. Er fand Francisco-den-Mann, der wie ein monolithisches Chamäleon inmitten von Gaffern saß. Mit seiner alten, verstimmten Stimme besang er die Neuigkeiten und begleitete sich auf demselben uralten Akkordeon, das Sir Walter Raleigh ihm in Guayana geschenkt hatte, während er mit seinen salpeterzerfressenen Siebenmeilenfüßen den Takt dazu schlug. Vor einer Hintertür, durch die etliche Männer ein- und austraten, saß die Schaukelstuhlmatrone und fächelte sich schweigsam. Catarino, eine Filzrose hinter dem Ohr, verkaufte den Zuschauern Becher mit gegorenem Zuckerrohrsaft und nutzte die Gelegenheit, sich den Männern zu nähern und ihnen die Hand auf unerlaubte Stellen zu legen. Gegen Mitternacht wurde die Hitze unerträglich. Aureliano hörte den Nachrichten bis zum Ende zu, ohne daß irgendeine für seine Familie von Belang gewesen wäre. Schon schickte er sich zum Gehen an, als die Matrone ihm winkte.

»Komm doch auch rein«, sagte sie, »es kostet nur zwanzig Centavos.«

Aureliano warf eine Münze in die Sparbüchse, welche die Matrone zwischen den Knien hielt, und betrat, ohne zu wissen, wozu, die Kammer. Die junge Mulattin mit ihren Hundetitten lag nackt auf dem Bett. Vor Aureliano waren am selben Abend bereits dreiundsechzig Männer durch die Kammer geschleust worden. Die Luft des Raumes war so schlierig und zäh von Schweiß und Gestöhn, daß sie bereits Schlamm zu werden begann. Das junge Weib zog das durchnäßte Leintuch ab und bat Aureliano, es auf einer Seite anzufassen. Es wog so schwer wie Segeltuch. Gemeinsam wrangen sie es aus und drehten die Enden so lange, bis es sein natürliches Gewicht wiedererlangt hatte. Dann wendeten sie die Matte um und ließen den Schweiß abtropfen. Aureliano wünschte, diese Vorkehrungen würden nie enden. Theoretisch kannte er die Mechanik der Liebe, hielt sich jedoch wegen seiner schwachen Knie kaum auf den Beinen, und obgleich er eine heiße Gänsehaut hatte, konnte er dem Drang, die Last seiner Eingeweide loszuwerden, kaum widerstehen. Als die Junge ihr Bett gemacht hatte und ihm befahl, sich auszuziehen, erklärte er töricht: »Man hat mich hergeschickt. Hat mir gesagt, ich solle zwanzig Centavos in die Sparbüchse zahlen und solle nicht trödeln.« Die Junge verstand seine Verwirrung. »Wenn du beim Hinausgehen weitere zwanzig Centavos zahlst, kannst du etwas länger bleiben«, sagte sie sanft. Aureliano zog sich schamgequält aus, ohne die Vorstellung loszuwerden, daß seine Nacktheit keinen Vergleich mit der seines Bruders aufnehmen könne. Trotz der Bemühungen der Jungen fühlte er sich immer gleichgültiger und furchtbar einsam. »Ich zahle zwanzig Centavos mehr«, sagte er mit trostloser Stimme. Die Junge dankte stumm. Ihr Rücken war wund, ihre Haut klebte an ihren Rippen, und ihr Atem stockte vor unermeßlicher Erschöpfung. Vor zwei Jahren, sehr weit weg, war sie einmal eingeschlafen, ohne die Kerze zu löschen, und war dann flammenumlodert aufgewacht. Das Haus, in dem sie mit ihrer Großmutter, die sie aufgezogen hatte, wohnte, brannte zu Asche herunter. Seit jenem Tag schleppte die Großmutter sie von Dorf zu Dorf und bot sie für zwanzig Centavos feil, um den Wert des abgebrannten Hauses zurückzugewinnen. Nach den Berechnungen der Jungen fehlten noch etwa zehn Jahre mit siebzig Männern jede Nacht, weil sie überdies für die Reisekosten, die Ernährung beider und das Gehalt der schaukelstuhltragenden Indios aufkommen mußte. Als die Matrone zum zweitenmal an die Tür klopfte, verließ

Aureliano dem Weinen nahe erfolglos die Kammer. Die ganze Nacht tat er kein Auge zu und dachte an die Junge mit einem Gemisch aus Begierde und Mitleid. Er empfand das unwiderstehliche Bedürfnis, sie zu lieben und zu beschützen. Bei Tagesanbruch, erschöpft von Schlaflosigkeit und Fieber, beschloß er gelassen, sie zu heiraten, um sie von der Ausbeutung der Großmutter zu befreien und jede Nacht die Befriedigung zu genießen, die sie siebzig Männern schenkte. Als er aber am nächsten Morgen um zehn Uhr zu Catarinos Zelt kam, hatte die Junge bereits das Dorf verlassen.

Die Zeit besänftigte zwar sein törichtes Vorhaben, verschlimmerte indes sein Gefühl des Scheiterns. So flüchtete er sich in die Arbeit. Er fand sich damit ab, sein ganzes Leben ein Mann ohne Frau zu sein, um das Beschämende seiner Nutzlosigkeit zu verbergen. Währenddessen hielt Melchíades alles auf seinen Platten fest, was in Macondo festzuhalten war, und überließ das Laboratorium der Daguerreotypie José Arcadio Buendía, der beschlossen hatte, damit den wissenschaftlichen Beweis für die Existenz Gottes zu erbringen. Durch ein verwickeltes Verfahren übereinandergeschobener, an mehreren Stellen des Hauses vorgenommener Belichtungen war er gewiß, Gott, sofern er existiert, früher oder später daguerreotypisch aufnehmen oder mit der Mutmaßung seiner Existenz ein für alle Male aufräumen zu können. Melchíades vertiefte sich in die Deutungen des Nostradamus. Abends blieb er lange auf, erstickte fast in seiner verfärbten Samtweste und bekritzelte Zettel mit seinen winzigen Spatzenfingern, deren Ringe ihren einstigen Glanz verloren hatten. Eines Nachts glaubte er eine Weissagung über Macondos Zukunft gefunden zu haben. Es würde eine leuchtende Stadt sein mit großen Glashäusern, in denen keine Spur vom Stamm der Buendías übrig sein würde. »Irrtum«, donnerte José Arcadio Buendía. »Es werden keine Glas-, sondern Eishäuser sein, so wie ich es geträumt habe, und es wird immer einen Buendía geben, durch alle Jahrhunderte hindurch.« In jenem überspannten Haus kämpfte Ursula für die Aufrechterhaltung des gesunden Menschenverstandes und hatte ihr Geschäft mit den Karameltierchen durch einen Backofen erweitert, der die ganze Nacht Körbe um Körbe Brot backte, außerdem eine fabelhafte Vielfalt von Aufläufen, Schaumgebäck und Kekssorten, die in wenigen Stunden auf den verzweigten Wegen des Moors verschwanden. Zwar hatte sie ein Alter erreicht, in dem sie Anrecht auf Ruhe hatte, aber dennoch wurde sie immer tätiger. Sie war so beschäftigt mit ihren einträglichen Unternehmungen, daß sie eines Nachmittags aus Zerstreutheit in den Innenhof blickte, während die Indiofrau ihr beim Süßen des Teigs half, und zwei unbekannte, bildschöne junge Mädchen sah, die beim Dämmerlicht auf Rahmen stickten. Es waren Rebeca und Amaranta. Beide hatten gerade die Trauer um ihre Großmutter abgelegt, die sie drei Jahre hindurch mit unbeugsamer Strenge getragen hatten, und nun schien die bunte Kleidung ihnen einen neuen Platz in der Welt anzuweisen. Rebeca war wider Erwarten die Schönere. Sie hatte eine durchscheinende Haut, große, ruhevolle Augen und Zauberhände, die den Rahmen mit unsichtbaren Fäden zu besticken schienen. Amaranta, der jüngeren, fehlte es ein wenig an Anmut, dafür besaß sie aber die natürliche Hoheit und den inneren Stolz der toten Großmutter. Neben ihnen war Arcadio ein Knabe, obwohl er bereits das körperliche Ungestüm seines Vaters verriet. Eifrig hatte er das Goldschmiedehandwerk bei Aureliano erlernt, der ihm auch Lesen und Schreiben beigebracht hatte. Ursula wurde plötzlich bewußt, daß das Haus voller Menschen war, daß ihre Kinder nahezu reif waren zum Heiraten und Kinderkriegen und mangels Wohnraum gezwungen sein würden, das Weite zu suchen. Daher nahm sie ihre in langen Jahren harter Arbeit angesammelten Ersparnisse, lieh sich Geld bei ihren Kunden und machte Pläne für den Ausbau des Hauses. Dieses sollte ein offizielles Besuchszimmer umfassen, ein zweites bequemeres, kühleres für den täglichen Gebrauch, ein Eßzimmer mit einem Tisch von zwölf Plätzen für die ganze Familie und alle Gäste, neun Schlafzimmer mit Fenstern auf den Innenhof und eine gegen den Glast des Mittags von einem Rosengarten geschützte, lange Veranda mit Balustrade zum Aufstellen von Kübeln mit Farnkräutern und Töpfen mit Begonien. Auch die Küche sollte für den Einbau von zwei Backöfen vergrößert werden, die alte Kornkammer, in der Pilar Ternera José Arcadio die Zukunft aus den Karten gelesen hatte, sollte abgerissen und durch den Neubau einer zweimal so großen ersetzt werden, damit es im Hause nie an Lebensmitteln fehle. Im Innenhof sollten im Schatten der Kastanie ein Frauenbad und ein Männerbad gebaut werden, sowie ganz hinten ein geräumiger Pferdestall, ein drahtumflochtener Hühnerstall, ein Melkstall und ein nach allen Himmelsrichtungen geöffneter Vogelkäfig, damit ziellose Vögel sich nach Lust und Laune einnisten konnten. Mit ihrem Gefolge von Dutzenden von Maurern und Zimmerleuten, als sei sie vom betörenden Fieber ihres Gatten angesteckt, bestimmte Ursula den Einfall des Lichts und die Wärmegrade der Temperatur, sie verteilte den Raum ohne den geringsten Sinn für Grenzen. Der ursprüngliche Bau der Gründer füllte sich mit Werkzeug und Baustoffen, mit schweißgelähmten Arbeitern, die jedermann anflehten, ihnen doch nicht in die Quere zu kommen, ohne daran zu denken, daß gerade sie den anderen in die Quere kamen, erbittert über den Sack mit Menschenknochen, der sie mit dumpfem Geklapper allerwärts verfolgte. Kein Mensch, der in dieser Unbehaglichkeit ungelöschten Kalk und Teermelasse einatmete, begriff eigentlich, wie aus dem Schoß dieser Erde zum einen das größte Haus erstehen konnte, das je das Dorf erleben sollte, und zum anderen das gastfreieste und kühlste, das je im Umkreis des Moors gestanden hatte. José Arcadio Buendía, bemüht, mitten im reinsten Zusammenbruch noch die himmlische Vorsehung zu überraschen, verstand am allerwenigsten. Das neue Haus war fast fertig, als Ursula ihn seiner Schimärenwelt entriß, um ihm mitzuteilen, daß sie Anweisung gegeben habe, die Fassade blau zu streichen und nicht weiß, wie alle es gewünscht hatten. Sie zeigte ihm die offizielle schriftliche Anweisung. Ohne zu begreifen, was seine Frau sagte, entzifferte José Arcadio Buendía die Unterschrift.

»Wer ist der Kerl?« fragte er.

»Der Landrichter«, sagte Ursula untröstlich. »Es heißt, er sei ein Beamter, den die Regierung geschickt hat.«

Don Apolinar Moscote, der Landrichter, war lautlos nach Macondo gekommen. Er war im Hotel Jacob abgestiegen – gegründet von einem der als erste eingewanderten Araber, die Flitterkram gegen Papageien eintauschten – und hatte am darauffolgenden Tag ein zwei Blocks von Buendías Haus entferntes, auf die Straße gehendes Zimmerchen gemietet. Er hatte einen bei Jacob erstandenen Tisch und Stuhl hineingestellt, das mitgebrachte Wappen der Republik an die Wand geheftet und die Aufschrift *Landrichter* an die Tür gemalt. Sein erster Erlaß bestand in der Anweisung, die Häuser müßten zur Geburtstagsfeier der nationalen Unabhängigkeit blau gestrichen werden. José Arcadio Buendía, die Abschrift des Befehls in der Hand, traf ihn an, als er in einer in der armseligen Kanzlei aufgespannten Hängematte seinen Mittagsschlaf hielt. »Haben Sie dieses Papier unterschrieben?« fragte er. Don Apolinar Moscote, ein reifer, schüchterner Mensch mit durchbluteter Haut, antwortete: »Ja.« – »Mit welchem Recht?« fragte wieder José Arcadio Buendía. Don Apolinar Moscote kramte ein Schriftstück aus der Tischschublade hervor und zeigte es ihm: »Ich bin zum Landrichter dieses Dorfes bestellt worden.« José Arcadio Buendía würdigte die Ernennungsurkunde keines Blickes.

»In diesem Dorf wird nicht mit Papieren befohlen«, sagte er, ohne die Ruhe zu verlieren. »Und damit Sie ein für allemal Bescheid wissen: Wir brauchen keinen Landrichter, denn hier gibt es nichts zu richten.«

Angesichts der Unerschrockenheit Don Apolinar Moscotes erstattete er, noch immer ohne die Stimme zu erheben, ihm einen eingehenden Bericht über die Gründung des Ortes, über die Aufteilung des Landes, über die Eröffnung der Straßen und die Einführung der notwendig gewordenen Verbesserungen, ohne je irgendeine Regierung belästigt zu haben oder von irgend jemandem belästigt worden zu sein. »Wir sind so friedlich, daß wir nicht einmal eines natürlichen Todes gestorben sind«, sagte er. »Sie sehen, daß wir noch keinen Friedhof haben.« Dabei beschwere er sich nicht über die Nichthilfe der Regierung. Im Gegenteil, er freue sich, daß man sie bislang habe in Ruhe wachsen lassen, und er hoffe, daß man das auch in Zukunft tue, denn sie hätten kein Dorf gegründet, damit der erste beste ihnen sage, was sie zu tun hätten. Mittlerweile hatte Don Apolinar Moscote eine Drillichjacke angezogen, die weiß war wie seine Hose, ohne einen Augenblick die Makellosigkeit seiner Manieren zu verlieren. »Wenn Sie also hierbleiben wollen wie jeder andere beliebige Bürger, sind Sie herzlich willkommen«, schloß José Arcadio Buendía. »Wenn Sie aber Unordnung stiften wollen, indem Sie die Leute zwingen, ihre Häuser blau zu streichen, können Sie Ihren Kram packen und sich dahin scheren, woher Sie gekommen sind. Denn mein Haus soll weiß sein wie eine Taube.«

Don Apolinar Moscote erbleichte, trat einen Schritt zurück und preßte die Kiefern zusammen, um bekümmert zu sagen:

»Ich mache Sie darauf aufmerksam, daß ich bewaffnet bin.«

José Arcadio Buendía wußte nicht, in welchem Augenblick ihm jene jugendliche Kraft in die Arme stieg, mit der er ein Pferd zu Boden werfen konnte. Er packte Don Apolinar Moscote an den Rockaufschlägen und hob ihn auf die Höhe seiner Augen.

»Ich tue das«, sagte er, »weil ich Sie lieber lebend trage, als daß ich Sie für den Rest meines Lebens tot tragen muß.«

So trug er ihn an seinen Rockaufschlägen mitten auf die Straße, bis er ihn auf dem Moorweg auf seine beiden Füße stellte. Eine Woche später war er mit sechs barfüßigen, zerlumpten, musketenbewaffneten Soldaten wieder da und einem Ochsenfuhrwerk, auf dem seine Frau und seine sieben Töchter reisten. Später kamen zwei weitere Karren mit den Möbeln, den Truhen und dem Hausrat nach. Während er ein Haus beschaffte und im Schutz seiner Soldaten die Kanzlei eröffnete, brachte er seine Familie im Hotel Jacob unter. Entschlossen, die Eindringlinge zu vertreiben, stellten sich Macondos Gründer mit ihren erwachsenen Söhnen José Arcadio Buendía zur Verfügung. Doch er nahm ihr Anerbieten nicht an, da, wie er erläuterte, Don Apolinar Moscote mit Frau und Töchtern zurückgekommen und es eines Mannes unwürdig sei, einen anderen Mann vor seiner Familie zu demütigen. Daher beschloß er, die Angelegenheit gütlich zu regeln.

Aureliano begleitete ihn. Schon damals hatte er seinen mit pomadisierten Zwirbelspitzen geschmückten schwarzen Schnurrbart zu kultivieren begonnen und befleißigte sich einer leidlichen Stentorstimme, die ihn im Krieg auszeichnen sollte. Unbewaffnet und ohne auf die Wachsoldaten zu achten, betraten sie die Kanzlei des Landrichters. Don Apolinar Moscote verlor nicht die Ruhe. Er stellte ihnen zwei seiner zufällig anwesenden Töchter vor: Amparo, sechzehnjährig, dunkel wie ihre Mutter, und die kaum neunjährige Remedios, ein köstliches kleines Geschöpf mit Lilienhaut und grünen Augen. Beide waren graziös und wohlerzogen. Noch bevor die Mädchen vorgestellt waren, boten sie den kaum Eingetretenen Stühle zum Sitzen an.

»Gut, mein Freund«, sagte José Arcadio Buendía. »Sie bleiben also hier. Doch nicht etwa, weil diese beiden Wegelagerer vor der Tür stehen, sondern dank Ihrer Frau Gemahlin und Ihrer Töchter.«

Don Apolinar Moscote schien die Fassung zu verlieren, doch José Arcadio Buendía ließ ihm keine Zeit zu antworten. »Wir stellen Ihnen nur zwei Bedingungen«, fügte er hinzu. »Die erste: Ein jeder darf sein Haus anmalen, wie er will. Die zweite: Die Soldaten gehen sofort heim. Wir bürgen für die Ordnung.« Der Landrichter hob die weitgespreizte rechte Hand. »Ehrenwort?«

»Feindeswort«, sagte José Arcadio Buendía. Und fügte bitter hinzu: »Denn eines will ich Ihnen sagen: Sie und ich bleiben Feinde.«

Noch am selben Nachmittag zogen die Soldaten ab. Wenige Tage später besorgte José Arcadio Buendía dem Landrichter für seine Familie ein Haus. Jedermann hatte seinen Frieden, ausgenommen Aureliano. Das Bild von Remedios, der jüngsten Tochter des Landrichters, die dem Alter nach seine Tochter hätte sein können, schmerzte irgendwo in seinem Körper. Es war eine körperliche Empfindung, die ihn beim Gehen belästigte wie ein Steinchen im Schuh.

Das neue taubenweiße Haus wurde mit einem Ball eingeweiht. Ursula war auf den Einfall an jenem Nachmittag gekommen, als sie Rebeca und Amaranta zu heranwachsenden jungen Mädchen verwandelt gesehen hatte; man kann also fast sagen, daß der Hauptgrund für den Neubau ihr Wunsch war, den jungen Mädchen eine würdige Stätte für den Empfang von Besuchern zu schaffen. Damit es ihrem Vorhaben nicht an Glanz fehlte, arbeitete sie wie ein Galeerensklave, während die Umbauten im Gang waren, so daß sie bereits vor deren Beendigung kostspielige Geräte für die Ausschmückung und Bedienung bestellt hatte, darunter jene herrliche Erfindung, die das Staunen des Dorfes und den Jubel der Jugend auslösen sollte: das Pianola. Es kam in Teilen, kistenweise verpackt, und wurde zusammen mit den Wiener Möbeln ausgeladen, dem böhmischen Kristall, dem Porzellan der Indischen Kompagnie, dem holländischen Tischzeug und einer reichen Auswahl von Lampen, Kandelabern und Blumenvasen, Putz und Teppichen. Die Importfirma schickte auf eigene Rechnung einen italienischen Fachmann, Pietro Crespi, der das Pianola zusammensetzte, stimmte, die Käufer in der Handhabung anleitete und sie lehrte, nach den neuesten, auf sechs Papierrollen gestanzten Melodien zu tanzen.

Pietro Crespi war jung und blond, der hübscheste, besterzogene Mensch, der bislang in Macondo gesehen worden war, und sein Anzug war so gepflegt, daß er trotz der erstickenden Hitze in seinem Brokatkamisol und der dicken schwarzen Tuchjoppe arbeitete. Schweißverklebt und ehrerbietigen Abstand von der Herrschaft des Hauses haltend, schloß er sich ebenso hingebungsvoll wie Aureliano in seiner Goldschmiedewerkstatt mehrere Wochen im Wohnzimmer ein. Eines Morgens, ohne die Tür zu öffnen, ohne zu dem Wunder einen Zeugen zu berufen, spannte er die erste Rolle in das Pianola ein, und das ohrenbetäubende Hämmern und unablässige Dröhnen der Holzlatten verstummte aus Staunen über die Harmonie und Reinheit der Musik. Alle stürzten ins Wohnzimmer. José Arcadio Buendía schien überwältigt, nicht etwa von der Schönheit der Melodie, sondern von den selbsttätigen Tasten des Pianola, und stellte sofort Melchíades' Kamera im Zimmer auf, in der Hoffnung, einen Daguerreotyp von dem unsichtbaren Spieler aufnehmen zu können. An jenem Tag speiste der Italiener mit der Familie zu Mittag. Rebeca und Amaranta, die bei Tisch bedienten, fühlten sich eingeschüchtert durch die Behendigkeit, mit der dieser engelhafte Mensch mit seinen bleichen, ringlosen Fingern die Bestecke handhabte. Dann lehrte Pietro Crespi sie in dem neben dem Besuchszimmer gelegenen Wohnzimmer tanzen. Er zeigte ihnen die Schritte, ohne sie zu berühren, gab mit einem Metronom den Takt an, alles unter der liebenswürdigen Wachsamkeit Ursulas, die den Raum während des Tanzunterrichts keinen Augenblick verließ. Pietro Crespi trug in jenen Tagen besondere, ebenso dehnbare wie enge Hosen, sowie Lackpantoffeln. »Du brauchst dich nicht zu sorgen«, sagte José Arcadio Buendía zu seiner Frau. »Dieser Mann ist doch ein Süßling.« Sie aber ließ nicht ab von ihrer Wachsamkeit, solange die Tanzstunden nicht vorüber waren und der Italiener nicht Macondo verlassen hatte. Nun begannen die Festvorbereitungen. Ursula stellte eine strenge Gästeliste zusammen, in die nur Nachfahren der Gründer aufgenommen wurden mit Ausnahme der Familie von Pilar Ternera, die bereits zwei andere Kinder von unbekannten Vätern gehabt hatte. Es war wahrhaftig eine erlesene, nur von Freundschaftsgefühlen bestimmte Auswahl, denn die Begünstigten waren nicht nur die ältesten Verwandten der Familie José Arcadio Buendía aus der Zeit vor dem

Auszug, der in Macondos Gründung gipfelte, auch waren ihre Söhne und Enkel seit ihrer Kinderzeit Aurelianos und Arcadios vertraute Gespielen, und ihre Töchter waren die einzigen, die das Haus besuchten, um mit Rebeca und Amaranta zu sticken. Don Apolinar Moscote, der gütige Gouverneur, dessen Tätigkeit sich darauf beschränkte, mit seinen spärlichen Mitteln die beiden mit Holzknüppeln bewaffneten Polizisten zu unterhalten, war eine schmuckvolle Autorität. Um den Haushalt zu bestreiten, eröffneten seine Töchter eine Nähstube, in der sie sowohl Filzblumen anfertigten als auch Goiyabapaste und Liebesbriefe auf Bestellung. Doch wenngleich sie gesittet und gefällig waren, als die Schönsten im Dorf und die Geschicktesten bei den neuen Tänzen galten, so gelang es ihnen nicht, von den Festteilnehmern gewürdigt zu werden.

Während Ursula und die jungen Mädchen Möbel auspackten, Bestecke putzten und Gemälde mit Jungfrauen in rosenbeladenen Booten aufhängten, Bilder, die damit den von den Maurern errichteten nackten Wänden einen Hauch neues Leben einflößten, gab José Arcadio Buendía, von seiner Nichtexistenz überzeugt, die Verfolgung des Abbilds Gottes auf und nahm das Pianola auseinander, um seine geheime Magie zu enträtseln. Zwei Tage vor dem Fest, in einer Sintflut aus überzähligen Klappen und Hämmern ertrinkend, in einem Gewirr von Saiten herumpfuschend, die sich an einem Ende aufrollten, wenn er sie am anderen abrollte, gelang es ihm zu guter Letzt, das Instrument eher schlecht als recht zusammenzusetzen. Nie hatte das Haus so viel Trubel und Gerenne erlebt wie in jenen Tagen, und doch gingen die neuen Teerlampen zur vorherbestimmten Stunde und Minute an. Noch nach Harz und feuchtem Kalk riechend, öffnete sich das Haus, und die Kinder und Enkel der Gründer lernten die Veranda der Farne und Begonien kennen, die stillen Wohnräume, den von Rosenduft getränkten Garten, und sie versammelten sich im Besuchszimmer vor der mit einem weißen Tuch bedeckten Erfindung. Wer das in anderen Moordörfern beliebte Pianoforte kannte, fühlte sich ein wenig betrogen, doch am bittersten war die Enttäuschung Ursulas, als sie die erste Rolle einspannte, damit Amaranta und Rebeca den Ball eröffneten, und der Mechanismus nicht gehorchte. So nahm der fast erblindete und vor Altersschwäche fast zerfallende Melchíades Zuflucht zu den Künsten seiner uralten Weisheit, um es wieder in Gang zu bringen. Endlich gelang es José Arcadio Buendía aus Versehen, einen verhakten Hebel zu lockern, und die Musik ließ sich, zunächst ruckweise, doch gleich darauf in einer Springflut von umgekehrten Noten vernehmen. Auf die ohne Sinn und Verstand gespannten, tollkühn gestimmten Saiten einschlagend, sprangen die Hämmer aus den Angeln. Doch die starrköpfigen Abkömmlinge der einundzwanzig Furchtlosen, welche die Sierra auf der Suche nach dem Meer durchstoßen hatten, überlisteten die Fallen des musikalischen Spielverderbers, und der Ball zog sich bis in die Morgenstunden hinein.

Pietro Crespi setzte das Pianola von neuem zusammen. Rebeca und Amaranta halfen ihm beim Ordnen der Saiten und begleiteten sein Gelächter über die auf den Kopf gestellten Walzerweisen. Er war äußerst liebenswert und von so ehrbarer Lebensart, daß Ursula ihre Wachsamkeit aufgab. Am Vorabend seiner Abreise wurde mit Hilfe des wiederhergestellten Pianolas ein Abschiedsball aus dem Stegreif veranstaltet, bei dem er mit Rebeca virtuos moderne Tänze vorführte. Arcadio und Amaranta taten es ihnen in Anmut und Geschicklichkeit gleich. Doch die Vorstellung wurde unterbrochen, weil Pilar Ternera, die mit den Gaffern an der Tür stand, sich plötzlich kratzend und beißend mit einer Frau in den Haaren lag, die es wagte, über Arcadios Weiberhintern zu spotten. Gegen Mitternacht verabschiedete sich Pietro Crespi mit einer kurzen gefühlsseligen Rede und versprach, recht bald wiederzukommen. Rebeca begleitete ihn zur Tür und ging gleich nach dem Abschließen des Hauses und dem Löschen der Lampen in ihr Zimmer und weinte. Sie weinte untröstlich und weinte so mehrere Tage, und nicht einmal Amaranta erfuhr den Grund. Ihre Wortkargheit war nicht verwunderlich. Wenngleich sie mitteilsam und herzlich schien, hatte sie dennoch einen zur Einsamkeit neigenden Charakter und ein undurchdringliches Herz. Sie war ein prachtvolles junges Geschöpf von schlankem, festem Knochenbau, hatte sich jedoch in den Kopf gesetzt, das hölzerne Schaukelstühlchen zu benützen, das sie mit ins Haus gebracht hatte und das inzwischen mehrfach verstärkt und seiner Lehnen beraubt worden war. Niemand hatte entdeckt, daß sie noch in ihrem Alter am Daumen lutschte. Daher verlor sie keine Gelegenheit, sich im Bad einzuschließen, und hatte die Gewohnheit angenommen, mit dem Gesicht zur Wand zu schlafen. Wenn sie an Regennachmittagen mit einer Gruppe von Freundinnen in der Begonienveranda stickte, verlor sie leicht den Faden der Unterhaltung, und eine Träne der Sehnsucht versalzte ihr den Gaumen, wenn sie die von den Würmern des Gartens gebauten feuchten Erdgänge und Kothügelchen sah. Diese einst durch ein Orangen- und Rhabarbergemisch verdrängten Gelüste brachen als unwiderstehliches Begehren auf, sobald sie weinte. Wieder aß sie Erde. Das erstemal tat sie es fast aus Neugierde, gewiß, der üble Geschmack würde die beste Arznei gegen die Versuchung sein. Und in der Tat vertrug sie die Erde im Mund nicht. Doch vom wachsenden Drang bezwungen, ließ sie nicht locker, und allmählich stellte sich ihr alter Appetit wieder ein, ihr Geschmack an primären Mineralien, die lückenlose Befriedigung an Urnahrung. Nun steckte sie sich Händevoll Erde in die Taschen und aß sie krumenweise, ohne gesehen zu werden, mit einer wirren Empfindung von Glück und Wut, während sie ihre Freundinnen die schwierigsten Stiche lehrte und von anderen Männern sprach, die nicht das Opfer verdienten, daß man ihretwegen den Kalk der Wände aß. Die Häufchen Erde machten den einzigen Mann, der diese Entwürdigung wert war, weniger fern und greifbarer, so, als übermittle der Boden, den er mit seinen feinen Lackschuhen an einer anderen Stelle der Welt trat, ihr die Last und die Temperatur seines Blutes in einem mineralischen Geschmack, der auf ihrer Zunge ein Aroma bitterer Asche und einen Niederschlag von Frieden in ihrem Herzen hinterließ. Eines Nachmittags bat Amparo Moscote ohne bestimmten Grund um die Erlaubnis, das Haus kennenzulernen. Amaranta und Rebeca, über den unerwarteten Besuch aus dem Konzept gebracht, begegneten ihr mit gefühlloser Förmlichkeit. Sie zeigten ihr das umgebaute Herrenhaus, spielten ihr die Rollen des Pianola vor und boten ihr Orangensaft und Gebäck an. Amparo gab ihnen eine Unterrichtsstunde der Würde und des persönlichen Charmes, des guten Benehmens, die Ursula während der kurzen Augenblicke, in denen sie dem Besuch beiwohnte, tief beeindruckten. Nach zwei Stunden, als die Unterhaltung zu erschlaffen begann, nutzte Amparo eine Unaufmerksamkeit Amarantas und übergab Rebeca einen Brief. Sie konnte noch den Namen der hochwohlgeborenen Señorita Doña Rebeca Buendía lesen, geschrieben mit der gleichen methodischen Handschrift, mit der gleichen grünen Tinte und der gleichen gesuchten Wortwahl, mit denen die Gebrauchsanweisung des Pianola abgefaßt war, und sie faltete den Brief mit den Fingerspitzen zusammen und schob ihn in ihr Mieder, während sie Amparo Moscote mit dem Ausdruck des unbegrenzten und unbedingten Danks anblickte, aber auch mit dem stummen Versprechen einer bis zum Tode dauernden Mitverschworenheit.

Die plötzliche Freundschaft Amparos und Rebecas weckte Aurelianos Hoffnungen. Die Erinnerung an die kleine Remedios quälte ihn zwar, doch bot sich ihm keine Gelegenheit, sie zu sehen. Wenn er mit seinen besten Freunden, Magnífico Visbal und Gerineldo Márquez – Söhne der gleichnamigen Gründer – im Dorf spazierenging, suchte sein ängstlicher Blick sie in der Nähstube und sah immer nur ihre älteren Schwestern. Amparo Moscotes Anwesenheit im Haus wirkte auf ihn wie eine Vorahnung. Sie muß mit ihr kommen, flüsterte Aureliano sich selber zu. Sie muß kommen. Er wiederholte sich diese Worte so oft und mit so viel Überzeugungskraft, daß er eines Nachmittags, als er in seiner Werkstatt ein Fischchen aus Gold schmiedete, die Gewißheit verspürte, daß sie seinen Ruf erwidert habe. Kurz darauf hörte er in der Tat das Kinderstimmchen, und als er mit angstkaltem Herzen den Blick hob, sah er das kleine Mädchen in der Tür in einem Kleidchen aus rosafarbenem Organza und mit weißen Stiefelchen.

»Da darfst du nicht hineingehen«, hörte er Amparo Moscotes Stimme im Hausgang. »Dort wird gearbeitet.«

Aber Aureliano ließ ihr keine Zeit, dem Verbot zu gehorchen. Er hob das goldene Fischchen an dem im Fischmaul befestigten Kettchen hoch und sagte:

»Komm herein.«

Remedios trat näher und stellte ein paar Fragen über das Fischchen, die Aureliano nicht beantworten konnte, weil ein plötzlicher Anfall von Asthma ihn daran hinderte. Immer wollte er in der Nähe dieser Lilienhaut bleiben, bei diesen Smaragdaugen, in nächster Nähe dieser Stimme, die mit der gleichen Ehrerbietung, mit der sie ihren Vater anredete, »Señor« zu ihm sagte. Melchíades saß an seinem Schreibtisch in der Ecke und kritzelte unentzifferbare Zeichen. Aureliano haßte ihn. Er konnte nichts tun, außer Remedios sagen, daß er ihr das Fischchen schenken wolle, und das kleine Mädchen erschrak dermaßen über das Geschenk, daß es fluchtartig die Werkstatt verließ. An jenem Nachmittag verlor Aureliano seine heimliche

Geduld, mit der er auf die Gelegenheit einer Begegnung gewartet hatte. Er vernachlässigte seine Arbeit. Verzweifelt zwang er sich zur Konzentration und rief sie mehrere Male, doch Remedios antwortete nicht. Er suchte sie in der Nähstube ihrer Schwestern, hinter jedem Vorhang des Hauses, in der Kanzlei ihres Vaters, fand sie aber nur in dem Bild, das seine eigene schreckliche Einsamkeit sättigte. Stunden verbrachte er mit Rebeca im Wohnzimmer beim Anhören der Pianola-Walzer. Diese lauschte den Walzerklängen, weil es die Musik war, zu denen Pietro Crespi ihr das Tanzen beigebracht hatte. Aureliano hingegen hörte einfach zu, weil alles, sogar Musik, ihn an Remedios erinnerte.

Das Haus füllte sich mit Liebe. Aureliano drückte sie in Versen aus, die weder Anfang noch Ende hatten. Er schrieb sie auf rauhes Pergament, das Melchíades ihm schenkte, auf die Wände des Badezimmers, auf die Haut seiner Arme, und überall erschien Remedios verklärt; Remedios in der einschläfernden Luft von zwei Uhr nachmittags, Remedios im stummen Atem der Rosen, Remedios in der geheimem Wasseruhr des Holzwurms, Remedios im Brotduft des Tagesanbruchs, Remedios überall und Remedios für immer. Rebeca erwartete, am Fenster stickend, die Liebe um vier Uhr nachmittags. Sie wußte, daß der Post-Maulesel nur alle vierzehn Tage kam, sie aber erwartete ihn immer, überzeugt, daß er versehentlich an irgendeinem Tag kommen würde. Genau das Gegenteil erfolgte: einmal kam der Maulesel nicht am vorgesehenen Tag. Wahnsinnig vor Verzweiflung stand Rebeca mitten in der Nacht auf und aß im Garten mit selbstmörderischer Gier, weinend vor Schmerz und Zorn, Händevoll Erde, kaute zarte Würmer und zermalmte sich die Backenzähne an Schneckenhäusern. Dann übergab sie sich bis zum Morgengrauen. Sie verfiel in einen Zustand fieberhafter Niedergeschlagenheit, verlor das Bewußtsein, und ihr Herz erschloß sich schamlosem Taumel. In ihrer Empörung erbrach Ursula das Schloß der Truhe und fand tief unten siebzehn parfümierte, mit einer rosafarbenen Schleife verschnürte Briefe, guterhaltene Gerippe von Blättern und Blüten in alten Büchern wie auch getrocknete Falter, die beim Berühren zu Staub zerfielen.

Aureliano als einziger verstand so viel Trostlosigkeit. An jenem Nachmittag, während Ursula Rebeca dem Wirrsal des Wahns zu entreißen suchte, machte Aureliano sich mit Magnífico Visbal und Gerineldo Márquez zu Catarinos Butike auf. Das Etablissement war durch eine Galerie von Holzkammern erweitert worden, in denen alleinstehende, nach toten Blumen riechende Frauen hausten. Eine Musikkapelle aus Akkordeon und Trommeln spielte die Lieder Francisco-des-Mannes, der seit mehreren Jahren aus Macondo verschwunden war. Die drei Freunde tranken gegorenen Zuckerrohrsaft. Magnífico und Gerineldo, zwar Altersgenossen Aurelianos, jedoch gewandter in den Dingen der Welt, winkten Weiber heran, setzten sie sich auf den Schoß und tranken fleißig. Eine von ihnen, verwelkt und goldzähnig, liebkoste Aureliano in aufreizender Weise. Er stieß sie zurück. Er hatte entdeckt, daß, je mehr er trank, er desto mehr an Remedios dachte, dabei aber die Qual seiner Erinnerung besser ertrug. Er wußte nicht, in welchem Augenblick er zu schweben begann. Er sah, wie seine Freunde und die Frauen in schillerndem Widerglanz segelten, gewichts- und körperlos, wie sie Wörter sprachen, die nicht ihren Lippen entglitten, und geheimnisvolle Zeichen machten, die nicht ihren Gebärden entsprachen. Catarino legte ihm eine Hand auf die Schulter und sagte: »Es geht auf elf.« Aureliano wandte den Kopf, sah das riesige entstellte Gesicht mit einer Blume hinter dem Ohr und verlor das Gedächtnis wie in den Zeiten des Vergessens und fand es an einem fremden Morgengrauen in einer Kammer wieder, die ihm völlig unbekannt war, und darin Pilar Ternera in Unterwäsche, barfuß, zerzaust, die ihm mit ungläubig aufgerissenen Augen eine Lampe vors Gesicht hielt.

»Aureliano!«

Aureliano raffte sich auf, hob den Kopf. Zwar wußte er nicht, wie er dorthin gelangt war, er wußte aber, was der Zweck war, weil er ihn seit seiner Kindheit im unverletzlichen Hort seines Herzens verborgen trug.

»Ich will mit dir schlafen«, sagte er.

Seine Kleidung war mit Kot und Auswurf beschmutzt. Pilar Ternera, die damals nur mit ihren beiden kleineren Kindern zusammen wohnte, stellte keine Frage. Sie führte ihn ins Bett. Wusch ihm das Gesicht mit einem nassen Lappen, entkleidete ihn, zog sich selbst vollkommen aus und schlug das Moskitonetz herunter, damit ihre Kinder sie nicht sahen und auch nicht aufwachten. Sie war müde vom Warten auf den Mann, der nicht gekommen war, auf die Männer, die gegangen waren, die ungezählten Männer, die, von der Ungewißheit der Karten verwirrt, den Weg zu ihrem Haus verfehlt hatten. Und vom Warten war ihre Haut rissig geworden, ihre Brüste hatten sich entleert, die Glut ihres Herzens war erloschen. Sie suchte Aureliano im Dunkeln, legte ihm die Hand auf den Bauch und küßte ihn mit mütterlicher Zärtlichkeit auf den Hals. »Mein armer Junge«, murmelte sie. Aureliano erzitterte. Mit gelassener Gewandtheit ließ er ohne das geringste Straucheln die Schluchten des Schmerzes hinter sich und fand Remedios in einen horizontlosen Sumpf verwandelt, nach einem rohen Tier und frisch gebügelter Wäsche riechend. Als er wieder an die Oberfläche kam, weinte er. Zuerst war es ein unfreiwilliges, abgehacktes Schluchzen. Dann aber fühlte er, wie ein schmerzhaftes Geschwür in ihm aufbrach und sich als enthemmte Springflut entleerte. Sie wartete, dann kraulte sie ihm den Kopf mit ihren Fingerspitzen, bis sein Körper den dunklen Stoff abstieß, der ihn nicht leben ließ. Nun fragte Pilar

Ternera: »Wer ist es?« Aureliano sagte es. Und sie stieß ihr Lachen aus, das in anderen Zeiten die Tauben erschreckt hatte und das nun nicht einmal mehr ihre Kinder weckte. »Du mußt sie erst noch aufziehen«, spottete sie. Doch hinter ihrem Spott entdeckte Aureliano stillschweigendes Einverständnis. Als er das Zimmer verließ, in dem er nicht nur die Ungewißheit seiner Männlichkeit zurückließ, sondern auch die bittere Last, die er so lange Monate im Herzen getragen hatte, versprach Pilar Ternera ihm unvermittelt:

»Ich werde mit der Kleinen reden. Du wirst sehen, ich kredenze sie dir auf einem Tablett.«

Sie hielt ihr Versprechen. Jedoch in einem üblen Augenblick, weil das Haus den Frieden früherer Tage eingebüßt hatte. Als Amaranta Rebecas Leidenschaft entdeckte, die sie wegen ihres Gejammers nicht geheimzuhalten vermochte, erlitt sie einen Fieberanfall. Auch sie litt am Stachel einer einsamen Liebe. Im Badezimmer eingeschlossen, entledigte sie sich der Qual einer hoffnungslosen Leidenschaft durch die Niederschrift fieberhafter Briefe, die sie entsagungsvoll in der Tiefe ihrer Truhe verwahrte. Ursula kam kaum der Betreuung der beiden Kranken nach. Selbst in ausgedehnten, hinterlistigen Verhören wollte es ihr nicht gelingen, die Ursachen von Amarantas Niedergeschlagenheit herauszubringen. Schließlich erbrach sie in einem neuen Moment der Erleuchtung das Schloß der Truhe und fand die an Pietro Crespi gerichteten und nie abgesandten, durch frische Lilien angeschwollenen und noch tränenfeuchten, mit rosenroten Bändchen gebündelten Briefe. Vor Wut weinend, verfluchte sie die Stunde, in der ihr der Gedanke gekommen war, das Pianola zu kaufen, verbot jeden Stickunterricht und bestimmte eine Art Trauerzeit ohne Tote, bis ihre Töchter ihre Hoffnungen aufgäben. Die Einmischung José Arcadio Buendías, der seinen ersten Eindruck über Pietro Crespi berichtigt hatte und seine

Geschicklichkeit in der Handhabung musikalischer Maschinen bewunderte, erwies sich als nutzlos. Als daher Pilar Ternera Aureliano sagte, Remedios sei heiratsbereit, begriff dieser, daß die Nachricht seine Eltern betrüben müsse. Zu einer offiziellen Besprechung ins Besuchszimmer gebeten, hörten José Arcadio Buendía und Ursula unerschrocken die Erklärung ihres Sohnes an. Als José Arcadio Buendía indessen den Namen der Braut erfuhr, wurde er puterrot vor Empörung. »Die Liebe ist eine Landplage«, donnerte er. »Wo es so viele hübsche anständige Mädchen gibt, mußt du unbedingt auf die Idee verfallen, die Tochter unseres Feindes zu heiraten.« Ursula hingegen war mit der Wahl einverstanden. Sie bekannte ihre Zuneigung zu den sieben Töchtern Moscotes wegen ihrer Schönheit, ihrem Arbeitseifer, ihrer Sittsamkeit und ihrer guten Erziehung und pries ihres Sohnes glückliche Hand. Von der Begeisterung seiner Frau gewonnen, stellte José Arcadio Buendía allerdings eine Bedingung: Rebeca, deren Liebe erwidert werde, solle in diesem Fall auch Pietro Crespi heiraten. Sobald sie Zeit habe, solle Ursula mit Amaranta in die Provinzhauptstadt reisen, damit die Bekanntschaft mit feinen Menschen sie von ihrer Enttäuschung heile. Rebeca wurde gesund, sobald sie von der Vereinbarung erfuhr, und schrieb ihrem Bräutigam einen Jubelbrief, den sie ihren Eltern zur Prüfung vorlegte und dann ohne Liebesboten der Post übergab. Amaranta fügte sich zum Schein der Entscheidung und erholte sich nach und nach von ihrem Fieber, schwor sich jedoch, Rebeca solle nur über ihre Leiche heiraten.

Am darauffolgenden Samstag zog José Arcadio Buendía seinen schwarzen Anzug, den Zelluloidkragen und die Sämischlederstiefel an, die er am Festabend eingeweiht hatte, und verließ das Haus in der Absicht, um Remedios Moscotes Hand zu bitten. Der Landrichter und seine Gattin empfingen ihn geschmeichelt und zugleich beklommen, weil sie die Absicht des unerwarteten

Besuchs nicht kannten, dann aber glaubten, er habe den Namen der Umworbenen verwechselt. Um seinen Irrtum aufzuklären, weckte die Mutter Remedios und brachte das schlaftrunkene Kind auf den Armen ins Wohnzimmer. Man fragte an, ob es wirklich heiraten wolle, worauf es wimmernd erwiderte, man solle es doch schlafen lassen. José Arcadio Buendía, der die Bestürzung der Moscotes begriff, kehrte um und besprach sich mit Aureliano. Als er zurückkam, hatte das Ehepaar Moscote förmliche Kleidung angelegt, die Möbel umgestellt, frische Blumen in die Blumenvasen gesteckt und erwartete ihn in Gesellschaft ihrer älteren Töchter. Erschöpft durch die peinliche Situation und den unbequemen steifen Kragen, bestätigte José Arcadio Buendía, Remedios sei in der Tat die Erwählte. »Das hat doch keinen Sinn«, entgegnete fassungslos Don Apolinar Moscote. »Wir haben noch sechs andere Töchter, alle unverheiratet und alle heiratsfähig, und diese wären entzückt, die ehrenwerte Ehefrau eines so zuverlässigen, fleißigen Kavaliers wie Ihres Sohnes zu werden, aber Aureliano scheint ausgerechnet sein Auge auf die einzige geworfen zu haben, die noch ins Bett macht.« Seine Gemahlin, eine guterhaltene Frau mit kummervollen Lidern und Gebärden, warf ihm mangelnde Wohlanständigkeit vor. Als die Fruchtspeise verzehrt war, hatte man befriedigt Aurelianos Entschluß angenommen. Nur bat Señora Moscote um die Gunst, ein privates Wort mit Ursula zu wechseln. Einerseits neugierig, andrerseits einwerfend, man verwickle sie in Männerangelegenheiten, in Wirklichkeit jedoch von Erregung eingeschüchtert, besuchte Ursula sie am nächsten Tag. Eine halbe Stunde später kehrte sie mit der Nachricht zurück, Remedios sei noch nicht geschlechtsreif. Aureliano sah darin kein ernstes Hindernis. Er hatte so lange gewartet, so daß er warten konnte, bis seine Braut das empfängnisfähige Alter erreicht haben würde.

Die wiedergewonnene Eintracht wurde nur durch Melchíades' Tod unterbrochen. Wenn das Ereignis auch absehbar gewesen war, so waren es nicht die Umstände. Wenige Monate nach seiner Rückkehr alterte er so rasch und ausweglos, daß er bald für einen jener wertlosen Urgroßväter gehalten wurde, die, die Füße nachziehend, wie Schatten durch die Schlafzimmer schleichen und mit vernehmlicher Stimme besseren Zeiten nachtrauern, die niemand betreut und niemand bedenkt bis zu dem Tag, an dem sie eines Morgens tot in ihrem Bett aufgefunden werden. Anfangs begeistert über die Neuigkeit der Daguerreotypie und die Prophezeiungen des Nostradamus, hatte José Arcadio Buendía ihm in seinen Obliegenheiten zur Seite gestanden. Doch nach und nach überließ er ihn der Einsamkeit, weil der Gedankenaustausch mit ihm immer schwieriger wurde. Denn da er Gesicht und Gehör verloren hatte, schien er seine Gesprächspartner nunmehr mit Menschen zu verwechseln, die er in früheren Menschheitsepochen gekannt hatte, und beantwortete Fragen nur noch in einem verworrenen Sprachenkauderwelsch. So schlurfte er umher, die Luft betastend, wenngleich er mit unglaublicher Behendigkeit zwischen den Dingen umherging, als sei er mit einem auf unmittelbaren Vorahnungen fußenden Ortssinn ausgestattet. Eines Tages vergaß er sein Gebiß einzusetzen, das er abends neben dem Bett in ein Wasserglas legte, und setzte es fortan nicht mehr ein. Als Ursula die Vergrößerung des Hauses plante, ließ sie ihm fern vom häuslichen Trubel und Lärm neben Aurelianos Werkstatt ein eigenes Kämmerchen mit einem lichtdurchfluteten Fenster und einem Bücherbord anbauen, auf dem sie eigenhändig die von Staub und Motten fast zerfressenen Bücher einordnete, die mit unentzifferbaren Zeichen bedeckten spröden Papiere sowie das Glas mit seinem Gebiß, das mittlerweile von Wasserpflanzen mit winzigen gelben Blüten überwachsen war. Die neue Behausung schien Melchíades zu gefallen, da er sich nie mehr im Eßzimmer sehen ließ. Er ging nur noch in Aurelianos Werkstatt, wo er Stunden um Stunden seine rätselhafte Literatur auf Pergamente kritzelte, die er mitgebracht hatte und die aus einem so brüchigen Stoff hergestellt schienen, daß sie wie Blätterteig zerbröselten. Doch verzehrte er das Essen, das Visitación ihm zweimal am Tag brachte, wenngleich er in der letzten Zeit den Appetit verloren hatte und nur noch Gemüse anrührte. Bald nahm er denn auch das Vegetariern eigene wehrlose Aussehen an. Seine Haut überzog sich mit einer zarten Moosschicht, die auf seiner anachronistischen Weste gedieh, die er nie mehr auszog, und sein Atem verströmte den Geruch eines schlafenden Tiers. Der mit seinen Versen beschäftigte Aureliano vergaß ihn zu guter Letzt ganz, doch bei einer bestimmten Gelegenheit glaubte er etwas von seinen gemurmelten Selbstgesprächen zu verstehen und schenkte ihm Aufmerksamkeit. Doch das einzige, was er in dem kehligen Gebrumm unterscheiden konnte, war das aufsässige Gehämmer des Wortes Tagundnachtgleiche, Tagundnachtgleiche, Tagundnachtgleiche, sowie der Name Alexander von Humboldt. Arcadio kam ihm etwas näher, als er Aureliano beim Goldschmieden half. Melchíades ging auf seine Annäherungsversuche ein und ließ gelegentlich ein paar Worte auf spanisch fallen, die wenig mit der Wirklichkeit zu tun hatten. Eines Nachmittags hingegen schien er von plötzlicher Ergriffenheit erleuchtet. Jahre später sollte Arcadio sich vor dem Erschießungskommando der schaudernden Stimme erinnern, mit der Melchíades ihm einige Seiten aus seiner unergründlichen Schrift vorlas, von der er natürlich kein Wort verstand, die aber, vernehmlich vorgetragen, nach psalmodierten Enzykliken klang. Gleich darauf lächelte er zum erstenmal nach langer Zeit und sagte auf spanisch: »Wenn ich sterbe, dann brennt drei Tage lang Quecksilber in meinem Zimmer ab!« Arcadio erzählte es José Arcadio Buendía, und dieser erheischte eine genauere Auskunft, erhielt jedoch nur folgende Antwort: »Ich habe die Unsterblichkeit erreicht.« Als Melchíades' Atem zu stinken begann, nahm Arcadio ihn jeden Donnerstagmorgen zum Flußbad mit. Das schien zu helfen. Er zog sich nackt aus und stieg mit den jungen Leuten ins Wasser, und sein geheimnisvoller Ortssinn befähigte ihn, tiefe und gefährliche Stellen zu meiden. »Wir gehören zum Wasser«, sagte er einmal. So verging viel Zeit, ohne daß ihn jemand im Haus sah außer abends, wenn er rührende Versuche machte, das Pianola zusammenzusetzen, oder den Totumakürbis und sein in ein Handtuch gewickeltes Stück Palmseife unter dem Arm mit Arcadio zum Fluß schritt. Eines Donnerstags, bevor man ihn zum Flußbad rief, hörte Aureliano ihn sagen: »Ich bin in den Sümpfen von Singapur am Fieber gestorben.« An jenem Tag stieg er an einem ungünstigen Zugang in den Fluß und wurde erst am nächsten Morgen mehrere Kilometer stromabwärts gefunden; er war an einer besonnten Krümmung hängengeblieben; ein Aasgeier hockte auf seinem Bauch. Gegen die empörten Einsprüche Ursulas, die ihn schmerzvoller beweinte als ihren eigenen Vater, widersetzte sich José Arcadio Buendía seinem Begräbnis. »Er ist unsterblich«, sagte er. »Er selber hat mir die Formel der Auferstehung verraten.« Er ließ die vergessene Brunnenröhre wiederaufleben und einen Kessel Quecksilber neben dem Leichnam abbrennen, der sich nach und nach mit bläulichen Bläschen bedeckte. Don Apolinar Moscote wagte darauf hinzuweisen, daß ein unbegrabener Ertrunkener eine Gefahr für die öffentliche Gesundheit darstelle. »Nichts dergleichen, er lebt doch!« lautete die Erwiderung José Arcadio Buendías, der die bereits zweiundsiebzig Stunden lang dauernde Quecksilberkur beendete, als die Leiche in aschgraues Blühen auszubrechen begann, dessen leises Zischen das Haus mit Pesthauch durchdrang. Erst jetzt gestattete er die Beerdigung, doch nicht etwa irgendwie, sondern mit den Macondos größtem Wohltäter vorbehaltenen Ehren.

Es war das erste und meistbetrauerte Begräbnis, welches das Dorf erlebte, und wurde ein Jahrhundert später nur noch von der Karnevalsleichenbestattung der Großen Mama übertroffen. Er wurde in einer in der Mitte des für den Friedhof bestimmten Geländes errichteten Grabstätte beerdigt, und auf dem Grabstein stand das einzige, was von ihm bekannt war: MELCHIADES. Er bekam eine neunnächtige Totenwache. Im Gedränge der Menschen, die im Innenhof Kaffee tranken, Witze rissen und Karten spielten, fand Amaranta Gelegenheit, ihre Liebe Pietro Crespi zu beichten, der sich wenige Wochen zuvor mit Rebeca verlobt hatte und gerade ein Geschäft für Musikinstrumente und Aufziehspiele einrichtete, und zwar im gleichen Viertel, in dem die Araber hausten, die in früherer Zeit Papageien gegen Flitterkram eingehandelt hatten, ein Ortsteil, der bei den Dorfbewohnern als Türkenstraße bekannt war. Der Italiener, dessen pomadiger Krauskopf bei den Frauen ein unwiderstehliches Bedürfnis nach Seufzern hervorrief, behandelte Amaranta wie ein launisches Kind, das man nicht ernst zu nehmen braucht.

»Ich habe einen jüngeren Bruder«, sagte er. »Er wird mir im Laden helfen.«

Amaranta fühlte sich gedemütigt und bedeutete Pietro Crespi mit sichtlichem Groll, sie sei gewillt, die Hochzeit ihrer Schwester zu verhindern, auch wenn sie ihren eigenen Leichnam über die Türschwelle werfen müsse. Den Italiener beängstigte die leidenschaftliche Drohung dergestalt, daß er der Versuchung nicht widerstand, sie Rebeca zu hinterbringen. So kam denn Amarantas infolge Ursulas Obliegenheiten immer wieder hinausgeschobene Reise in weniger als einer Woche zustande. Amaranta widersetzte sich nicht, doch als sie Rebeca zum Abschied küßte, flüsterte sie ihr ins Ohr:

»Gib dich keinen Illusionen hin. Auch wenn man mich bis ans Ende der Welt schleppt, werde ich Mittel und Wege finden, deine Ehe zu vereiteln, und müßte ich dich dafür umbringen.«

Mit der Abwesenheit Ursulas, mit der unsichtbaren Anwesenheit des Melchíades, der nach wie vor schweigsam durch die Zimmer schlich, schien das Haus riesengroß und leer. Rebeca hatte die Leitung des Haushalts übernommen, während die Indiofrau sich um die Bäckerei kümmerte. Gegen Abend, wenn Pietro Crespi, angekündigt durch einen frischen Hauch von Lavendel, in der Hand das unvermeidliche Geschenk eines Spielzeugs, das Haus betrat, empfing seine Verlobte ihn im Hauptsalon, dessen Türen und Fenster offenstanden, damit von vornherein jeder Argwohn ausgeschaltet werde. Das war eine überflüssige Vorsichtsmaßnahme, denn der Italiener hatte so viel Ehrerbietung bewiesen, daß er nicht einmal die Hand der Frau berührte, die noch vor Ablauf eines Jahres seine Ehefrau werden sollte. Dank dieser Visiten füllte sich das Haus mit Spielzeug. Die aufziehbaren Tänzerinnen, die Musiktruhen, die Turnaffen, die trabenden Pferdchen, die tamburinspielenden Clowns, die reichhaltige, wundersame mechanische Fauna, die Pietro Crespi mitbrachte, verscheuchten José Arcadio Buendías Kummer über Melchíades' Tod und führten ihn von neuem in seine alten Alchimistenzeiten zurück. Nun lebte er in einem Paradies ausgeweideter Tiere, auseinandergenommener Mechanismen, die er mit dem System des auf dem Uhrpendel fußenden Perpetuum mobile zu vervollkommnen suchte. Aureliano seinerseits hatte seine Werkstatt vernachlässigt, um der kleinen Remedios Lesen und Schreiben beizubringen. Anfangs zog die Kleine ihre Puppen dem Manne vor, der jeden Nachmittag ankam und schuld daran war, daß man sie von ihren Spielsachen fortriß, um sie zu waschen, anzuziehen, und sie dann zum Empfang ihres Besuches in den Salon setzte. Doch Aurelianos Geduld und Hingabe verführten sie schließlich dazu, daß sie Stunden mit ihm verbrachte, um in einem Heft mit Buntstiften die Bedeutung der Buchstaben zu erlernen und Häuschen und Pferche mit Kühen zu zeichnen und runde Sonnen mit gelben Strahlen, die sich hinter Hügeln verbargen.

Nur Rebeca war über Amarantas Drohungen unglücklich. Sie kannte den Charakter ihrer Schwester, den Stolz ihres Gemüts, und die Heftigkeit ihres Grolls erschreckte sie. Daumenlutschend verbrachte sie ganze Stunden im Badezimmer und strengte ihren Willen aufs äußerste an, um nicht Erde zu essen. Erleichterung für ihre Qual suchend, rief sie Pilar Ternera, damit diese ihr die Zukunft lese. Nach einer langen Litanei althergebrachter Ungenauigkeiten prophezeite Pilar Ternera:

»Solange deine Eltern nicht beerdigt sind, wirst du nicht glücklich werden.«

Rebeca erbebte. Wie in einer Traumerinnerung sah sie sich als kleines Mädchen mit ihrer Truhe, dem hölzernen Schaukelstühlchen und einem Sack, dessen Inhalt sie nie gesehen hatte, das Haus betreten. Sie erinnerte sich an einen kahlköpfigen Kavalier in einem Leinenanzug und einem am Hals mit einem goldenen Knopf verschlossenen Hemd, der nichts mit dem Herzkönig zu tun hatte. Sie erinnerte sich an eine blutjunge, bildschöne Frau mit sanften, duftenden Händen, die nichts zu tun hatten mit den rheumatischen Händen der Karodame, und die ihr Blumen ins Haar steckte, um sie nachmittags zu einem Spaziergang in einem Dorf mit grünen Gassen abzuholen.

»Ich verstehe das nicht«, sagte sie.

Pilar Ternera schien fassungslos:

»Ich auch nicht. Doch das sagen die Karten.«

Rebeca ließ sich von dem Rätsel dergestalt beunruhigen, daß sie es José Arcadio Buendía erzählte, und dieser schalt sie, Kartenprophezeiungen Glauben zu schenken, widmete sich dann aber der verschwiegenen Aufgabe, auf der Suche nach dem Knochensack Schränke und Truhen zu durchstöbern, Möbel zu verrücken, Betten umzudrehen und Fußböden aufzustemmen. Er erinnerte sich daran, den Sack seit der Zeit des Umbaus nicht gesehen zu haben. Heimlich rief er die Maurer, und einer unter ihnen enthüllte ihm, er habe den Sack in einem der Schlafzimmer eingemauert, weil er beim Arbeiten gestört habe. Nach mehreren Tagen aufmerksamen Abklopfens der Wände vernahmen sie ein tiefes Klockklock. Sie durchbohrten die Wand, und da waren denn auch die Knochen in ihrem unbeschädigten Sack. Noch am selben Tag begruben sie sie in einem neben Melchíades' Grabstätte notdürftig ausgehobenen gedenksteinlosen Grab, und José Arcadio Buendía kehrte ins Haus zurück, befreit von einer Bürde, die einen Augenblick lang so schwer auf seinem Gewissen gelastet hatte wie die Erinnerung an Prudencio Aguilar. Beim Durchschreiten der Küche küßte er Rebeca auf die Stirn.

»Schlag dir alle bösen Gedanken aus dem Kopf«, sagte er. »Du wirst glücklich werden.«

Rebecas Freundschaft eröffnete Pilar Ternera die ihr seit Arcadios Geburt verschlossenen Türen des Hauses. Sie kam zu jeder beliebigen Stunde des Tages wie eine Herde Ziegen und entfaltete ihren fieberhaften Tatendrang bei den schwersten Obliegenheiten. Mitunter ging sie in die Werkstatt und half Aureliano mit einer Tüchtigkeit und Zartheit, die ihn schließlich verwirrten, die Platten des Daguerreotyps lichtempfindlich zu machen. Diese Frau verblüffte ihn. Die Hitze ihrer Haut, ihr Rauchgeruch, ihr unvermitteltes Lachen in der düsteren Kammer störten seine Aufmerksamkeit und verleiteten ihn zu Ungeschicklichkeiten bei der Arbeit.

Einmal war Aureliano mit einer Goldschmiedearbeit beschäftigt, und Pilar Ternera stützte sich auf den Tisch, um seinen geduldigen Arbeitseifer zu bewundern. Plötzlich geschah es. Aureliano merkte, daß Arcadio in dem dunklen Raum stand, noch bevor er den Blick hob und den Augen Pilar Terneras begegnete, deren Gedanken wie im Mittagslicht völlig sichtbar waren.

»Schön«, sagte Aureliano. »Sag, was du auf dem Herzen hast.«

Pilar Ternera biß sich traurig lächelnd auf die Lippen.

»Daß du gut für den Krieg bist«, sagte sie. »Wohin du das Auge setzt, setzt du das Blei.«

Der Beweis der Voraussage erleichterte Aureliano. Wieder wandte er sich seiner Arbeit zu, als sei nichts geschehen, und seine Stimme gewann Ruhe und Festigkeit.

»Ich erkenne ihn an«, sagte er. »Er soll meinen Namen tragen.«

José Arcadio Buendía bekam endlich, was er suchte: Er verband eine aufziehbare Tänzerin mit dem Uhrwerk, und nun tanzte das Spielzeug ununterbrochen zum Takt seiner eigenen Musik drei Tage hindurch. Diese Leistung erregte ihn viel mehr als jede seiner kopflosen Unternehmungen. Er aß nicht mehr. Er schlief nicht mehr. Ohne Ursulas Bewachung und Betreuung ließ er sich von seiner Einbildungskraft in einen Zustand des Dauertaumels hineinreißen, von dem er sich nie wieder erholen sollte. Die Nächte verbrachte er damit, daß er in seinem Zimmer kreisum lief, laut dachte und nach einem Mittel suchte, die Grundsätze des Pendels auf die Ochsenwagen, die Pflugscharen anzuwenden, auf alles, was, sofern in Bewegung gesetzt, Nutzen bringen konnte. Das Fieber der Schlaflosigkeit ermüdete ihn dergestalt, daß er den weißhaarigen wackeligen Greis, der eines Morgengrauens in sein Zimmer trat, nicht erkannte. Es war Prudencio Aguilar. Als er ihn endlich erkannte, verwundert, daß auch Tote alterten, wurde José Arcadio Buendía von Sehnsucht geschüttelt. »Prudencio«, rief er aus, »wie weit bist du gelaufen!« Nach vielen Todesjahren war das Verlangen nach den Lebenden so tief, das Bedürfnis nach Gesellschaft so dringend, so entmutigend die Nähe jenes zweiten Todes, der innerhalb des ersten existierte, daß Prudencio Aguilar schließlich seinem schlimmsten Feind wohlwollte. Vermutlich suchte er ihn seit langem. Er hatte die Toten von Riohacha nach ihm gefragt, die Toten, die aus dem Upar-Tal kamen, die, welche vom Moor kamen, und niemand hatte ihm Auskunft geben können, weil Macondo für die Toten ein unbekanntes Dorf war, bis Melchíades kam und es auf den buntscheckigen Landkarten des Todes mit einem schwarzen Pünktchen einzeichnete. José Arcadio Buendía unterhielt sich mit Prudencio Aguilar bis zum Tagesanbruch. Wenige Stunden danach, erschöpft von der Nachtwache, trat er in Aurelianos Werkstatt ein und fragte: »Welcher Tag ist heute?« Aureliano antwortete, es sei Dienstag. »Das dachte ich auch«, sagte José Arcadio Buendía. »Doch plötzlich ist mir aufgegangen, daß es nach wie vor Montag ist, wie gestern. Sieh den Himmel, sieh die Wände, die Begonien. Auch heute ist Montag.« Der an sein Spintisieren gewöhnte Aureliano beachtete ihn nicht. Am nächsten Tag, dem Mittwoch, kam José Arcadio Buendía wieder in die Werkstatt. »Es ist ein Verhängnis«, sagte er. »Sieh die Luft, hör das Summen der Sonne, genau wie gestern und vorgestern. Auch heute ist Montag.« In jener Nacht traf Pietro Crespi ihn im Hausgang, hilflos wimmernd wie alte Leute, Prudencio Aguilar beweinend, Melchíades, Rebecas Eltern, seinen Papa und seine Mama, alle, auf die er sich besinnen konnte und die nun allein waren im Tod. Er schenkte ihm einen aufziehbaren Bären, der mit zwei Pfoten auf einem Seil spazierte, doch er vermochte ihn nicht von seiner Besessenheit abzulenken. Fragte ihn, was aus seinem ihm vor Tagen auseinandergesetzten Plan geworden sei, jene Möglichkeit, eine Pendelmaschine zu bauen, die dem Menschen als Flugapparat dienen könne, und er erwiderte, er sei nicht auszuführen, weil das Pendel zwar x-beliebiges in die Luft heben könne, aber nicht sich selber. Am Donnerstag erschien er von neuem mit dem jämmerlichen Aussehen verwüsteter Erde in der Werkstatt. »Die Zeitmaschine ist auseinandergebrochen«, schluchzte er fast. »Und Ursula und Amaranta sind so weit weg!« Aureliano schalt ihn wie ein Kind, und schon machte er ein fügsames Gesicht. Sechs Stunden lang musterte er die Dinge und suchte einen Unterschied zu ihrem Aussehen vom vorhergegangenen Tag festzustellen, bemüht, an ihnen irgendeine Veränderung zu entdecken, die den Ablauf der Zeit offenbarte. Die ganze Nacht lag er mit offenen Augen im Bett und rief Prudencio Aguilar, Melchíades, alle Toten, damit sie seinen Kummer teilten. Doch niemand eilte herbei. Am Freitag, noch bevor jemand aufstand, beobachtete er wiederum den Anschein der Natur, bis nicht der geringste Zweifel mehr für ihn bestand, daß es immer noch Montag war. Dann packte er einen Türriegel, und mit der geballten Gewalt seiner ungewöhnlichen Körperkräfte zerschlug er seine alchimistischen Apparate und sein Daguerreotypie-Kabinett zu Staub sowie die Goldschmiedewerkstatt, wie ein Besessener in einer hochtönenden, flüssigen, jedoch völlig unverständlichen Sprache zeternd. Schon schickte er sich an, den Rest des Hauses zu zerstören, als Aureliano die Nachbarn zu Hilfe rief. Zehn Männer waren nötig, um ihn niederzuringen, vierzehn, um ihn zu fesseln, zwanzig, um ihn zur Kastanie des Innenhofs zu schleppen, wo man ihn mit grünschäumenden Lippen in fremden Zungen bellend angebunden zurückließ. Als Ursula und Amaranta zurückkehrten, stand er noch immer mit Füßen und Händen an den Stamm der Kastanie gefesselt, regendurchnäßt und im Stand vollkommener Unschuld. Sie sprachen ihn an, und er blickte sie an, erkannte sie jedoch nicht wieder und murmelte nur Unverständliches. Ursula befreite seine vom Druck der Stricke geschwollenen Hand- und Fußgelenke und ließ ihm nur die um die Gürtellinie geschlungene Fessel. Später bauten sie ein Palmendach, um ihn gegen Sonne und Regen zu schützen.

Aureliano Buendía und Remedios Moscote heirateten an einem Märzsonntag vor dem Altar, den Pater Nicanor Reyna im Besuchszimmer aufstellen ließ. Das war der Höhepunkt von vier Wochen der Aufregung im Haus Moscote, denn die kleine Remedios erreichte die Geschlechtsreife, bevor sie die Gewohnheiten der Kindheit überwunden hatte. Obwohl ihre Mutter sie über die Veränderungen der Jugend belehrt hatte, kam sie eines Februarnachmittags unter Schreckensschreien ins Wohnzimmer, wo ihre Schwestern mit Aureliano plauderten, gerannt und zeigte ihnen ihre von einer schokoladeartigen Paste verklebte Unterhose. Die Hochzeit wurde auf einen Monat später anberaumt. Mehr Zeit, als sie zu lehren, sich allein zu waschen und anzuziehen und die elementarsten Fragen des Haushalts zu begreifen, stand nicht zur Verfügung. Man ließ sie auf heißen Fliesen urinieren, um ihr das Bettnässen abzugewöhnen. Es kostete Mühe, sie von der Unverletzlichkeit des Ehegeheimnisses zu überzeugen, denn Remedios war so überwältigt und so verwundert über die Offenbarung, daß sie darauf brannte, allen Leuten ihre Hochzeitsnacht in allen Einzelheiten zu schildern. Es waren erschöpfende Anstrengungen, doch am anberaumten Tag war das kleine Mädchen ebenso bewandert in den Dingen der Welt wie irgendeine ihrer Schwestern. Don Apolinar Moscote geleitete sie am Arm durch die blumen- und girlandengeschmückte Straße, während die Knallkörper krachten und mehrere Musikkapellen aufspielten, und sie hob grüßend die Hand und dankte lächelnd den ihr aus den Fenstern Glück Wünschenden. Aureliano, ganz in Schwarz und in denselben mit Metallhaken versehenen Lackstiefeln, die er wenige Jahre später vor dem Erschießungskommando tragen sollte, trug tiefe Blässe zur Schau und spürte einen zähen Kloß in der Kehle, als er seine Braut an der Haustür in Empfang nahm und zum Altar führte. Sie indes gab sich so natürlich und so bescheiden, daß sie nicht einmal die Haltung verlor, als Aureliano den Trauring, den er ihr anstreifen wollte, fallen ließ. Unter Getuschel und einem Anflug von Verwirrung der Hochzeitsgäste hielt sie die mit einem Halbhandschuh aus Spitzen bekleidete Hand mit dem freien Ringfinger hoch, bis es dem Bräutigam gelang, den Ring mit dem Stiefel anzuhalten, damit er nicht bis zur Türe rollte; dann kehrte er schamrot zum Altar zurück. Ihre Mutter und Schwestern fürchteten so sehr, die Kleine könne während der Trauung einen Schnitzer machen, daß sie zu guter Letzt die Taktlosigkeit begingen und sie auf den Arm nahmen, um ihr einen Kuß zu geben. Schon an jenem Tag traten das Verantwortungsbewußtsein, die natürliche Anmut, die ruhige Beherrschung zutage, die Remedios stets angesichts widriger Umstände bewahren sollte. So war sie es, die aus eigenem Antrieb das größte Stück, das sie von der Hochzeitstorte abschnitt, beiseite legte und auf einem Teller mit einer Gabel José Arcadio Buendía brachte. Am Stamm der Kastanie vertäut und auf einem Holzbänkchen unter dem Palmendach zusammengekauert, ließ der von Sonne und Regen verfärbte gewaltige Greis ein vages Lächeln des Dankes erkennen und aß die Tortenschnitte mit den Fingern, während er einen unverständlichen Psalm wiederkäute. Der einzige unglückliche Mensch bei dieser lärmenden Feier, die sich bis ins Morgengrauen des Montags hinzog, war Rebeca Buendía. Es war ihr gescheitertes Fest. Auf Grund von Ursulas Abmachung hätte ihre Hochzeit am selben Tag begangen werden sollen, doch Pietro Crespi erhielt am Freitag einen Brief, der ihm den bevorstehenden Tod seiner Mutter mitteilte. So wurde die Verehelichung verschoben. Pietro Crespi reiste eine Stunde nach Erhalt des Briefes in die Provinzhauptstadt und fuhr unterwegs an seiner Mutter vorbei, die pünktlich am Samstag abend ankam und an Aurelianos Hochzeit jenes wehmütige Lied sang, das sie für die Hochzeit ihres Sohnes einstudiert hatte. Pietro Crespi kehrte um Mitternacht des Sonntags zurück, nur um die Asche des Festes fortzufegen, nachdem er beim Versuch, rechtzeitig zu seiner eigenen Hochzeit anzukommen, unterwegs fünf Pferde zu Schanden geritten hatte. Es wurde nie ermittelt, wer den Brief geschrieben hatte. Von Ursula bedrängt, heulte Amaranta empört los und schwor auf ihre Unschuld vor dem Altar, den die Zimmerleute noch nicht abgebaut hatten.

Pater Nicanor Reyna – den Don Apolinar Moscote für die Traupredigt aus dem Moor geholt hatte – war ein vom Undank seines Berufs verhärteter Greis, seine über fast blanke Knochen gespannte Gesichtshaut war grau, sein Bauch war prall und hervorstehend, und er hatte den eher unschuldigen als gütigen Gesichtsausdruck eines gealterten Engels. Er hatte beabsichtigt, nach der Hochzeitsfeier in seine Pfarrei zurückzukehren, entsetzte sich jedoch über die seelische Dürre der Einwohner von Macondo, die im Ärgernis zu gedeihen schienen und nur dem Naturgesetz gehorchten, ohne ihre Kinder zu taufen und die Feiertage zu heiligen. Der Meinung, daß kein Stückchen Erde des Samens Gottes mehr bedürfe als dieses, beschloß er, noch eine Woche dazubleiben, um Beschnittene und Heiden zu Christen zu bekehren, wilde Ehen dem Gesetz zu unterwerfen und Sterbenden das Sakrament zu spenden. Doch niemand achtete seiner. Man erwiderte ihm, man habe viele Jahre hindurch ohne Priester gelebt, habe die Geschäfte der Seele unmittelbar mit Gott verhandelt und habe die Bosheit der Todsünde verloren. Zu müde, um in der Wüste zu predigen, schickte Nicanor sich an, den Bau eines Tempels zu unternehmen, des größten der Welt mit Heiligen in Lebensgröße und Glasfenstern in den Mauern, damit Leute aus Rom kämen und Gott mitten in der Unfrömmigkeit ehrten. Er hastete hierhin und dahin und bettelte mit einem Kupfertellerchen um Almosen. Man gab ihm viel, doch er forderte mehr, da ein Tempel eine Glocke brauche, deren Geläut die Ertrinkenden an die Oberfläche zurückbrächte. Er flehte so heftig, daß er seine Stimme einbüßte. Seine Knochen begannen sich mit Lauten zu füllen. Eines Samstags – er hatte noch nicht einmal den Wert der Türen gesammelt – verfiel er der Verzweiflung. So baute er einen Behelfsaltar auf dem Dorfplatz, lief am Sonntag mit einer Schelle durchs Dorf wie zu den Zeiten der Schlaflosigkeit und rief zur Feldmesse. Viele kamen aus Neugierde. Andere aus Sehnsucht. Dritte, damit Gott die Mißachtung, der sein Mittler sich ausgesetzt sah, nicht als persönliche Beleidigung auffasse. So fand sich denn gegen acht Uhr morgens das halbe Dorf auf dem Platz ein, wo Pater Nicanor mit seiner vom vielen Betteln zerstörten Stimme die Evangelien sang. Endlich, als die Anwesenden sich zu zerstreuen begannen, hob er Aufmerksamkeit heischend die Arme.

»Einen Augenblick«, rief er. »Jetzt wollen wir einem unwiderleglichen Beweis von Gottes unendlicher Macht beiwohnen.«

Der Junge, der bei der Messe geholfen hatte, reichte ihm eine Tasse mit dicker, dampfender Schokolade, die er, ohne Luft zu holen, austrank. Dann wischte er sich mit einem Taschentuch, das er aus einem Ärmel zog, die Lippen ab, breitete die Arme aus und schloß die Augen. Nun hob Pater Nicanor sich zwölf Zentimeter über den Erdboden. Das war ein überzeugendes Mittel. Mehrere Tage lang ging er in die Häuser, wiederholte mit dem Reizmittel der Schokolade den Beweis der Levitation, während sein Chorknabe so viel Geld in einem Sack einsammelte, daß er in weniger als einem Monat mit dem Bau der Kirche beginnen konnte. Niemand bezweifelte den göttlichen Ursprung des Beweises, ausgenommen José Arcadio Buendía, der unbeirrt die Menschenmenge beobachtete, die sich eines Morgens um den Kastanienbaum scharte, um wieder einmal der Offenbarung beizuwohnen. Er streckte sich lediglich auf dem Bänkchen und zog die Schultern ein, als Pater Nicanor sich mitsamt dem Stuhl, auf dem er saß, vom Boden zu erheben begann.

»*Hoc est simplicissimum*«, sagte José Arcadio Buendía, »*homo iste statum quartum materiae invenit.*«

Pater Nicanor hob die Hand, und schon landeten die vier Stuhlbeine auf der Erde.

»*Nego*«, sagte er. »*Factum hoc existentiam Dei probat sine dubio.*«

So erfuhr man, daß José Arcadio Buendías verteufeltes Kauderwelsch Lateinisch war. Pater Nicanor nutzte als einziger, der mit ihm sprechen konnte, die Gelegenheit, seinem verstörten Gehirn Glauben einzuflößen. Jeden Nachmittag setzte er sich vor die Kastanie und predigte José Arcadio Buendía auf lateinisch, doch dieser wehrte sich hartnäckig gegen rhetorische Umwege und Umsetzung von Schokolade und forderte als einzigen Beweis den Daguerreotyp Gottes. Nun brachte Pater Nicanor ihm Medaillen und Heiligenbildchen, ja sogar eine Reproduktion des Schweißtuchs der Veronika mit, doch José Arcadio Buendía lehnte sie als kunsthandwerkliche Gegenstände ohne wissenschaftliche Grundlage ab. Dabei zeigte er sich so halsstarrig, daß Pater Nicanor auf seine Absichten der Evangelisation verzichtete und ihn nur noch aus Gründen der Menschlichkeit besuchte. Doch jetzt drehte José Arcadio Buendía den Spieß um und versuchte den Glauben des Priesters mit verstandesmäßigen Listen zu brechen. Einmal, als Pater Nicanor ein Tablett und ein Kästchen Spielmarken zum Kastanienbaum brachte, um ihn zu einem Spielchen ›Dame‹ aufzufordern, lehnte José Arcadio Buendía dankend ab, weil er, wie er sagte, nie den Sinn eines Kampfes zwischen Gegnern hatte begreifen können, die grundsätzlich übereinstimmten. Pater Nicanor, der das ›Dame‹-Spiel nie unter diesem Gesichtspunkt betrachtet hatte, konnte nie wieder spielen. Zunehmend von José Arcadio Buendías Hellsicht verblüfft, fragte er ihn, wie es käme, daß man ihn an einen Baum gebunden habe.

»*Hoc est simplicissimum*«, erwiderte er. »Ich bin verrückt.«

Fortan besuchte der um seinen eigenen Glauben besorgte Priester ihn nie wieder und widmete sich ausschließlich dem Bau der Kirche. Rebeca fühlte ihre Hoffnung von neuem wachsen. Ihre Zukunft hing von der Beendigung des Baus ab, seit Pater Nicanor eines Sonntags im Hause zu Mittag gespeist und die ganze bei Tisch sitzende Familie von der Feierlichkeit und dem Glanz gesprochen hatte, welche die Andachten nach Beendigung des Kirchenbaus umstrahlen würden. »Die Glücklichste wird Rebeca sein«, sagte Amaranta. Und da Rebeca nicht verstand, was sie meinte, erklärte sie ihr mit unschuldigem Lächeln:

»Dir wird die Aufgabe zufallen, die Kirche mit deiner Hochzeit einzuweihen.«

Rebeca suchte allen Bemerkungen zuvorzukommen. Bei der augenblicklichen Bauweise würde die Kirche nicht vor Ablauf von zehn Jahren fertiggestellt sein. Pater Nicanor war anderer Meinung: die wachsende Freigebigkeit der Gläubigen ließ optimistischere Berechnungen zu. Angesichts der dumpfen Empörung Rebecas, die das Mittagsmahl nicht zu Ende essen konnte, pries Ursula Amarantas Idee und trug mit einer beträchtlichen Stiftung zur Beschleunigung der Bauarbeiten bei. Pater Nicanor meinte, mit einer zweiten, ähnlichen Hilfeleistung würde die Kirche binnen drei Jahren stehen. Fortan richtete Rebeca nie mehr das Wort an Amaranta, überzeugt, ihre Worte seien weit weniger harmlos gewesen, als sie vorzutäuschen vermocht hatte. »Das war für mich noch die harmloseste Lösung«, erwiderte Amaranta in dem heftigen Streitgespräch, das sie an jenem Abend führten. »Auf diese Weise brauche ich dich in den nächsten drei Jahren nicht umzubringen.« Rebeca nahm die Herausforderung an.

Als Pietro Crespi von dem neuen Aufschub erfuhr, war er furchtbar enttäuscht, doch Rebeca gab ihm einen endgültigen Beweis ihrer Treue. »Wir fliehen, wann du willst«, sagte sie. Pietro Crespi indessen war kein Mensch für Abenteuer. Ihm fehlte das Impulsive seiner Braut, und er betrachtete die Achtung vor dem verpfändeten Wort als ein Kapital, das man nicht vergeuden durfte. Nun nahm Rebeca ihre Zuflucht zu kühneren Methoden. Plötzlich löschte ein geheimnisvoller Wind die Lichter des Besuchszimmers, und Ursula überraschte die Verlobten, wie sie sich im Dunkeln küßten. Pietro Crespi stammelte wirre Erklärungen über die Mangelhaftigkeit moderner Teerlampen und half sogar bei der Einrichtung eines zuverlässigeren Beleuchtungssystems im Wohnzimmer. Doch wiederum versagte der Brennstoff, oder aber die Dochte verrußten, so daß Ursula Rebeca ertappte, wie sie auf dem Schoß ihres Verlobten saß. Schließlich ließ sie sich keine Entschuldigung mehr gefallen. Sie übertrug der Indiofrau die Verantwortung für die Bäckerei und setzte sich in einen Schaukelstuhl, um das Stelldichein des Brautpaares zu überwachen, entschlossen, sich nicht von Machenschaften übertölpeln zu lassen, die schon in ihrer Jugend veraltet waren. »Arme Mama«, sagte Rebeca mit spöttischer Empörung, als sie Ursula bei den langweiligen Verlobtengesprächen gähnen sah. »Wenn sie stirbt, wird sie noch in diesem Schaukelstuhl büßen.« Nach drei Monaten des überwachten Idylls und verärgert über die Langsamkeit des Baus, den er jeden Tag prüfte, beschloß Pietro Crespi Pater Nicanor den für die Beendigung der Kirche fehlenden Betrag zu zahlen. Amaranta verlor nicht die Geduld. Während sie mit ihren Freundinnen, die täglich in die Veranda zum Sticken kamen, die Nachmittage verplauderte, ersann sie neue Kriegslisten. Doch ein Rechenfehler machte diejenige zunichte, die sie für die wirksamste gehalten hatte: die Naphthalinkugeln wegzunehmen, die Rebeca auf ihr in der Schlafzimmerkommode verwahrtes Brautkleid gelegt hatte. Sie tat es, als knapp zwei Monate bis zur Fertigstellung der Kirche fehlten. Doch Rebeca wartete mit derartiger Ungeduld auf die Hochzeit, daß sie ihr Kleid früher fertig sehen wollte, als Amaranta geahnt hatte. Als sie nun die Kommode öffnete, erst das Umschlagpapier entfernte und dann die schützende Leinwand, fand sie den Atlas des Kleides, den Spitzenschleier und sogar den Orangenblütenkranz von Motten zu Staub zerfressen. Obgleich sie sicher war, zwei Handvoll Mottenkugeln in der Hülle versteckt zu haben, wirkte das Verhängnis so zufällig, daß sie nicht wagte, Amaranta zu beschuldigen. Zwar fehlte weniger als ein Monat bis zur Hochzeit, doch Amparo Moscote verpflichtete sich, ein neues Kleid binnen einer Woche zu nähen. Amaranta fühlte ihre Kräfte schwinden, als Amparo an jenem regnerischen Mittag spitzenschaumumhüllt ins Haus trat, um mit Rebeca zum letzten Mal anzuprobieren. Ihre Stimme versagte, während ein Faden eisigen Schweißes an ihrer Wirbelsäule herunterrann. Lange Monate hatte sie angstzitternd jene Stunde erwartet, denn wenn ihr auch kein endgültiges Hindernis für Rebecas Hochzeit einfiel, so war sie gewiß, daß sie im letzten Augenblick, wenn alle Hilfsmittel ihrer Phantasie versagt hätten, genügend Mut aufbringen würde, sie zu vergiften. An jenem Nachmittag, während Rebeca in der Atlasrüstung, die Amparo Moscote mit tausend Nadeln und unendlicher Geduld an ihrem Körper feststeckte, vor Hitze fast erstickte, vergriff Amaranta sich mehrmals beim Sticken und stach sich in den Finger, kam jedoch eiskalt zu dem Schluß, daß erstens der Stichtag der letzte Freitag vor der Hochzeit und daß zweitens die Lösung ein Schuß Laudanum im Kaffee sein müsse.

Ein größeres, ebenso unüberwindliches wie unvorhergesehenes Hindernis zwang zu einem neuen, unbegrenzten Aufschub. Eine Woche vor dem anberaumten Hochzeitstag erwachte die kleine Remedios um Mitternacht, gebadet von einem heißen Absud, der mit herzzerreißendem Rülpsen aus ihren Eingeweiden hervorbrach, und drei Tage später starb sie an der eigenen Blutvergiftung und an quer in ihrem Leib verklemmten Zwillingen. Amaranta erlitt eine Gewissenskrise. Sie hatte mit solcher Inbrunst zu Gott gebetet, er möge etwas Schlimmes eintreten lassen, damit sie Rebeca nicht zu vergiften brauche, daß sie sich an Remedios' Tod schuldig fühlte. Das war nicht das Hindernis, das sie so innig erfleht hatte. Remedios hatte einen Hauch der Fröhlichkeit ins Haus gebracht. Sie hatte sich mit ihrem Mann in einem neben der Werkstatt gelegenen Alkoven eingerichtet, den sie mit den Puppen und Spielsachen ihrer jüngsten Kindheit verzierte, und ihre fröhliche Lebendigkeit trat über die vier Wände des Alkovens und durchdrang wie ein Windstoß guter Gesundheit die Begonienveranda. Früh beim ersten Sonnenstrahl begann sie zu singen. Sie war der einzige Mensch, der bei Rebecas und Amarantas Streitereien zu vermitteln suchte. Sie lud sich die mühselige Arbeit auf, José Arcadio Buendía zu betreuen. Brachte ihm sein Essen, half ihm bei seinen täglichen Bedürfnissen, wusch ihn mit Seife und Waschlappen, säuberte ihm Haar und Bart von Läusen und Nissen, hielt sein Palmendach in Ordnung und verstärkte es bei Gewittern mit wasserdichtem Segeltuch. In ihren letzten Monaten hatte sie gelernt, sich mit ihm in primitivem Latein zu unterhalten. Als Aurelianos und Pilar Terneras Sohn geboren, ins Haus gebracht und bei einer familiären Zeremonie auf den Namen Aureliano José getauft wurde, entschied Remedios, er solle als ihr ältester Sohn behandelt werden. Ihr Muttertrieb überraschte Ursula. Aureliano seinerseits fand in ihr die Rechtfertigung, die ihm zum Leben fehlte. Er arbeitete jeden Tag in der Werkstatt, und Remedios brachte ihm während des Vormittags eine Tasse Kaffee ohne Zucker. Abends besuchten sie gemeinsam die Moscotes. Aureliano spielte mit dem Schwiegervater endlose Partien Domino, während Remedios mit ihren Schwestern schwatzte oder mit ihrer Mutter Erwachsenengespräche führte. Die Verbindung mit den Buendías festigte Don Apolinar Moscotes Autorität im Dorf. Bei häufigen Reisen in die Provinzhauptstadt erwirkte er bei der Regierung den Bau einer Schule, damit Arcadio, der Großvaters Lehreifer geerbt hatte, sie besuche. Er erreichte durch Überredung, daß die Mehrzahl der Häuser zur Feier der nationalen Unabhängigkeit blau angestrichen wurde. Auf Betreiben Pater Nicanors führte er den Umzug von Catarinos Butike in eine entlegene Straße durch und ließ mehrere ärgerniserregende Orte, die mitten im Dorf blühten, schließen. Einmal kam er mit sechs gewehrbewaffneten Polizisten zurück, denen er die Aufrechterhaltung der Ordnung übertrug, ohne daß auch nur ein Mensch an die ursprüngliche Vereinbarung gedacht hätte, wonach das Dorf keine Bewaffneten unterhalten dürfe. Aureliano freute sich an der Betriebsamkeit seines Schwiegervaters. »Du wirst ebenso fett werden wie er«, sagten seine Freunde zu ihm. Doch das seßhafte Leben, das seine Backen aufschwemmte und den Glanz seiner Augen vertiefte, vermehrte nicht sein Gewicht und änderte auch nicht seinen knauserigen Charakter, vielmehr verhärtete es auf seinen Lippen die strenge Linie der einsamen Meditation und der unerbittlichen Entschlußkraft. So tief war die Zuneigung, die er und seine Gattin in beiden Familien erweckt hatten, daß, als Remedios verkündete, sie bekomme ein Kind, sogar Rebeca und Amaranta einen Waffenstillstand schlossen, um Babyzeug zu stricken, und zwar in blauer Wolle, sofern es ein Junge, und in rosafarbener, sofern es ein Mädchen werden würde. Sie war der letzte Mensch, an den Arcadio wenige Jahre später vor dem Erschießungskommando denken sollte.

Ursula ordnete Trauer mit geschlossenen Türen und Fenstern an, damit das Haus nur im äußersten Notfall betreten oder verlassen würde; sie verbot für ein Jahr lautes Sprechen und stellte Remedios' von einem schwarzen Flor umkränzten und von einem ewigen Lämpchen beleuchteten Daguerreotyp in dem Raum auf, in dem die Totenwache gehalten wurde. Künftige Geschlechter, die das Lämpchen nie ausgehen ließen, sollten außer Fassung geraten über dieses Kind im Faltenrock, in weißen Stiefeletten und einer Organzaschleife im Haar, das sie nicht mit dem erwarteten Bild einer Urgroßmutter in Übereinstimmung zu bringen vermochten. Amaranta nahm sich Aureliano Josés an. Sie betrachtete ihn wie einen Sohn, der ihre Einsamkeit teilen und von dem unbeabsichtigten Laudanum erleichtern sollte, das ihre unsinnigen Gebete in Remedios' Kaffee geschüttet hatten. Abends kam Pietro Crespi auf Zehenspitzen mit einem schwarzumflorten Hut und stattete einer in ihrem schwarzen, langärmeligen Kleid blutleer wirkenden Rebeca seinen Besuch ab. Der bloße Gedanke an einen neuen Hochzeitstermin wäre so unehrerbietig gewesen, daß die Verlobung in einen Dauerzustand überging, in eine erschlaffte Liebe, die niemand mehr beachtete, als wären die Verliebten, die in vergangenen Tagen die Lampen beschädigten, um sich küssen zu können, der Willkür des Todes zum Opfer gefallen. Richtungslos und völlig ratlos aß Rebeca von neuem Erde.

Plötzlich – als die Trauerzeit schon so lange dauerte, daß die Kreuzstichnachmittage wiederaufgenommen worden waren – stieß jemand in der tödlichen Stille der Hitze gegen zwei Uhr nachmittags die Haustür auf, und die Türpfosten zitterten so stark im Zement, daß Amaranta und ihre in der Veranda stickenden Freundinnen, daß die im Schlafzimmer am Daumen lutschende Rebeca, daß Ursula in der Küche, Aureliano in seiner Werkstatt und sogar José Arcadio Buendía unter der einsamen Kastanie den Eindruck hatten, ein Erdbeben hebe das Haus aus den Angeln. Ein ungewöhnlicher Mensch war angekommen. Seine kantigen Schultern gingen kaum durch die Türen. Er trug ein kleines Medaillon der Jungfrau-von-den-Heilmitteln um seinen Bisonhals, Arme und Brust waren vollständig mit geheimen Tätowierungen bedeckt, und sein rechtes Handgelenk umspannte der enge Kupferreif der *Kinder-am-Kreuz*. Seine Haut war vom Salz der Unwetter gegerbt, sein Haar war kurz und borstig wie die Mähne eines Maulesels, seine Kiefern waren eisern und sein Blick traurig. Sein Gürtel war doppelt so dick wie der Sattelgurt eines Pferdes, seine Stiefel waren mit Gamaschen, Sporen und eisenbeschlagenen Absätzen versehen, und seine Gegenwart wirkte erschütternd wie ein Erdbebenstoß. Etliche halbzerfetzte Quersäcke tragend, durchschritt er Besuchs- und Wohnzimmer und erschien mit Donnergetöse in der Begonienveranda, wo Amaranta und ihre Freundinnen, ihre Sticknadeln zükkend, wie gelähmt saßen. »Guten«, sagte er mit erschöpfter Stimme, warf die Säcke auf den Arbeitstisch und schritt auf die hinteren Räume des Hauses zu. »Guten«, sagte er zu der erschrockenen Rebeca, die ihn an ihrer Schlafzimmertür vorbeigehen sah. »Guten«, sagte er zu Aureliano, der mit hellwachen fünf Sinnen an seinem Goldschmiedetisch saß. Er unterhielt sich mit niemandem und ging unmittelbar in die Küche, und dort hielt er zum erstenmal am Ende einer Reise inne, die er am anderen Ende der Welt begonnen hatte. »Guten«, sagte er. Ursula blieb für den Bruchteil einer Sekunde der Mund offenstehen, dann blickte sie ihm in die Augen, stieß einen Schrei aus und hängte sich vor Freude schreiend und weinend an seinen Hals. Es war José Arcadio. Er kehrte so arm zurück, wie er ausgezogen war, und zwar so arm, daß Ursula ihm zwei Pesos geben mußte, damit er das Mietpferd bezahlen konnte. Er sprach ein mit Seemannssprache untermischtes Spanisch. Man fragte ihn, wo er gewesen sei, und er antwortete: »Dortwo.« Er spannte seine Hängematte in der ihm zugewiesenen Kammer auf und schlief drei Tage lang. Als er erwachte und nachdem er sechzehn rohe Eier verspeist hatte, schritt er unmittelbar zu Catarinos Butike, wo seine monumentale Korpulenz unter den Weibern panikhafte Neugierde auslöste. Er bestellte auf seine Rechnung Musik und Schnaps für alle. Er schloß mit fünf Männern gleichzeitig Kraftwetten ab. »Unmöglich«, sagten sie, als sie sich davon überzeugten, daß es ihnen nicht gelang, seinen Arm von der Stelle zu bewegen. »Er hat Kinder-am-Kreuz.« Catarino, der nicht an Kraftproben glaubte, wettete zwölf Pesos darauf, daß er nicht die Theke würde fortschieben können. José Arcadio riß sie von ihrem Platz weg, hob sie freihändig über seinen Kopf in die Höhe und trug sie auf die Straße. Elf Männer waren notwendig, um sie wieder hereinzutragen. In der Hitze des Feierns präsentierte er auf der Theke seine unwahrscheinliche Männlichkeit, die über und über mit einem blau-roten Wortgeflecht in mehreren Sprachen tätowiert war. Die Weiber, die ihn mit ihrer Lüsternheit belagerten, fragte er, wer von ihnen am meisten zahle. Die, welche am meisten besaß, bot zwanzig Pesos. Daraufhin schlug er vor, die Nummer für zehn Pesos unter allen zu verlosen. Das war ein gewaltiger Preis, da die meistbegehrte Frau acht Pesos in der Nacht verdiente, doch alle waren einverstanden. Sie schrieben ihre Namen auf vierzehn Zettel, die sie in einen Hut warfen, und jede Frau zog einen. Als nur noch zwei Zettel übrig waren, wurden die Eigentümer festgestellt.

»Weitere fünf Pesos für jede«, schlug José Arcadio vor, »und ich teile mich in beide.«

Davon lebte er. Als Mitglied einer heimatlosen Schiffsbesatzung war er fünfundsechzigmal um den Erdball gefahren. Die Frauen, die sich in jener Nacht in Catarinos Butike zu ihm legten, trugen ihn nachts in die Tanzdiele, um feststellen zu können, daß jeder Millimeter seines

Körpers vorn und hinten, vom Hals bis zu den Fußspitzen, tätowiert war. Sich in seiner Familie einzuleben, war ihm unmöglich. Er schlief den ganzen Tag und verbrachte die Nacht im Vergnügungsviertel bei Kraftwetten. Bei den wenigen Gelegenheiten, wo Ursula ihn an den Familientisch brachte, stellte er ein bezwingendes Wesen zur Schau, besonders wenn er von seinen Abenteuern in fernen Ländern erzählte. Er war nach einem Schiffbruch zwei Wochen ziellos in der Japanischen See getrieben und hatte sich vom Leib eines Gefährten ernährt, der einem Sonnenstich erlegen war und dessen gesalzenes und wiedergesalzenes und an der Sonne gekochtes Fleisch körnig-süßlich schmeckte. An einem strahlenden Mittag im Golf von Bengalen hatte sein Schiff einen Meerdrachen bezwungen, in dessen Bauch sie den Helm, die Schnallen und die Waffen eines Kreuzfahrers fanden. Er hatte im Karibischen Meer das Gespenst von Victor Hughes Korsar gesehen; die Segel waren vom Todeswind zerfetzt, das Mastwerk von Meerschaben zerfressen, und der Kurs auf Guadeloupe war für immer verfehlt. Ursula weinte bei Tisch, als läse sie die nie angekommenen Briefe, in denen José Arcadio von seinen Taten und Fehlschlägen berichtete. »Und dabei haben wir hier soviel Platz, mein Sohn«, schluchzte sie. »Und dabei ging soviel Essen hinaus zu den Schweinen!« Doch im Grunde konnte sie sich nicht vorstellen, daß der junge Bursche, den die Zigeuner mitgenommen hatten, der gelbe Schnapphahn war, der zum Mittagessen ein halbes Spanferkel verspeiste und von dessen Blähungen die Blumen welkten. Der übrigen Familie ging es nicht viel anders. Amaranta vermochte ihren Ekel nicht zu verbergen, den ihr sein bestialisches Rülpsen bei Tisch verursachte. Arcadio, der nie das Geheimnis seiner Abstammung erfahren hatte, beantwortete kaum die Frage, die er ihm mit der offensichtlichen Absicht stellte, seine Zuneigung zu erobern. Aureliano suchte die Zeit wieder zu durchleben, in der sie im gleichen Zimmer geschlafen hatten, er versuchte die alte Kindergemeinsamkeit wiederherzustellen, doch José Arcadio hatte beides vergessen, weil das Seemannsleben die Erinnerung mit zu vielen erinnerbaren Dingen gesättigt hatte. Nur Rebeca erlag dem ersten Eindruck. An dem Nachmittag, an dem sie ihn an ihrem Schlafzimmer vorbeigehen sah, dachte sie, Pietro Crespi sei nichts als ein Zuckermandelgeck neben diesem Proto-Mann, dessen vulkanischer Atem im ganzen Haus zu hören war. So suchte sie seine Nähe unter jedwedem Vorwand. Einmal betrachtete José Arcadio ihren Körper mit schamloser Aufmerksamkeit und sagte: »Bist ein Mordsweib, Schwesterchen.« Rebeca verlor die Selbstbeherrschung. Wieder aß sie mit der Gier vergangener Tage Erde und Kalk von den Wänden und lutschte so begehrlich am Daumen, daß sie eine Hornhaut bekam. Erbrach eine grüne, mit toten Blutegeln vermischte Brühe. Verbrachte wache Nächte, fieberschlotternd, gegen das Delirium ankämpfend und wartend, bis im Morgengrauen das Haus bei José Arcadios Rückkehr zitterte. Eines Nachmittags, als alle ihr Schlummerstündchen genossen, hielt sie es nicht länger aus und ging in sein Schlafzimmer. Sie fand ihn in Unterhosen wach in der mit Schiffstauen an den Balken festgespannten Hängematte liegen. Seine riesige, vierschrötige Nacktheit beeindruckte sie dermaßen, daß sie den Rückzug antreten wollte. »Verzeihung«, sagte sie. »Ich wußte nicht, daß Sie da sind.« Dabei senkte sie die Stimme, um niemanden zu wecken. »Komm her«, sagte er. Rebeca gehorchte. Blieb an der Hängematte stehen, Eis schwitzend und spürend, wie sich ihre Eingeweide verknoteten, während José Arcadio mit den Fingerspitzen ihre Knöchel, dann ihre Waden und schließlich ihre Schenkel streichelte und murmelte: »Ach Schwesterchen, ach Schwesterchen.« Sie mußte sich übernatürlich anstrengen, um nicht zu sterben, als eine verblüffend beherrschte Zyklonenkraft sie an der Taille hochhob, sie mit drei Griffen ihrer Unterwäsche entledigte und sie zermalmte wie ein Vögelchen. Sie konnte noch gerade Gott für ihre Geburt danken, bevor sie in dem unbegreiflichen Genuß jenes unerträglichen Schmerzes das Bewußtsein verlor, während sie in dem dampfenden Sumpf der Hängematte plantschte, welche die Explosion ihres Blutes wie Löschpapier verschluckte.

Drei Tage später heirateten sie während der Fünfuhrmesse. José Arcadio war am Tage zuvor in Pietro Crespis Laden gegangen. Er hatte ihn beim Zitherunterricht angetroffen und daher nicht auf die Seite gerufen. »Ich heirate Rebeca«, sagte er. Pietro Crespi erbleichte, übergab die Zither einem seiner Schüler und erklärte die Unterrichtsstunde für beendet. Als sie in dem von Musikinstrumenten und Aufziehspielzeug wimmelnden Salon allein waren, sagte Pietro Crespi:

»Sie ist Ihre Schwester.«

»Ist mir gleichgültig«, erwiderte José Arcadio.

Pietro Crespi wischte sich mit einem lavendelbesprengten Taschentuch über die Stirn.

»Es ist gegen die Natur«, erklärte er. »Und außerdem verbietet es das Gesetz.«

José Arcadio Buendía verlor die Geduld, doch weniger über Pietro Crespis Einwände als über dessen Blässe.

»Ich scheiß zweimal auf die Natur«, sagte er. »Und ich komme eigens her, es Ihnen zu sagen, damit Sie sich nicht die Mühe machen und Rebeca Fragen stellen.«

Doch sein brutales Verhalten sank sofort in sich zusammen, als er Pietro Crespis feuchte Augen sah.

»Wenn Ihnen aber die Familie zusagt«, sagte er in verändertem Tonfall, »ist noch Amaranta da.«

In seiner Sonntagspredigt offenbarte Pater Nicanor, daß José Arcadio und Rebeca keine Geschwister seien. Ursula verzieh nie das, was sie einen unbegreiflichen Mangel an Respekt nannte, und verbot den Neuvermählten nach der Rückkehr aus der Kirche, jemals wieder die

Schwelle ihres Hauses zu betreten. Für sie war es, als seien sie tot. So mieteten sie ein Häuschen vor dem Friedhof und richteten sich darin ohne Möbel außer José Arcadios Hängematte ein. In der Hochzeitsnacht wurde Rebecas Fuß von einem Skorpion gebissen, der in ihren Pantoffel geschlüpft war. Ihre Zunge schlief ein, doch das hinderte das Paar nicht, aufsehenerregende Flitterwochen zu feiern. Die Nachbarn erschraken von den Schreien, die das ganze Viertel bis zu achtmal in der Nacht und bis zu dreimal im Mittagsschlummer weckten, und beteten, daß eine so entfesselte Leidenschaft nicht den Frieden der Toten störe.

Aureliano war der einzige, der sich um sie kümmerte. Er kaufte ihnen ein paar Möbel und verschaffte ihnen Geld, bis José Arcadio den Sinn für die Wirklichkeit wiederfand und das an den Innenhof des Hauses grenzende Niemandsland bestellte. Amaranta hingegen vermochte nie ihren Groll gegen Rebeca zu überwinden, wenngleich ihr das Leben eine nie erträumte Genugtuung bescherte: auf das Betreiben Ursulas, die nicht wußte, wie sie die Beschämung wiedergutmachen sollte, aß Pietro Crespi, der sein Fiasko mit besonnener Würde überwunden hatte, dienstags im Hause zu Mittag. Er trug weiterhin den schwarzen Trauerflor um den Hut, zum Zeichen, wie sehr er die Familie schätzte, und gefiel sich darin, Ursula seine Zuneigung durch exotische Mitbringsel zu beweisen: portugiesische Sardinen, Türkenrosenpaste und bei einer besonderen Gelegenheit einen hinreißenden Manilaschal. Amaranta kam ihm mit liebevoller Beflissenheit entgegen. Sie erriet seine Vorlieben, riß die zerfaserten Fäden an seinen Hemdmanschetten ab und schenkte ihm zu seinem Geburtstag ein Dutzend Taschentücher mit eigens eingesticktem Monogramm. Dienstags nach dem Mittagessen, während sie in der Veranda stickte, leistete er ihr fröhliche Gesellschaft. Für Pietro Crespi war diese Frau, die er stets als Kind betrachtet und behandelt hatte, eine Offenbarung. Wenngleich sie der Anmut entbehrte, besaß sie seltene Empfindsamkeit, die Dinge der Welt einzuschätzen, und dazu eine geheime Zärtlichkeit. Eines Dienstags, als niemand mehr zweifelte, daß dies früher oder später eintreten würde, bat Pietro Crespi sie, ihn zu heiraten. Sie unterbrach nicht ihre Arbeit. Sie wartete, bis die heiße Röte ihrer Ohren geschwunden war, und verlieh ihrer Stimme den Unterton besonnener Reife.

»Natürlich, Crespi«, sagte sie. »Doch erst, wenn wir uns besser kennen. Es ist nie gut, die Dinge zu übereilen.«

Ursula war beunruhigt. Trotz ihrer Wertschätzung für Pietro Crespi konnte sie nicht mit sich ins reine kommen, ob seine Entscheidung nach der langen, lauten Verlobungszeit mit Rebeca vom moralischen Standpunkt aus gut oder schlecht war. Doch zu guter Letzt nahm sie es als eine wertfreie Tatsache hin, weil niemand ihre Zweifel teilte. Aureliano, der Herr des Hauses, brachte sie mit seiner rätselhaft-endgültigen Meinung vollends aus der Fassung:

»Die Zeiten sind nicht danach, ans Heiraten zu denken.«

Diese Meinung, die Ursula erst einige Monate später verstand, war die einzige aufrichtige, die Aureliano in jenem Augenblick äußern konnte, nicht nur im Hinblick auf die Eheschließung, sondern auch auf irgendeine Angelegenheit, die nicht den Krieg betraf. Er selbst sollte vor dem Erschießungskommando nicht sonderlich gut die Verkettung jener Reihe von feinen, aber unwiderruflichen Zufällen begreifen, die ihn bis zu diesem Punkt geführt hatten. Remedios' Tod hatte in ihm nicht die Erschütterung ausgelöst, die er befürchtet hatte. Es war eher ein dumpfes Gefühl der Wut gewesen, die allmählich zu einer einsamen, leidvollen Empfindung des Scheiterns zerfloß, ähnlich jener, die er in Zeiten durchlebt hatte, als er sich mit einem Leben ohne Frau abgefunden hatte.

Wieder stürzte er sich in die Arbeit, bewahrte aber die Gewohnheit, mit seinem Schwiegervater Domino zu spielen. In einem trauergelähmten Haus befestigten die abendlichen Unterhaltungen die Freundschaft der beiden Männer. »Heirate wieder, Aurelito«, riet der Schwiegervater. »Ich habe sechs Töchter zur Auswahl.« Bei einer bestimmten Gelegenheit, am Vorabend der Wahlen, kehrte Don Apolinar Moscote, besorgt über die politische Lage des Landes, von einer seiner häufigen Reisen zurück. Die Liberalen waren entschlossen, sich in den Krieg zu stürzen. Da Aureliano zu jener Zeit ziemlich wirre Vorstellungen von den Unterschieden zwischen Konservativen und Liberalen hatte, erteilte sein Schwiegervater ihm schematischen Unterricht. Die Liberalen, so sagte er, seien Freimaurer; Leute von schlechtem Charakter, die folglich dafür stimmten, Priester aufzuhängen, die standesamtliche Trauung und die Scheidung einzuführen, außerehelichen Kindern die gleichen Rechte wie rechtmäßigen einzuräumen und das Land in ein Föderalsystem zu zerstückeln, das die höchste Machtbefugnis aller Rechte entkleiden würde. Die Konservativen dagegen, welche die Macht unmittelbar von Gott empfangen hatten, kämpften für die Beständigkeit der öffentlichen Ordnung und der Familienmoral; sie waren die Verfechter des Glaubens an Christus, des Autoritätsprinzips und waren nicht bereit, die Aufteilung des Landes in autonome Einheiten zu gestatten. Aus humanitären Gründen liebäugelte Aureliano mit der liberalen Einstellung im Hinblick auf die Rechte der unehelichen Kinder, begriff jedoch keineswegs, daß man sich wegen Dingen, die nicht mit Händen zu greifen waren, zu einem Krieg versteigen konnte. Es kam ihm überhaupt übertrieben vor, daß sein Schwiegervater für die Wahlen eines von politischen Leidenschaften unberührten Dorfs sechs von einem Sergeanten befehligte gewehrtragende Soldaten kommen ließ. Diese kamen nicht nur an, sondern zogen auch noch von

Haus zu Haus und beschlagnahmten alle Jagdwaffen, Buschmesser und sogar Küchenmesser, bevor sie unter alle Männer über einundzwanzig Jahre blaue Zettel mit den Namen der konservativen Kandidaten und rote Zettel mit den Namen der liberalen Kandidaten verteilten. Am Vorabend der Wahlen verlas Don Apolinar Moscote höchstpersönlich eine Verordnung, die von Samstag mitternacht an achtundvierzig Stunden lang den Verkauf alkoholischer Getränke und Versammlungen von mehr als drei nicht derselben Familie angehörigen Personen verbot. Die Wahlen verliefen ohne Zwischenfälle. Am Sonntagmorgen um acht Uhr stand auf dem Platz die von den sechs Soldaten bewachte Holzurne. Es wurde in aller Freiheit gewählt, wie Aureliano sich selbst überzeugen konnte, der fast den ganzen Tag mit seinem Schwiegervater aufpaßte, daß keiner mehr als einmal wählte. Um vier Uhr nachmittags verkündete ein Trommelwirbel auf dem Platz das Ende des Wahltags, und Don Apolinar Moscote versiegelte die Urne mit einem eigenhändig unterzeichneten Etikett. An jenem Abend, während er mit Aureliano Domino spielte, befahl er dem Sergeanten, das Etikett aufzubrechen und die Stimmen zu zählen. Es waren fast ebenso viele rote wie blaue Zettel vorhanden, doch der Sergeant zählte nur zehn rote und ergänzte die Differenz mit blauen. Dann versiegelten sie die Urne mit einem neuen Etikett, und am nächsten Tag nahmen die Soldaten sie in aller Herrgottsfrühe in die Provinzhauptstadt mit. »Die Liberalen werden in den Krieg gehen«, sagte Aureliano. Don Apolinar wandte seine Aufmerksamkeit nicht von den Dominosteinen. »Wenn du das wegen der Vertauschung der Zettel sagst, so sage ich dir: Sie werden nicht gehen«, sagte er. »Man läßt ein paar rote Zettel, damit es keine Anstände gibt.« Aureliano begriff die Nachteile der Opposition. »Wäre ich liberal«, sagte er, »ich ginge wegen dieser Zettel in den Krieg.« Sein Schwiegervater blickte ihn über den Brillenrand an.

»Ach, Aureliano«, sagte er. »Wenn du liberal wärst, hättest du die Vertauschung der Zettel nicht gesehen, selbst wenn du mein Schwiegersohn bist.«

Was wirklich im Dorf Empörung hervorrief, war nicht das Wahlergebnis, sondern die Tatsache, daß die Soldaten die Waffen nicht zurückgaben. Eine Gruppe Frauen sprach mit Aureliano, damit er bei seinem Schwiegervater die Rückerstattung der Küchenmesser erwirke. Don Apolinar Moscote erklärte ihm streng vertraulich, die Soldaten hätten die beschlagnahmten Waffen als Beweis dafür mitgenommen, daß die Liberalen sich für den Krieg rüsteten. Der Zynismus dieser Erklärung bestürzte ihn. Zwar äußerte er sich nicht dazu, doch eines Nachts, als Gerineldo Márquez und Magnífico Visbal mit anderen Freunden über den Vorfall mit den Messern sprachen, fragten sie ihn, ob er liberal oder konservativ sei. Aureliano zauderte nicht: »Wenn es etwas sein muß, dann liberal«, sagte er, »weil die Konservativen Schwindler sind.«

Am nächsten Tag besuchte er auf Betreiben seiner Freunde Dr. Alirio Noguera, damit dieser seine angeblichen Leberbeschwerden behandle. Er hatte keine Ahnung, was diese Lüge zu bedeuten hatte. Dr. Alirio Noguera war vor wenigen Jahren nach Macondo gekommen, ausgerüstet mit einer von geschmacklosen Arzneikügelchen angefüllten Hausapotheke und einem ärztlichen Wahlspruch, der niemanden überzeugte: *»Ein Nagel zieht einen zweiten aus.«* In Wirklichkeit war er ein Scharlatan. Hinter der harmlosen Fassade eines ruhmlosen Arztes verbarg sich ein Terrorist, der mit halbhohen Stiefeln die Narben an seinen Fesseln verbarg, die fünf Jahre Block hinterlassen hatten. Beim ersten föderalistischen Abenteuer gefangengenommen, entkam er nach Curaçao, verkleidet mit dem Gewand, das er am meisten auf der Welt verabscheute: eine Soutane. Nach langer Verbannung, aufgestachelt von den übertriebenen Nachrichten, welche die Verbannten des gesamten Karibischen

Meers mitbrachten, schiffte er sich in einem Schmuggelschoner ein und tauchte mit den Pillenfläschchen, die nichts enthielten als Zuckerraffinade, und einem eigenhändig gefälschten Diplom der Universität Leipzig in Riohacha auf. Dort weinte er vor Enttäuschung. Der föderalistische Eifer, den die Exilierten als jeden Augenblick platzbereites Pulverfaß beschrieben, hatte sich in eine vage Wählerillusion aufgelöst. Über den Fehlschlag verbittert und begierig auf ein Plätzchen, an dem er beruhigt dem Alter entgegensehen konnte, flüchtete der falsche Homöopath nach Macondo. In dem mit leeren Flakons vollgestopften engen Zimmerchen, das er neben dem Dorfplatz gemietet hatte, lebte er mehrere Jahre von den hoffnungslosen Kranken, die, nachdem sie alles versucht hatten, sich mit Zuckerkügelchen trösteten. Sein Agitationstrieb ruhte, solange Don Apolinar Moscote eine dekorative Autorität war. Die Zeit verging ihm mit Erinnerungen und beim Bekämpfen seines Asthmas. Die bevorstehenden Wahlen waren der Faden, der ihn von neuem zum Knäuel der Auflehnung führte. So näherte er sich den jungen Leuten des Dorfes, die jeder politischen Bildung entbehrten, und begann eine stillschweigende Aufhetzungskampagne. Die zahlreichen roten Zettel, die in der Urne lagen und die Don Apolinar Moscote der den Jugendlichen eigenen Neuerungssucht zuschrieb, gehörten zu seinem Plan: er zwang seine Schüler zu wählen, um sie zu überzeugen, daß die Wahl eine Posse war. »Das einzig Wirksame«, sagte er, »ist die Gewalt.« Die Mehrheit von Aurelianos Freunden war von dem Gedanken, die konservative Ordnung zu beseitigen, begeistert, doch keiner von ihnen hatte gewagt, ihn in ihre Pläne einzuschließen, nicht nur wegen seiner Verbindung mit dem Landrichter, sondern auch wegen seines einsiedlerischen, menschenscheuen Wesens. Überdies wußte man, daß er auf Anweisung seines Schwiegervaters blau gewählt hatte. So hatte er rein zufällig seine politischen Gefühle geäußert, und reine Neugierde hatte ihn auf den verrückten Einfall gebracht, den Arzt aufzusuchen, um sich von einer Beschwerde heilen zu lassen, an der er nicht litt. In dem nach Kampfer riechenden Spinnwebenloch traf er eine Art von staubbedecktem Leguan, dessen Lungen beim Sprechen zischten. Bevor er eine Frage stellte, zog der Arzt ihn zum Fenster und klappte sein unteres Augenlid um. »Da ist nichts«, sagte Aureliano weisungsgemäß. Dann stieß er sich mit den Fingerspitzen in die Leber und fügte hinzu: »Hier habe ich Schmerzen, die mich nicht schlafen lassen.« Worauf der Doktor Noguera unter dem Vorwand des starken Sonnenlichts das Fenster schloß und ihm in schlichten Worten erklärte, daß es eine patriotische Pflicht sei, die Konservativen zu ermorden. Mehrere Tage hindurch trug Aureliano ein Fläschchen in der Hemdtasche. Alle zwei Stunden zog er es hervor, tat drei Kügelchen auf die Handfläche und kippte sie ruckartig auf die Zunge, wo er sie langsam zergehen ließ. Don Apolinar Moscote spottete über seinen Glauben an die Homöopathie, die Mitglieder des Komplotts hingegen erkannten daran einen der ihren. Fast alle Söhne der Gründer waren verwickelt, wenn auch niemand genau wußte, worin die Verschwörung bestand, die sie im Schilde führten. Im übrigen zog sich Aureliano an dem Tag, als der Arzt ihm das Geheimnis anvertraute, aus der Verschwörung zurück. Wenn er auch von der Dringlichkeit, das konservative Regime zu stürzen, überzeugt war, so löste der Plan in ihm dennoch Abscheu aus. Doktor Noguera war ein Mystiker des persönlichen Attentats. Sein System beschränkte sich auf die Verbindung einer Reihe von Einzelaktionen, die mit einem meisterlichen Schlag von nationaler Tragweite die Beamten des Regimes mit ihren Familien, insbesondere mit ihren Kindern beseitigen sollte, um damit den Konservativismus mit der Wurzel auszurotten. Natürlich standen Don Apolinar Moscote, seine Frau und seine sechs Töchter auf der Liste.

»Sie sind weder ein Liberaler noch sonst etwas«, sagte Aureliano, ohne sich zu erregen. »Sie sind nichts als ein Schlachter.«

»In diesem Fall«, antwortete der Arzt ebenso ruhig, »kannst du mir das Fläschchen zurückgeben. Dann brauchst du es nicht mehr.«

Erst sechs Monate später erfuhr Aureliano, daß der Arzt ihn als Mann der Aktion aufgegeben hatte, weil er ihn für einen zukunftslosen Schwärmer von schwachem Charakter und ausgesprochener Neigung zur Einsamkeit hielt. Man versuchte ihn zu beschatten, aus Furcht, er könne die Verschwörung verraten. Doch Aureliano beruhigte sie: er würde kein Wort sagen, aber in der Nacht, in der es ihnen einfallen sollte, einen Mordanschlag auf die Familie Moscote zu verüben, würde er als Verteidiger auf der Schwelle ihres Hauses stehen. Dabei legte er eine so überzeugende Entschlußkraft an den Tag, daß der Plan auf unbestimmte Zeit verschoben wurde. In jenen Tagen bat Ursula ihn um seine Meinung über Pietro Crespis und Amarantas Hochzeit, und er erwiderte, die Zeiten seien nicht danach, um an dergleichen zu denken. Seit einer Woche trug er eine altertümliche Pistole unter dem Hemd. Er überwachte seine Freunde. Besuchte nachmittags José Arcadio und Rebeca, die ihr Haus einzurichten begannen, zur Kaffeestunde und spielte von sieben Uhr abends ab mit seinem Schwiegervater Domino. Beim Mittagessen plauderte er mit Arcadio, der bereits ein hochgeschossener Junge war, und fand ihn von Mal zu Mal erregter wegen der drohenden Kriegsgefahr. In der Schule, wo Arcadio Schüler, die älter waren als er, zusammen mit Buben unterrichtete, die gerade sprechen lernten, war das liberale Fieber erwacht. Man sprach davon, Pater Nicanor zu erschießen, die Kirche in eine Schule umzuwandeln, die freie Liebe einzuführen. Aureliano suchte sein Ungestüm zu dämpfen, empfahl ihm Zurückhaltung und Vorsicht. Taub für seine besonnenen Vernunftgründe, für seinen Wirklichkeitssinn, warf Arcadio ihm in aller Öffentlichkeit Charakterschwäche vor. Aureliano wartete. Endlich, Anfang Dezember, kam Ursula ganz verstört in die Werkstatt gestürzt.

»Der Krieg ist ausgebrochen!«

Tatsächlich war er vor drei Monaten ausgebrochen. Im ganzen Land herrschte das Standrecht. Der einzige, der es rechtzeitig erfuhr, war Don Apolinar Moscote, doch dieser gab die Nachricht nicht einmal an seine Frau weiter, während die Abteilung Soldaten einrückte, die das Dorf im Handstreich besetzen sollte. Mit zwei von Mauleseln gezogenen leichten Feldkanonen marschierten sie vor Tagesanbruch lautlos ein und bezogen Quartier in der Schule. Um sechs Uhr abends war Zapfenstreich. Die diesmal befohlene Requisition wurde strenger, von Haus zu Haus vorgenommen, so daß sogar Handwerkszeug beschlagnahmt wurde. Gewaltsam schleppten die Soldaten den Doktor Noguera aus seinem Haus, fesselten ihn an einen Baum des Dorfplatzes und erschossen ihn standrechtlich. Pater Nicanor versuchte die Militärbehörden mit dem Wunder der Levitation zu beeindrucken, worauf ein Soldat ihm mit dem Gewehrkolben über den Kopf schlug. Die liberale Erregung erlosch in stummem Schrecken. Aureliano, bleich, verschlossen, spielte nach wie vor Domino mit seinem Schwiegervater. Er begriff, daß Don Apolinar Moscote trotz seiner augenblicklichen Stellung als Zivil- und Militäroberhaupt des Orts von neuem eine dekorative Autorität geworden war. Die Entscheidungen traf ein Hauptmann des Heeres, der jeden Morgen eine Sonderabgabe für die Aufrechterhaltung der öffentlichen Ordnung erhob. Auf seinen Befehl entrissen vier Soldaten eine Frau, die von einem tollwütigen Hund gebissen worden war, ihren Angehörigen und erschlugen sie auf offener Straße mit Gewehrkolbenhieben. Eines Sonntags, zwei Wochen nach der Besetzung, betrat Aureliano das Haus von Gerineldo Márquez und bat wortkarg wie üblich um eine Tasse Kaffee ohne Zucker. Als die beiden allein in der Küche waren, verlieh Aureliano seiner Stimme eine Autorität, die man nie an ihm gekannt hatte. »Bring die Jungens auf den Trab«, sagte er. »Wir ziehen in den Krieg.« Gerineldo Márquez traute seinen Ohren nicht.

»Mit was für Waffen?« fragte er.

»Mit den ihren«, erwiderte Aureliano.

Dienstag um Mitternacht nahmen einundzwanzig mit Tischmessern und geschliffenen Eisenbolzen bewaffnete, noch nicht dreißig Jahre alte Männer unter Aureliano Buendías Anführung die Garnison durch einen halsbrecherischen Handstreich, bemächtigten sich der Waffen und erschossen im Innenhof den Hauptmann und die vier Soldaten, die besagte Frau ermordet hatten.

In derselben Nacht, während die Salven des Erschießungskommandos erschallten, wurde Arcadio zum Zivil- und Militärchef des Platzes ernannt. Die verheirateten Aufrührer hatten kaum Zeit, Abschied zu nehmen von ihren Frauen, die sie ihrem eigenen Schicksal überlassen mußten. Bejubelt von der von der Schreckensherrschaft befreiten Bevölkerung zogen sie im Morgengrauen ab, um sich den Streitkräften des Revolutionsgenerals Victorio Medina anzuschließen, der letzten Nachrichten zufolge in Richtung Manaure marschierte. Vor dem Auszug zerrte Aureliano Don Apolinar Moscote aus einem Wandschrank. »Verhalten Sie sich ruhig, Herr Schwiegervater«, riet er ihm. »Die neue Regierung gewährleistet auf Ehrenwort die Sicherheit Ihrer Person und Ihrer Familie.« Don Apolinar Moscote fand es nicht leicht, den Verschwörer mit hohen Stiefeln und einem über die Schulter geschlungenen Gewehr mit dem Menschen in Einklang zu bringen, der mit ihm bis neun Uhr abends Domino gespielt hatte.

»Das ist eine Dummheit, Aurelito«, rief er aus.

»Keineswegs«, antwortete Aureliano. »Das ist Krieg. Und nennen Sie mich nicht mehr Aurelito, denn jetzt bin ich Oberst Aureliano Buendía.«

Der Herr Oberst Aureliano Buendía zettelte zweiunddreißig bewaffnete Aufstände an und verlor sie allesamt. Er hatte von siebzehn verschiedenen Frauen siebzehn Söhne, die einer nach dem anderen in einer einzigen Nacht ausgerottet wurden, bevor der älteste das fünfunddreißigste Lebensjahr erreichte. Er entkam vierzehn Attentaten, dreiundsiebzig Hinterhalten und einem Erschießungskommando. Er überlebte eine Ladung Strychnin in seinem Kaffee, die genügt hätte, ein Pferd zu töten. Er lehnte den Verdienstorden ab, den der Präsident der Republik ihm verleihen wollte. Er wurde sogar Oberbefehlshaber der Revolutionsstreitkräfte, der die Rechtsprechung und Befehlsgewalt von einer Grenze zur anderen innehatte, überdies wurde er der von der Regierung gefürchtetste Mann, ließ jedoch niemals zu, daß er fotografiert wurde. Er lehnte die lebenslängliche Pension, die man ihm nach dem Krieg anbot, ab und lebte bis ins hohe Alter von den Goldfischchen, die er in seiner Werkstatt in Macondo herstellte. Wenngleich er stets an der Spitze seiner Truppen kämpfte, fügte er sich die einzige Wunde, die er je erhielt, nach der Unterzeichnung der Kapitulation von Neerlandia, die nahezu zwanzig Jahre Bürgerkrieg beendete, selbst zu: Er schoß sich eine Pistolenkugel in die Brust, doch das Geschoß kam im Rücken heraus, ohne ein lebenswichtiges Organ verletzt zu haben. Das einzige, was von dem Ganzen zurückblieb, war eine nach ihm benannte Straße in Macondo. Im übrigen erwartete er nach eigenen, wenige Jahre vor seinem durch Altersschwäche erfolgten Tod gemachten Aussagen nicht einmal das an jenem Tagesanbruch, als er mit seinen einundzwanzig Männern auszog, um sich mit General Victorio Medinas Streitkräften zu vereinigen.

»Wir lassen dich, Macondo«, war alles, was er vor dem Abmarsch zu Arcadio sagte. »Wir lassen dich wohlgeordnet zurück, sieh zu, daß wir dich wohlgeordneter wiederfinden.«

Arcadio deutete diese Empfehlung auf sehr persönliche Weise. Er erfand sich eine Uniform mit Marschallstressen und -schulterstücken, zu der ihn eine Abbildung aus einem von Melchíades' Büchern angeregt hatte, und band sich an seinen Gürtel den mit einer goldenen Quaste geschmückten Degen des erschossenen Hauptmanns. Er postierte die zwei Feldkanonen am Dorfeingang, steckte seine von seinen anfeuernden Aufrufen aufgewiegelten früheren Schüler in Uniform und ließ sie bewaffnet durch die Gassen patrouillieren, um die Fremden mit ihrer Unbezwinglichkeit einzuschüchtern. Das war eine zweischneidige List, weil die Regierung zehn Monate lang nicht wagte, die Garnison anzugreifen, doch als sie es dann tat, setzte sie eine so unverhältnismäßig starke Streitmacht ein, daß sie den Widerstand in einer halben Stunde brach. Vom ersten Tag seiner Vollmacht an offenbarte Arcadio seine Vorliebe für Erlasse. Bis zu vier Bekanntmachungen ließ er täglich ausrufen, um all das zu befehlen und anzuordnen, was ihm durch den Kopf ging. So führte er den Zwangsmilitärdienst vom achtzehnten Lebensjahr an ein, erklärte die Tiere, die nach sechs Uhr abends in den Straßen gesehen wurden, zum Gemeinbesitz und verpflichtete alle mündigen Männer, eine rote Armbinde zu tragen. Pater Nicanor erlegte er unter Androhung des Erschießens Hausarrest im Pfarrhaus auf und verbot ihm, die Messe zu lesen und die Glocken zu läuten – es sei denn, um Siege der Liberalen zu feiern. Damit niemand an der Strenge seiner Absichten zweifle, ließ er ein Erschießungskommando auf dem öffentlichen Platz auf eine Vogelscheuche Zielübungen machen. Anfangs nahm ihn niemand ernst. Schließlich waren es ja nur Schuljungen, die Erwachsene spielten. Doch eines Nachts, als Arcadio in Catarinos

Butike trat, begrüßte der Trompeter der Kapelle ihn mit einem Fanfarenstoß, der das Gelächter der Kundschaft entfesselte, worauf Arcadio ihn wegen Mißachtung der Autorität erschießen ließ. Wer Einspruch erhob, wurde bei Wasser und Brot an den Fußknöcheln in den Block geworfen, den er in einem Klassenzimmer der Schule aufstellen ließ. »Du bist ein Mörder!« schrie Ursula ihn jedesmal an, wenn ihr eine neue Tat der Willkür hinterbracht wurde. »Wenn Aureliano das erfährt, wird er dich erschießen lassen, und ich bin die erste, die frohlocken wird.« Doch es war alles umsonst. Arcadio zog die Schrauben einer unnötigen Strenge immer mehr an, bis er zum grausamsten Statthalter wurde, der je in Macondo geherrscht hatte. »Nun könnt ihr den Unterschied spüren«, sagte Don Apolinar Moscote einmal. »Das also ist das liberale Paradies.« Arcadio erfuhr es. An der Spitze seiner Patrouille überfiel er das Haus, zerschlug alle Möbel, verprügelte die Töchter und schleppte Don Apolinar Moscote mit. Als Ursula in den Kasernenhof stürzte, nachdem sie »Schande« schreiend und einen geteerten Ochsenziemer schwingend durchs Dorf gerast war, schickte sich Arcadio an, dem Erschießungskommando höchstpersönlich Befehl zum Feuern zu erteilen.

»Wage es, Bastard!« schrie Ursula.

Bevor Arcadio Zeit zu einer Regung fand, versetzte sie ihm den ersten Peitschenhieb. »Wage es, du Mörder!« schrie sie. »Und bring auch mich um, Sohn einer schlechten Mutter. Dann werde ich keine Augen mehr haben, um über die Schande zu weinen, ein Ungeheuer aufgezogen zu haben.« Und ihn erbarmungslos peitschend, verfolgte sie ihn bis in den Innenhof hinein, wo Arcadio sich wie eine Schnecke zusammenrollte. Don Apolinar Moscote hing bewußtlos an dem Pfosten, vor dem die von den Schüssen des Übungsschießens zerfetzte Vogelscheuche gestanden hatte. Die jungen Leute des Trupps zerstreuten sich aus Furcht, Ursulas Unmut könne sich schließlich an ihnen auslassen. Sie gönnte ihnen jedoch keinen Blick, überließ den in seiner zerfetzten Uniform vor Schmerz und Wut tobenden Arcadio seinem Schicksal und band Don Apolinar Moscote los, um ihn nach Hause zu bringen. Bevor sie die Kaserne verließ, ließ sie die im Block Stöhnenden frei.

Fortan regierte sie im Dorf. Sie führte die Sonntagsmesse wieder ein, schaffte den Gebrauch der roten Armbinden ab und setzte die gallensüchtigen Erlasse außer Kraft. Doch trotz ihrer Stärke beweinte sie nach wie vor das Unglück ihres Schicksals. Sie fühlte sich so einsam, daß sie die nutzlose Gesellschaft ihres unter dem Kastanienbaum vergessenen Ehemanns suchte. »Sieh, wohin wir gekommen sind«, sagte sie, während der Juniregen das Palmendach einzudrücken drohte. »Sieh das leere Haus, unsere Söhne sind in alle Welt zerstreut, und wir beide allein wie zu Anfang.« José Arcadio Buendía, abgesunken in einen Abgrund der Unbewußtheit, war taub für ihre Klagen. Zu Beginn seines Wahnsinns hatte er seine täglichen Bedürfnisse mit ungeduldigen lateinischen Brocken verständlich gemacht. Damals, als Amaranta ihm sein Essen brachte, hatte er ihr in flüchtigen Blitzen der Hellsicht seine drückendsten Beschwerden mitgeteilt und sich demgemäß ihren Schröpfköpfen und Senfpflastern gefügt. Doch jetzt, da Ursula sich bei ihm beschwerte, hatte er jede Berührung mit der Wirklichkeit verloren. Körperteil um Körperteil wusch sie den noch immer auf seinem Bänkchen Hockenden, während sie ihm von der Familie berichtete. »Aureliano ist seit mehr als vier Monaten im Krieg, seitdem haben wir nichts mehr von ihm gehört«, sagte sie, während sie ihm den Rücken mit einem Seifenlappen schrubbte. »José Arcadio ist wieder da, ein Mannsbild größer als du und ganz mit Kreuzstich bestickt, aber er ist nur gekommen, um unserem Haus Schande zu bringen.« Immerhin glaubte sie zu beobachten, daß die schlechten Nachrichten ihren Mann betrübten. Nun entschloß sie sich, ihn anzulügen. »Glaub nicht, was ich dir erzähle«, sagte sie, während sie Asche auf seine Exkremente schüttete, um sie auf der Schaufel wegzutragen. »Gott wollte, daß José Arcadio und Rebeca heirateten, und nun sind sie glücklich.« Sie brachte ihre Schwindeleien so aufrichtig vor, daß sie selber in ihren Lügen Trost fand. »Arcadio ist ein zuverlässiger Mann«, sagte sie. »Sehr tapfer und ein braver Junge mit seiner Uniform und seinem Säbel.« Es war, als spräche sie mit einem Toten, denn José Arcadio Buendía schwebte bereits jenseits aller Sorgen. Doch sie ließ nicht locker. Sie sah ihn so zahm, so gleichgültig gegen alles, daß sie beschloß, ihn loszubinden. Doch er rührte sich nicht von seinem Bänkchen. Blieb weiter Sonne und Regen ausgesetzt, als seien die Stricke überflüssig gewesen, weil eine allen sichtbaren Fesseln überlegene Macht ihn am Stamm der Kastanie festgebunden hielt. Um den Monat August, als der Winter seßhaft zu werden begann, konnte Ursula ihm endlich eine Nachricht geben, die Wahrheit schien.

»Stell dir vor, das Glück läßt uns nicht in Frieden«, sagte sie. »Amaranta und der Italiener des Pianola wollen heiraten.« Amaranta und Pietro Crespi hatten im Vertrauensschutz Ursulas, die es diesmal nicht für nötig fand, Crespis Besuche zu überwachen, ihre Freundschaft vertieft. Es war eine dämmrige Verlobungszeit. Eine Gardenie im Knopfloch, kam der Italiener gegen Abend und übersetzte Amaranta Petrarcas Sonette in der von Majoran- und Rosenduft betäubten Veranda; und so las er vor, und sie webte Klöppelspitzen, bis die Mücken sie zwangen, im Wohnzimmer Zuflucht zu suchen. Amarantas Empfindsamkeit, ihre verhaltene und doch bestrickende Zärtlichkeit hatten um den Verlobten ein unsichtbares Spinnennetz gewebt, das er buchstäblich mit seinen bleichen ringlosen Fingern auseinanderziehen mußte, um das Haus um acht Uhr verlassen zu können. Sie hatten mit

Pietro Crespis aus Italien erhaltenen Postkarten ein kostbares Album angelegt. Es waren Bilder von Liebespaaren in einsamen Parks, geschmückt mit Vignetten aus pfeildurchbohrten Herzen und von Taubenschnäbeln gehaltenen goldenen Schleifen. »Ich kenne diesen Park in Florenz«, sagte Pietro Crespi beim Durchblättern der Postkarten. »Man braucht nur die Hand auszustrecken, und die Vögel kommen und picken daraus.« Bisweilen, angesichts eines Aquarells von Venedig, verwandelte die Sehnsucht den Gestank der nach Schlamm und faulen Seemuscheln riechenden Kanäle in zartes Blumenarom. Amaranta seufzte, lachte, träumte von einem zweiten Vaterland mit schönen Männern und Frauen, die eine Kindersprache sprachen, von uralten Städten, von deren vergangener Größe nur Katzen zwischen Ruinen übriggeblieben waren. Nachdem er auf der Suche nach ihr den Ozean durchschifft, nachdem er die Liebe mit Rebecas heftigen Umarmungen verwechselt hatte, war Pietro Crespi das Geschenk der Liebe zuteil geworden. Das Glück zog den Wohlstand nach. Sein Ladengeschäft nahm schon fast einen Häuserblock ein, es war eine Winterweide der Phantasie mit Abbildungen des Campanile von Florenz, welcher die Uhrzeit mit einem Glockenkonzert einläutete, mit Musiktruhen aus Sorrent und Puderkästchen aus China, die eine fünftönige Melodie spielten, sobald sie geöffnet wurden, mit allen nur erdenklichen Musikinstrumenten und allen nur erträumbaren Aufziehkunstwerken. Bruno Crespi, sein jüngerer Bruder, führte den Laden, weil er kaum noch den Anforderungen seiner Musikschule nachkam. Dank seiner verwandelte sich die Türkenstraße mit seiner atemberaubenden Ausstellung von Nippessachen in einen stillen Winkel, in dem man Arcadios Willkür und den fernen Alptraum des Krieges vergessen konnte. Als Ursula wieder die Sonntagsmesse einführte, schenkte Pietro Crespi ihr für die Kirche ein deutsches Harmonium, rief einen Kinderchor ins Leben und stellte ein gregorianisches Repertoire zusammen, das Pater Nicanors stummem Ritual eine glänzende Note verlieh. Niemand bezweifelte, daß er aus Amaranta eine glückliche Gattin machen würde. Ohne ihre Gefühle zu überfordern und sich ganz dem natürlichen Strom ihres Herzens überlassend, gelangten sie zu einem Punkt, wo sie nur noch den Hochzeitstag festzusetzen brauchten. Widerstände waren nicht zu befürchten. Ursula, die sich innerlich vorwarf, Rebecas Schicksalsweg durch wiederholten Aufschub verändert zu haben, war nicht gewillt, Gewissensbisse anzusammeln. Infolge der Qualen des Krieges, Aurelianos Ferne, Arcadios Grausamkeit sowie José Arcadios und Rebecas Vertreibung war die tiefe Trauer um Remedios' Tod auf den zweiten Platz gerückt. Angesichts der bevorstehenden Hochzeit hatte sogar Pietro Crespi durchblicken lassen, er wolle Aureliano José, für den er eine fast väterliche Zuneigung nährte, als seinen ältesten Sohn ansehen. Alles ließ vermuten, Amaranta sei im Begriff, einem Glück ohne Hemmnisse entgegenzugehen. Doch im Gegensatz zu Rebeca stellte sie keinerlei Ungeduld zur Schau. Ebenso geduldig, wie sie Tischtücher bunt bestickte, Kleinode der Posamentierarbeit wirkte und Pfauen in Kreuzstich zauberte, wartete sie, daß Pietro Crespi dem Drängen seines Herzens nicht mehr widerstehe. Seine Stunde kam mit dem schlimmen Oktoberregen. Pietro Crespi zog den Stickrahmen von ihrem Schoß und preßte ihre Hand mit seinen Händen. »Nun kann ich nicht länger warten«, sagte er. »Wir wollen nächsten Monat heiraten.« Amaranta zitterte nicht bei der Berührung seiner eiskalten Hände. Sie entzog ihm ihre Hand wie ein flüchtendes Tierchen und machte sich wieder an ihre Arbeit. »Sei doch nicht einfältig, Crespi«, sagte sie lächelnd. »Nicht einmal tot heirate ich dich.« Pietro Crespi verlor die Selbstbeherrschung. Er weinte hemmungslos, riß sich fast, aber auch nur fast, seine Finger vor Verzweiflung aus. »Verlier deine Zeit nicht«, war alles, was Amaranta sagte. »Wenn du mich wirklich liebst, so komm nicht mehr in dieses Haus.« Ursula glaubte vor Beschämung wahnsinnig zu werden. Pietro Crespi erschöpfte alle Mittel des Bittens und Flehens. Ja, er ging bis zum Äußersten der Selbsterniedrigung. Er weinte den ganzen Nachmittag in Ursulas Schoß, die ihre Seele verkauft hätte, um ihn zu trösten. In Regennächten sah man ihn mit einem seidenen Regenschirm ums Haus schleichen, um einen Lichtschein in Amarantas Schlafzimmer zu erhaschen. Nie war er sorgfältiger angezogen als zu jener Zeit. Sein erhabenes, gemartertes Kaiserhaupt gewann eine seltene Aura von Größe. Er belästigte Amarantas Freundinnen, die mit ihr in der Veranda stickten, damit sie jene umstimmten. Er vernachlässigte sein Geschäft. Verbrachte den Tag im rückwärtigen Kontor und schrieb unsinnige Briefchen, die er Amaranta zusammen mit getrockneten Blütenblättern und gepreßten Faltern zukommen ließ und die sie ungeöffnet zurückschickte. Er schloß sich Stunden um Stunden zitherspielend ein. Eines Nachts sang er. Macondo erwachte betört, wie im siebten Himmel, vom Zitherspiel, das nicht wie von dieser Welt klang, außerdem von einer so glutvollen Stimme, wie sie auf Erden nie vernommen worden war. Nun sah Pietro Crespi Licht in allen Häusern des Dorfes, doch keines in Amarantas Fenster. Am zweiten November, dem Totensonntag, machte sein Bruder den Laden auf und fand alle Lampen brennend, alle Musiktruhen angestellt und alle Uhren auf ein nicht enden wollendes ein Uhr angehalten – und inmitten dieses wirren Konzerts fand er Pietro Crespi im rückwärtigen Kontor mit durchgeschnittenen Pulsadern und beiden Händen in einem benzolgefüllten Becken liegend.

Ursula bestimmte, daß die Totenwache im Hause gehalten werde. Pater Nicanor widersetzte sich der kirchlichen Totenfeier und der Beerdigung in geheiligter Erde.

Ursula bot ihm die Stirn. »Auf irgendeine Weise, die weder Sie noch ich verstehen können, war dieser Mann ein Heiliger«, sagte sie. »Dann begrabe ich ihn gegen Ihren Willen neben Melchíades' Grab.« Sie tat es unter Unterstützung des ganzen Dorfs mit einer prächtigen Totenfeier. Amaranta verließ nicht ihr Schlafzimmer. Vom Bett aus hörte sie Ursulas Weinen, die Schritte und das Gemurmel der Menge, die ins Haus strömte, das Heulen oder Klagen der Weiber und gleich darauf eine tiefe, nach zertrampelten Blumen riechende Stille. Lange Zeit spürte sie noch gegen Abend Pietro Crespis Lavendelatem, besaß jedoch Kraft genug, um nicht dem Taumel zu verfallen. Ursula wandte sich von ihr ab. Sie hob nicht einmal die Augen, um sich ihrer zu erbarmen, als Amaranta eines Nachmittags in die Küche kam und die Hand auf die Herdglut legte, bis sie so schmerzte, daß sie keinen Schmerz mehr spürte, sondern nur noch den Pesthauch ihres versengten Fleisches. Das war eine Pferdekur gegen Gewissensbisse. Mehrere Tage lang ging sie durchs Haus, die Hand in einen Topf Eiweiß getaucht, und als ihre Brandwunden geheilt waren, schien es, als hätte das Eiweiß auch die Schwären ihres Herzens vernarbt. Die einzige äußere Spur, welche die Tragödie hinterlassen hatte, war die schwarze Gazebinde, die sie um die verbrannte Hand legte und die sie bis zu ihrem Tod tragen sollte.

Arcadio zeigte seltene Großzügigkeit, als er mit einem Erlaß offizielle Trauer für Pietro Crespi verordnete. Ursula deutete dies als Rückkehr des verlorenen Schafs. Doch darin irrte sie. Sie hatte Arcadio nicht erst verloren, seitdem er Uniform angezogen hatte, sondern schon immer. Sie glaubte ihn wie einen Sohn aufgezogen zu haben, so wie Rebeca, ohne Vorrechte, aber auch ohne Benachteiligungen. Dennoch war Arcadio ein einsames, verschrecktes Kind, und zwar ebenso während der Schlaflosigkeitspest, mitten in Ursulas Nützlichkeitsfieber, wie auch zur Zeit von José Arcadio Buendías Delirium, von

Aurelianos Verschlossenheit, bei der mörderischen Rivalität zwischen Amaranta und Rebeca. Aureliano lehrte ihn lesen und schreiben und dachte dabei an anderes, genau wie es ein Fremder getan hätte. Er gab ihm seine Anzüge, damit Visitación sie kürzer mache, als sie bereits verbraucht waren. Arcadio litt an seinen viel zu großen Schuhen, an seinen geflickten Hosen, an seinem weiblichen Gesäß. Mit niemandem kam er zu einem vertrauten Verhältnis, das er mit Visitación und Cataure in deren Sprache genossen hatte. Melchíades war der einzige, der sich wahrhaft um ihn gekümmert hatte, der ihm seine unverständlichen Schriften vorgelesen und ihn in die Kunst der Daguerreotypie eingeweiht hatte. Niemand konnte sich vorstellen, wie tief und heimlich er dessen Tod beweinte und wie verzweifelt er ihn durch das nutzlose Studium seiner Papiere wieder zum Leben zu erwekken versuchte. Erst die Schule, in der er beachtet und geachtet wurde, und dann die Macht mit seinen eindeutigen Erlassen und seiner ruhmvollen Uniform vermochten ihn von der Last alter Bitternis zu befreien. Eines Nachts in Catarinos Butike wagte jemand zu ihm zu sagen: »Du verdienst deinen Zunamen nicht.« Wider alle Erwartung ließ er ihn nicht erschießen.

»Das ehrt mich«, antwortete er. »Ich bin kein Buendía.« Wer das Geheimnis seiner Abkunft kannte, mußte angesichts seiner Erwiderung annehmen, daß auch er Bescheid wußte, doch in Wirklichkeit sollte er es nie erfahren. Pilar Ternera, seine Mutter, die im Atelier der Daguerreotypie sein Blut zum Sieden gebracht hatte, war für ihn ein Gegenstand ebenso unwiderstehlicher Besessenheit, wie sie es zuerst für José Arcadio und später für Aureliano gewesen war. Obgleich sie ihre Anziehungskraft und den Glanz ihres Lachens eingebüßt hatte, suchte er sie und fand sie auf der Spur ihres Rauchgeruchs. Kurz vor dem Krieg, eines Mittags, als sie ihren jüngeren Sohn später als gewöhnlich an der Schule abholte, wartete

Arcadio auf sie in dem Zimmer, in dem er seine Mittagsruhe abzuhalten pflegte, in jenem, in dem er später den Block aufstellen ließ. Während das Kind im Innenhof spielte, wartete er in der Hängematte, zitternd vor Begierde und wohl wissend, daß Pilar Ternera vorbeikommen mußte. Sie kam. Arcadio packte sie am Handgelenk und wollte sie in die Hängematte zerren. »Ich kann nicht, ich kann nicht«, sagte Pilar Ternera entsetzt. »Du kannst dir nicht vorstellen, wie gerne ich dir zu Willen wäre, aber Gott ist mein Zeuge, daß ich nicht kann.« Mit seiner ererbten Wahnsinnskraft packte er sie um die Taille und fühlte, wie bei der Berührung ihrer Haut die Welt vor ihm verschwamm. »Spiel nicht die Heilige«, sagte er. »Schließlich weiß jedermann, daß du eine Hure bist.« Pilar überwand den Ekel, den ihr jammervolles Geschick in ihr hervorrief.

»Die Kinder werden es merken«, flüsterte sie. »Lieber heute nacht, schließe deine Tür nicht ab.«

Vor Fieber schlotternd, erwartete Arcadio sie in jener Nacht in seiner Hängematte. Er wartete schlaflos, hörte die lärmenden Grillen des endlosen Morgengrauens und den unerbittlichen Stundenplan der Rohrdommeln, immer noch davon überzeugt, daß er hintergangen worden war. Plötzlich, als seine Begierde in Wut umgeschlagen war, ging die Tür auf. Wenige Monate später sollte Arcadio vor dem Erschießungskommando wieder die irrenden Schritte im Klassenzimmer durchleben, das Stoßen an die Schulbänke, endlich das Dichte eines Körpers im Halbdämmer eines Zimmers und das Pochen eines heftig pumpenden Herzens, das nicht ihm gehörte. Er streckte die Hand aus und fand eine andere Hand mit zwei Ringen am selben Finger, die im Dunkeln zu schwanken schien. Er fühlte den Nervenbau ihrer Adern, den Pulsschlag ihres Unglücks, er fühlte die feuchte Handfläche, deren Lebenslinie am Ansatz des Daumens von der Pranke des Todes durchrissen war. Nun begriff er, daß es nicht die Frau war, die er erwartete, denn diese roch nicht nach Rauch, sondern nach Veilchenpomade, sie hatte geschwollene, blinde Brüste mit Männerwarzen, ein steinernes rundes Geschlecht wie eine Nuß und außerdem die wüste Zärtlichkeit aufgeregter Unerfahrenheit. Sie war Jungfrau und besaß den unwahrscheinlichen Vornamen Santa Sofía von der Frömmigkeit. Pilar Ternera hatte ihr fünfzig Pesos bezahlt, die Hälfte ihrer lebenslangen Ersparnisse, damit sie das tue, was sie jetzt tat. Arcadio hatte sie häufig gesehen, während sie das Lebensmittellädchen ihrer Eltern führte, doch sein Blick war nie auf ihr haftengeblieben, weil sie die seltene Tugend besaß, nur im geeigneten Augenblick ganz dazusein. Seit jenem Tag indes rollte sie sich wie eine Katze in der Wärme seiner Achselhöhle zusammen. Mit Zustimmung ihrer Eltern, denen Pilar Ternera die andere Hälfte ihrer Rücklagen gegeben hatte, kam sie in der Stunde des Mittagsschlafs in die Schule. Später, als die Regierungstruppen sie aus ihrer Bleibe vertrieben, liebten sie sich zwischen Butterkanistern und Maissäcken des Ladens. Zu der Zeit, als Arcadio zum Zivil- und Militärchef ernannt wurde, bekamen sie eine Tochter.

Die einzigen Verwandten, die es erfuhren, waren José Arcadio und Rebeca, mit denen Arcadio damals weniger auf Verwandtschaft, als auf Mitwisserschaft gegründete vertraute Beziehungen unterhielt. José Arcadio hatte unter dem Ehejoch den Nacken gebeugt. Rebecas Charakterstärke, der Heißhunger ihres Leibes, ihr beharrlicher Ehrgeiz saugten die ungewöhnliche Energie des Ehemanns auf, der aus einem Tagdieb und Schürzenjäger zu einem schwerfälligen Arbeitstier wurde. Sie hatten ein reinliches, ordentliches Haus. Bei Tagesanbruch öffnete Rebeca es sperrangelweit, und der Wind der Gräber wehte durch die Fenster herein und wehte durch die Türen des Innenhofs hinaus und weißte die Wände und gerbte die Möbel mit dem Salpeter der Toten. Der Hunger nach

Erde, die klappernden Knochen ihrer Eltern und die Ungeduld ihres Bluts gegenüber Pietro Crespis Teilnahmslosigkeit waren auf dem Dachboden der Erinnerung verstaut. Den ganzen Tag stickte sie am Fenster, fern vom Kriegslärm, bis die Keramiktöpfe in der Kredenz zu zittern begannen und sie aufstand, um das Essen aufzuwärmen, lange bevor die kotbedeckten Jagdhunde angehetzt kamen und gleich darauf der Koloß eintrat mit seinen Ledergamaschen, Sporen und einer Doppelflinte, der mitunter einen Hirsch über der Schulter trug und fast immer eine Schnur voller Hasen oder Wildenten. Eines Nachmittags, zu Beginn seiner Regierung, besuchte Arcadio sie unerwartet. Sie hatten ihn nicht gesehen, seit sie das Haus verlassen hatten, doch er gab sich so liebevoll und vertraulich, daß sie ihn einluden, den Schmorbraten mit ihnen zu teilen.

Erst beim Kaffee offenbarte Arcadio den Anlaß seines Besuchs: Er hatte eine Anzeige gegen José Arcadio erhalten. Es hieß, dieser habe zuerst seinen Innenhof bebaut und gleich hinterher das angrenzende Land, habe mit seinen Ochsen Gehege umgebrochen und Hütten eingerissen, bis er sich die besten Höfe der Umgebung gewaltsam angeeignet hatte. Den Bauern, die er nicht enteignet hatte, weil ihm nichts an ihrem Land gelegen war, hatte er eine Abgabe auferlegt, die er jeden Samstag mit seinen Jagdhunden und seiner Doppelflinte eintrieb. José Arcadio leugnete nicht. Er gründete sein Recht darauf, die angeeigneten Ländereien seien von José Arcadio Buendía zur Zeit der Gründung verteilt worden, und glaubte beweisen zu können, daß sein Vater seit jener Zeit wahnsinnig sei, da er einen Besitz vergeben habe, der in Wirklichkeit Familienbesitz war. Das war eine überflüssige Rechtfertigung, da Arcadio nicht gekommen war, Gerechtigkeit walten zu lassen. Er erbot sich lediglich, eine Kanzlei zur Eintragung des Landbesitzes zu eröffnen, damit José Arcadio sein Eigentumsrecht auf das beschlagnahmte

Land legalisieren könne, allerdings unter der Bedingung, daß er der Ortsgewalt das Recht zur Eintreibung der Abgaben übertrage. Man einigte sich. Jahre später, als Oberst Aureliano Buendía die Eigentumsurkunden prüfte, stellte er fest, daß auf den Namen seines Bruders alles Land eingetragen war, das vom Hügel seines Innenhofs bis zum Horizont zu sehen war, einschließlich des Friedhofs, und daß Arcadio in den elf Monaten seines Mandats nicht nur den Erlös der Abgaben eingesteckt hatte, sondern auch das Geld, das er bei den Dorfbewohnern für das Recht erhob, ihre Toten auf José Arcadios Gelände zu beerdigen.

Ursula erfuhr erst Monate danach, was bereits jedermann wußte, weil die Leute es ihr verheimlichten, um sie nicht noch mehr zu betrüben. Doch bald schöpfte sie Argwohn. »Arcadio baut ein Haus«, vertraute sie ihrem Mann mit geheucheltem Stolz an, während sie ihm einen Löffel Totumakürbissaft einzuflößen suchte. Dennoch seufzte sie unwillkürlich: »Ich weiß nicht, warum mir das so weh tut.« Später, als sie erfuhr, das Arcadio nicht nur den Hausbau beendet, sondern Wiener Möbel bestellt hatte, fand sie ihren Verdacht bestätigt, daß er öffentliche Mittel ausgab. »Du bist ein Schandfleck auf unserem Namen«, zeterte sie eines Sonntags nach der Messe, als sie ihn im neuen Haus mit seinen Offizieren Karten spielen sah. Arcadio beachtete sie nicht. Erst jetzt erfuhr Ursula, daß er eine sechs Monate alte Tochter hatte und daß Santa Sofía von der Frömmigkeit, mit der er unverheiratet zusammenlebte, wiederum schwanger war. So beschloß sie, an Oberst Aureliano Buendía zu schreiben, wo immer er sich auch befinden mochte, um ihn über die Lage aufzuklären. Doch die Ereignisse, die sich in jenen Tagen überstürzten, vereitelten nicht nur ihre Absicht, sondern brachten sie auch dazu, sie zu bereuen. Der Krieg, der bis dahin nur ein Wort gewesen war, um einen unbestimmten, fernen Zustand zu benennen, verdichtete sich zu einer dramatischen Wirklichkeit. Ende Februar kam nach Macondo eine Greisin von aschgrauem Aussehen, die auf einem bürstenbeladenen Maulesel ritt. Sie wirkte so harmlos, daß die Spähtrupps sie ohne Fragen weiterreiten ließen, wie einen der zahlreichen fahrenden Händler, die nach und nach aus den Moordörfern zugereist waren. Sie ritt unmittelbar zur Kaserne. Arcadio empfing sie in dem früheren, mittlerweile in ein Nachschublager umgewandelten Klassenzimmer, wo in den Ecken Matratzen, Gewehre und Karabiner gestapelt lagen, wo endlich sogar der Boden mit Jagdflinten besät war. Erst grüßte die Greisin militärisch, dann gab sie sich zu erkennen:

»Ich bin Oberst Gregorio Stevenson.«

Er brachte schlechte Nachrichten. Die letzten liberalen Widerstandsherde waren ihm zufolge soeben vernichtet worden. Oberst Aureliano Buendía, der, als Stevenson ihn verließ, gerade in Richtung Riohacha zurückfiel, hatte ihm die Mission anvertraut, mit Arcadio zu sprechen. Er solle den Standort ohne Widerstand übergeben, unter der Bedingung, daß Leben und Besitz der Liberalen auf Ehrenwort geachtet würden. Mitleidig musterte Arcadio den fremden Boten, der einer flüchtenden Großmutter zum Verwechseln ähnlich sah.

»Sie haben natürlich einen schriftlichen Auftrag bei sich«, sagte er.

»Natürlich«, erwiderte der Abgesandte, »habe ich nichts dergleichen bei mir. Es versteht sich von selbst, daß man unter den augenblicklichen Umständen nichts Belastendes mitführt.«

Während er sprach, zog er aus seiner Weste ein Goldfischchen und legte es auf den Tisch. »Ich glaube, das genügt«, sagte er. Arcadio stellte fest, daß es tatsächlich eines der von Oberst Aureliano Buendía geschmiedeten Fischchen war. Freilich hätte es jemand vor dem Krieg kaufen oder stehlen können, so daß es folglich nicht den

Wert eines Geleitbriefs besaß. Der Bote verletzte sogar ein Kriegsgeheimnis, um seinen Namen glaubhaft zu machen. Er enthüllte, daß er in geheimer Mission nach Curaçao unterwegs sei, wo er Verbannte des ganzen Karibischen Meers anzumustern sowie Waffen und genügend Kriegsbedarf zu erwerben hoffte, um gegen Jahresende eine Landung wagen zu können. Auf diesem Plan fußend, sei Oberst Aureliano Buendía in diesem Augenblick nicht dafür, unnütze Opfer zu bringen. Doch Arcadio war unbeugsam. Er ließ den Boten einsperren, während er seinen Namen überprüfte, und beschloß, seine Garnison bis zum letzten Mann zu verteidigen.

Er brauchte nicht lange zu warten. Die Nachrichten von der Niederlage der Liberalen erwiesen sich als immer zutreffender. Ende März, an einem von vorzeitigem Regen heimgesuchten Tagesanbruch, endete die gespannte Ruhe der vergangenen Woche jäh mit einem verzweifelten Trompetenstoß, gefolgt von Geschützbeschuß, der den Kirchturm umriß. In Wirklichkeit war Arcadios Wille zum Widerstand reiner Wahnsinn. Verfügte er doch nicht über mehr als fünfzig höchstens mit je zwanzig Schuß ausgerüstete Waffenträger. Allerdings befanden sich unter ihnen seine einstigen, von flammenden Aufrufen erhitzten Schüler, die bereit waren, ihre Haut für eine verlorene Sache zu Markt zu tragen. Inmitten von Stiefelgetrappel, widersprechenden Befehlen, erderschütterndem Kanonendonner, kopflosem Geschieße und sinnlosen Trompetensignalen gelang es dem angeblichen Oberst Stevenson mit Arcadio zu sprechen. »Ersparen Sie mir die Würdelosigkeit, in diesem Block mit Weiberfetzen am Leib zu sterben«, sagte er. »Wenn ich sterben soll, dann bitte kämpfend.« Sein Überredungsversuch gelang. Arcadio befahl, man solle ihm eine Waffe mit zwanzig Patronen aushändigen und ihm mit fünf Soldaten die Verteidigung der Kaserne übergeben, während er selbst sich mit seinem Generalstab zu den Widerstandslinien begeben wollte. Er kam nicht einmal bis zum Moorweg. Schon waren die Barrikaden niedergerissen, und die Verteidiger schlugen sich ohne Deckung in den Gassen, zunächst solange ihre Gewehrkugeln reichten, danach mit Pistolen gegen Gewehre und endlich Mann gegen Mann. Angesichts der drohenden Niederlage stürzte eine mit Stöcken und Küchenmessern bewaffnete Handvoll Weiber auf die Straße. In dieser Verwirrung fand Arcadio Amaranta, die ihn wie eine Wahnsinnige suchte, im Nachthemd, zwei alte Pistolen José Arcadio Buendías in den Fäusten. Er übergab sein Gewehr einem Offizier, der im Nahkampf entwaffnet worden war, und floh mit Amaranta durch eine Seitengasse, um sie nach Hause zu bringen. Ursula stand wartend an der Tür, gleichgültig gegen die Salven, die in die Fassade des Nachbarhauses eine Schießscharte geschlagen hatten. Der Regen hatte nachgelassen, doch die Straßen waren schlüpfrig und aufgeweicht wie zerlaufene Seife, und es war schwierig, die Entfernungen in der Dunkelheit abzuschätzen. Arcadio ließ Amaranta bei Ursula zurück und versuchte zwei Soldaten die Stirn zu bieten, die von der Ecke aus aufs Geratewohl losfeuerten. Die viele Jahre in einem Kleiderschrank aufbewahrten Pistolen versagten ihren Dienst. Arcadio mit ihrem Leib schützend, versuchte Ursula ihn ins Haus zu zerren.

»Komm, um Gotteswillen!« schrie sie. »Genug des Wahnsinns!«

Die Soldaten legten auf beide an.

»Lassen Sie den Mann los, Señora«, schrie einer von ihnen. »Sonst übernehmen wir keine Verantwortung!«

Arcadio drängte Ursula gegen das Haus und ergab sich. Kurz darauf endete die Schießerei, und die Glocken begannen zu läuten. Der Widerstand war in weniger als einer halben Stunde gebrochen worden. Nicht einer von Arcadios Männern hatte den Überfall überlebt, doch bevor sie fielen, hatten dreihundert Soldaten des Gegners ins Gras beißen müssen. Das letzte Bollwerk war die Kaserne. Noch vor dem Angriff ließ der vermeintliche Oberst Gregorio Stevenson die Gefangenen frei und befahl seinen Männern, den Straßenkampf aufzunehmen. Die außerordentliche Beweglichkeit und Feuersicherheit, mit der er seine zwanzig Patronen durch die verschiedenen Fenster verschoß, erweckten den Eindruck, die Kaserne sei gut besetzt, so daß die Angreifer sie mit Geschützbeschuß in Stücke reißen mußten. Der die Operation befehligende Hauptmann wunderte sich, die Ruinen verlassen vorzufinden, bis auf einen einzigen Toten in Unterhosen, dessen entladenes Gewehr noch immer von der Faust seines vom Rumpf getrennten Armes umfaßt war. Im Nacken hing ihm eine dichte, von einem Aufsteckkamm zusammengehaltene Frauenperücke, um den Hals trug er ein Skapulier mit einem goldenen Fischchen daran. Als der Hauptmann ihn mit der Stiefelspitze umdrehte, um ihm ins Gesicht zu leuchten, rief er verdutzt: »Scheiße.« Andere Offiziere traten näher.

»Seht nur, wo dieser Mann plötzlich auftaucht«, sagte der Hauptmann. »Es ist Gregorio Stevenson.«

Bei Tagesanbruch, nach einem raschen Kriegsrat, wurde Arcadio vor der Friedhofsmauer erschossen. In den letzten Stunden seines Lebens begriff er nicht mehr, warum die Angst geschwunden war, die ihn seit seiner Kindheit gequält hatte. Gleichgültig und ohne die Absicht, seinen jüngst gezeigten Mut weiterhin an den Tag zu legen, hörte er die endlosen Beschuldigungen der Anklage an. Er dachte an Ursula, die wohl zu dieser Stunde bei José Arcadio Buendía unter der Kastanie Kaffee trank. Dachte an seine acht Monate alte Tochter, die noch keinen Namen hatte, und an das Kind, das im August geboren werden sollte. Dachte an Santa Sofía von der Frömmigkeit, die er am Vorabend verlassen hatte, wie sie einen Hirsch für das Samstagmittagessen einsalzte, und sehnte sich nach ihrem auf die Schultern herabfallenden Haar, nach ihren künstlich wirkenden Wimpern. Dachte ohne Gefühlsseligkeit an seine Leute, an eine strenge Abrechnung mit dem Leben und begann zu begreifen, wie sehr er die Menschen, die er am tiefsten gehaßt hatte, in Wahrheit liebte. Der Vorsitzende des Kriegsgerichts begann seine Abschlußansprache, bevor es Arcadio aufging, daß mittlerweile zwei Sunden vergangen waren. »Selbst wenn die erwiesenen Anschuldigungen nicht stichhaltig genug wären«, sagte der Vorsitzende, »hätte der Angeklagte für die unverantwortliche, verbrecherische Tollkühnheit, mit der er seine Untergebenen in einen sinnlosen Tod trieb, die Todesstrafe verdient.« In der halbzerstörten Schule, wo er zum erstenmal die Sicherheit der Macht erlebt, wenige Meter von der Kammer, in der er die Unsicherheit der Liebe kennengelernt hatte, fand Arcadio die Förmlichkeit des Todes lächerlich. In Wahrheit war ihm nicht der Tod wichtig, sondern das Leben, daher empfand er bei der Urteilsverkündung nicht etwa Angst, sondern Sehnsucht. Er blieb stumm, bis er nach seinem letzten Willen gefragt wurde.

»Sagen Sie meiner Frau«, antwortete er vernehmlich, »sie soll das Kind Ursula nennen.« Er machte eine Pause und betonte: »Ursula wie die Großmutter. Und sagen Sie ihr auch, wenn das neue Kind ein Junge wird, soll es José Arcadio heißen, doch nicht nach dem Onkel, sondern nach dem Großvater.« Bevor er an die Wand gestellt wurde, bot Pater Nicanor ihm seinen Beistand an. »Ich habe nichts zu bereuen«, sagte Arcadio, und nachdem er eine Tasse schwarzen Kaffee getrunken hatte, stellte er sich dem Erschießungskommando. Der auf Blitzerschießungen spezialisierte Chef des Kommandos hatte einen Namen, der nicht ganz zufällig war: er hieß Hauptmann Roque Fleischer. Auf dem Weg zum Friedhof beobachtete Arcadio in dem beharrlichen Nieselregen, daß am Horizont ein strahlender Mittwoch aufging. Die Sehnsucht schwand mit dem Nebel und gab statt dessen einer gewaltigen Neugier Raum. Erst als man ihm befahl, sich mit dem Rücken zur Mauer zu stellen, sah Arcadio Rebeca mit nassem Haar und einem rosafarbenen Blumenkleid, wie sie das Haus weit öffnete. Er machte Anstrengungen, damit sie ihn erkenne. In der Tat blickte Rebeca zufällig zur Mauer herüber, blieb schreckgelähmt stehen und konnte nur ein knappes Abschiedszeichen winken. Arcadio antwortete auf gleiche Weise. In diesem Augenblick zielten die rauchgeschwärzten Gewehre auf ihn, und er hörte Buchstabe für Buchstabe Melchíades' gesungene Enzykliken und spürte die verlorenen Schritte der Jungfrau Santa Sofía von der Frömmigkeit im Klassenzimmer und fühlte in der Nase die gleiche eisige Härte, die ihm an der Nasenhöhle von Remedios' Leichnam aufgefallen war. Verdammt! dachte er noch, ich habe vergessen zu sagen, wenn es ein Mädchen wird, soll es Remedios heißen. Dann, wie zermalmt von einem zerfleischenden Tatzenhieb, fühlte er von neuem all den Schrecken, der ihn im Leben gepeinigt hatte. Der Hauptmann gab den Befehl zum Feuern. Arcadio fand kaum Zeit, die Brust zu blähen und den Kopf zu heben, ohne zu begreifen, woher die glühende Flüssigkeit floß, die ihm die Oberschenkel verbrannte.

»Hahnreie!« schrie er. »Es lebe die liberale Partei!«

Im Mai endete der Krieg. Zwei Wochen vor der durch einen hochtrabenden Aufruf bekanntgemachten Regierungserklärung, welche die erbarmungslose Bestrafung der Aufrührer verhieß, fiel Oberst Aureliano Buendía in Gefangenschaft, als er sich anschickte, in der Verkleidung eines eingeborenen Zauberkünstlers die westliche Grenze zu überschreiten. Von den einundzwanzig Männern, die ihm in den Krieg gefolgt waren, waren vierzehn im Kampf gefallen, sechs waren verwundet, und nur einer begleitete ihn im Augenblick der endgültigen Niederlage: Oberst Gerineldo Márquez. Die Nachricht von seiner Gefangennahme wurde in Macondo durch einen Sondererlaß bekanntgegeben. »Er lebt«, sagte Ursula zu ihrem Mann. »Bitten wir Gott, damit seine Feinde Milde walten lassen.« Nach drei Tagen des Wehklagens, eines Nachmittags, an dem sie eine Karamelspeise in der Küche schlug, hörte sie deutlich die Stimme ihres Sohnes nahe am Ohr. »Es war Aureliano«, schrie sie und lief zum Kastanienbaum, um die Nachricht ihrem Mann zu übermitteln. »Ich weiß nicht, wie das Wunder geschah, aber er lebt, und wir werden ihn sehr bald sehen.« Für sie stand es fest. Sie ließ die Zimmerböden scheuern und die Möbel umstellen. Eine Woche danach bestätigte ein unergründliches Gerücht, das keine Bekanntmachung verbreiten sollte, ihre Vorahnung auf dramatische Weise. Oberst Aureliano Buendía war zum Tode verurteilt worden, und das Urteil würde als abschreckendes Beispiel für die Bevölkerung in Macondo vollstreckt werden. Eines Montags gegen zehn Uhr zwanzig vormittags, als Amaranta gerade Aureliano José anzog, hörte sie fernes Getrappel und ein Trompetensignal, genau eine Sekunde bevor Ursula ins Zimmer stürzte mit dem Schrei: »Sie bringen ihn!« Der Trupp tat alles, die kochende Menge mit Kolbenstößen in Schach zu halten. Ursula und Amaranta bahnten sich mit Ellbogen bis zur Ecke einen Weg und sahen ihn. Er sah aus wie ein Landstreicher. Seine Kleider waren zerschlissen, Haupt- und Barthaar verfilzt, er selbst barfuß. Er ging, ohne den glühenden Staub zu fühlen, seine Hände waren auf dem Rücken mit einem Strick gefesselt, den ein berittener Offizier an seinem Sattelknauf befestigt hatte. Neben ihm, gleichfalls abgerissen und zerschlagen, wurde Oberst Gerineldo Márquez geführt. Sie wirkten nicht trostlos. Sie schienen eher von der Menge verwirrt, die der Truppe alle möglichen Schimpfworte zujohlte.

»Mein Sohn!« schrie Ursula inmitten des Aufruhrs und versetzte dem Soldaten, der sie zurückhalten wollte, einen Hieb. Das Pferd des Offiziers scheute. Nun blieb Oberst Aureliano Buendía stehen, zitternd, wich den Armen seiner Mutter aus und blickte sie hart an.

»Geh nach Hause, Mama«, sagte er. »Bitte die Behörden um Erlaubnis, mich im Kerker zu besuchen.«

Er blickte Amaranta an, die sich unschlüssig zwei Schritte hinter Ursula hielt, und fragte lächelnd:

»Was hast du an der Hand?« Amaranta hob die Hand mit der schwarzen Binde. »Eine Brandwunde«, sagte sie und zog Ursula beiseite, damit die Pferde sie nicht niedertrampelten. Wieder setzte sich der Trupp in Bewegung. Eine Sonderwache umringte die Gefangenen und brachte sie im Trab in die Kaserne.

Gegen Abend besuchte Ursula Oberst Aureliano Buendía im Gefängnis. Sie hatte die Erlaubnis durch Don Apolinar Moscote zu erwirken gesucht, doch dieser hatte vor der Allgewalt der Militärs jede Autorität verloren. Pater Nicanor lag mit einer Leberentzündung darnieder. Die Eltern von Oberst Gerineldo Márquez, der nicht zum Tode verurteilt war, versuchten ihn zu sehen und wurden mit Kolbenhieben zurückgewiesen. Angesichts der Unmöglichkeit, Mittelsmänner zu finden, und überzeugt, daß ihr Sohn im Morgengrauen erschossen werden würde, packte Ursula die Dinge ein, die sie mitnehmen wollte, und machte sich allein zur Kaserne auf. »Ich bin die Mutter von Oberst Aureliano Buendía.« So stellte sie sich vor.

Die Wachposten verwehrten ihr den Eintritt. »Ich komme trotzdem hinein«, warnte sie sie. »Wenn Sie also Feuerbefehl haben, können Sie gleich anfangen.« Sie schob den einen mit einem Puff beiseite und betrat das alte Klassenzimmer, wo ein Haufen nackter Soldaten ihre Waffen einfetteten. Ein errötender Offizier in Felduniform mit dicken Augengläsern und förmlichem Gebaren wies die Posten mit einem Wink hinaus.

»Ich bin die Mutter von Oberst Aureliano Buendía«, wiederholte Ursula.

»Sie wollen sagen«, berichtigte der Offizier mit liebenswürdigem Lächeln, »daß Sie die Mutter von *Señor* Aureliano Buendía sind.«

Ursula erkannte an seiner gesuchten Redeweise den trägen Tonfall der Leute von der Hochebene der Gecken.

»Wie Sie meinen, *Señor«*, räumte sie ein. »Solange Sie mich zu ihm führen.«

Höchstem Befehl zufolge durften die zum Tode Verurteilten keinen Besuch empfangen, doch der Offizier übernahm die Verantwortung, ihr ein Gespräch von fünfzehn Minuten zu gestatten. Ursula zeigte ihm, was ihr Paket enthielt: frische Unterwäsche, die Stiefel, die ihr Sohn an der Hochzeit getragen hatte, und die Karamelcreme, die sie seit dem Tag, als sie seine Rückkehr geahnt hatte, für ihn aufbewahrte. Sie fand Oberst Aureliano Buendía im Block-Zimmer mit ausgestreckten Armen auf einer Pritsche liegend, weil seine Achselhöhlen von Furunkeln übersät waren. Man hatte ihm erlaubt, sich zu rasieren. Der dichte Zwirbelschnurrbart unterstrich seine kantigen Wangen. Auf Ursula wirkte er blasser als bei seinem

Weggang, etwas größer und noch einsamer als je. Er war über die häuslichen Geschehnisse im Bilde: über Pietro Crespis Selbstmord, über die erlittene Willkür und Arcadios Erschießung, über José Arcadio Buendías Unerschrockenheit unter der Kastanie. Er wußte, daß Amaranta ihre jungfräuliche Witwenschaft der Erziehung von Aureliano José widmete und daß dieser Zeichen von gesundem Menschenverstand gab und zugleich mit dem Sprechen auch Lesen und Schreiben lernte. Vom ersten Augenblick an, als Ursula den Raum betrat, fühlte sie sich von der Reife ihres Sohnes beengt, von seiner beherrschenden Aura, der seiner Haut entströmenden Autorität. Sie staunte, wie gut er Bescheid wußte. »Sie wissen doch, daß ich Seher bin«, scherzte er. Und fügte ernsthaft hinzu: »Als man mich heute früh herbrachte, hatte ich den Eindruck, all das bereits erlebt zu haben.« Tatsächlich war er, als die Menge ihn umjohlte, in Gedanken versunken gewesen, entsetzt darüber, wie gealtert das Dorf nach einem Jahr aussah. Das Blattwerk der Mandelbäume war zerfetzt, die blaugestrichenen Häuser, die bald darauf rot, dann wieder blau gestrichen worden waren, hatten schließlich eine unbestimmbare Färbung angenommen.

»Was hast du erwartet?« seufzte Ursula. »Die Zeit vergeht.«

»So ist es«, räumte Aureliano ein. »Aber doch nicht ganz so.«

Auf diese Weise brachte der so lange erwartete Besuch, für den beide ihre Fragen vorbereitet und sogar ihre Antworten vorbedacht hatten, wieder nur die altgewohnte Alltagsunterhaltung. Als der Wachposten das Ende des Gesprächs ankündigte, zog Aureliano unter der Pritschenmatte eine Rolle schweißgetränkter Papiere hervor. Es waren Verse. Die ihm von Remedios eingegebenen, die er beim Abmarsch mitgenommen hatte, außerdem die später in den gefahrvollen Kriegspausen niedergeschriebenen Verse. »Versprechen Sie mir, daß sie niemand zu sehen bekommt«, sagte er. »Zünden Sie damit heute abend den Ofen an.« Ursula versprach es und stand auf, um ihm einen Abschiedskuß zu geben.

»Ich bringe dir einen Revolver«, murmelte sie.

Oberst Aureliano Buendía stellte fest, daß der Posten nicht in Sicht war. »Er nützt mir nichts«, erwiderte er leise. »Aber lassen Sie ihn mir da für den Fall, daß man Sie beim Hinausgehen untersucht.« Ursula zog den Revolver aus ihrem Mieder und schob ihn unter die Matte der Pritsche. »Sagen Sie mir nicht Lebewohl«, schloß er mit betonter Ruhe. »Bitten Sie um nichts und entwürdigen Sie sich nicht. Nehmen Sie an, man hätte mich schon lange erschossen.« Ursula biß sich auf die Lippen, um nicht zu weinen.

»Leg dir heiße Steine auf die Furunkel«, sagte sie.

Sie machte kehrt und verließ die Kammer. Nachdenklich blieb Oberst Aureliano Buendía stehen, bis die Tür sich hinter ihr geschlossen hatte. Dann legte er sich wieder mit ausgestreckten Armen nieder. Von Jugend an, als er sich seiner Vorahnungen bewußt zu werden begann, dachte er, der Tod müsse sich mit einem bestimmten, unmißverständlichen, unwiderruflichen Zeichen ankündigen, doch nun fehlten nur wenige Stunden bis zu seinem Tod, und das Zeichen wollte sich nicht einstellen. Einmal war eine wunderschöne Frau in sein Lager bei Tucurinca gekommen und hatte die Wachposten gebeten, ihn sehen zu dürfen. Man hatte sie durchgelassen, weil man den Fanatismus einiger Mütter kannte, die ihre Töchter in die Schlafkammern der vornehmsten Krieger schickten, um, wie sie selber sagten, ihre Rasse zu veredeln. Oberst Aureliano Buendía beendete in jener Nacht gerade das Gedicht eines Mannes, der sich im Regen verirrt hat, als die junge Frau eintrat. Er kehrte ihr den Rükken, um das Blatt in seine verschließbare Versschublade zu legen. Da fühlte er es. Ergriff die Pistole in der Schublade, ohne den Kopf zu wenden.

»Schießen Sie bitte nicht«, sagte er.

Als er sich mit der Pistole im Anschlag umdrehte, hatte das Mädchen die seine gesenkt und wußte nicht, was es tun sollte. Auf ähnliche Weise hatte er vier von elf Anschlägen vereiteln können. Dagegen schlich einer, der nie gefangengenommen wurde, eines Nachts in die Revolutionskaserne von Manaure und erstach seinen engen Freund, Oberst Magnífico Visbal, dem er sein Feldbett geliehen hatte, um darin sein Fieber auszuschwitzen. Er, der wenige Meter entfernt in derselben Kammer in einer Hängematte schlief, merkte nichts. Seine Bemühungen, Vorahnungen systematisch zu erarbeiten, waren vergeblich. Sie kamen plötzlich in einem Sturmwind übernatürlicher Hellsicht wie eine unbedingte, augenblickliche, wiewohl ungreifbare Überzeugung. Gelegentlich waren sie so natürlich, daß er sie erst als Vorahnungen erkannte, wenn sie sich bewahrheiteten. Dann wieder waren sie deutlich und erfüllten sich nicht. Häufig waren sie nichts als gewöhnliche Anfälle von Aberglauben. Doch als er zum Tode verurteilt und um Bekanntgabe seines letzten Wunsches gebeten wurde, fand er nicht die geringste Schwierigkeit, die Vorahnung zu erkennen, die ihn antworten hieß:

»Ich bitte darum, das Urteil in Macondo zu vollstrecken.«

Der Vorsitzende des Gerichts wurde unmutig.

»Keine Schlaubergereien, Buendía«, sagte er. »Das ist doch nur eine List, um Zeit zu gewinnen.«

»Wenn Sie ihn nicht erfüllen wollen, liegt es bei Ihnen«, antwortete der Oberst. »Aber es ist mein letzter Wunsch.«

Seither verließen ihn die Vorahnungen nicht. Am Tag, als Ursula ihn im Kerker besuchte, gelangte er nach reiflicher Überlegung zu dem Schluß, daß der Tod sich vielleicht diesmal nicht ankündigen werde, weil er nicht mehr vom Zufall abhing, sondern vom Willen seiner

Henker. Wegen seiner schmerzenden Furunkel verbrachte er die Nacht in qualvollem Wachen. Kurz vor Tagesanbruch hörte er Schritte im Gang. Sie kommen, sagte er sich und dachte grundlos an José Arcadio Buendía, der in jenem Augenblick unter dem düsteren Morgengrauen der Kastanie an ihn dachte. Er spürte keine Angst, keine Sehnsucht, nur tiefinnerste Wut bei dem Gedanken, daß dieser künstliche Tod ihm nicht erlaubte, so viele unbeendete Dinge bis zu Ende kennenzulernen. Die Tür ging auf, und der Wachposten kam mit einer Tasse Kaffee herein. Am nächsten Tag zur selben Stunde schlug er sich nach wie vor mit dem Achselschmerz herum, und wieder geschah genau das gleiche. Am Donnerstag teilte er die Karamelcreme mit den Wachposten und zog das ihm zu enge frisch gewaschene Zeug und die Lackstiefel an. Am Freitag war er noch immer nicht erschossen worden.

In Wirklichkeit wagte man nicht, das Urteil zu vollstrecken. Der Volksaufruhr ließ die Militärs befürchten, die Erschießung Oberst Aureliano Buendías würde schwerwiegende politische Folgen zeitigen, nicht nur in Macondo, sondern im ganzen Moorgebiet, so daß sie die Behörden der Provinzhauptstadt befragten. Am Samstagabend, während man auf die Antwort wartete, ging Hauptmann Roque Fleischer mit anderen Offizieren zu Catarinos Butike. Nur eine Dirne, und auch nur, weil sie bedroht wurde, wagte, ihn in ihre Kammer zu lassen. »Man schläft nicht gerne mit einem Mann, von dem man weiß, daß er sterben wird«, gestand sie. »Niemand weiß, was geschehen wird, aber alle sagen, daß der Offizier, der Oberst Aureliano Buendía erschießt, daß alle Soldaten des Kommandos, einer nach dem anderen, früher oder später ermordet werden, und wenn sie sich am Ende der Welt verstecken.« Hauptmann Roque Fleischer berichtete das Gehörte den anderen Offizieren, und diese berichteten es ihren Vorgesetzten. Am Sonntag, wenngleich es niemand frei heraussagte, wenngleich kein militärischer

Akt die gespannte Stille jener Tage getrübt hatte, wußte das ganze Dorf, daß die Offiziere bereit waren, die Verantwortung für die Vollstreckung mit allen Mitteln abzuschütteln. Mit der Montagspost traf der offizielle Befehl ein: das Urteil solle binnen vierundzwanzig Stunden vollstreckt werden. An jenem Abend warfen die Offiziere sieben mit ihren Namen beschriftete Zettel in eine Mütze, und Roque Fleischers ungnädiges Schicksal erkor ihn zum Gewinner. »Pech kennt keine Fehlschläge«, sagte er mit tiefer Verbitterung. »Ich bin als Hurensohn geboren worden und sterbe als Hurensohn.« Um fünf Uhr morgens ließ er das Erschießungskommando auslosen, im Innenhof antreten und weckte den Todeskandidaten mit dem Warnungsruf:

»Los, Buendía, unsere Stunde ist gekommen!«

»Das war es also«, erwiderte der Oberst. »Mir träumte, meine Furunkel seien aufgebrochen.«

Seit sie wußte, daß Aureliano erschossen werden würde, stand Rebeca Buendía um drei Uhr morgens auf und beobachtete durchs halbgeöffnete Fenster des dunklen Schlafzimmers die Friedhofsmauer, während das Bett, auf dem sie saß, von José Arcadios Schnarchen erbebte. Mit der gleichen versteckten Hartnäckigkeit, mit der sie einst Pietro Crespis Briefe erwartet hatte, wartete sie die ganze Woche. »Man wird ihn nicht hier erschießen«, sagte José Arcadio zu ihr. »Man wird ihn um Mitternacht in der Kaserne erschießen, damit niemand erfährt, aus wem das Erschießungskommando bestand, und wird ihn auch dort beerdigen.« Rebeca wartete. »Sie sind so blöd, daß sie ihn hier erschießen werden«, sagte sie. Sie war ihrer Sache so sicher, daß sie sich bereits überlegt hatte, wie sie die Türe öffnen würde, um ihm Lebewohl zu winken. »Man wird ihn«, beharrte José Arcadio, »nicht nur mit sechs verschreckten Soldaten, die wissen, daß die Leute zu allem fähig sind, durch die Straßen führen.« Ungerührt von der Logik ihres Mannes hielt Rebeca am Fenster aus.

»Wirst schon sehen, daß sie so blöd sind«, sagte sie.

Am Dienstag um fünf Uhr morgens hatte José Arcadio Kaffee getrunken und die Hunde losgemacht, als Rebeca das Fenster schloß und sich am Kopfende des Bettes festhielt, um nicht zu fallen. »Sie bringen ihn«, stöhnte sie. »Wie schön er ist!« José Arcadio lief zum Fenster und sah ihn, zitternd in der Helligkeit des Tagesanbruchs, in ein paar Hosen, die in seiner Jugend ihm gehört hatten. Er stand mit dem Rücken zur Mauer und stemmte die Hände in den Gürtel, weil die blühenden Knoten in den Achselhöhlen ihn daran hinderten, die Arme fallenzulassen. »Sich so ficken lassen!« brummte Oberst Aureliano Buendía. »Sich so ficken lassen, daß man von sechs Hinterladern umgelegt wird, ohne einen Finger rühren zu können!« Er wiederholte es mit einer Wut, die fast wie Inbrunst klang, und Hauptmann Roque Fleischer befiel Rührung, weil er glaubte, er bete. Als das Kommando auf ihn anlegte, hatte sich seine Wut zu einer zähen, bitteren Masse verdichtet, die seine Zunge lähmte und ihn zwang, die Augen zu schließen. Dann verschwand der Aluminiumglanz des Morgens, und er sah sich selbst als Kind in kurzen Hosen mit einem Band um den Hals, sah seinen Vater an einem wunderschönen Nachmittag, der ihn in ein Zelt führte. Er sah das Eis. Als er den Schrei hörte, glaubte er, es sei der Feuerbefehl. Er öffnete die Augen, mit eisdurchzuckter Neugierde darauf gefaßt, die weißglühende Bahn der Geschosse zu sehen, doch er sah Hauptmann Roque Fleischer mit hocherhobenen Armen und José Arcadio, der die Straße mit seiner schrecklichen schußbereiten Muskete überquerte.

»Schießen Sie nicht«, rief der Hauptmann José Arcadio zu. »Sie sind ein Bote der göttlichen Vorsehung.«

Damit begann ein neuer Krieg. Hauptmann Roque Fleischer und seine sechs Männer machten sich mit Oberst Aureliano Buendía auf, den in Riohacha zum Tode verurteilten Revolutionsgeneral Victorio Medina zu befreien. Sie glaubten Zeit zu gewinnen, wenn sie die Sierra auf dem Weg überschritten, den José Arcadio Buendía eingeschlagen hatte, um Macondo zu gründen, überzeugten sich jedoch vor Ablauf einer Woche, daß dies ein unmögliches Unterfangen war. So mußten sie mit der unzureichenden Munition des Erschießungskommandos die gefährliche Strecke über die Gebirgsausläufer verfolgen. Sie lagerten in der Nähe der Dörfer, und einer von ihnen, ein goldenes Fischchen in der Hand, ging am hellichten Tag verkleidet hinein und suchte Verbindung mit den Liberalen im Ruhestand, die daraufhin am nächsten Tag zur Jagd auszogen und nie wiederkehrten. Als sie von einem Vorsprung der Sierra aus Riohacha sichteten, war General Victorio Medina bereits erschossen worden. So riefen die Männer des Oberst Aureliano Buendía ihn zum Befehlshaber der Revolutionsstreitkräfte der Karibischen Küste im Rang eines Generals aus. Er übernahm zwar die Befehlsgewalt, lehnte aber die Beförderung ab und stellte sich selber die Bedingung, sie so lange nicht anzunehmen, bis das konservative Regime nicht gestürzt war. Nach drei Monaten hatten sie über tausend Mann bewaffnet, die jedoch aufgerieben wurden. Die Überlebenden konnten die Ostküste erreichen. Der nächsten Nachricht zufolge waren sie, vom Antillen-Archipel kommend, am Kap des Segels gelandet, und eine telegrafisch verbreitete und durch frohlockende Erlasse im ganzen Land veröffentlichte amtliche Regierungsverlautbarung verkündete den Tod des Oberst Aureliano Buendía. Doch zwei Tage später gab ein allerwärts ausgesandtes Telegramm, das fast das vorige einholte, Kunde von einem neuen Aufstand in den Tiefebenen des Südens. So entstand die Legende von der Allgegenwart des Oberst Aureliano Buendía. Gleichzeitige widersprüchliche Nachrichten erklärten ihn siegreich in Villanueva, geschlagen in Guacamayal, von den Motilones-Indios aufgefressen, in einem Moorflecken tot aufgefunden und gleich darauf in Urumita als Aufrührer überrascht. Die liberalen Führer, die zu jenem Zeitpunkt über eine Beteiligung im Parlament verhandelten, bezeichneten ihn als einen keine Partei vertretenden Abenteurer. Die Nationalregierung stellte ihn auf eine Stufe mit Wegelagerern und setzte einen Kopfpreis von fünftausend Pesos auf ihn aus. Nach sechzehn Niederlagen tauchte Oberst Aureliano Buendía mit zweitausend gutbewaffneten Einheimischen aus Guajira auf, und die im Schlaf überrumpelte Garnison gab Riohacha frei. Dort richtete er sein Hauptquartier ein und verkündete den totalen Krieg gegen das Regime. Die erste Nachricht, die er von der Regierung erhielt, war die Drohung, Oberst Gerineldo Márquez werde innerhalb achtundvierzig Stunden erschossen, sofern er mit seinen Truppen nicht bis zur Ostgrenze zurückweiche. Oberst Roque Fleischer, der damals Generalstabschef war, überreichte ihm mit einer bestürzten Gebärde das Telegramm, doch er las es mit unerwarteter Freude.

»Ausgezeichnet!« rief er aus. »Macondo besitzt also schon ein Telegrafenamt!«

Seine Antwort war kategorisch. In drei Monaten hoffte er sein Hauptquartier in Macondo aufschlagen zu können. Wenn er dann Oberst Gerineldo Márquez nicht lebend anträfe, würde er ohne Gerichtsverfahren das gesamte Offizierskorps erschießen, das er in diesem Augenblick gefangenhielt, angefangen bei den Generalen, und würde seinen Untergebenen befehlen, bis zur Beendigung des Krieges gleichermaßen zu verfahren. Als er drei Monate später siegreich in Macondo einzog, war Oberst Gerineldo Márquez der erste, der ihn auf dem Moorweg umarmte.

Das Haus wimmelte von Kindern. Ursula hatte Santa Sofía von der Frömmigkeit aufgenommen, zusammen mit ihrer ältesten Tochter und einem Enkelpärchen, das fünf Monate nach Arcadios Erschießung geboren worden war. Entgegen dem letzten Wunsch des Erschossenen taufte sie das Kind auf den Namen Remedios. »Ich bin sicher, das war es, was Arcadio sagen wollte«, führte sie ins Feld. »Wir wollen sie nicht Ursula nennen, weil man mit diesem Namen viel leiden muß.« Den Zwillingen gab sie die Namen José Arcadio Segundo und Aureliano Segundo. Amaranta übernahm die Pflege aller. Sie stellte Holzstühle ins Wohnzimmer und richtete mit anderen Nachbarkindern einen Kindergarten ein. Als Oberst Aureliano Buendía unter krachenden Knallfröschen und Glockengeläut zurückkehrte, hieß ihn ein Kinderchor im Haus willkommen. Aureliano José, ebenso eindrucksvoll wie sein Großvater in seiner Revolutionsuniform, erwies ihm militärische Ehren.

Nicht alle Nachrichten waren gut. Ein Jahr nach der Flucht des Oberst Aureliano Buendía zogen José Arcadio und Rebeca in das von Arcadio gebaute Haus. Niemand erfuhr von seinem Eingreifen, das die Erschießung verhinderte. Das neue Haus, das an der besten Ecke des Platzes im Schatten eines von drei Rotkehlchennestern erkorenen Mandelbaums lag, besaß eine große Eingangstür für die Besucher und vier große Fenster für das Tageslicht, und es wurde ein gastliches Heim. Rebecas alte Freundinnen, unter ihnen vier ledig gebliebene Schwestern Moscote, nahmen die vor Jahren in der Begonienveranda unterbrochenen Sticknachmittage wieder auf. José Arcadio war nach wie vor Nutznießer der erschlichenen Ländereien, deren Besitzurkunden von der konservativen Regierung anerkannt wurden. Jeden Nachmittag sah man ihn zu Pferd mit seinen Jagdhunden und seiner Doppelflinte sowie mit einer am Sattelknauf hängenden Schlinge voll von erlegten Hasen heimkehren. Eines Nachmittags im September kam er wegen eines drohenden Unwetters früher als gewöhnlich nach Hause. Er begrüßte Rebeca im Eßzimmer, legte die Hunde im Innenhof an die Kette, hing die Hasen in der Küche auf, um sie später einzupökeln, und ging ins Schlafzimmer, um sich umzuziehen. Rebeca erklärte später, als ihr Mann das Schlafzimmer betrat, habe sie sich im Badezimmer eingeschlossen und nichts gemerkt. Das war eine wenig wahrscheinliche Lesart, doch eine wahrscheinlichere wurde nicht abgegeben, und niemand konnte sich vorstellen, warum Rebeca den Mann ermorden sollte, der sie glücklich gemacht hatte. Das war vielleicht das einzige Geheimnis, das in Macondo nie aufgeklärt wurde. Sobald José Arcadio die Schlafzimmertür geschlossen hatte, dröhnte ein Pistolenschuß durchs Haus. Eine Blutspur drang unter der Türe hervor, durchquerte das Wohnzimmer, rann auf die Straße hinaus, wählte den kürzesten Weg zwischen den ungleichen Gehsteigen, floß kleine Treppen hinab und erklomm Steindämme, fuhr die ganze Türkenstraße entlang, bog rechts um eine erste, dann links um eine zweite Ecke, machte vor dem Haus der Buendías rechtsum, rieselte unter der verschlossenen Tür hindurch, durchglitt den Besuchssalon längs der Wände, um den Teppich nicht zu beflecken, lief durch das anliegende Wohnzimmer, beschrieb einen großen Bogen um den Eßtisch, rückte in der Begonienveranda vor und gelangte ungesehen unter den Stuhl Amarantas, die gerade Aureliano José Rechenunterricht gab, dann drängte sie sich in die Speisekammer und erschien in der Küche, wo Ursula gerade sechsunddreißig Eier für das Brot aufschlug.

»Ave Maria Purissima!« schrie Ursula.

Sie verfolgte den Blutfaden in entgegengesetzter Richtung, ging auf der Suche nach seinem Ursprung durch die Kornkammer, eilte durch die Begonienveranda, wo Aureliano José sang, daß drei und drei sechs seien und sechs und drei neun, durchschritt Eßzimmer und beide Wohnzimmer, trat geradewegs auf die Straße hinaus, bog sofort nach rechts, dann nach links bis zur Türkenstraße, ohne daran zu denken, daß sie noch ihre Backschürze und ihre

Hausschuhe anhatte, kam auf dem Platz heraus und betrat durch die Tür ein Haus, in dem sie nie gewesen war, machte die Tür zum Schlafzimmer auf, erstickte fast vom Gestank verbrannten Pulvers und fand José Arcadio mit dem Gesicht auf den Stiefeln liegen, die er gerade ausgezogen hatte, und hier sah sie die beginnende Spur des Blutes, das nicht mehr aus seinem rechten Ohr rann. Weder fand man eine Wunde an seinem Körper, noch war die Waffe aufzutreiben. Ebensowenig ließ sich der Leichnam von seinem aufsässigen Pulvergeruch befreien. Zunächst wusch man ihn dreimal mit Seife und Waschlappen, sodann rieb man ihn mit Salz und Weinessig ein, darauf mit Asche und Zitrone, zuletzt legte man ihn in einen Bottich mit Lauge und ließ ihn sechs Stunden ziehen. Anschließend rieb man ihn so lange, bis die tätowierten Arabesken sich entfärbten. Als man auf das verzweifelte Mittel verfiel, ihn einen Tag lang auf kleinem Feuer mit Pfeffer, Kümmel und Lorbeerblättern zu würzen, hatte seine Zersetzung bereits begonnen, so daß man ihn überstürzt beerdigen mußte. Hermetisch sperrte man ihn in einen besonderen, zwei Meter dreißig langen und einen Meter zehn breiten Sarg ein, der innen mit Eisenplatten verstärkt und mit Stahlbolzen verschraubt war; dennoch war in den Straßen, durch die der Leichenzug führte, der Pesthauch zu spüren. Pater Nicanor erteilte ihm mit geschwollener, trommelpraller Leber vom Bett aus den Segen. Wenn man auch in den nachfolgenden Monaten das Grab durch übereinandergelagerte Mauern verdichtete und dazwischen Sägespäne und ungelöschten Kalk schichtete, stank der Friedhof noch nach Jahren nach Pulver, bis die Ingenieure der Bananengesellschaft die Grabstätte mit einer Betondecke verschalten. Sobald man die Leiche holte, verriegelte Rebeca die Türen ihres Hauses und begrub sich lebendig unter einer dicken Schicht der Verachtung, die keine irdische Versuchung je zu durchbrechen vermochte. Einmal, schon sehr alt, ging sie in altsilberfarbenen Schuhen und einem mit winzigen Blumen verzierten Hut aus, zu einer Zeit, als der Ewige Jude ins Dorf kam und eine so große Hitze hervorrief, daß die Vögel die Fliegenfenster durchstießen, um dann in den Schlafzimmern zu sterben. Das letzte Mal, daß sie lebend gesehen wurde, war, als sie einen Dieb, der bei ihr einzubrechen versuchte, mit einem gutgezielten Schuß niederstreckte. Außer Argénida, ihrer Dienerin und Vertrauten, kam seitdem nie wieder ein Mensch mit ihr in Berührung. Einmal erfuhr man, sie schreibe dem Bischof, den sie als Vetter väterlicherseits betrachtete, Briefe, doch ob er antwortete, wurde nie bekannt. Das Volk vergaß sie.

Trotz seiner triumphalen Rückkehr ließ sich Oberst Aureliano Buendía nicht durch den Schein täuschen. Die Regierungstruppen gaben die Standorte widerstandslos preis, und das löste in der liberalen Bevölkerung Siegestaumel aus, um den man sie nicht bringen durfte, doch die Revolutionäre wußten Bescheid, und keiner besser als Oberst Aureliano Buendía. Wenngleich er in diesem Augenblick mehr als fünftausend Mann befehligte und zwei Küstenstraßen beherrschte, war er sich bewußt, daß er gegen das Meer hin gedrängt war und in einer so wirren politischen Lage steckte, daß, als er den durch Beschuß zerstörten Kirchturm wieder aufbauen ließ, Pater Nicanor in seinem Krankenbett bemerkte: »Was für ein Widersinn! Die Verteidiger des christlichen Glaubens zerstören das Gotteshaus, und die Freimaurer richten es wieder auf!« Auf der Suche nach einem Mauseloch, durch das er entkommen konnte, verbrachte er Stunden um Stunden im Telegrafenbüro, verhandelte drahtlos mit den Befehlshabern anderer Garnisonen und gewann immer mehr den Eindruck, daß der Krieg im Sande verlief. Als Nachrichten von neuen Triumphen der Liberalen eintrafen, wurden sie in frohlockenden Bekanntmachungen verkündet, doch er steckte ihre Reichweite auf der Landkarte ab und begriff, daß ihre Truppen im Urwald vorrückten und dergestalt gegen Malaria und Mücken zu kämpfen hatten, daß ihr Vormarsch in Wahrheit von der Wirklichkeit wegführte. »Wir verlieren unsere Zeit«, klagte er vor seinen Offizieren. »Wir werden unsere Zeit verlieren, während die Scheißkerle der Partei um einen Sitz im Kongreß betteln.« Wenn er in schlaflosen Nächten auf dem Rücken in seiner Hängematte lag, die in der Kammer hing, in der er zum Tode verurteilt worden war, rief er sich die schwarzgekleideten Anwälte vor Augen, die den Präsidentenpalast in der eisigen Kälte des Morgengrauens verließen, die Mantelkrägen bis zu den Ohren hochgeschlagen, sich die Hände reibend, flüsternd in die bei Tagesanbruch düsteren Butiken flüchtend, um dort Mutmaßungen anzustellen über das, was der Präsident sagen wollte, als er ja gesagt, und das, was er sagen wollte, als er nein gesagt hatte, um gleichfalls Vermutungen aufzustellen über das, was der Präsident dachte, wenn er etwas völlig anderes dachte, während er selber bei fünfunddreißig Grad im Schatten Mücken verscheuchte und den furchtbaren Tagesanbruch nahen fühlte, da er seinen Männern werde befehlen müssen, sich ins Meer zu stürzen.

In einer Nacht der Ungewißheit, als Pilar Ternera im Innenhof mit der Truppe sang, bat er, sie möge ihm die Zukunft aus den Karten lesen. »Hüte deine Worte«, war alles, was Pilar Ternera klar herauslas, nachdem sie die Kartenspiele dreimal ausgelegt und wieder eingesammelt hatte. »Ich weiß nicht, was es besagen will, aber das Zeichen ist sehr deutlich: hüte deine Worte.« Zwei Tage später reichte jemand einer Ordonnanz eine Tasse Kaffee ohne Zucker, und die Ordonnanz gab sie einer zweiten und diese einer dritten Ordonnanz, bis sie von Hand zu Hand in das Kabinett des Oberst Aureliano Buendía gelangte. Er hatte keinen Kaffee bestellt, doch da er einmal da war, trank er ihn. Darin war eine Brechnuß, die ein Pferd hätte töten können. Als man ihn nach Hause brachte, war er stocksteif und gewölbt wie ein Bogen, und seine Zunge war von den Zähnen zerbissen. Ursula nahm den Kampf gegen seinen Tod auf. Nachdem sie ihm den Magen mit Brechmitteln gereinigt hatte, wickelte sie ihn in heiße Wolldecken und gab ihm sechs Tage lang Eiweiß zu essen, bis sein zerrütteter Körper seine Normaltemperatur wiedergewonnen hatte. Am vierten Tag war er außer Gefahr. Gegen seinen Willen, doch gedrängt von Ursula und seinen Offizieren, hütete er eine weitere Woche das Bett. Erst dann erfuhr er, daß seine Verse nicht verbrannt worden waren. »Ich wollte nichts überstürzen«, erklärte ihm Ursula. »In jener Nacht, als ich schon den Ofen anzünden wollte, sagte ich mir, es sei richtiger, zu warten, bis sie den Leichnam brächten.« Im Dämmer des Genesens, umgeben von Remedios' Puppen, rief sich Oberst Aureliano Buendía beim Lesen seiner Verse die entscheidenden Augenblicke seines Daseins zurück. Von neuem ergriff er die Feder. Viele Stunden lang, am Rande von Kriegswirren ohne Zukunft, bannte er seine Erlebnisse am Rand des Todes in gereimte Verse. Nun wurden seine Gedanken so klar, daß er sie von vorne und von rückwärts überprüfen konnte. Eines Nachts fragte er Oberst Gerineldo Márquez:

»Sag mir eines, Gevatter: wofür kämpfst du?«

»Wofür man kämpfen muß, Gevatter«, erwiderte Oberst Gerineldo Márquez. »Für die große liberale Partei.«

»Sei froh, daß du es weißt«, entgegnete er. »Mir dagegen wird erst jetzt bewußt, daß ich aus Stolz kämpfe.«

»Das ist schlecht«, sagte Oberst Gerineldo Márquez.

Seine Bestürzung belustigte Aureliano Buendía. »Natürlich«, sagte er. »Jedenfalls ist es besser, daß man nicht weiß, wofür man kämpft.« Er blickte ihm in die Augen und fügte lächelnd hinzu:

»Oder daß man wie du für etwas kämpft, das niemandem etwas bedeutet.«

Sein Stolz hatte ihn daran gehindert, Verbindung mit den bewaffneten Gruppen des Landesinneren aufzunehmen, solange die Parteiführer nicht ihre Erklärung, er sei ein Wegelagerer, öffentlich zurückgenommen hatten. Und doch wußte er, daß er den Teufelskreis des Kriegs durchbrechen würde, sobald er diese Bedenken in den Wind schlug. Die Genesungszeit gewährte Muße zum Nachdenken. Nun erreichte er, daß Ursula ihm den Rest ihrer vergrabenen Erbschaft und ihre beträchtlichen Ersparnisse gab; er ernannte Oberst Gerineldo Márquez zum Zivil- und Militärchef Macondos und zog aus, um sich mit den Aufständischentrupps des Inneren in Verbindung zu setzen.

Oberst Gerineldo Márquez war nicht nur der erste Vertrauensmann des Obersten Aureliano Buendía, sondern Ursula nahm ihn auch wie ein Familienmitglied auf. Schwächlich, schüchtern, von Natur aus gut erzogen, war er indessen fürs Kriegführen besser geeignet als fürs Regieren. Seine politischen Ratgeber lockten ihn mit Leichtigkeit in theoretische Labyrinthe. Immerhin gelang es ihm, in Macondo jenen ländlichen Frieden zu stiften, von dem Oberst Aureliano Buendía träumte, damit er beim Herstellen von goldenen Fischchen alt sterben könne. Wenngleich er im Haus seiner Eltern wohnte, aß er zwei- bis dreimal bei Ursula zu Mittag. Er weihte Aureliano José in den Gebrauch von Feuerwaffen ein, gab ihm frühzeitig eine militärische Erziehung und brachte ihn mit Ursulas Zustimmung mehrere Monate lang in der Kaserne unter, damit er zum Mann heranreife. Viele Jahre vorher, fast noch als Kind, hatte Gerineldo Márquez Amaranta seine Liebe gestanden. Damals war sie so sehr von ihrer einsamen Leidenschaft zu Pietro Crespi geblendet gewesen, daß sie ihn verlacht hatte. Gerineldo Márquez wartete. Einmal sandte er Amaranta einen Zettel aus dem Gefängnis mit der Bitte, ein Dutzend Batisttaschentücher mit den Initialen seines Vaters für ihn zu besticken. Er schickte ihr das Geld. Nach einer Woche brachte Amaranta die zwölf bestickten Taschentücher mit dem Geld ins Gefängnis, und sie sprachen mehrere Stunden von der Vergangenheit. »Wenn ich hier herauskomme, heirate ich dich«, sagte Gerineldo Márquez beim Abschied. Amaranta lachte, dachte jedoch an ihn, während sie die Kinder lesen lehrte, und wünschte, ihre für Pietro Crespi empfundene Jugendliebe würde für ihn aufleben. Am Samstag, dem Gefangenenbesuchstag, ging sie am Haus von Gerineldo Márquez' Eltern vorbei und holte sie zum Gefängnis ab. An einem dieser Samstage war Ursula erstaunt, sie in der Küche zu sehen, wo sie wartete, bis das Gebäck aus dem Ofen kam, um die besten Stücke auszusuchen und sie in ein für diesen Zweck gesticktes Mundtuch zu wickeln.

»Heirate ihn«, sagte sie. »Einen wie den findest du nicht noch mal.«

Amaranta heuchelte Widerwillen.

»Ich brauche Männern nicht nachzulaufen«, entgegnete sie. »Ich bringe Gerineldo die Kekse mit, weil der Gedanke mir weh tut, daß man ihn früher oder später erschießen wird.«

Das sagte sie obenhin, und doch gab die Regierung zu jener Zeit ihre Drohung bekannt, Oberst Gerineldo Márquez zu erschießen, sofern die aufrührerischen Streitkräfte sich weigerten, Riohacha zu übergeben. Die Besuche wurden gestrichen. Amaranta schloß sich weinend ein, bedrängt von einem Schuldgefühl, wie es sie gepeinigt hatte, als Remedios starb, als seien ihre unüberlegten Worte wiederum für einen Tod verantwortlich. Ihre Mutter tröstete sie. Versicherte ihr, Oberst Aureliano Buendía würde etwas zur Abwendung der Erschießung unternehmen, und versprach, ihr Gerineldo Márquez näherzubringen, sobald der Krieg beendet sei. Noch vor dem vorgesehenen Termin erfüllte sie ihr Versprechen. Als Gerineldo Márquez im Schmuck seiner neuen Würde eines Zivil- und Militäroberhaupts heimkehrte, empfing sie ihn wie einen Sohn, dachte sich die ausgefallensten Schmeicheleien aus, um ihn ans Haus zu fesseln, und bat ihn von ganzem Herzen, sich an sein Heiratsangebot zu erinnern. Ihr Flehen schien Erfolg zu haben. An den Tagen, wenn er zum Mittagessen kam, blieb Oberst Gerineldo Márquez nachmittags da und spielte mit Amaranta in der Begonienveranda ›Dame‹. Ursula brachte ihnen Milchkaffee und Kekse und versorgte die Kinder, damit sie nicht störten. Amaranta bemühte sich sichtlich, in ihrem Herzen die vergessene Asche ihrer Jugendliebe neu zu entfachen. Mit einer nachgerade unerträglichen Ungeduld wartete sie auf die Tage des gemeinsamen Mittagessens, auf die Spielnachmittage, und die Zeit verflog in der Gesellschaft dieses kriegerischen Trägers eines sehnsuchtsvollen Namens, dessen Finger beim Schieben der Steine unmerklich zitterten. Doch an dem Tag, als Oberst Gerineldo Márquez seinen Heiratsantrag wiederholte, wies sie ihn ab.

»Ich heirate niemanden«, sagte sie. »Und am wenigsten dich. Du magst Aureliano so gern, daß du mich nur heiraten willst, weil du ihn nicht heiraten kannst.«

Oberst Gerineldo Márquez war ein geduldiger Mann.

»Ich komme wieder«, sagte er. »Früher oder später werde ich dich überzeugen.« Und besuchte weiterhin das Haus. In ihrem Schlafzimmer eingeschlossen und geheime Tränen hinunterschluckend, verstopfte Amaranta sich die Ohren mit den Fingern, um nicht die Stimme ihres Bewerbers zu hören, der Ursula die jüngsten Kriegsnachrichten erzählte, und obgleich sie fast nach ihm verging, hatte sie doch die Kraft, ihr Zimmer nicht zu verlassen.

Oberst Aureliano Buendía verfügte damals über die Zeit, alle zwei Wochen einen eingehenden Bericht nach Macondo zu schicken. Doch nur einmal, fast acht Monate nach seinem Abmarsch, schrieb er an Ursula. Ein Sonderbeauftragter brachte einen versiegelten Umschlag ins Haus, der ein mit der gesuchten Schönschrift des Obersten bedecktes Blatt enthielt: *»Kümmert Euch liebevoll um Papa, denn er stirbt bald.«* Ursula war bestürzt. »Wenn Aureliano das sagt, weiß Aureliano Bescheid«, sagte sie. Und holte Hilfe, um José Arcadio Buendía in sein Schlafzimmer zu schaffen. Er war nicht nur so schwer wie immer, er hatte auch während seines langen Aufenthalts unter der Kastanie sogar die Fähigkeit entwickelt, sein Gewicht absichtlich so zu erhöhen, daß sieben Mann ihn nicht aufheben konnten und ihn auf dem Erdboden ins Bett schleppen mußten. Ein Geruch von jungen Pilzen, von Schimmel, von alter, anhaltender Unbehaustheit durchdrang die Luft des Schlafzimmers, als der greise, von Sonne und Regen gebeizte Koloß sie ein- und auszuatmen begann. Am nächsten Morgen lag er nicht in seinem Bett. Nachdem sie ihn überall gesucht hatte, fand Ursula ihn unter der Kastanie. Nun banden sie ihn im Bett fest. Trotz seiner ungebrochenen Kraft war José Arcadio Buendía außerstande, sich zu wehren. Alles war vergebens. Wenn er unter den Kastanienbaum zurückkehrte, so geschah es nicht aus Absicht, sondern aus Körpergewohnheit. Ursula betreute ihn, gab ihm zu essen, erzählte ihm Neues von Aureliano. In Wahrheit war der einzige Mensch, mit dem er seit langer Zeit Verbindung hatte, Prudencio Aguilar. Von der tiefen Hinfälligkeit des Todes fast ganz *zerstäubt,* besuchte Prudencio Aguilar ihn zweimal am Tag zu einem Zwiegespräch. Man sprach von Hähnen. Man versprach einander, eine Zucht hervorragender Tiere aufzuziehen, doch nicht um Siege zu genießen, deren sie nicht mehr bedurften, sondern um einen Zeitvertreib für die öden Todessonntage zu haben. Prudencio Aguilar wusch ihn, gab ihm zu essen und brachte ihm glänzende Nachrichten von einem Unbekannten namens Aureliano, der als Oberst im Kriege stand. War José Arcadio Buendía allein, tröstete er sich mit dem Traum von den endlosen Zimmern. Ihm träumte, er stehe aus dem Bett auf, öffne die Tür und trete in ein anderes gleiches Zimmer mit gleichem Bett und gußeisernem Kopfende, mit gleichem Rohrstuhl und gleichem Bildchen von der Jungfrau von den Heilmitteln an der hinteren Wand. Dieses Zimmer führte in ein anderes genau gleiches, dessen Tür in ein genau gleiches führte und anschließend in ein weiteres genau gleiches, bis ins Unendliche. Es machte ihm Spaß, wie durch eine Spiegelgalerie von Zimmer zu Zimmer zu wandeln, bis Prudencio Aguilar ihn an der Schulter berührte. Dann kehrte er zurück, von Zimmer zu Zimmer, erwachte rückwärts, durchlief den umgekehrten Weg und fand Prudencio Aguilar im Zimmer der Wirklichkeit. Eines Nachts indes, zwei Wochen nachdem man ihn in sein eigenes Bett verfrachtet hatte, berührte Prudencio Aguilar ihn an der Schulter in einem Verbindungszimmer, und dort blieb er für immer im Glauben, es sei das wirkliche Zimmer. Am nächsten Morgen wollte Ursula ihm das Frühstück bringen, als sie in der Veranda einen Mann näherkommen sah. Er war klein und untersetzt, trug einen schwarzen Anzug und einen gleichfalls schwarzen riesigen, bis über die schweigsamen Augen gezogenen Hut. Mein Gott, dachte Ursula. Ich hätte schwören mögen, es sei Melchíades. Es war Cataure, Visitacións Bruder, der auf der Flucht vor der Schlaflosigkeitskrankheit das Haus verlassen hatte und seither spurlos verschwunden war. Visitación fragte ihn, warum er zurückgekehrt sei, worauf er in seiner feierlichen Mundart antwortete:

»Ich bin zur Beerdigung des Königs gekommen.«

Nun betraten sie José Arcadio Buendías Zimmer, schüttelten diesen mit aller Kraft, schrien ihm ins Ohr, hielten ihm einen Spiegel vor die Nasenflügel, doch er war nicht aufzuwecken. Kurz darauf, als der Schreiner ihm für den Sarg Maß nahm, sahen sie, daß vor dem Fenster ein Rieselregen aus winziggelben Blüten fiel. Er fiel die ganze Nacht auf das Dorf in einem stillschweigenden Unwetter und bedeckte Dächer, versperrte Türen und erstickte die Tiere, die im Freien schliefen. So viele Blüten fielen vom Himmel, daß die Gassen am Morgen mit einer so dichten Schicht bedeckt waren, daß man sie mit Rechen und Schaufel wegräumen mußte, damit der Leichenzug sich hindurchschlängeln konnte.

Im Korbschaukelstuhl sitzend, die unterbrochene Handarbeit im Schoß, betrachtete Amaranta Aureliano José, der mit schaumbedecktem Kinn die Rasierklinge schliff, um sich zum erstenmal zu rasieren. Dabei brachte er seine Pickel zum Bluten und schnitt sich in die Oberlippe, als er versuchte, sich einen blonden Flaumschnurrbart zu trimmen, und wenn zu guter Letzt alles blieb wie zuvor, hinterließ das mühsame Verfahren bei Amaranta doch den Eindruck, daß sie in diesem Augenblick zu altern begonnen habe.

»Du bist wie Aureliano, als er so alt war wie du«, sagte sie. »Nun bist du ein Mann.«

Er war es seit langem, seit dem schon fernen Tag, an dem Amaranta glaubte, er sei noch ein Kind, und sich vor ihm im Bad auszog, wie sie es immer getan hatte, wie sie es gewohnt war, seit Pilar Ternera ihn ihr gebracht hatte, damit sie ihn vollends aufziehe. Das erste Mal, als er sie sah, fiel ihm lediglich der tiefe Einschnitt zwischen ihren Brüsten auf. Er war damals noch so unschuldig, daß er nach dem Grund fragte, und Amaranta tat, als grabe sie die Brust mit den Fingerspitzen aus, und antwortete: »Man hat mir Scheiben und Scheiben und Scheiben herausgeschnitten.« Eine Zeitlang später, als sie sich von Pietro Crespis Selbstmord erholt hatte und wieder mit Aureliano José badete, blieb dessen Blick nicht mehr an der Vertiefung haften, vielmehr empfand er beim Anblick ihrer prachtvollen, mit maulbeerfarbenen Warzen gekrönten Brüste ungeahntes Schaudern. Dann musterte er sie weiter, entdeckte Handbreit um Handbreit das Wunder ihrer Intimität und fühlte, wie er bei der Betrachtung eine Gänsehaut bekam, so wie sie bei der Berührung mit dem Wasser eine Gänsehaut bekam. Seit seiner frühesten

Kindheit hatte er die Gewohnheit, aus seiner Hängematte zu klettern, um in Amarantas Bett zu erwachen, weil die Berührung mit ihr seine Angst vor der Dunkelheit verscheuchte. Doch seit dem Tag, an dem er sich seiner Nacktheit bewußt wurde, war es nicht mehr die Angst vor dem Dunkel, die ihn unter ihr Mückennetz trieb, sondern der Wunsch, beim Erwachen Amarantas lauen Atem zu spüren. Einmal, an einem frühen Morgen, zu der Zeit, als sie Oberst Gerineldo Márquez zurückwies, erwachte Aureliano José mit dem Empfinden, daß ihm die Luft ausging. Er fühlte, wie Amarantas Finger wie warme begierige Würmer seinen Bauch absuchten. So drehte er sich zum Schein im Schlaf zu ihr um, um jede Schwierigkeit auszuschalten, und fühlte die Hand ohne schwarze Binde wie eine blinde Molluske zwischen die Algen seines Sehnens tauchen. Wenngleich sie so taten, als wüßten sie nicht, was sie beide wußten und wovon jeder von beiden wußte, daß der andere es wußte, waren sie von jener Nacht an durch eine unverbrüchliche Mitwisserschaft aneinandergekettet. Aureliano José konnte den Schlaf nicht finden, solange er nicht den Mitternachtswalzer der Wohnzimmeruhr gehört hatte, und die reife Jungfer, deren Haut zu trauern begann, kannte keinen Augenblick der Ruhe, solange sie nicht den jungen Schlafwandler, den sie aufgezogen hatte, unter ihr Moskitonetz schlüpfen fühlte, ohne daran zu denken, daß er ein Linderungsmittel für ihre Einsamkeit werden könnte. Nun schliefen sie nicht nur nackt zusammen und tauschten erschöpfende Liebkosungen aus, sondern sie jagten einander in einem unablässigen, unerlösten Reizzustand durch die Winkel des Hauses und schlossen sich zu den unmöglichsten Tageszeiten in den Schlafzimmern ein. Einmal wären sie um ein Haar von Ursula ertappt worden, die in die Speicherkammer kam, als sie sich gerade küssen wollten. »Du hast deine Tante sehr lieb, nicht?« fragte sie Aureliano José in aller Harmlosigkeit. Er bejahte. »Hast recht«, schloß Ursula, maß ihr Mehl fürs Brot ab und kehrte in die Küche zurück. Dieses Ereignis entriß Amaranta ihrem Taumel. Sie merkte, daß sie zu weit gegangen war, daß sie schon nicht mehr mit einem Kind Küssen spielte, sondern in eine herbstliche Leidenschaft hineinschlitterte, die gefährlich war und keine Zukunft hatte, und so erstickte sie sie im Keim. Aureliano José, der damals gerade seinen Wehrdienst beendete, machte sich die Lage klar und schlief fortan in der Kaserne. Samstags ging er mit den Soldaten in Catarinos Butike. Er tröstete sich für seine jäh gefühlte Einsamkeit, seine frühreife Jugend mit nach verdorrten Blumen riechenden Dirnen, die er im Dunkeln idealisierte und mit den wütenden Anstrengungen seiner Phantasie in Amaranta verwandelte.

Kurz darauf begannen widersprüchliche Kriegsnachrichten einzutreffen. Während sogar die Regierung die Fortschritte der Aufrührer zugab, hatten Macondos Offiziere vertrauliche Mitteilungen über eine bevorstehende Friedensverhandlung erhalten. Anfang April gab sich ein Sonderbeauftragter beim Oberst Gerineldo Márquez zu erkennen. Er bestätigte, die Parteileiter hätten in der Tat Verbindung mit den Rebellenführern des Landesinnern aufgenommen und stünden am Vorabend eines Waffenstillstands im Austausch gegen drei Ministerien für die Liberalen, einer Minderheitsvertretung im Parlament und der allgemeinen Amnestie für alle Aufständischen, welche die Waffen gestreckt hatten. Der Emissär brachte einen hochgeheimen Befehl vom Oberst Aureliano Buendía mit, der im Gegensatz zu den Waffenstillstandsbedingungen stand. Oberst Gerineldo Márquez sollte fünf seiner besten Männer wählen und bereit sein, mit ihnen das Land zu verlassen. Der Befehl wurde stillschweigend ausgeführt. Eine Woche bevor die Vereinbarung veröffentlicht wurde, trafen inmitten eines Hagels widerspruchsvoller Gerüchte Oberst Aureliano Buendía und zehn

Vertrauensoffiziere, darunter Oberst Roque Fleischer, in aller Stille nach Mitternacht in Macondo ein, lösten die Garnisonstruppe auf, begruben die Waffen und vernichteten die Archive. Bei Tagesanbruch waren sie mit Oberst Gerineldo Márquez und seinen fünf Offizieren bereits aus dem Dorf verschwunden. Es war eine ebenso blitzschnelle wie geheime Operation, daß Ursula sie erst in letzter Minute bemerkte, als jemand an ihr Schlafzimmerfenster klopfte und flüsterte: »Wenn du Oberst Aureliano Buendía sehen willst, lauf sofort zur Tür.« Ursula sprang aus dem Bett, trat im Schlafgewand an die Haustür und konnte noch gerade das Getrappel der in einer Staubwolke aus dem Dorf galoppierenden Reiterschar hören. Erst am nächsten Tag erfuhr sie, daß Aureliano José mit seinem Vater abgezogen war.

Zehn Tage nachdem ein Gemeinschaftskommuniqué der Regierung und der Opposition das Ende des Krieges bekanntgab, trafen Nachrichten des ersten bewaffneten Aufstands unter Oberst Aureliano Buendía an der westlichen Grenze ein. Seine schwachen, schlechtbewaffneten Streitkräfte wurden in einer knappen halben Woche aufgerieben. Doch im Laufe desselben Jahres, während Liberale und Konservative sich um den Glauben des Landes an eine Versöhnung bemühten, zettelte er weitere sieben Aufstände an. Eines Nachts nahm er Riohacha von einem Schoner aus unter Beschuß, so daß die Garnison die vierzehn bekanntesten Liberalen der Bevölkerung aus ihren Betten zerrte und als Vergeltungsmaßnahme erschoß. Er besetzte über vierzehn Tage lang eine Grenzzollstation und richtete von dort aus einen allgemeinen Kriegsaufruf an die Nation. Eine weitere Expedition verirrte sich drei Monate lang im Urwald bei dem unsinnigen Versuch, mehr als eintausendfünfhundert Kilometer unerforschter Landstriche zu durchqueren, um den Krieg in die Vororte der Hauptstadt zu tragen. Einmal stand er weniger als zwanzig Kilometer von Macondo entfernt und wurde von den Regierungsspähtrupps gezwungen, ins Bergland nahe dem verzauberten Gebiet zu flüchten, in dem sein Vater viele Jahre vorher das Gerippe einer spanischen Galeone gefunden hatte.

Zu jener Zeit starb Visitación. Sie machte sich das Vergnügen, eines natürlichen Todes zu sterben, nachdem sie aus Angst vor der Schlaflosigkeit auf einen Thron verzichtet hatte; ihr letzter Wille war, man möge unter ihrem Bett ihren zwanzig Jahre lang ersparten Lohn hervorholen und ihn dem Obersten Aureliano Buendía schicken, damit er den Krieg weiterführen könne. Doch Ursula nahm sich nicht die Mühe, das Geld hervorzuangeln, weil in jenen Tagen das Gerücht umging, Oberst Aureliano Buendía sei bei einer Landung in der Nähe der Provinzhauptstadt gefallen. Die amtliche Meldung – die vierte in mehr als zwei Jahren – wurde fast sechs Monate lang für bare Münze gehalten, da man nichts mehr von ihm hörte. Plötzlich, als Ursula und Amaranta schon neue Trauer über die vorhergegangene gezogen hatten, traf eine ungewöhnliche Nachricht ein. Oberst Aureliano Buendía lebte, doch anscheinend hatte er es aufgegeben, die Regierung seines Landes zu reizen und sich dem triumphierenden Föderalismus anderer Republiken des Karibischen Meers angeschlossen. Immer ferner tauchte er unter verschiedenen Namen auf. Später erfuhr man, daß die ihn damals beflügelnde Idee die Vereinigung der föderalistischen Streitkräfte von Mittelamerika sei, um mit den konservativen Regierungsformen von Alaska bis Patagonien aufzuräumen. Die erste Nachricht, die Ursula mehrere Jahre nach seinem Fortgang unmittelbar von ihm erhielt, war ein zerknitterter, verwischter Brief, der aus Santiago de Cuba durch viele Hände zu ihr gelangte.

»Wir haben ihn für immer verloren«, rief Ursula beim Lesen aus. »Wenn er so weitermacht, wird er Weihnachten am Ende der Welt feiern.«

Der erste Mensch, dem sie den Brief zeigte, war der konservative General José Raquel Moncada, der seit Kriegsende Macondos Bürgermeister war. »Dieser Aureliano!« rief General Moncada aus. »Schade, daß er kein Konservativer ist.« Er bewunderte ihn ehrlich. Wie viele Zivilpersonen war José Raquel Moncada zur Verteidigung seiner Partei in den Krieg gezogen und auf dem Schlachtfeld zum General befördert worden, obgleich er keine militärische Begabung besaß. Wie viele seiner Parteifreunde war er im Gegenteil Antimilitarist. Er betrachtete Waffenträger als unverantwortliche Tagediebe, als Intriganten und Ehrgeizlinge, die zu nichts anderem taugten, als Zivilpersonen herauszufordern, um Unordnung zu säen. Intelligent, sympathisch, jähzornig, ein Tafelfreund und Liebhaber des Hahnenkampfes, war er zu einem bestimmten Zeitpunkt der erbittertste Gegner des Obersten Aureliano Buendía gewesen. Es war ihm gelungen, seine Autorität den Berufsmilitärs in einem weiten Küstenabschnitt aufzuzwingen. Als er einmal aus strategischen Gründen eine Garnison den Streitkräften des Obersten Aureliano Buendía räumen mußte, hinterließ er diesem zwei Briefe. In dem ersten, ellenlangen forderte er ihn zu einer Gemeinschaftskampagne auf, um den Krieg zu vermenschlichen. Der andere war an seine Frau gerichtet, die auf liberalem Gebiet wohnte, und er hinterlegte ihn mit der Bitte, ihn seinem Bestimmungsort zuzuführen. Seither schlossen die beiden Kommandeure selbst in den blutigsten Abschnitten des Krieges von Zeit zu Zeit einen Waffenstillstand zum Austausch von Gefangenen. Es waren Pausen von nahezu festlichem Gepräge, die der General Moncada nutzte, um dem Oberst Aureliano Buendía Schach beizubringen. Sie wurden große Freunde. Sie dachten sogar an die Möglichkeit, die Volksschichten beider Parteien zu koordinieren, um den Einfluß der Berufsmilitärs und -politiker auszuschalten und eine humanitäre Regierungsform einzuführen, die das

Beste aus jeder Doktrin nutzen sollte. Als der Krieg zu Ende ging und Oberst Aureliano Buendía mittlerweile in den Hohlwegen des Daueraufstands unterging, wurde General Moncada zum Landrichter von Macondo ernannt. Er zog Zivil an, ersetzte die Militärs durch waffenlose Polizeibeamte, brachte die Gesetze der Amnestie durch und half etlichen Familien gefallener Liberaler. Er erreichte, daß Macondo zum Kreis erhoben wurde, und war daher sein erster Bürgermeister; auch schuf er eine Atmosphäre des Vertrauens, die den Gedanken an Krieg als widersinnigen Alptraum der Vergangenheit erscheinen ließ. Der vom Leberfieber verzehrte Pater Nicanor wurde durch Pater Coronel mit dem Beinamen *El Cachorro* – junger Hund –, Veteran des ersten Föderalistenkrieges, abgelöst. Der mit Amparo Moscote verheiratete Bruno Crespi, dessen Geschäft für Spielzeug und Musikinstrumente gedieh wie nie zuvor, baute ein Theater, das die spanischen Kompagnien in ihre Tourneen einschlossen. Es war ein weiträumiger Freiluftsaal mit Holzbänken mit Rückenlehnen, einem mit griechischen Masken geschmückten Samtvorhang und drei Schaltern in Form von Löwenköpfen, in deren aufgerissenen Rachen die Eintrittskarten verkauft wurden. In jene Zeit fiel auch der Wiederaufbau des Schulgebäudes. Damit wurde Don Melchor Escalona beauftragt, ein alter Schulmeister aus dem Moor, der die faulen Schüler im kiesbedeckten Innenhof auf Knien spazierenrutschen und die Schwatzmäuler mit stillschweigender Zustimmung der Eltern pikante Pfefferschoten essen ließ. Aureliano Segundo und José Arcadio Segundo, die launischen Zwillinge Santa Sofías von der Frömmigkeit, waren die ersten, die sich mit ihren Schiefertafeln, Kreiden und ihren mit ihrem Namen beschrifteten Aluminiumbecherchen in das Klassenzimmer setzten. Remedios, Erbin der reinen Schönheit ihrer Mutter, war mittlerweile als Remedios die Schöne bekannt. Trotz der Zeit der einander jagenden Trauerperioden und der sich überstürzenden Kümmernisse widerstand Ursula dem Altern. Mit Hilfe Santa Sofías von der Frömmigkeit hatte sie ihrer Heimkonditorei neuen Auftrieb verliehen und gewann in wenigen Jahren nicht nur das von ihrem Sohn im Krieg vergeudete Vermögen wieder, sondern füllte auch von neuem die in ihrem Schlafzimmer vergrabenen Kalebassen mit reinem Gold. »Solange Gott mir Leben schenkt«, sagte sie immer, »soll es in diesem Haus der Verrückten nicht an Geld fehlen.« So lagen die Dinge, als Aureliano José von den föderalistischen Truppen Nicaraguas desertierte, sich von einem deutschen Schiff anheuern ließ und eines Tages in der Küche des Hauses erschien, kraftstrotzend wie ein Pferd, braun und behaart wie ein Indio und insgeheim entschlossen, Amaranta zu heiraten.

Als Amaranta ihn eintreten sah, begriff sie ohne ein Wort von ihm sofort, weshalb er zurückgekehrt war. Bei Tisch wagten sie nicht, einander anzusehen. Doch zwei Wochen nach seiner Rückkehr heftete er in Ursulas Anwesenheit seine Augen auf sie und sagte: »Ich habe immer an dich gedacht.« Amaranta floh ihn, vermied zufällige Begegnungen und suchte sich nicht von Remedios der Schönen zu trennen. Am Tag, als ihr Neffe sie fragte, bis wann sie die schwarze Handbinde zu tragen gedenke, wurde sie zornig über die Röte, die ihre Wangen überzog, weil sie die Frage als Anspielung auf ihre Jungfräulichkeit verstand. Seit seiner Ankunft verriegelte sie nachts ihr Zimmer, doch dann hörte sie sein friedliches Schnarchen im Nebenzimmer so viele Nächte hindurch, daß sie diese Vorsicht schließlich aufgab. Eines Morgengrauens, fast zwei Monate nach seiner Rückkehr, fühlte sie, wie er in ihr Schlafzimmer hereingeschlichen kam. Statt zu fliehen, statt zu schreien, wie sie beabsichtigt hatte, ließ sie sich von einem sanften Gefühl der Erleichterung durchdringen. Sie spürte, wie er unter ihr Moskitonetz glitt, wie er es als Kind getan, wie er es schon immer getan hatte, und sie konnte nicht den eiskalten Schweiß und das Knirschen ihrer Zähne vermeiden, als sie merkte, daß er splitternackt war. »Geh«, flüsterte sie, von Neugier erstickt. »Geh, oder ich schreie.« Doch Aureliano José wußte, was er zu tun hatte, weil er kein von der Finsternis verschreckter kleiner Junge mehr war, sondern ein altgedientes Frontschwein. Von jener Nacht an begannen wieder die dumpfen, ergebnislosen Kämpfe, die bis zum Tagesanbruch anhielten. »Ich bin deine Tante«, murmelte Amaranta erschöpft. »Ich könnte sogar fast deine Mutter sein, nicht nur dem Alter nach, sondern auch weil mir dann nur gefehlt hat, dich nicht gestillt zu haben.« Aureliano schlich bei Tagesanbruch hinaus und kehrte im nächsten Morgengrauen zurück, immer erregter über die Feststellung, daß ihr Zimmer nicht verriegelt war. Er hatte keinen Augenblick aufgehört, sie zu begehren. Er hatte sich mit ihr in den dunklen Schlafzimmern der besiegten Dörfer getroffen, vor allem in den verkommensten, und fand sie im Geruch von geronnenem Blut der verbundenen Kriegsverletzten wieder, in der unaufhörlichen Angst vor der Todesgefahr, zu jeder Stunde und allerorten. Er war vor ihr geflohen in dem Versuch, seine Erinnerung nicht nur durch die Entfernung abzutöten, sondern durch einen wütenden Kampfeseifer, den seine Waffengenossen als Tollkühnheit bezeichneten, doch je länger er ihr Bild durch die Mistgrube des Krieges schleifte, desto deutlicher glich der Krieg Amaranta. Er litt so sehr unter seiner Verbannung, daß er so lange die Gelegenheit suchte, wo er sie mit seinem eigenen Tod töten könnte, bis jemand ihm die alte Geschichte von dem Mann erzählte, der seine eigene Tante heiratete, die überdies seine Kusine war und deren Sohn sein eigener Großvater wurde. »Kann man denn seine eigene Tante heiraten?« fragte er. »Man kann es nicht nur«, erwiderte ein Soldat, »sondern wir führen diesen Krieg gegen die Pfaffen, damit einer seine eigene Mutter heiraten kann.«

Vierzehn Tage später desertierte er. Er fand Amaranta verblühter als in seiner Erinnerung, melancholischer und verschämter; in Wirklichkeit bog sie bereits um das letzte Kap der Reife, war dafür aber fiebriger denn je im Dunkel des Schlafzimmers und herausfordernder denn je in der Angriffslust ihres Widerstands. »Du bist ein Tier«, sagte Amaranta zu ihm, bedrängt von seiner Jagdmeute. »So darf man eine arme Tante nicht behandeln, es sei denn mit besonderer Erlaubnis des Papstes.« Aureliano José versprach, nach Rom zu reisen, er versprach, durch ganz Europa auf Knien zu rutschen und die Sandalen des höchsten Kirchenfürsten zu küssen, nur damit sie ihre Zugbrücke herabließ.

»Es geht nicht nur darum«, warf Amaranta ein. »Es geht darum, daß die Kinder mit Schweineschwänzen zur Welt kommen.«

Aureliano José war taub für jede Beweisführung.

»Und wenn auch Gürteltiere geboren werden«, flehte er.

Eines Morgengrauens, bezwungen vom unerträglichen Schmerz verdrängter Manneskraft, ging er in Catarinos Butike. Dort traf er eine Frau mit schlaffen Brüsten, doch liebevoll und billig, die seine Gelüste eine Zeitlang befriedigte. Nun versuchte er es bei Amaranta mit Verachtung. Sah er sie in der Veranda an ihrer handbetriebenen Nähmaschine, die sie mit bewundernswürdiger Geschicklichkeit zu bedienen gelernt hatte, richtete er nicht einmal das Wort an sie. Amaranta fühlte sich von einer Zentnerlast befreit, und sie selbst begriff nicht, warum sie plötzlich wieder an Oberst Gerineldo Márquez dachte, warum sie sich mit solcher Sehnsucht die Nachmittage beim Damespiel ins Gedächtnis zurückrief, warum sie ihn sogar als Mann im Schlafzimmer zu begehren begann. In der Nacht, in der er die Posse der Gleichgültigkeit nicht mehr aushalten konnte und wieder in Amarantas Zimmer schlich, ahnte José Aureliano nicht, wieviel Gelände er bereits verloren hatte. Mit unmißverständlicher Entschlußkraft wies sie ihn zurück und verriegelte für immer ihre Schlafzimmertür.

Wenige Monate nach Aureliano Josés Rückkehr stellte sich im Haus eine üppige, jasminduftende Frau mit einem fünfjährigen Knaben vor. Sie behauptete, er sei ein Sohn Aureliano Buendías und sie wolle ihn Ursula bringen, damit sie ihn taufe. Niemand zog die Herkunft des namenlosen Knaben in Zweifel: Er sah genau aus wie der Oberst zu der Zeit, als man ihn mitgenommen hatte, um das Eis kennenzulernen. Die Frau erzählte, er sei mit offenen Augen geboren worden und habe die Leute mit dem Verstand Erwachsener angeblickt, seine Art, den Blick ohne Wimpernzucken auf den Dingen haften zu lassen, erschreckte sie. »Er ist genau gleich«, sagte Ursula. »Es fehlt nur, daß er die Stühle durch bloßes Anschauen verrückt.« Man taufte ihn auf den Namen Aureliano und gab ihm den Familiennamen der Mutter, weil das Gesetz das Tragen des Vaternamens erst zuließ, wenn der Vater ihn anerkannt hatte. General Moncada stellte den Taufpaten. Obgleich Amaranta darauf drängte, man möge seine Erziehung ihr überlassen, widersetzte sich die Mutter der Bitte.

Ursula kannte damals noch nicht die Sitte, junge Mädchen in die Schlafkammern der Krieger zu schicken, so wie man Hennen unter die Zuchthähne losläßt, doch im Verlauf dieses einen Jahres mußte sie erleben, daß weitere neun Sprößlinge Oberst Aureliano Buendías zur Taufe ins Haus gebracht wurden. Der älteste, ein merkwürdiges braunhäutiges Bürschchen mit grünen Augen, das nichts mit der väterlichen Familie zu tun hatte, war bereits über zehn Jahre alt. Die Frauen brachten Kinder jeden Alters und aller Farben, doch nur Knaben, und allen haftete ein Anflug von Einsamkeit an, der keinen Zweifel über die Blutsverwandtschaft ließ. Nur zwei unterschieden sich von dem großen Haufen. Einer, der, zu groß für sein

Alter, die Blumentöpfe zerschlug und mehrere Stücke Geschirr, weil seine Hände die Eigenschaft zu haben schienen, alles zu zerschlagen, was sie berührten. Der andere, ein Blondkopf, hatte die gleichen tiefblauen Augen wie seine Mutter; man hatte sein langes lockiges Haar wachsen lassen wie bei einem Mädchen. Er stolzierte mit der größten Natürlichkeit von der Welt ins Haus, als sei er darin aufgewachsen, marschierte schnurstracks auf eine Truhe in Ursulas Schlafzimmer zu und forderte: »Ich will die aufziehbare Tänzerin.« Ursula erschrak. Sie öffnete die Truhe, kramte zwischen veralteten, verstaubten Gegenständen aus Melchíades' Zeit und fand, in ein Paar Strümpfe gewickelt, die aufziehbare Tänzerin, die Pietro Crespi eines Tages mitgebracht hatte und die seither vergessen war. In weniger als zwölf Jahren wurden auf den Vornamen Aureliano und den Zunamen der Mutter alle Söhne getauft, die der Oberst in der Weite und Breite seiner Kampfgebiete gesät hätte: insgesamt siebzehn. Anfangs stopfte Ursula ihnen die Taschen mit Geld voll, und Amaranta versuchte, sie bei sich zu behalten. Doch schließlich begnügten sie sich damit, ihnen ein Geschenk zu machen und ihre Patinnen zu sein. »Wir haben unsere Pflicht erfüllt und sie getauft«, sagte Ursula und notierte in ein Büchlein Namen und Anschrift der Mütter sowie Geburtsort und -tag der Knaben. »Aureliano muß auf dem laufenden sein, damit er seine Beschlüsse fassen kann, sobald er zurückkommt.« Als sie bei einem Mittagessen mit General Moncada über diese verblüffende Fruchtbarkeit sprach, äußerte sie den Wunsch, Oberst Aureliano Buendía möge eines Tages zurückkehren, damit er alle seine Söhne im Hause um sich scharen könne.

»Keine Sorge, Gevatterin«, sagte General Moncada geheimnisvoll, »er wird früher kommen, als Sie vermuten.«

Was General Moncada wußte, beim Mittagessen aber nicht verraten wollte, war dies: Oberst Aureliano Buendía stellte sich in diesem Augenblick an die Spitze des längsten, radikalsten und blutigsten Aufstands, den er bislang angezettelt hatte.

Die Lage war so gespannt wie in den dem ersten Krieg vorangegangenen Monaten. Die vom Bürgermeister persönlich geförderten Hahnenkämpfe wurden eingestellt, Hauptmann Achilles Ricardo, Befehlshaber der Garnison, übernahm praktisch die Regierungsgewalt über den Kreis. Die Liberalen bezeichneten ihn als Provokateur. »Etwas Schreckliches wird geschehen«, sagte Ursula zu Aureliano José. »Geh nach sechs Uhr nicht mehr auf die Straße.« Vergebliche Bitten. Aureliano José gehörte ihr genausowenig mehr wie Arcadio in früherer Zeit. Es war, als habe seine Rückkehr ins Haus und die Möglichkeit, sein Leben zu genießen, ohne von täglichen Dringlichkeiten belästigt zu werden, in ihm die Neigung zu Lüsternheit und Trägheit seines Onkels José Arcadio geweckt. Seine Leidenschaft für Amaranta erlosch, ohne Narben zu hinterlassen. Nun ließ er sich treiben, spielte Billard, suchte seine Einsamkeit durch Gelegenheitsliebschaften zu überwinden und durchstöberte die Schlupfwinkel, in denen Ursula ihr verstecktes Geld vergessen hatte. Bald kam er nur noch zum Umziehen nach Hause. »Alle sind gleich«, klagte Ursula. »Anfangs sind sie leicht zu erziehen, sind gehorsam, pflichtbewußt und scheinbar unfähig, einer Fliege etwas zuleide zu tun. Aber kaum sprießt ihnen ein Barthaar, stürzen sie sich gleich ins Verderben.« Im Gegensatz zu Arcadio, dem seine wahre Herkunft nie offenbart wurde, erfuhr er, daß er ein Sohn der Pilar Ternera sei, die für ihn eine Hängematte in ihrem Haus aufgespannt hatte, damit er bei ihr seine Mittagsruhe halten könne. Noch mehr als Mutter und Sohn waren sie Mitverschworene der Einsamkeit. Pilar Ternera hatte die letzte Spur von Hoffnung verloren. In ihrem Lachen klangen jetzt Orgeltöne mit, ihre Brüste hatten sich dem Überdruß gelegentlicher Liebkosungen bequemt, Bauch und Muskeln waren dem unwiderruflichen Schicksal einer verbrauchten Frau zum Opfer gefallen, doch ihr Herz alterte ohne Bitterkeit. Fett, geschwätzig, eitel wie eine Matrone im Unglück, verzichtete sie auf die unfruchtbare Selbsttäuschung der Kartenspiele und fand stillen Trost in den Liebschaften fremder Leute. In dem Haus, in dem Aureliano José seinen Mittagsschlummer hielt, empfingen die jungen Mädchen der Nachbarschaft ihre Gelegenheitsliebhaber. »Leih mir doch dein Zimmer, Pilar«, sagten sie einfach, wenn sie schon darin standen. »Natürlich«, sagte Pilar. Und wenn sie Besuch bekam, erklärte sie diesem:

»Ich bin glücklich, wenn die Leute im Bett glücklich sind.«

Nie ließ sie sich dafür bezahlen. Nie versagte sie einen derartigen Gefallen, wie sie sich auch nie den ungezählten Männern versagte, die sie noch in der Dämmerung ihrer Reife aufsuchten und sie nie mit Geld oder Liebe und auch nur bisweilen mit Vergnügen entschädigten. Ihre fünf Töchter, Erbinnen eines so glühenden Kerns, verirrten sich von früher Jugend an auf den Umwegen des Lebens. Von den zwei Buben, die sie aufzuziehen vermochte, fiel der eine in den Kampftruppen des Obersten Aureliano Buendía, der andere wurde mit vierzehn Jahren verwundet und gefangengenommen, als er in einem Moordorf einen Korb Hühner zu stehlen versuchte. In gewisser Weise war Aureliano José der hochgewachsene, dunkle Mann, den der Herzkönig ihr ein halbes Jahrhundert lang angekündigt hatte und der wie alle Spielkartengesandten schon vom Tode gezeichnet zu ihrem Herzen gelangte. Sie sah ihn in den Karten.

»Geh heute abend nicht aus«, sagte sie zu ihm. »Schlafe hier. Carmelita Montiel liegt mir dauernd in den Ohren, ich soll sie in dein Zimmer lassen.«

Aureliano José begriff nicht die dringende Bitte, die das Angebot enthielt.

»Sag ihr, sie soll mich um Mitternacht erwarten.«

Er ging ins Theater, wo eine spanische Kompagnie ›Der Dolch des Zorro‹ spielte, ein Stück, das in Wirklichkeit Zorillas ›Der Dolch des Goten‹ war; doch der Name war auf Befehl des Hauptmanns Achilles Ricardo verändert worden, da die Liberalen die Konservativen *Goten* nannten. Erst als er seine Eintrittskarte am Eingang vorzeigen wollte, merkte Aureliano José, daß Hauptmann Achilles Ricardo mit Hilfe zweier gewehrtragender Soldaten die Zuschauer zurückdrängte. »Vorsicht, Hauptmann«, warnte ihn Aureliano José. »Noch ist der Mann nicht geboren, der Hand an mich legt.« Der Hauptmann versuchte ihm gewaltsam den Eintritt zu verwehren, so daß Aureliano, der unbewaffnet war, die Flucht ergreifen mußte. Die Soldaten mißachteten den Feuerbefehl. »Er ist ein Buendía«, erklärte einer von ihnen. Blind vor Wut entriß der Hauptmann ihm das Gewehr, pflanzte sich mitten auf der Straße auf und zielte.

»Scheißkerls!« brachte er nur schreiend hervor. »Wär's wenigstens Oberst Aureliano Buendía!«

Carmelita Montiel, eine zwanzigjährige Jungfrau, hatte soeben ein Orangenblütenbad genommen und streute gerade Rosmarinblätter auf Pilar Terneras Bett, als der Schuß krachte. Aureliano José war dazu bestimmt gewesen, bei ihr das Glück zu erleben, das Amaranta ihm versagt hatte, sieben Kinder zu bekommen und in ihren Armen alt zu sterben, doch die Gewehrkugel, die ihm in den Rücken drang und die Brust zerriß, war von einer falschen Deutung der Karten gelenkt. Hauptmann Achilles Ricardo, der in Wirklichkeit dazu bestimmt gewesen war, in jener Nacht zu sterben, starb in der Tat vier Stunden vor Aureliano José. Kaum war der Schuß verhallt, wurde er von zwei gleichzeitigen Kugeln niedergestreckt, deren Herkunft ungeklärt blieb, und ein vielfältiger Schrei erschütterte die Nacht.

»Es lebe die liberale Partei! Es lebe Aureliano Buendía!«

Um zwölf Uhr, als Aureliano José verblutet war und Carmelita Montiel in ihren Karten eine unbeschriebene Zukunft fand, hatten bereits vierhundert Soldaten, die am Theater vorbeizogen, ihre Revolver auf die liegengebliebene Leiche des Hauptmanns Achilles Ricardo abgefeuert. Es bedurfte einer Patrouille, um den bleischweren Körper, der wie ein durchtränkter Laib Brot zerging, auf einen Karren zu laden.

Ungehalten über die Übergriffe der Regulärtruppen, machte General José Raquel Moncada seinen politischen Einfluß geltend, zog wieder Uniform an und übernahm Macondos zivile und militärische Führung. Dennoch erwartete er nicht, mit seiner ausgleichenden Tätigkeit das Unvermeidliche verhindern zu können. Die Nachrichten vom September waren widersprüchlich. Während die Regierung bekanntgab, sie halte das ganze Land in Schach, erhielten die Liberalen Geheimnachrichten von bewaffneten Aufständen im Landesinnern. Das Regime gab den Kriegszustand erst zu, als es offiziell bekanntgab, Oberst Aureliano Buendía sei von einem Kriegsgericht in Abwesenheit zum Tode verurteilt worden. Das Urteil sei von der ersten Garnison, die ihn gefangennähme, zu vollstrecken. »Das heißt: Er ist wieder da«, frohlockte Ursula vor General Moncada. Doch auch dieser wußte es nicht.

In Wirklichkeit war Oberst Aureliano Buendía seit mehr als einem Monat im Lande. Da widersprüchliche Gerüchte ihm vorausgingen und er gleichzeitig an zwei genau entgegengesetzten Orten vermutet wurde, glaubte selbst General Moncada erst an seine Rückkehr, als offiziell bekanntgemacht wurde, er habe zwei Küstenprovinzen besetzt. »Meinen Glückwunsch, Gevatterin!« sagte er zu Ursula und zeigte ihr das Telegramm. »Bald werden Sie ihn bei sich haben.« Nun fühlte Ursula zum erstenmal Beunruhigung. »Und Sie, Gevatter, was werden Sie tun?« fragte sie. General Moncada hatte sich diese Frage mehrmals gestellt. »Das gleiche wie er, Gevatterin«, erwiderte er, »meine Pflicht erfüllen.«

Bei Tagesanbruch des ersten Oktober griff Oberst Aureliano Buendía mit tausend gutbewaffneten Soldaten Macondo an, und die Garnison erhielt den Befehl, äußersten Widerstand zu leisten. Um die Mittagsstunde, während General Moncada bei Ursula zu Mittag aß, verwandelte ein Kanonenschuß der Aufrührer, der im ganzen Dorf widerhallte, die Fassade der Kreisschatzkammer in Schutt und Asche. »Sie sind genauso gut bewaffnet wie wir«, seufzte General Moncada. »Außerdem kämpfen sie mit größerem Eifer.« Um zwei Uhr nachmittags, während die Erde vom Kanonendonner beider Seiten erbebte, verabschiedete er sich von Ursula mit der Gewißheit, daß er eine von vornherein verlorene Schlacht schlug.

»Ich bete zu Gott, daß Sie Aureliano heute nacht noch nicht im Haus haben«, sagte er. »Sollte es aber doch so sein, so umarmen Sie ihn in meinem Namen, denn ich rechne nicht mehr damit, ihn wiederzusehen.«

In jener Nacht, nachdem er dem Obersten Aureliano Buendía einen langen Brief geschrieben hatte, in dem er ihn an die gemeinsamen Pläne zur Vermenschlichung des Krieges erinnerte und ihm den Endsieg über die Korruption der Militärs und den Ehrgeiz der Politiker beider Parteien wünschte, wurde er bei dem Versuch, aus Macondo zu fliehen, gefangengenommen. Am nächsten Tag aß Oberst Aureliano Buendía mit ihm bei Ursula zu Mittag, wo er inhaftiert wurde, bis ein revolutionäres Kriegsgericht sein Schicksal entschieden haben würde. Es war ein Familientreffen. Doch während die Gegner den Krieg vergaßen, um vergangene Erinnerungen wachzurufen, gewann Ursula den düsteren Eindruck, daß ihr Sohn ein Eindringling war. Das hatte sie schon bei seinem Eintreten im Schutz eines lärmenden militärischen Aufgebots gemerkt, das die Schlafzimmer von oben bis unten durchsuchte, bis es sich davon überzeugt hatte, daß die

Luft rein war. Oberst Aureliano Buendía ließ sich das nicht nur gefallen, vielmehr erließ er strengste Befehle und verbot jedermann, auch Ursula, ihm näher als auf drei Meter Entfernung entgegenzutreten, solange seine Leibwache nicht das Haus mit Wachposten umstellt hatte. Er trug eine gewöhnliche Drillichuniform ohne irgendwelche Abzeichen und hohe, mit Lehm und geronnenem Blut verschmierte Sporenstiefel. Am Koppel steckte in einer offenen Tasche ein automatischer Revolver, und seine unablässig auf dem Griff ruhende Hand verriet die gleiche wachsame, entschlossene Spannung wie sein Blick. Sein schon reichlich kahler Schädel schien auf kleinem Feuer geschmort zu haben. Sein vom Salz des Karibischen Meers gegerbtes Gesicht hatte eine metallische Härte angenommen. Er schien gegen das drohende Alter mit einer Vitalität gewappnet, die fraglos etwas mit der Kälte seiner Eingeweide zu tun hatte. Er war größer als bei seinem Fortgang, bleicher und knochiger, und zeigte die ersten Spuren einer Abwehr gegen die Sehnsucht. »Mein Gott«, sagte sich Ursula bestürzt, »nun sieht er aus wie ein Mensch, der zu allem fähig ist.« Er war es. Der Aztekenschal, den er Amaranta mitgebracht hatte, die Erinnerungen, die er bei Tisch wachrief, die lustigen Anekdoten, die er erzählte, waren nichts als Asche seines einstigen Humors. Kaum war der Befehl zur Beerdigung der Toten im Massengrab ausgeführt, trug er Oberst Roque Fleischer auf, die Aburteilungen des Kriegsgerichts voranzutreiben, und widmete sich selbst der mühsamen Aufgabe, die radikalen Reformen durchzuführen, die in dem eingestürzten Gebäude des konservativen Regimes keinen Stein auf dem anderen ließen. »Wir müssen den Parteipolitikern zuvorkommen«, sagte er zu seinen Ratgebern. »Wenn sie die Augen aufmachen, müssen sie sich vor vollendete Tatsachen gestellt sehen.« Nun beschloß er, die Landbesitzurkunden hundert Jahre rückwärts zu überprüfen, und entdeckte die legalisierten

Gaunereien seines Bruders José Arcadio. Mit einem Federstrich machte er die Eintragungen ungültig. Dank einer letzten Geste der Höflichkeit ließ er seine Angelegenheiten eine Stunde lang liegen und besuchte Rebeca, um sie über seine Entschlüsse ins Bild zu setzen.

Im Halbdunkel des Hauses war die einsame Witwe, die einmal die Mitwisserin seiner verdrängten Liebe gewesen war und deren Hartnäckigkeit ihm das Leben gerettet hatte, ein Gespenst der Vergangenheit. Bis zu den Handgelenken in Schwarz gehüllt und das Herz in Asche verwandelt, hörte sie kaum etwas vom Krieg. Oberst Aureliano Buendía hatte den Eindruck, daß das Leuchten ihrer Knochen ihre Haut durchdrang und daß sie sich in einer irrlichternden Atmosphäre bewegte, in einer stillstehenden Luft, die insgeheim nach Schießpulver roch. Zunächst riet er ihr, die Strenge ihrer Trauer zu mildern, das Haus zu lüften, der Welt José Arcadios Tod zu verzeihen. Doch Rebeca lebte bereits jenseits von jeder Eitelkeit. Nachdem sie dieser Eitelkeit vergeblich im Geschmack der Erde, in Pietro Crespis parfümierten Briefen, im stürmischen Bett ihres Mannes nachgejagt war, hatte sie den Frieden in diesem Haus gefunden, in dem die Erinnerungen kraft unerbittlichen Wachrufens Wirklichkeit wurden und wie Menschenwesen durch die verschlossenen Zimmer wandelten. In ihrem Korbschaukelstuhl ruhend und Oberst Aureliano Buendía anblickend, als gleiche er einem Gespenst aus der Vergangenheit, blieb Rebeca völlig unberührt von der Nachricht, daß die von José Arcadio widerrechtlich beschlagnahmten Ländereien an ihre rechtmäßigen Eigentümer zurückgegeben würden.

»Es wird geschehen, was du anordnest, Aureliano«, seufzte sie. »Ich habe es immer geglaubt, und ich wiederhole es: du bist aus der Art geschlagen.«

Die Überprüfung der alten Besitzurkunden vollzog sich zu gleicher Zeit wie die unter dem Vorsitz von Oberst Gerineldo Márquez abgehaltenen summarischen

Prozeßverhandlungen, die in der Erschießung des gesamten von den Revolutionären gefangenen Offizierskorps des regulären Heeres gipfelten. Das letzte Kriegsgericht betraf General José Raquel Moncada. Ursula verwandte sich für ihn. »Er ist der beste Gouverneur, den wir in Macondo gehabt haben«, sagte sie zu Oberst Aureliano Buendía. »Ich brauche dir von seinem guten Herzen, von seiner Liebe zu uns nichts vorzuschwärmen, weil du ihn besser kennst als alle anderen.« Oberst Aureliano Buendía heftete einen vorwurfsvollen Blick auf sie:

»Ich maße mir nicht die Fähigkeit an, Recht zu sprechen«, gab er zurück. »Wenn Sie etwas zu sagen haben, so sagen Sie es vor dem Kriegsgericht.«

Ursula tat es nicht nur, sie brachte sogar alle Mütter der in Macondo wohnenden revolutionären Offiziere dazu, zu seinen Gunsten auszusagen. Eine nach der anderen rühmten die alten Gründerinnen des Dorfes, von denen mehrere an der tollkühnen Überschreitung der Sierra teilgenommen hatten, die Tugenden des General Moncada. Ursula sprach zuletzt. Die Würde ihrer Trauer, das Gewicht ihres Namens, die überzeugende Heftigkeit ihrer Zeugenaussage brachten das Gleichgewicht der Rechtsprechung einen Augenblick ins Schwanken. »Sie haben dieses schreckliche Spiel sehr ernst genommen und haben gut daran getan, denn damit erfüllen Sie Ihre Pflicht«, sagte sie zu den Mitgliedern des Gerichts. »Vergessen Sie jedoch eines nicht: Solange Gott uns Leben schenkt, bleiben wir Mütter Mütter und haben das Recht, Ihnen – und mögen Sie noch so revolutionär sein – die Hosen herunterzuziehen und Ihnen bei der ersten Mißachtung eine gehörige Tracht Prügel zu verabreichen.« Das Gericht zog sich zur Beratung zurück, während diese Worte in der zur Kaserne umgewandelten Schule nachhallten. Um Mitternacht wurde General José Raquel Moncada zum Tode verurteilt. Oberst Aureliano Buendía weigerte sich trotz Ursulas heftiger Beschuldigungen, das Urteil umzuwandeln. Kurz vor Morgengrauen besuchte er den Todeskandidaten in der Blockkammer.

»Vergiß nicht, Gevatter, daß nicht ich dich erschieße. Die Revolution erschießt dich.«

General Moncada erhob sich nicht einmal von seiner Pritsche. »Leck mich am Arsch, Gevatter«, antwortete er.

Bis zu diesem Augenblick seit seiner Rückkehr hatte Oberst Aureliano Buendía sich nicht dazu herabgelassen, ihn mit dem Herzen anzuschauen. Er staunte, wie sehr er gealtert war, wie sehr seine Hände zitterten, mit welcher fast gewohnheitsgemäßen Nachgiebigkeit er den Tod erwartete, und nun fühlte er tiefe Verachtung für sich selbst, die er mit einem Anflug von Erbarmen verwechselte.

»Du weißt besser als ich«, sagte er, »daß jedes Kriegsgericht eine Posse ist und daß du in Wirklichkeit für die Verbrechen anderer zahlen mußt, weil wir diesmal den Krieg gewinnen werden, koste es, was es wolle. Hättest du an meiner Stelle nicht das gleiche getan?«

General Moncada richtete sich auf, um seine große Schildpattbrille am Hemdsärmel zu reinigen. »Wahrscheinlich«, sagte er. »Was mich beschäftigt, ist nicht, daß du mich erschießen läßt, weil das letzten Endes für Leute wie uns der natürlichste Tod ist.« Er legte die Brille aufs Bett und hakte seine Uhrkette aus dem Knopfloch. »Mich beschäftigt, daß dadurch, daß du die Militärs so abgründig haßt, sie so wütend bekämpfst und so viel über sie nachdenkst, du ihresgleichen geworden bist. Und es gibt kein Ideal im Leben, das so viel Verachtung verdient.« Er streifte den Ehering ab und das Medaillon der Jungfrau von den Heilmitteln und legte beides zu Brille und Uhr.

»Wenn du so weitermachst«, schloß er, »wirst du nicht nur der despotischste, blutrünstigste Diktator unserer Geschichte, du wirst auch noch meine Gevatterin Ursula erschießen, um damit dein Gewissen zu beruhigen.«

Oberst Aureliano Buendía ließ sich nicht aus der Ruhe bringen. Nun übergab ihm General Moncada Brille und Medaillon, Uhr und Ring und sagte in verändertem Ton:

»Aber ich hab' dich nicht kommen lassen, um dich zu beschimpfen. Ich wollte dich um den Gefallen bitten, diese Dinge meiner Frau zu schicken.«

Oberst Aureliano Buendía steckte sie in seine Taschen.

»Lebt sie noch in Manaure?«

»Sie lebt noch in Manaure«, bejahte General Moncada. »Und zwar in demselben Haus hinter der Kirche, wohin du jenen Brief geschickt hast.«

»Ich werde es mit Vergnügen tun, José Raquel«, sagte Oberst Aureliano Buendía.

Als er in die bläuliche Nebelluft hinaustrat, wurde sein Gesicht feucht wie an jenem vergangenen Tagesanbruch, und nun erst begriff er, warum er angeordnet hatte, das Urteil solle im Innenhof und nicht an der Friedhofsmauer vollstreckt werden. Das vor der Tür angetretene Erschießungskommando erwies ihm die Ehren eines Staatsoberhaupts.

»Ihr könnt ihn holen«, befahl er.

Oberst Gerineldo Márquez war der erste, der die Leere des Krieges wahrnahm. In seiner Eigenschaft als Zivil- und Militärchef von Macondo führte er zweimal in der Woche telegrafische Gespräche mit Oberst Aureliano Buendía. Anfangs entschieden diese Besprechungen den Verlauf eines Kriegs in Fleisch und Blut, dessen bestimmbare Umrisse in jedem Augenblick den genauen Standort ermitteln und dadurch seine künftigen Ziele voraussehen ließen. Wenngleich er sich nie, auch nicht von seinen nächsten Freunden, auf das Gelände der Vertraulichkeiten locken ließ, pflegte Oberst Aureliano Buendía damals den privaten Ton, der ihn am anderen Ende des Drahtes erkennen ließ. Häufig zog er die Unterhaltungen über das vorgesehene Zeitziel hinaus und schweifte in Randbemerkungen häuslichen Charakters ab. Doch als der Krieg an Heftigkeit und Ausdehnung zunahm, verschwamm sein Bild nach und nach in einer Welt der Unwirklichkeit. Die Punkte und Gedankenstriche seiner Rede wurden immer ferner und unsicherer, sie verbanden und verknüpften sich zu Wörtern, die allmählich jeden Sinn verloren. Bedrückt von dem Eindruck, mit einem Unbekannten aus einer anderen Welt in telegrafischer Verbindung zu stehen, beschränkte sich Oberst Gerineldo Márquez nunmehr aufs Zuhören.

»Verstanden, Aureliano«, schloß er, auf die Tasten drückend. »Es lebe die liberale Partei!«

Schließlich verlor er jede Berührung mit dem Krieg. Was in anderer Zeit eine echte Tätigkeit, eine unwiderstehliche Leidenschaft seiner Jugend gewesen war, verwandelte sich für ihn in einen fernen Bezugspunkt: in Leere. Nun war seine einzige Zuflucht Amarantas Nähstube, die er jeden Nachmittag besuchte. Es gefiel ihm, ihre Hände zu betrachten, während sie auf der Nähmaschine, deren Handkurbel Remedios die Schöne bediente, Musselinspitzen plissierte. Mit der gegenseitigen Gesellschaft zufrieden, verbrachten sie viele Stunden wortlos, doch während Amaranta es insgeheim genoß, das Feuer seiner Hingabe zu schüren, waren für ihn die geheimen Absichten dieses unergründlichen Herzens ein Rätsel. Als man von seiner Rückkehr sprach, erstickte Amaranta fast vor Ungeduld. Doch als sie ihn inmitten der lärmenden Leibwache von Oberst Aureliano Buendía ins Haus treten sah, mitgenommen von den Qualen der Verbannung, gealtert von den Jahren und dem Vergessen, verklebt von Schweiß und Pulver, nach einem Kriegshaufen riechend, häßlich, den linken Arm in der Binde, fühlte sie tiefe Enttäuschung. Mein Gott, dachte sie: Es ist nicht der, den ich erwartet hatte. Am darauffolgenden Tag indes kam er wieder ins Haus, sauber und rasiert, mit lavendelwasserbesprühtem Schnurrbart und ohne blutdurchtränkte Binde. Er brachte ihr ein perlmuttgebundenes Brevier mit.

»Seltsam sind die Männer«, sagte sie, weil ihr nichts anderes einfiel. »Ein Leben lang bekämpfen sie die Priester und verschenken Gebetbücher.«

Seither besuchte er sie jeden Nachmittag, auch an den kritischsten Kriegstagen. Oft, wenn Remedios die Schöne nicht zugegen war, drehte er die Kurbel der Nähmaschine. Amaranta fühlte Verwirrung angesichts der Beharrlichkeit, der Treue, der Ergebenheit dieses mit so viel Machtbefugnis betrauten Mannes, der übrigens seine Waffen im Wohnzimmer ablegte und wehrlos in die Nähstube trat. Vier Jahre hindurch beteuerte er ihr seine Liebe, und doch fand sie stets ein Mittel, ihn abzuweisen, ohne ihn zu verletzen, weil sie nicht mehr ohne ihn leben konnte, wenngleich sie ihn nicht zu lieben vermochte. Remedios die Schöne, die so gleichgültig wirkte und als geistig zurückgeblieben galt, war nicht unempfindlich gegen so viel Hingabe und beschloß, sich für Oberst Gerineldo Márquez zu verwenden. Plötzlich entdeckte Amaranta, daß dieses von ihr aufgezogene, kaum erblühte Kind das schönste Geschöpf war, das Macondo je gesehen hatte. Nun fühlte sie in ihrem Herzen den Groll wiedererwachen, den sie zu anderer Zeit gegen Rebeca genährt hatte, und, Gott bittend, er möge es nicht so weit kommen lassen, daß sie ihren Tod herbeiwünsche, verbannte sie die Schöne aus der Nähstube. Zu jener Zeit empfand Oberst Gerineldo Márquez zum erstenmal Ekel vor dem Krieg. So sammelte er all seine Überredungskunst, seine ungeheure, verdrängte Zärtlichkeit, bereit, für Amaranta auf einen Ruhm zu verzichten, für den er seine besten Jahre geopfert hatte. Doch er vermochte sie nicht zu überreden. An einem Augustnachmittag, erdrückt von der unerträglichen Last ihrer eigenen Hartnäckigkeit, schloß Amaranta sich in ihr Schlafzimmer ein, um dort ihre Einsamkeit bis zum Tod zu beweinen, nachdem sie dem eigensinnigen Bewerber ihre endgültige Antwort erteilt hatte:

»Wir wollen uns für immer vergessen«, sagte sie. »Wir sind schon zu alt für diese Dinge.«

An jenem Nachmittag nahm Oberst Gerineldo Márquez einen telegrafischen Anruf von Oberst Aureliano Buendía entgegen. Es war eine der üblichen Unterhaltungen, die keine Bresche in den gestauten Krieg schlagen sollte. Gegen Ende des Gesprächs blickte Gerineldo Márquez auf die verlassenen Straßen, die starren Regentropfen auf den Mandelbäumen und versank in Einsamkeit. »Aureliano«, tippte er traurig auf die Tasten. »Es regnet in Macondo.«

Im Draht erfolgte ein langes Schweigen. Plötzlich geriet der Apparat unter Oberst Aureliano Buendías erbarmungslosen Zeichen in Bewegung.

»Sei kein Schlappschwanz, Gerineldo«, sagten die Zeichen. »Natürlich regnet es im August.«

Sie hatten sich so lange nicht gesehen, daß die aggressive Antwort Oberst Gerineldo Márquez bestürzte. Als übrigens Oberst Aureliano Buendía zwei Monate später nach Macondo zurückkehrte, verkehrte sich seine Bestürzung in Betäubung. Sogar Ursula wunderte sich über sein verändertes Wesen. Er kam geräuschlos, ohne Leibwache, trotz der Hitze in einen Umhang gehüllt, sowie mit drei Geliebten, die er im selben Haus unterbrachte, wo er die meiste Zeit in einer Hängematte zubrachte. Er las nur die Drahtmeldungen, die von alltäglichen Operationen berichteten. Einmal bat Oberst Gerineldo Márquez ihn um Anweisungen für die Räumung eines Grenzortes, der in einen internationalen Unruheherd auszuwachsen drohte.

»Belästige mich nicht mit Kleinigkeiten«, befahl er. »Befrage die göttliche Vorsehung.«

Das war der vielleicht kritischste Augenblick des Krieges. Mittlerweile waren die liberalen Landbesitzer, die die Revolution anfangs unterstützt hatten, ein Geheimbündnis mit den konservativen Landbesitzern eingegangen, um die Überprüfung der Landbesitzurkunden zu vereiteln. Die Politiker, die in der Verbannung aus dem Krieg Kapital schlugen, hatten die drastischen Entschlüsse des Oberst Aureliano Buendía öffentlich abgelehnt, doch selbst diese ablehnende Haltung schien ihn nicht zu stören. Er hatte seine Verse, die über fünf Bände umfaßten, nicht wieder gelesen und vergaß sie in der Tiefe seiner Truhe. Nachts oder während der Mittagsruhe rief er eine seiner Frauen in die Hängematte, holte sich bei ihr primitive Befriedigung und schlief dann einen steinschweren Traum aus, der nicht von einem Anflug der Sorge getrübt war. Nur er wußte damals, daß sein leichtfertiges Herz für immer zur Ungewißheit verurteilt war. Anfangs, trunken vom Ruhm der Rückkehr, von seinen unwahrscheinlichen Siegen, hatte er sich zum Abgrund der Größe aufgeworfen. Er gefiel sich in der Rolle eines Waffenbruders des Herzogs von Marlborough, seines großen Lehrmeisters in den Künsten des Krieges, dessen Sattelzeug aus Tigerfell und -klauen den Erwachsenen Ehrfurcht und den Kindern Staunen eingeflößt hatte. Damals bestimmte er auch, daß kein menschliches Wesen, nicht einmal Ursula, näher als drei Meter auf ihn zugehen dürfe. Im Mittelpunkt des Kreidekreises, den seine Adjutanten überall da, wo er auftrat, auf den Erdboden zeichneten und den nur er betreten durfte, entschied er mit kurz angebundenen, unwiderruflichen Befehlen über das Schicksal der Welt. Das erste Mal, als er nach der Erschießung des Generals Moncada nach Manaure kam, erfüllte er eilends den letzten Wunsch seines Opfers, und die Witwe nahm Brille, Medaillon, Uhr und Ring in Empfang, ließ ihn jedoch nicht über die Schwelle treten.

»Kommen Sie nicht herein, Oberst«, sagte sie, »Sie mögen in Ihrem Krieg befehlen, aber ich befehle in meinem Haus.«

Oberst Aureliano Buendía gab keinerlei Zeichen von Groll zu erkennen, doch sein Geist fand erst Ruhe, als seine Leibwache das Haus der Witwe geplündert und in Asche gelegt hatte. »Paß auf dein Herz auf, Aureliano«, warnte ihn damals Oberst Gerineldo Márquez. »Du verfaulst bei lebendigem Leib.« Zu jener Zeit berief er eine zweite Versammlung der Hauptbefehlshaber der Aufständischen. Darunter waren Idealisten, Ehrgeizlinge, Abenteurer, verbohrte Asoziale und sogar gewöhnliche Verbrecher. Anwesend war auch ein früherer konservativer Beamter, der sich in die Revolte geflüchtet hatte, um einer Verurteilung wegen Unterschlagung von Geldmitteln zu entgehen. Viele wußten nicht einmal, wofür sie kämpften. Inmitten dieser zusammengewürfelten Rotte, deren Meinungsverschiedenheiten fast ein inneres Zerwürfnis ausgelöst hätten, ragte eine düstere Persönlichkeit hervor: General Teófilo Vargas. Dieser war ein reiner Indio, Bergbewohner, Analphabet, begabt mit einer wortkargen Boshaftigkeit und einer messianischen Berufung, die unter seinen Männern einen wahnsinnigen Fanatismus hervorgerufen hatte. Oberst Aureliano Buendía hatte die Versammlung mit der Absicht einberufen, die aufrührerischen Oberbefehlshaber gegen die Machenschaften der Politiker zu vereinigen. General Teófilo Vargas kam seinen Absichten zuvor: In wenigen Stunden untergrub er die Koalition der befähigtsten Befehlshaber und bemächtigte sich des Zentralkommandos. »Auf diesen Wüterich heißt es ein Auge halten«, sagte Oberst Aureliano Buendía zu seinen Offizieren. »Für uns ist dieser Mann gefährlicher als der Kriegsminister.« Nun hob ein blutjunger Hauptmann, der stets durch seine Schüchternheit aufgefallen war, behutsam einen Zeigefinger:

»Das ist sehr einfach, Herr Oberst. Wir müssen ihn töten.«

Oberst Aureliano Buendía war weniger über die Unverfrorenheit des Vorschlags als darüber bestürzt, daß der Redner seinem eigenen Gedanken um den Bruchteil einer Sekunde zuvorgekommen war.

»Erwartet nicht, daß ich diesen Befehl gebe«, sagte er.

Und tatsächlich gab er ihn auch nicht. Doch vierzehn Tage danach wurde General Teófilo Vargas in einem Hinterhalt mit Buschmessern gevierteilt, und Oberst Aureliano Buendía übernahm den Oberbefehl. In derselben Nacht, in der seine Befehlsgewalt von allen aufrührerischen Kommandostellen anerkannt wurde, erwachte er erschrocken und schrie nach einer Decke. Innere Kälte, die ihm bis in die Knochen drang und ihn sogar in der heißesten Sonne durchschauerte, raubte ihm mehrere Monate lang den Schlaf, bis er sich daran gewöhnt hatte. Seine Machttrunkenheit begann in Anfälle von Übelkeit auszuarten. Auf der Suche nach einer Arznei gegen die Kälte ließ er den jungen Offizier erschießen, der den Mord an General Teófilo Vargas angeregt hatte. Stets wurden seine Befehle ausgeführt, ehe er sie erteilt, ja ehe er sie erdacht hatte, und reichten stets weiter, als er sich hätte träumen lassen. In der Einsamkeit seiner gewaltigen Macht verirrt, verlor er langsam die Richtung. Die Leute, die ihm in den besiegten Dörfern zujubelten, waren ihm lästig und wirkten auf ihn genau wie die, welche dem Feind zujubelten. Allerwärts traf er Jugendliche, die ihn mit seinen eigenen Augen anblickten, die mit seiner eigenen Stimme sprachen, die ihn mit dem gleichen Argwohn grüßten, mit dem er sie grüßte, und die sich als seine Söhne ausgaben. Er fühlte sich zerstreut, nachgemacht und einsamer denn je. Er war überzeugt, daß seine eigenen Offiziere ihn belogen. Er stritt mit dem Herzog von Marlborough. »Der beste Freund«, sagte er damals häufig, »ist der, der gerade gestorben ist.« Er war der Ungewißheit müde, des tückischen Kreises jenes ewigen Krieges, der ihn immer an derselben Stelle antraf, freilich älter, verbrauchter, doch im unklaren über das Warum, Wie, Wohin. Immer stand jemand außerhalb des Kreidekreises. Jemand, dem es an Geld fehlte, der einen Sohn mit Keuchhusten hatte oder der für immer einschlafen wollte, weil er den Scheißgeschmack des Krieges nicht länger auf der Zunge ertragen konnte, und dennoch mit allerletzter Kraft strammstand und meldete: »Alles normal, Herr Oberst.« Und die Normalität war gerade das schrecklichste an jenem endlosen Krieg: Es geschah nichts. Allein, von jeder Vorahnung verlassen, vor der Kälte fliehend, die ihn bis zum Tode begleiten sollte, suchte er in Macondo seine letzte Zuflucht bei der Wärme seiner ältesten Erinnerungen. So schlimm war seine Trägheit, daß, als ihm die Ankunft einer Abordnung seiner Partei gemeldet wurde, die befugt war, über die Ausweglosigkeit des Krieges zu verhandeln, er sich nur in seiner Hängematte umdrehte, ohne ganz aufzuwachen.

»Führt sie zu den Huren«, sagte er.

Es waren sechs Anwälte in Überrock und Zylinder, die

mit hartnäckigem Gleichmut die verheerende Novembersonne ertrugen. Ursula gewährte ihnen Unterkunft. Sie verbrachten den größten Teil des Tages bei Geheimsitzungen im Schlafzimmer und baten abends um eine Schutzwache und eine Akkordeonkapelle, um dann Catarinos Butike zu belegen. »Stört sie nicht«, befahl Oberst Aureliano Buendía. »Schließlich und endlich weiß ich, was sie wollen.« Anfang Dezember schloß die lang erwartete Sitzung, die viele als endlose Diskussion vorausgesehen hatten, nach einer knappen Stunde.

In dem glutheißen Besuchszimmer mit seinem vom Leichentuch eines Bettlakens behüteten Pianolagespenst nahm Oberst Aureliano Buendía diesmal nicht in dem von seinen Adjutanten gezogenen Kreidekreis Platz, sondern setzte sich auf einen Stuhl zwischen seine politischen Ratgeber, und, in seine Wolldecke eingewickelt, hörte er schweigend die bündigen Vorschläge der Emissäre an. Zunächst baten sie, auf die Überprüfung der Landbesitzurkunden zu verzichten, um die Unterstützung der liberalen Landbesitzer wiederzugewinnen. Ferner baten sie, auf den Kampf gegen den Einfluß des Klerus zu verzichten, um den Rückhalt der katholischen Bevölkerung zu gewinnen. Endlich baten sie auf den Anspruch der Gleichberechtigung zwischen außerehelichen und rechtmäßigen Kindern zu verzichten, um den Bestand der Familie unangetastet zu lassen.

»Das heißt also«, lächelte Oberst Aureliano Buendía, »daß wir nur um die Macht kämpfen.«

»Das sind taktische Reformen«, wiederholte einer der Abgesandten. »Vorderhand kommt es darauf an, die Grundlage des Krieges auf das Volk auszudehnen. Dann sehen wir weiter.«

Nun griff einer der politischen Ratgeber des Obersten Aureliano Buendía ein.

»Das ist widersinnig«, sagte er. »Wenn diese Reformen gut sind, heißt das: Die konservative Regierungsform ist gut. Wenn wir mit ihnen die Grundlage des Krieges auf das Volk ausdehnen, wie Sie sagen, so heißt das, daß die Grundlage des Regimes weitgehend auf dem Volk beruht. Zusammengefaßt heißt das, daß wir fast zwanzig Jahre gegen die Gefühle der Nation gekämpft haben.«

Er wollte fortfahren, doch Oberst Aureliano Buendía unterbrach ihn mit einem Wink. »Verlieren Sie keine Zeit, Doktor. Wichtig ist, daß wir von diesem Augenblick an für die Macht kämpfen.« Und weiter lächelnd nahm er die Schriftbogen, die ihm die Delegierten reichten, und machte sich ans Unterzeichnen.

»Da es so ist«, schloß er, »steht unserer Unterschrift nichts im Wege.«

Seine Männer blickten einander bestürzt an.

»Verzeihen Sie, Oberst«, sagte Oberst Gerineldo Márquez sanft, »aber das ist Verrat.«

Oberst Aureliano Buendía hielt die tintenfeuchte Feder in der Luft an und ließ das volle Gewicht seiner Autorität auf ihn niedersausen.

»Übergeben Sie Ihre Waffen!« befahl er.

Oberst Gerineldo Márquez stand auf und legte die Waffen auf den Tisch.

»Melden Sie sich in der Kaserne«, befahl Oberst Aureliano Buendía. »Halten Sie sich zur Verfügung des Revolutionsgerichts.«

Dann unterschrieb er die Erklärung und übergab den Abgesandten die Schriftbogen mit den Worten.

»Señores, hier haben Sie Ihre Papiere. Wohl bekomm's!«

Zwei Tage später wurde Oberst Gerineldo Márquez des Hochverrats angeklagt und zum Tode verurteilt. In seiner Hängematte liegend, war Oberst Aureliano Buendía taub für jedes Bittgesuch um Milde. Am Vorabend der Erschießung besuchte Ursula ihn trotz der Befehle, er wolle nicht gestört werden. Schwarz umhüllt und von seltsamer Feierlichkeit umstrahlt, blieb sie während der drei Minuten der Unterredung stehen. »Ich weiß, daß du Gerineldo erschießen wirst«, sagte sie gelassen. »Und ich kann nichts tun, um es zu verhindern. Doch eines sage ich dir: Sobald ich den Leichnam sehe, schwöre ich bei den Gebeinen meines Vaters und meiner Mutter, bei der Erinnerung an José Arcadio Buendía, schwöre ich bei Gott, daß ich dich holen werde, wo du auch stecken magst, und dich eigenhändig umbringe.« Und schloß vor dem Verlassen des Zimmers, ohne eine Antwort zu erwarten:

»Genau das, was ich getan hätte, wärst du mit einem Schweineschwanz geboren worden.«

In jener endlosen Nacht, während Oberst Gerineldo Márquez sich seine toten Nachmittage in Amarantas Nähstube in Erinnerung rief, kratzte Oberst Aureliano Buendía stundenlang an der harten Schale seiner Einsamkeit, ohne sie indes aufknacken zu können. Seine einzigen glücklichen Augenblicke seit dem fernen Nachmittag, an dem sein Vater ihn mitnahm, um das Eis kennenzulernen, hatte er in der Goldschmiedewerkstatt verbracht, wo seine Zeit beim Herstellen von goldenen Fischchen vergangen war. Er hatte zweiunddreißig Kriege anstiften, hatte sämtliche Pakte mit dem Tod verletzen und sich wie ein Schwein auf dem Misthaufen des Ruhms wälzen müssen, um mit fast vierzig Jahren Verspätung die Vorrechte der Einfachheit zu entdecken.

Bei Tagesanbruch, entnervt vom Wachen, erschien er eine Stunde vor der Erschießung in der Blockkammer. »Der Spaß ist vorbei, Gevatter«, sagte er zu Oberst Gerineldo Márquez. »Gehen wir, bevor die Mücken dich vollends totschießen.« Oberst Gerineldo Márquez konnte nicht die Verachtung zurückdrängen, die ihm diese Haltung einflößte.

»Nein, Aureliano«, erwiderte er. »Es ist besser, tot zu sein, als dich zu einem Krummsäbel verwandelt zu sehen.«

»Das wirst du nicht«, sagte Oberst Aureliano Buendía. »Zieh die Stiefel an und hilf mir, diesen Scheißkrieg zu beenden.«

Als er das sagte, ahnte er nicht, daß es leichter war, einen Krieg zu beginnen, als ihn zu beenden. Er brauchte fast ein Jahr blutrünstiger Strenge, um die Regierung zu zwingen, den Aufständischen günstige Friedensbedingungen anzubieten, und ein zweites, um seine Parteigänger von der Zweckmäßigkeit zu überzeugen, sie anzunehmen. Er verstieg sich zu ungeheuerlichen Grausamkeiten, um die Rebellionen seiner eigenen Offiziere zu ersticken, die sich weigerten, den Sieg zu feiern, und stützte sich schließlich auf feindliche Streitkräfte, um sie niederzuzwingen.

Nie war er ein größerer Krieger als damals. Die Gewißheit, endlich um die eigene Befreiung zu kämpfen und nicht um abstrakte Ideale, um politische Losungen, welche die Politiker je nach Bedarf nach links oder rechts biegen konnten, beflügelten ihn zu glühender Begeisterung. Oberst Gerineldo Márquez, der mit ebensoviel Überzeugungskraft und Treue für den Zusammenbruch kämpfte, wie er vorher für den Triumph gekämpft hatte, warf ihm seine fruchtlose Tollkühnheit vor. »Keine Sorge«, lächelte er. »Sterben ist viel schwieriger, als man glaubt.« In seinem Fall traf es zu. Die Gewißheit, sein Tag sei vorbestimmt, stattete ihn mit einer geheimnisvollen Unantastbarkeit aus, mit einer Unsterblichkeit auf Zeit, die ihn unverwundbar machte gegen die Gefahren des Krieges und ihm schließlich erlaubte, eine Niederlage zu erobern, die viel schwieriger, viel blutiger und kostspieliger war als der Sieg.

In fast zwanzig Jahren Krieg war Oberst Aureliano Buendía viele Male zu Hause gewesen, doch die Eile, in der er sich stets befand, der militärische Pomp, der ihn stets begleitete, die legendäre Aura, die seine Gegenwart vergoldete und gegen die nicht einmal Ursula unempfindlich war, hatten ihn schließlich zu einem Fremden gemacht. Das letzte Mal, als er in Macondo weilte und ein Haus für seine drei Konkubinen nahm, wurde er nur zwei- oder dreimal in seinem eigenen gesehen, als er Zeit hatte, Einladungen zu Mahlzeiten anzunehmen. Remedios die Schöne und die mitten im Kriege geborenen Zwillinge kannten ihn kaum. Amaranta vermochte das Bild des Bruders, der seine Jugend mit der Herstellung goldener Fischchen verbracht hatte, nicht mit dem mythischen Krieger in Einklang zu bringen, der zwischen sich und die übrige Menschheit einen Abstand von drei Metern geschoben hatte. Doch als man von dem bevorstehenden Waffenstillstand erfuhr und hoffte, er würde zurückkehren, von neuem zu einem menschlichen Wesen verwandelt und endlich dem Herzen der Seinen wiedergeschenkt, erwachten die so lange betäubten Familiengefühle stärker denn je.

»Endlich«, sagte Ursula, »werden wir wieder einen Mann im Hause haben.«

Amaranta vermutete als erste, daß sie alle ihn für immer verloren hatten. Eine Woche vor dem Waffenstillstand, als er ohne Wachmannschaft ins Haus trat, nachdem zwei barfüßige Ordonnanzen im Hausflur das Halfter des Maulesels und die Truhe mit Versen, einzige Überbleibsel seines früheren herrscherlichen Gepäcks, abgesetzt hatten, sah sie ihn an der Nähstube vorbeigehen und rief ihn an. Oberst Aureliano Buendía schien es schwerzufallen, sie zu erkennen.

»Ich bin Amaranta«, sagte sie gut gelaunt, glücklich über seine Heimkehr, und zeigte ihm ihre Hand mit der schwarzen Binde. »Schau!«

Oberst Aureliano Buendía lächelte wie das erste Mal an jenem fernen Vormittag, an dem er, als zum Tode Verurteilter nach Macondo zurückgekehrt, sie mit der Binde gesehen hatte.

»Schrecklich, wie die Zeit vergeht!« sagte er.

Reguläruppen mußten das Haus beschützen. Bei seiner Ankunft wurde er ausgepfiffen, angespuckt, angeklagt, den Krieg verschärft zu haben, nur um ihn teurer verkaufen zu können. Er zitterte vor Fieber und Kälte und hatte wiederum furunkelverhärtete Achselhöhlen. Sechs Monate zuvor, als Ursula Gerüchte über einen Waffenstillstand zu Ohren gekommen waren, hatte sie den Hochzeitsalkoven gelüftet und gesäubert, hatte Myrrhe in den Ecken abgebrannt in der Annahme, er würde heimkehren, bereit, zwischen Remedios' muffigen Puppen geruhsam zu altern. In Wirklichkeit jedoch hatte er in den vergangenen zwei Jahren alle rückständigen Rechnungen, auch die des Alterns, bezahlt. Als er an der von Ursula mit besonderer Sorgfalt aufgeräumten Goldschmiedewerkstatt vorbeiging, merkte er nicht einmal, daß die Schlüssel in den Hängeschlössern steckten. Er gewahrte nicht den kaum merklichen herzzerreißenden Verfall, den die Zeit im Haus bewirkt hatte und der jedem Menschen, der seine Erinnerungen lebendig bewahrte, nach so langer Abwesenheit wie ein Verhängnis vorgekommen wäre. Ihn schmerzten nicht der von den Wänden abbröckelnde Kalk, nicht die schmutzigen Spinnetze in den Zimmerecken, nicht der Staub auf den Begonien, auch nicht die Termitenadern in den Balken, nicht das Moos auf den Türangeln, auch keine der heimtückischen Fallen, die ihm das Heimweh stellte. In seine Wolldecke gehüllt und ohne die Stiefel auszuziehen, setzte er sich in die Veranda, als warte er nur darauf, daß es sich aufklärte, und blickte den ganzen Nachmittag in den auf die Begonien fallenden Regen. Nun begriff Ursula, daß sie ihn nur kurze Zeit im Hause sehen werde. Wenn es nicht der Krieg ist, dachte sie, kann es nur der Tod sein. Es war eine so deutliche, so überzeugende Vermutung, daß sie sie einer Vorahnung gleichsetzte.

An jenem Abend beim Nachtmahl zerkrümelte der angebliche Aureliano Segundo das Brot mit der rechten

Hand und löffelte seine Suppe mit der linken. Sein Zwillingsbruder, der angebliche José Arcadio Segundo, zerkrümelte das Brot mit der linken Hand und löffelte seine Suppe mit der rechten. Die Übereinstimmung ihrer Bewegungen war so haargenau, daß die beiden nicht etwa einander gegenübersitzende Brüder, sondern ein Spiegel von Spiegeln zu sein schienen. Das Schauspiel, das die Zwillinge ersonnen hatten, seit sie sich ihrer Gleichheit bewußt waren, wurde zu Ehren des Neugekommenen wiederholt. Doch Oberst Aureliano Buendía merkte es nicht. Er war allem so fremd, daß sein Blick nicht einmal auf Remedios der Schönen haftenblieb, die nackt ins Schlafzimmer ging. Ursula war die einzige, die seine Zerstreutheit nicht zu stören wagte.

»Wenn du wieder fort mußt«, sagte sie mitten in der Mahlzeit, »so erinnere dich wenigstens daran, *wie* wir heute abend waren.«

Jetzt wurde Oberst Aureliano Buendía sich ohne Verwunderung bewußt, daß Ursula der einzige Mensch war, der sein Elend zu ergründen vermocht hatte, und zum erstenmal in vielen Jahren wagte er, ihr ins Gesicht zu sehen. Ihre Gesichtshaut war rissig, ihre Zähne angefressen, ihr Haar verblichen und farblos und ihr Blick bestürzt. Er verglich sie mit seinen frühesten Erinnerungen von jenem Nachmittag, als er das Vorgefühl hatte, ein Topf mit brühheißer Suppe werde vom Tisch rutschen, und er ihn darauf in Stücken fand. In einem Lidschlag entdeckte er die Kratzer, die Risse, die Geschwüre und Narben, die ein halbes Jahrhundert des Alltags in ihr hinterlassen hatten, und stellte fest, daß diese Schäden in ihm nicht einmal ein Gefühl des Mitleids auslösten. Nun machte er eine letzte Anstrengung und suchte in seinem Herzen den Ort, wo seine Zuneigung vermodert war, konnte ihn aber nicht finden. Zu anderer Zeit hatte er zumindest ein wirres Gefühl der Beschämung empfunden, als er an seiner eigenen Haut Ursulas Geruch entdeckte, und mehr als einmal hatte er seine Gedanken von ihrem Denken durchkreuzt gefühlt. Doch all das war vom Krieg weggefegt worden. Selbst Remedios, seine Ehefrau, war in diesem Augenblick das verwischte Bild einer, die seine Tochter hätte sein können. Die ungezählten Frauen, die er in der Wüste seiner Liebe gekannt hatte und durch die sein Samen über den ganzen Küstenstrich verstreut worden war, hatten keine Spuren in seinem Gefühlsleben hinterlassen. Die Mehrzahl von ihnen hatte sein Zimmer im Dunkeln betreten und es vor Tagesanbruch verlassen, sie waren am nächsten Tag nichts als ein Anflug von Überdruß in seinem körperlichen Gedächtnis. Seine einzige Zuneigung, die Zeit und Krieg widerstanden hatte, war die für seinen Bruder José Arcadio empfundene, als beide Knaben waren, und diese gründete nicht auf Liebe, sondern auf Verschwörerschaft.

»Verzeih«, entgegnete er auf Ursulas Bitte. »Dieser Krieg hat mit allem aufgeräumt.«

An den zwei darauffolgenden Tagen machte er sich daran, jede Spur seines Erdenlebens zu tilgen. So ließ er in der Goldschmiedewerkstatt nur unpersönliche Gegenstände zurück, verschenkte seine Kleider an die Ordonnanzen und begrub seine Waffen im Innenhof mit der gleichen Bußfertigkeit, mit der sein Vater den Speer begraben hatte, der Prudencio Aguilar durchbohrt hatte. Nur die Pistole behielt er, und nur eine Kugel. Ursula mischte sich nicht ein. Nur einmal widersprach sie, nämlich als er Remedios' Daguerreotyp vernichten wollte, der, von einem ewigen Lämpchen erleuchtet, im Wohnzimmer hing. »Dieses Bild gehört dir schon lange nicht mehr«, sagte sie. »Es ist eine Familienreliquie.« Am Vorabend des Waffenstillstands, als kein Gegenstand mehr im Haus war, der an ihn erinnert hätte, trug er seine Truhe mit Versen in die Bäckerei, gerade als Santa Sofía von der Frömmigkeit Feuer im Ofen machen wollte.

»Benutze das hier«, sagte er und reichte ihr das erste

Bündel vergilbter Bogen. »Es brennt besser, weil es uraltes Zeug ist.« Santa Sofía von der Frömmigkeit, die schweigsame, die gefällige, die nie ihren eigenen Kindern widersprochen hatte, fühlte, daß dies verboten sei.

»Das sind wichtige Papiere«, sagte sie.

»Nichts dergleichen«, sagte der Oberst. »Es sind Dinge, die man für sich selber schreibt.«

»Dann verbrennen Sie sie selbst, Herr Oberst.«

Er tat es nicht nur, sondern zerhackte auch die Truhe und warf ihre Stücke ins Feuer. Stunden zuvor hatte Pilar Ternera ihn aufgesucht. Nach den vielen Jahren, in denen er sie nicht mehr gesehen hatte, staunte Oberst Aureliano Buendía, wie alt und dick sie geworden, wie glanzlos ihr Lachen geworden war, er staunte aber auch über die Tiefe, die sie durchs Kartenlesen gewonnen hatte. »Hüte deinen Mund«, sagte sie, und er fragte sich, ob es das erste Mal, als sie es auf dem Höhepunkt seines Ruhms gesagt hatte, nicht eine verblüffende Vorahnung seines Schicksals gewesen war. Kurz darauf, als sein Leibarzt ihn von den Furunkeln befreit hatte, fragte er ihn nebenbei, wo genau das Herz säße. Der Arzt auskultierte ihn und malte ihm mit jodgetränkter Watte einen Kreis auf die Brust.

Der Dienstag des Waffenstillstands erwachte lau und regnerisch. Oberst Aureliano Buendía erschien vor fünf Uhr in der Küche und trank seinen üblichen Kaffee ohne Zucker. »An einem Tag wie diesem bist du auf die Welt gekommen«, sagte Ursula zu ihm. »Alle erschraken über deine offenen Augen.« Er beachtete sie nicht, denn all seine Aufmerksamkeit war auf die Vorbereitungen der Truppe gerichtet, auf die Trompetensignale und Befehle, die den Tagesanbruch zerrissen. Wenngleich das alles ihm nach so vielen Kriegsjahren vertraut vorkommen mußte, fühlte er diesmal doch das gleiche Schwanken der Knie, das gleiche Erschauern der Haut, das er in seiner Jugend in Gegenwart einer nackten Frau erlebt hatte. Endlich in eine Falle der Sehnsucht gegangen, dachte er wirr, daß, hätte er sie geheiratet, er dann ein Mann ohne Krieg und Ruhm geworden wäre, ein namenloser Handwerker, ein glückliches Tier. Dieses späte Erzittern, das er nicht vorausgesehen hatte, verdarb ihm sein Frühstück. Um sieben Uhr morgens, als Oberst Gerineldo Márquez ihn in Gesellschaft einer Gruppe aufrührerischer Offiziere abholte, war er wortkarger, nachdenklicher und einsamer denn je. Ursula wollte ihm eine neue Wolldecke über die Schultern legen. »Was wird die Regierung denken«, sagte sie. »Sie werden denken, du hast dich ergeben, weil du dir nicht mal mehr eine Decke leisten konntest.« Doch er nahm sie nicht an. Als er, schon in der Tür, sah, daß es noch regnete, ließ er sich einen alten Filzhut von José Arcadio Buendía aufsetzen.

»Aureliano«, sagte nun Ursula, »versprich mir, daß, wenn du dort die verhängnisvolle Stunde erlebst, du an deine Mutter denkst.«

Er lächelte sie fremd an, hob die gespreizte Hand, verließ wortlos das Haus und bot dem Geschrei die Stirn, den Schmähfrufen und den Flüchen, die ihn bis zum Ende des Dorfes verfolgten. Ursula legte den Riegel vor die Tür, entschlossen, ihn für den Rest ihres Lebens nicht mehr zurückzuschieben. Wir werden hier drinnen vermodern, dachte sie. Wir werden in diesem männerlosen Haus wieder zu Asche, aber dieses erbärmliche Dorf soll uns nicht weinen sehen. Den ganzen Vormittag suchte sie in den geheimsten Winkeln ihres Herzens eine Erinnerung an ihren Sohn, fand sie aber nicht.

Die Feier fand zwanzig Kilometer von Macondo statt, im Schatten eines gewaltigen Baumwollbaums, um den später das Dorf Neerlandia gegründet werden sollte. Die Regierungs- und Parteibeauftragten sowie die Rebellenabordnung, welche die Waffen niederlegte, wurden von einer aufgeregten Schar weißgekleideter Novizinnen bedient, die einem Schwarm von regenverscheuchten

Schwalben glichen. Oberst Aureliano Buendía kam auf einem lehmverkrusteten Maulesel an. Er war unrasiert, und seine Furunkel quälten ihn mehr als der fürchterliche Fehlschlag seiner Träume, denn er war ans Ende aller Hoffnung gelangt, jenseits von Ruhm und Ruhmessucht. Seinen Anordnungen gemäß gab es weder Musik noch Feuerwerk, kein Jubelgeläut, keine Hochrufe, aber auch keine Aufrufe, die den düsteren Charakter des Waffenstillstands aufzuheitern vermocht hätten. Ein fahrender Fotograf, der das einzige Bild von ihm machte, das hätte aufbewahrt werden können, wurde gezwungen, die Platten unentwickelt zu vernichten.

Der Akt dauerte nur die für die Unterschriften notwendige Zeit. Um den in der Mitte eines geflickten Zirkuszelts aufgestellten Tisch, an dem die Beauftragten Platz nahmen, standen die letzten Offiziere, die Oberst Aureliano Buendía die Treue gehalten hatten. Bevor er die Unterschriften einsammelte, wollte der persönliche Beauftragte des Präsidenten der Republik laut die Akte der Übergabe vorlesen, doch Oberst Aureliano Buendía winkte ab. »Verlieren wir keine Zeit mit Formalitäten«, sagte er und schickte sich an, die Bogen ungelesen zu unterzeichnen. Nun brach einer seiner Offiziere die im Zelt herrschende betäubende Stille.

»Herr Oberst«, sagte er, »bitte unterschreiben Sie nicht als erster.«

Oberst Aureliano Buendía fügte sich. Als das Schriftstück inmitten eines deutlichen Stillschweigens um den Tisch gewandert war, daß man die Unterschriften am Kratzen der Federn auf dem Papier hätte entziffern können, war der erste Platz noch immer weiß. Oberst Aureliano Buendía schickte sich an, ihn auszufüllen.

»Herr Oberst«, sagte nun einer seiner Offiziere, »Sie haben noch immer Zeit, sich der Sache zu entziehen.«

Ohne sich aus der Fassung bringen zu lassen, unterschrieb Oberst Aureliano Buendía die erste Ausfertigung.

Er hatte die letzte Unterschrift noch nicht beendet, als am Zelteingang ein aufrührerischer Oberst erschien, der ein mit zwei Truhen beladenes Maultier am Halfter führte. Trotz seiner großen Jugendlichkeit wirkte er ausgemergelt und gefügig. Er war der Schatzmeister der Revolution für den Verwaltungsbezirk Macondo. Um rechtzeitig zum Waffenstillstand einzutreffen, hatte er mit seinem vor Hunger halbtoten Maulesel eine beschwerliche Reise von sechs Tagen zurückgelegt. Nun lud er die Truhen mit aufreizend sparsamen Bewegungen ab, öffnete sie und legte zweiundsiebzig Goldbarren, einen nach dem anderen, auf den Tisch. Niemand hatte sich an das Vorhandensein dieses Vermögens erinnert. Im Durcheinander des letzten Jahres, als das Oberkommando zerfiel und die Revolution in eine blutige Rivalität von Caudillos ausartete, ließen sich Verantwortlichkeiten nicht mehr festlegen. Das in Blöcke gegossene und unverzüglich mit gebranntem Lehm überzogene Gold der Revolution kam nicht in Umlauf. Oberst Aureliano Buendía ließ die zweiundsiebzig Goldbarren ins Inventar der Kapitulation aufnehmen und schloß die Sitzung, ohne Reden zu gestatten. Der abgemagerte Jüngling blieb vor ihm stehen und blickte ihn mit seinen ruhigen Honigaugen an.

»Sonst noch etwas?« fragte Oberst Aureliano Buendía.

»Die Quittung«, sagte er.

Der junge Oberst biß die Zähne zusammen.

Oberst Aureliano Buendía unterschrieb sie und händigte sie ihm aus. Dann nahm er ein von den Novizinnen angebotenes Glas Limonade und einen Keks entgegen und zog sich in ein Feldzelt zurück, das man für ihn zum Ausruhen aufgespannt hatte. Dort streifte er das Hemd ab, setzte sich auf den Rand der Pritsche und schoß sich um drei Uhr fünfzehn Minuten eine Pistolenkugel in den Jodkreis, den sein Leibarzt ihm auf die Brust gezeichnet hatte. Zu dieser Stunde hob Ursula den

Deckel von ihrem Milchtopf auf dem Herd, verwundert, daß die Milch noch nicht kochte, und fand ihn voller Würmer.

»Sie haben Aureliano getötet!« rief sie.

Dann, einer Gewohnheit ihrer Einsamkeit gehorchend, blickte sie in den Innenhof und sah José Arcadio Buendía durchnäßt, regentraurig und viel älter als zur Zeit seines Sterbens. »Man hat ihn meuchlings gemordet«, verbesserte sich Ursula. »Und niemand hat ihm die Liebe angetan und ihm die Augen geschlossen.« Gegen Abend sah sie durch ihre Tränen die schnellen, leuchtenden, orangefarbenen Scheiben, die den Himmel wie eine Ausdünstung durchkreuzten, und hielt es für ein Todeszeichen. Noch war sie unter der Kastanie und schluchzte auf den Knien ihres Gatten, als der in seine von geronnenem Blut verkrustete Wolldecke gehüllte Oberst Aureliano Buendía mit wutgeöffneten Augen gebracht wurde.

Er war außer Gefahr. Das Geschoß hatte eine so saubere Bahn durchmessen, daß der Arzt eine jodgetränkte Schnur in seine Brust einführen und sie am Rücken herausziehen konnte. »Das ist mein Meisterwerk«, erklärte er befriedigt. »Das war der einzige Punkt, den eine Kugel durchstoßen kann, ohne ein lebenswichtiges Zentrum zu verletzen.« Oberst Aureliano Buendía sah sich von barmherzigen Novizinnen umgeben, die verzweifelte Psalmen für die ewige Ruhe seiner Seele anstimmten, und nun bereute er es, sich nicht, wie vorgesehen, in den Mund geschossen zu haben, nur um Pilar Terneras Prophezeiung zu spotten.

»Wäre mir noch irgendwelche Machtbefugnis verblieben«, sagte er zum Arzt, »ich würde Sie jetzt standrechtlich erschießen lassen. Nicht etwa, weil Sie mir das Leben gerettet, sondern weil Sie mich lächerlich gemacht haben.«

Sein gescheiterter Selbstmord schenkte ihm binnen weniger Stunden sein eingebüßtes Ansehen wieder. Dieselben Leute, welche die Lüge aufgebracht hatten, er habe den Krieg für ein mit goldenen Fliesenwänden ausgestattetes Gemach verkauft, legten seinen Selbstmordversuch nunmehr als Akt der Ehre aus und erklärten ihn zum Märtyrer. Dann, als er den ihm vom Präsidenten der Republik verliehenen Verdienstorden ablehnte, zogen sogar seine erbittertsten Feinde vor seinem Zimmer auf und baten, er möge die Waffenstillstandsbedingungen widerrufen und von neuem die Kriegstrommel rühren. Das Haus füllte sich mit Entschädigungsgeschenken. Wiewohl spät beeindruckt von der massiven Unterstützung seiner alten Waffengefährten, verwarf Oberst Aureliano Buendía noch nicht die Möglichkeit, ihrem Wunsch zu entsprechen. Im Gegenteil, in einem bestimmten Augenblick schien er von dem Gedanken eines neuen Krieges so begeistert, daß Oberst Gerineldo Márquez dachte, er warte nur auf einen Vorwand, ihn zu erklären. Tatsächlich bot sich ihm der gewünschte Vorwand, als der Präsident der Republik sich weigerte, den liberalen und konservativen alten Kämpfern eine Kriegspension zuzuweisen, solange nicht jeder Antrag von einem Sonderausschuß geprüft und das Zuweisungsgesetz vom Kongreß verabschiedet worden war. »Das ist eine Ungerechtigkeit«, donnerte Oberst Aureliano Buendía. »Auf diese Weise werden sie bis zu ihrem Tod auf die Postanweisung warten.« Zum ersten Male verließ er den Schaukelstuhl, den Ursula ihm für seine Genesung gekauft hatte, und während er im Alkoven auf und ab ging, diktierte er eine geharnischte Botschaft an den Präsidenten der Republik. In diesem Telegramm, das nie veröffentlicht wurde, rügte er den ersten Bruch des Abkommens von Neerlandia und drohte mit einer Kriegserklärung auf Leben und Tod, falls die Pensionszuweisung nicht binnen vierzehn Tagen erledigt sei. Seine Handlungsweise war so gerecht, daß sie sogar eine Vertrauenskundgebung der alten konservativen Kriegsteilnehmer erhoffen ließ. Doch als einzige Antwort ließ die Regierung die unter dem Vorwand des Schutzes vor die Haustür postierte Militärwache verstärken und verbot jede Art von Besuch. Ähnliche Maßnahmen wurden im ganzen Land bei anderen, unter Polizeiaufsicht gestellten Caudillos vorgenommen. Diese Operation erfolgte rechtzeitig, und sie war so drastisch und wirksam, daß zwei Monate nach dem Waffenstillstand, als Oberst Aureliano Buendía als genesen galt, seine entschlossensten Aufhetzer tot oder verbannt oder für immer vom öffentlichen Verwaltungsapparat aufgesogen waren.

Im Dezember verließ Oberst Aureliano Buendía sein Krankenzimmer und brauchte nur einen Blick auf die Veranda zu tun, um jeden Gedanken an Krieg zu verwerfen. Dank einer bei ihren Jahren kaum glaublichen Vitalität hatte Ursula das Haus von neuem verjüngt. »Jetzt sollen sie mal sehen, wer ich bin«, sagte sie, als sie erfuhr, daß ihr Sohn am Leben bleiben würde. »Nie soll es ein besseres und jedermann geöffnetes Haus geben als dieses Irrenhaus.« Sie ließ es säubern und streichen, sie sorgte für neue Möbel, ließ den Garten herrichten und neue Blumen säen, sie öffnete Türen und Fenster, damit wieder die blendende Helligkeit des Sommers die Schlafzimmer durchflutete. Sie erklärte das Ende der übereinandergeschichteten Trauerzeiten, sie selbst vertauschte ihre alte strenge Tracht mit jugendlicher Kleidung. Wieder erfreute die Musik des Pianola das Haus. Beim Hören dachte Amaranta wieder an Pietro Crespi, an seine Abendgardenie und seinen Lavendelduft, und in der Tiefe ihres welken Herzens erblühte ein sauberer, von der Zeit geläuterter Groll. Eines Nachmittags, als sie das Wohnzimmer aufräumte, bat Ursula die das Haus bewachenden Soldaten um Hilfe. Der junge Kommandant der Wache gab ihnen die Erlaubnis dazu. Nach und nach wies Ursula ihnen neue Aufgaben zu. Lud sie zum Essen ein, schenkte ihnen Wäsche und Stiefel und lehrte sie lesen und schreiben. Als die Regierung die Bewachung aufhob, siedelte einer ins Haus über und blieb viele Jahre in ihrem Dienst. Durch Remedios' der Schönen Gleichgültigkeit um seinen Verstand gebracht, wurde der junge Wachkommandant am Neujahrsmorgen liebestot vor ihrem Fenster aufgefunden.

Jahre später sollte sich Aureliano Segundo auf seinem Sterbebett jenes regnerischen Juninachmittags erinnern, an dem er ins Schlafzimmer trat, um seinen ersten Sohn zu begutachten. Wenngleich er kränklich und weinerlich und keineswegs ein Buendía war, brauchte er nicht zweimal nach einem Namen zu suchen.

»Er soll José Arcadio heißen«, sagte er.

Fernanda del Carpio, die bildschöne Frau, die er im Vorjahr geheiratet hatte, war einverstanden; Ursula hingegen konnte ein unbestimmtes Gefühl der Unruhe nicht verbergen. In der langen Familiengeschichte hatte die hartnäckige Wiederholung der Namen ihr erlaubt, Schlüsse zu ziehen, die ihr gültig erschienen. Während alle Aurelianos verschlossen, aber gescheit waren, stellten die José Arcadios Impulsivität und Unternehmungslust zur Schau, hatten dafür aber eine Neigung zum Tragischen. Die einzigen nicht einreihbaren Fälle waren José Arcadio Segundo und Aureliano Segundo. In ihrer Kindheit waren die beiden so ähnlich und ausgelassen, daß nicht einmal Santa Sofía von der Frömmigkeit sie unterscheiden konnte. Am Tauftag streifte Amaranta ihnen Armbinden mit ihren Namen über und zog ihnen verschiedenfarbige, mit ihren Initialen gezeichnete Kleider an, doch später, als sie in die Schule gingen, beschlossen sie, Kleider und Armbinden auszutauschen und sich selber mit ihren gegenseitigen Namen zu rufen. Meister Melchor Escalona, gewohnt, José Arcadio Segundo am grünen Hemd zu erkennen, geriet aus der Fassung, als er entdeckte, daß dieser Aureliano Segundos Armbinde trug und daß der andere trotzdem Aureliano Segundo zu heißen behauptete, obgleich er das weiße Hemd und das mit José Arcadio Segundo beschriftete Armband anhatte. Seither wußte man nicht mehr mit Sicherheit, wer wer war. Auch als sie heranwuchsen und das Leben sie verschieden prägte, fragte Ursula sich andauernd, ob jene selber in irgendeinem Moment ihres verzwickten Verwechslungsspiels nicht einen Fehler begangen und sich für immer verwechselt hatten. Bis zum Beginn ihrer Jugend waren sie zwei synchronische Mechanismen. Sie erwachten zur selben Zeit, wollten zur selben Stunde aufs Klosett gehen, litten an denselben Leibesbeschwerden und träumten sogar dieselben Dinge. Im Haus, wo man glaubte, sie verabredeten ihre Handlungen, nur um ihre Umwelt zu verwirren, begriff niemand, was wirklich vorging, bis Santa Sofía von der Frömmigkeit eines Tages dem einen ein Glas Limonade reichte und dieser sie noch nicht gekostet hatte, als der andere schon sagte, es fehle Zucker. Santa Sofía von der Frömmigkeit, die tatsächlich vergessen hatte, den Saft zu zuckern, erzählte es Ursula. »So sind sie alle«, sagte sie, ohne überrascht zu sein. »Verrückt von Geburt.« Schließlich brachte die Zeit vollends alles durcheinander. Der, welcher im Spiel der Wirrungen den Namen Aureliano Segundo behielt, wurde monumental wie der Großvater, und der, welcher den Namen José Arcadio Segundo behielt, wurde knöchern wie der Oberst, und den einzigen Zug, den sie beide bewahrten, war die Familieneinsamkeit. Vielleicht brachte diese Umkehrung von Statur, Namen und Charakter Ursula auf die Vermutung, daß sie seit ihrer Kindheit vertauscht waren.

Die entscheidende Ungleichheit trat mitten im Krieg zutage, als José Arcadio Segundo Oberst Gerineldo Márquez bat, ihn zu den Erschießungen mitzunehmen. Gegen Ursulas Wunsch bekam er seinen Willen. Aureliano Segundo hingegen zitterte bei dem bloßen Gedanken, einer Erschießung beiwohnen zu müssen. Er zog das Haus vor. Mit zwölf Jahren fragte er Ursula, was in der verriegelten Kammer sei. »Papiere«, erwiderte sie. »Melchíades' Bücher und das sonderbare Zeug, das er in seinen letzten Jahren aufgeschrieben hat.« Statt ihn zu befriedigen, vermehrte die Antwort nur seine Neugierde. So ließ er nicht locker und versprach so inständig, die Gegenstände gut zu behandeln, daß Ursula ihm den Schlüssel gab. Niemand hatte sie betreten, seit man Melchíades' Leichnam herausgetragen und vor die Tür ein Schloß gehängt hatte, dessen einzelne Teile vom Rost zusammengeschweißt waren. Doch als Aureliano Segundo die Fenster öffnete, drang vertrautes Licht herein, das gewohnt schien, das Zimmer alltäglich zu erhellen, und dieses wies nicht die geringste Spur von Staub oder Spinnweben auf, sondern war gefegt und säuberlich, besser gefegt und säuberlicher als am Tag der Beerdigung; die Tinte im Tintenfaß war noch nicht eingetrocknet, auch hatte das Oxyd den Glanz der Metalle nicht verdunkelt, die Loderasche der Brunnenröhre, in der José Arcadio Buendía sein Quecksilber verdunstet hatte, war gleichfalls noch nicht erloschen. Auf den Borden standen die in steifes, bleiches Material wie gegerbte Menschenhaut gebundenen Bücher, standen die unbeschädigten Handschriften. Trotz der Abgeschlossenheit schien die Luft der Kammer reiner als im übrigen Haus. Alles war so frisch, daß mehrere Wochen später, als Ursula mit einem Eimer Wasser und einem Schrubber zum Putzen ins Zimmer trat, sie nichts zu tun fand. Aureliano Segundo war in die Lektüre eines Buches versunken. Wenngleich der Band weder Einband noch Titel hatte, erfreute der Junge sich an der Geschichte einer Frau, die sich zu Tisch setzte und nur Reiskörner aß, die sie mit Nadeln aufpickte, desgleichen an der Geschichte von dem Fischer, der seinen Nachbarn um Bleigewichte für sein Netz bat, und der Fisch, mit dem er ihn später belohnte, hatte einen Diamanten im Bauch; endlich freute er sich an der Geschichte von der Lampe, die alle Wünsche erfüllte, und an der von den Teppichen, die fliegen konnten. Verwundert fragte er Ursula, ob das alles wahr sei, worauf sie erwiderte: Ja, denn vor vielen Jahren hätten die Zigeuner die Wunderlampen und die fliegenden Teppiche nach Macondo gebracht.

»Freilich geht die Welt nach und nach zu Ende«, seufzte sie. »Diese Dinge kommen heute nicht mehr vor.«

Als er das Buch beendet hatte, dessen Erzählungen infolge von fehlenden Seiten großenteils unvollkommen waren, machte Aureliano Segundo sich an die Aufgabe, die Manuskripte zu entziffern. Es mißlang. Die Buchstaben sahen aus wie zum Trocknen aufgehängte Wäsche und glichen eher Noten als Schrift. Eines glühendheißen Mittags, als er die Manuskripte prüfte, fühlte er, daß er nicht allein im Zimmer war. Im Widerglanz des Fensters, die Hände auf den Knien, saß Melchíades. Er war nicht älter als vierzig Jahre. Er trug dieselbe anachronistische Weste und den Schlapphut mit rabenschwingengleicher Krempe, und an seinen bleichen Schläfen troff die in der Hitze zergangene Pomade herunter, wie Aureliano und José Arcadio es noch als Kinder gesehen hatten. Aureliano Segundo erkannte ihn sofort, weil diese Erberinnerung sich von einer Generation auf die andere übertragen hatte und vom Gedächtnis des Großvaters auf ihn gekommen war.

»Gott zum Gruß!« sagte Aureliano Segundo.

»Gott zum Gruß, junger Mann«, sagte Melchíades.

Seither sahen sie sich mehrere Jahre hindurch fast jeden Nachmittag. Melchíades sprach ihm von der Welt, suchte ihm seine alte Weisheit einzuimpfen, weigerte sich aber, seine Manuskripte zu übersetzen. »Niemand darf ihren Sinn kennenlernen, solange nicht hundert Jahre vorbei sind«, sagte er. Aureliano Segundo bewahrte für immer das Geheimnis dieser Unterredungen. Einmal fühlte er, daß seine private Welt zusammenbrach, weil Ursula in einem Augenblick ins Zimmer trat, als Melchíades da war. Doch sie sah ihn nicht.

»Mit wem sprichst du?« fragte sie.

»Mit niemandem«, antwortete Aureliano Segundo.

»So war dein Urgroßvater«, sagte Ursula. »Auch er sprach mit sich.«

Mittlerweile hatte José Arcadio Segundo seinen Wunsch befriedigt, einer Erschießung beizuwohnen. Für den Rest seines Lebens sollte er sich an den bleichen Blitz der sechs gleichzeitigen Schüsse erinnern und an ihr in den Wäldern verhallendes Echo sowie an das traurige Lächeln und die verdutzten Augen des Erschossenen, der stehenblieb, während sein Hemd sich mit Blut tränkte, und der noch immer lächelte, als man ihn vom Pfahl losband und in eine kalkgefüllte Kiste warf. Er lebt, dachte er. Sie werden ihn lebend begraben. Er war so beeindruckt, daß er fortan militärisches Gebaren und den Krieg haßte, nicht wegen der Erschießungen, sondern wegen der entsetzlichen Gewohnheit, die Erschossenen lebend zu begraben. Niemand wußte genau, wann er begann, die Kirchenglocken zu läuten, Pater Antonio Isabel bei der Messe zu helfen, dem Nachfolger von El Cachorro, und Kampfhähne im Innenhof des Pfarrhauses zu züchten. Als Oberst Gerineldo Márquez es erfuhr, schalt er ihn heftig, daß er Berufe lernte, die Liberale ablehnten. »Ich habe nämlich das Gefühl«, antwortete er, »ein Konservativer geworden zu sein.« Er hielt das für eine Entscheidung des Schicksals. Empört erzählte Oberst Gerineldo Márquez Ursula den Vorfall.

»Um so besser«, stimmte sie zu. »Hoffentlich wird er Priester, damit endlich Gott in dieses Haus einzieht.«

Bald erfuhr man, daß Pater Antonio Isabel ihn für die erste Kommunion vorbereitete. Er lehrte ihn den Katechismus, während er den Hähnen den Hals rasierte. Erklärte ihm, während sie die Gluckhennen in die Nester setzten, an einfachen Beispielen, wie es Gott am zweiten Tag der Schöpfung eingefallen sei, die Küken im Ei entstehen zu lassen. Von da an zeigte der Pfarrer die ersten Zeichen des Alterswahns, der ihn Jahre später zu dem

Ausspruch verleiten sollte, vermutlich habe der Teufel die Rebellion gegen Gott gewonnen und säße nun auf dem himmlischen Thron, ohne seinen wahren Namen zu offenbaren, um die Unvorsichtigen einzufangen. Von der Kühnheit seines Lehrers angestachelt, war José Arcadio Segundo nach wenigen Monaten in theologischen Spitzfindigkeiten ebenso bewandert, um den Teufel aus dem Konzept zu bringen, wie geschickt in den Kunstgriffen bei Hahnenkämpfen. Amaranta schneiderte ihm einen Leinenanzug mit Kragen und Krawatte, kaufte ihm ein Paar weiße Stiefel und stickte seinen Namen in goldenen Lettern auf die Kerzenschleife. Zwei Nächte vor der ersten Kommunion schloß Pater Antonio Isabel sich mit ihm in der Sakristei ein, um ihm mit Hilfe eines Sündenwörterbuchs die Beichte abzunehmen. Es war eine so lange Liste, daß der greise Pfarrer, gewöhnt, sich um sechs Uhr schlafen zu legen, vor Beendigung der Prozedur auf seinem Stuhl einschlief. Das Verhör war für José Arcadio Segundo eine Offenbarung. Es überraschte ihn nicht, daß der Pater fragte, ob er böse Dinge mit Frauen getrieben habe, worauf er ein ehrliches Nein antwortete, doch befremdete ihn die Frage, ob er es mit Tieren getrieben habe. Am ersten Freitag im Mai beichtete er von Neugierde gequält. Später stellte er die Frage Petronio, dem kranken Sakristan, der im Turm wohnte und sich angeblich von Fledermäusen ernährte, und Petronio antwortete: »Es gibt nämlich verderbte Christen, die es mit den Mauleselinnen treiben.« José Arcadio Segundo zeigte eine so heißhungrige Neugierde und erbat so viele Erklärungen, daß Petronio die Geduld verlor.

»Ich gehe jeden Dienstagabend«, bekannte er. »Wenn du mir versprichst, es niemand zu sagen, nehme ich dich nächsten Dienstag mit.«

Am nächsten Dienstag stieg Petronio tatsächlich vom Turm herunter mit einem Holzbänkchen, dessen Verwendung bisher niemand gekannt hatte, und nahm José

Arcadio Segundo in einen nahe gelegenen Gemüsegarten mit. Der junge Mann fand so viel Gefallen an diesen nächtlichen Ausflügen, daß lange Zeit verging, bevor er in Catarinos Butike gesehen wurde. Er wurde ein Mann der Hähne. »Nimm diese Tiere gefälligst woanders hin«, befahl Ursula, als sie ihn das erste Mal mit seinen edlen Kampftieren hereinkommen sah. »Die Hähne haben schon zuviel Kummer in dieses Haus gebracht, als daß du uns neuen bereiten dürftest.« José Arcadio Segundo trug sie ohne Widerrede weg, zog sie aber fortan bei Pilar Ternera, seiner Großmutter, auf, die ihm alles Benötigte zur Verfügung stellte, solange sie ihn bei sich haben konnte. Und schon zeigte er beim Hahnenkampf die von Pater Antonio Isabel erlernten Kenntnisse und gewann dadurch genügend Geld, nicht nur um seine Zucht zu verbessern, sondern auch um sich männliche Befriedigungen zu verschaffen. Ursula, die ihn zu jener Zeit mit seinem Bruder verglich, konnte nicht begreifen, wie Zwillinge, die in der Kindheit wie ein einziger Mensch gewirkt hatten, sich als so verschieden entpuppen konnten. Doch ihre Verblüfftheit dauerte nicht lange, weil Aureliano Segundo sehr bald Zeichen von Müßiggang und Verschwendung an den Tag legte. Solange er sich in Melchíades' Kammer eingeschlossen hatte, war er ein Eigenbrötler gewesen wie Oberst Aureliano Buendía in seiner Jugend. Doch kurz vor dem Vertrag von Neerlandia entriß ihn ein Zufall seiner Eigenbrötelei und stellte ihn vor die Wirklichkeit. Eine junge Frau, die Lose für den Gewinn eines Akkordeons verkaufte, grüßte ihn mit großer Vertrautheit. Aureliano Segundo war nicht überrascht, weil er häufig mit seinem Bruder verwechselt wurde. Doch der Irrtum wurde auch dann nicht aufgeklärt, als das Mädchen ihn mit Weinerlichkeiten zu erweichen suchte und ihn schließlich in ihre Kammer mitschleifte. Sie gewann ihn von ihrer ersten Begegnung an so lieb, daß sie ihre Lose zinkte, um ihm das Akkordeon zuzuschanzen.

Nach Ablauf von zwei Wochen merkte Aureliano Segundo, daß die Frau abwechselnd mit ihm und seinem Bruder schlief, im Glauben, sie seien ein und derselbe Mann, doch statt die Lage aufzuklären, sorgte er dafür, daß sie andauerte. Nun kehrte er nicht in Melchíades' Zimmer zurück, sondern verbrachte die Nachmittage im Innenhof, wo er nach dem Gehör Akkordeon zu spielen lernte, gegen Ursulas Einspruch, die zu jener Zeit aus Trauergründen jede Musik im Haus verboten hatte und übrigens das Akkordeon als ein Landstreicherinstrument ansah, würdig der Erben Francisco-des-Mannes. Dennoch wurde Aureliano Segundo ein Akkordeonvirtuose und blieb es auch, nachdem er heiratete, Kinder bekam und einer der geachtetsten Männer Macondos wurde.

Nahezu zwei Monate lang teilte er die Frau mit seinem Bruder. Er überwachte ihn, er vereitelte seine Pläne, und wenn er sicher war, daß José Arcadio Segundo die gemeinsame Geliebte am bevorstehenden Abend nicht besuchen würde, ging er hin und schlief mit ihr. Eines Morgens entdeckte er, daß er krank war. Zwei Tage später fand er seinen Bruder an einen Balken des Bades geklammert, schweißüberströmt, heiße Tränen vergießend, und er begriff. Sein Bruder gestand, die Frau habe ihn verstoßen, weil er ihr das mitgebracht habe, was sie die Krankheit des schlechten Lebens nannte. Erzählte ihm auch, wie Pilar Ternera ihn zu heilen suchte. Aureliano Segundo unterzog sich heimlich den kochendheißen Waschungen mit Permanganat und mit diuretischem Wasser, und beide heilten sich getrennt nach drei Monaten heimlicher Leiden. José Arcadio Segundo kehrte nicht mehr zu der Frau zurück.

Aureliano Segundo empfing ihre Vergebung und behielt sie bis zum Tod.

Sie hieß Petra Cotes. Sie war mitten im Krieg nach Macondo gekommen, und zwar mit einem Gelegenheitsgatten, der von Lotterien lebte, und als der Mann starb, führte sie sein Geschäft weiter. Sie war eine saubere junge Mulattin mit gelblichen, mandelförmigen Augen, die ihrem Gesicht die Wildheit eines Pantherweibchens verliehen, doch besaß sie ein edelmütiges Herz und eine prachtvolle Begabung für die Liebe. Als Ursula merkte, daß José Arcadio Segundo Hahnenkampfzüchter war und Aureliano Segundo bei den lärmenden Festen seiner Konkubine Akkordeon spielte, glaubte sie vor Bestürzung verrückt zu werden. Es war, als hätten sich alle Fehler der Familie und keine ihrer Tugenden in ihnen vereinigt. Und sie beschloß, nie wieder solle ein Nachkomme Aureliano und José Arcadio heißen. Als Aureliano Segundo jedoch seinen ersten Sohn bekam, wagte sie nicht, ihm zu widersprechen.

»Einverstanden«, sagte Ursula. »Doch unter einer Bedingung: daß ich ihn aufziehe.«

Wenngleich sie schon eine Hundertjährige war und am grauen Star zu erblinden drohte, waren ihre körperliche Triebkraft, ihre Charakterstärke und ihre geistige Ausgeglichenheit ungebrochen. Es gab niemand Geeigneteren, um jenen tugendhaften Menschen heranzubilden, der den Ruf der Familie wiederherstellen sollte, einen Mann, der weder vom Krieg gehört hatte noch von Kampfhähnen, von Freudenmädchen und Wahnsinnsunternehmungen – vier Verhängnisse, die, so dachte Ursula, den Verfall ihrer Sippe herbeigeführt hatten. »Dieser soll Priester werden«, gelobte sie feierlich. »Und wenn Gott mir Leben schenkt, soll er's bis zum Papst bringen.« Alle lachten, als sie es hörten, nicht nur im Schlafzimmer, sondern im ganzen Haus, wo Aureliano Segundos lärmende Kumpane versammelt waren. Der auf den Dachboden böser Andenken verbannte Krieg wurde vorübergehend vom Korkenknallen der Champagnerflaschen herbeigerufen.

»Auf die Gesundheit des Papstes«, lautete Aureliano Segundos Trinkspruch.

Die Gäste stießen im Chor an. Dann spielte der Hausherr Akkordeon, Knallfrösche platzten, und im Dorf wurden die Freudentrommeln gerührt. Gegen Morgen opferten die champagnergebadeten Geladenen sechs Kühe und überließen sie der Menge auf der Straße. Niemand nahm Anstoß. Seit Aureliano Segundo den Hausherrn spielte, waren Festlichkeiten gang und gäbe, wenngleich es bislang keinen so würdigen Anlaß wie die Geburt eines Papstes gegeben hatte. In wenigen Jahren hatte er dank der übernatürlichen Vermehrung seines Viehs durch Glückstreffer mühelos eines der bedeutendsten Vermögen des Moorgebiets angehäuft. Seine Stuten warfen Drillinge, die Hühner legten zweimal am Tag, und die Schweine wurden in solchem Tempo fett, daß man sich eine so ausschweifende Fruchtbarkeit nur durch Zauberspuk erklären konnte. »Spare jetzt«, sagte Ursula zu ihrem unbesonnenen Urenkel. »Dieses Glück wird dir nicht das ganze Leben winken.« Doch Aureliano Segundo achtete nicht auf sie. Je mehr Flaschen Champagner er entkorkte, um seine Freunde zu durchnässen, desto wütender warfen seine Tiere, und desto tiefer überzeugte er sich davon, daß sein guter Stern nicht auf sein Verhalten, sondern auf Petra Cotes' Einfluß zurückzuführen war, seine Konkubine, deren Liebe die Tugend besaß, die Natur zur Verzweiflung zu bringen. So überzeugt war er, daß sie der Ursprung seines Vermögens war, daß er Petra Cotes in der Nähe seiner Zuchten hielt; und selbst als er heiratete und Kinder bekam, trennte er sich mit Fernandas Zustimmung nicht von ihr. Standfest, monumental wie seine Großväter, doch lebensfroh und unwiderstehlich sympathisch, wie sie nie gewesen waren, fand Aureliano Segundo kaum Zeit, sein Vieh zu bewachen. Es genügte ihm, Petra Cotes zu seinen Ställen zu führen und mit ihr durch seine Ländereien zu reiten, damit jedes mit seinem Eisen geprägte Tier der unheilbaren Vermehrungsplage anheimfiel.

Wie alle guten ihm im Lauf seines langen Lebens widerfahrenen Dinge verdankte er den Ursprung seines unheimlichen Vermögens einem Zufall. Bis zum Ende des Krieges ernährte Petra Cotes sich mit dem Erlös ihrer Lotterien, und Aureliano Segundo tat hin und wieder einen Griff in Ursulas Sparbüchse. Sie bildeten ein leichtfertiges Paar, das keine andere Sorge hatte, als sich jede geschlagene Nacht, auch während der Schonzeit, bis zum Morgengrauen im Bett zu wälzen. »Diese Frau ist dein Verderben«, schrie Ursula ihrem Urenkel zu, als sie ihn wie einen Schlafwandler ins Haus schwanken sah. »Die hat dir so den Kopf verdreht, daß du dich eines Tages vor Koliken krümmen wirst – mit einer Kröte im Bauch.« José Arcadio Segundo, der lange brauchte, bis er entdeckte, daß er ausgestochen war, begriff die Leidenschaft seines Bruders nicht. Er erinnerte sich an Petra Cotes als erzgewöhnliche Frau, im Bett ziemlich faul und bar jeder Begabung für die Liebe. Taub für Ursulas Klagen und seines Bruders Spott, dachte Aureliano Segundo nur an einen Beruf, der ihm erlaubte, ein Haus für Petra Cotes zu halten und mit ihr zu sterben, auf ihr und unter ihr, in einer einzigen langen Nacht fieberhaften Taumels. Als Oberst Aureliano Buendía, endlich verführt vom friedlichen Zauber des Alters, die Werkstatt wieder eröffnete, dachte Aureliano Segundo, es müsse ein gutes Geschäft sein, sich der Herstellung von goldenen Fischchen zu widmen. So verbrachte er Stunden in dem stickigen Kämmerchen und sah zu, wie die vom Oberst mit der unbegreiflichen Geduld der Enttäuschung bearbeiteten harten Metallplatten sich nach und nach in goldene Schuppen verwandelten. Doch das Handwerk schien ihm so anstrengend und die Erinnerung an Petra Cotes so aufsässig und zwingend, daß er nach Ablauf von drei Wochen aus der Werkstatt verschwand. Zu jener Zeit gab er Petra Cotes Kaninchen zum Verlosen. Diese vermehrten sich und wuchsen so schnell, daß den beiden kaum Zeit zum Verkauf der Lotterielose blieb. Anfangs merkte Aureliano Segundo die bestürzenden Ausmaße der Vermehrung nicht. Doch eines Nachts, als schon niemand mehr etwas von Kaninchenlotterien wissen wollte, hörte er Rumoren in der Mauer des Innenhofs. »Keine Angst«, sagte Petra Cotes. »Das sind die Kaninchen.« Der Trubel der Tiere ließ sie nicht zur Ruhe kommen. Bei Tagesanbruch öffnete Aureliano Segundo die Tür und sah den Innenhof von Kaninchen wimmeln, blau schimmernd im Frühlicht. Petra Cotes lachte sich halb tot und konnte sich nicht verkneifen, scherzend zu sagen:

»Die sind gestern nacht geboren.«

»Wie entsetzlich!« sagte er. »Warum versuchst du es nicht mit Kühen?«

Wenige Tage später vertauschte Petra Cotes im Bemühen, ihren Innenhof zu entlasten, die Kaninchen mit einer Kuh, die zwei Monate später Drillinge warf. So begann alles. Über Nacht wurde Aureliano Segundo Eigentümer von Land und Vieh und fand kaum Zeit, die überquellenden Pferde- und Schweineställe zu erweitern. Es war ein taumelerregender Wohlstand, der ihn selber lachen machte, so daß er seine gute Laune nur noch in ausfallenden Redensarten loswerden konnte. »Aus dem Wege, Kühe, das Leben ist kurz«, schrie er. Ursula fragte sich, womit er sich wohl eingelassen habe, ob er nicht etwa stehle, ob er nicht vielleicht ein Viehdieb geworden sei. Und jedesmal, wenn sie ihn eine Flasche Champagner entkorken sah, nur um sich den Schaum auf den Kopf zu schütten, hielt sie ihm zeternd die Vergeudung vor. Und setzte ihm so lange zu, bis Aureliano Segundo eines Tages, in rosiger Laune erwachend, mit einer Kiste voll Geld, einem Topf Leim und einem Pinsel erschien und, die alten Lieder Francisco-des-Mannes grölend, das Haus von innen und außen und von oben bis unten mit Ein-Peso-Scheinen bekleisterte. Das seit der Zeit des Pianola weißgestrichene alte Herrenhaus sah plötzlich aus wie eine Moschee. Inmitten des Familienaufruhrs, Ursulas Unmut und der frohlokkenden Dorfbevölkerung, die auf die Straße drängte, um die Verherrlichung der Vergeudung zu erleben, beendete Aureliano Segundo die Tapezierarbeit von der Fassade bis zur Küche, einschließlich der Bäder und Schlafzimmer, dann warf er die übriggebliebenen Noten in den Innenhof.

»Ich hoffe«, sagte er schließlich, »daß mir jetzt niemand mehr von Geld spricht.«

So war es. Ursula ließ die angeklebten Geldscheine von den grauen Kalkflächen schaben und das Haus von neuem weiß streichen. »Lieber Gott«, seufzte sie, »mach uns wieder so arm, wie wir waren, als wir dieses Dorf gründeten, damit Du uns im anderen Leben nicht diese Verschwendung ankreidest.« Ihre Bitten wurden umgekehrt erhört. Tatsächlich stieß einer der Arbeiter, der die Geldscheine abschabte, versehentlich gegen einen riesigen gipsernen Sankt Joseph, den jemand während der letzten Kriegsjahre im Haus zurückgelassen hatte, und das hohe Standbild zerschellte am Boden. Es war vollgestopft mit Goldmünzen. Niemand wußte zu sagen, wer diesen Heiligen in Lebensgröße gebracht hatte. »Drei Männer haben ihn hergebracht«, erklärte Amaranta. »Sie baten mich, wir sollten ihn behalten, bis der Regen aufhörte, und ich sagte ihnen, sie sollten ihn dort in die Ecke stellen, wo niemand ihn beschädigen könne, und so stellten sie ihn behutsam hinein, und dort steht er nun seit damals, weil sie ihn nicht mehr abgeholt haben.« In der letzten Zeit hatte Ursula Kerzen vor ihm aufgestellt und war vor ihm niedergekniet, ohne zu vermuten, daß sie statt eines Heiligen fast zweihundert Kilogramm Gold anbetete. Die verspätete Feststellung ihres unfreiwilligen Heidentums machte sie noch untröstlicher. Sie spuckte auf den prunkhaften Geldhaufen, füllte ihn in drei Rupfensäcke und begrub ihn an einem geheimen Ort in Erwartung, daß früher oder später die drei Unbekannten ihn zurückfordern würden. Viel später, in den schwierigen Jahren ihrer Hinfälligkeit, mischte Ursula sich gerne in die Unterhaltungen der zahlreichen Reisenden ein, die damals im Haus einkehrten, und fragte sie, ob sie während des Krieges nicht einen gipsernen Sankt Joseph bei ihnen abgestellt hätten, um ihn wieder abzuholen, wenn der Regen aufgehört hätte.

Diese Dinge, die Ursula so ungewöhnlich bestürzten, waren zu jener Zeit gang und gäbe. Macondo schien in einem Wirtschaftswunder Schiffbruch zu erleiden. Die von den Gründern aus Lehm und Bambus erbauten Hütten waren von Backsteinbauten verdrängt worden, und diese hatten Holzläden und zementierte Fußböden, welche die erstickende Zwei-Uhr-Nachmittagshitze erträglicher machten. Von José Arcadio Buendías altem Flecken waren damals nur die bestaubten Mandelbäume übriggeblieben, dazu bestimmt, den widrigsten Umständen zu widerstehen, sowie der Fluß mit seinem durchscheinenden Wasser, dessen prähistorisches Geröll von José Arcadio Segundos wahnsinnigen Eisenhammerhieben zersplittert wurde, als dieser beschloß, das Flußbett für einen Schiffahrtsdienst freizulegen. Es war ein taumelerregender Traum, nur vergleichbar mit den Träumen seines Urgroßvaters, weil das steinige Bett und die zahlreichen Stromschnellen seine Schiffbarkeit von Macondo bis zum Meer beeinträchtigten. Doch José Arcadio Segundo klammerte sich in einem unerwarteten Anfall von Verwegenheit an den Plan. Bis dahin hatte er keine Probe von Einbildungskraft abgelegt. Abgesehen von seinem Abenteuer mit Petra Cotes hatte er keine Frau kennengelernt. Ursula hielt ihn für das farbloseste Exemplar, das die Familie in ihrer ganzen Geschichte hervorgebracht hatte, für einen Menschen, der sich nicht einmal als Hahnenkampfzüchter hervortun konnte – als Oberst Aureliano Buendía ihm die Geschichte von der zwölf Kilometer vom Meer landeinwärts gestrandeten spanischen Galeone erzählte, deren verkohlten Rumpf er selber im Kriege gesehen hatte. Der Bericht, den viele Leute lange Zeit für reine Phantasie gehalten hatten, war für José Arcadio Segundo eine Offenbarung. So verkaufte er seine Hähne meistbietend, trommelte Männer zusammen, kaufte Werkzeuge und stürzte sich in das außergewöhnliche Unternehmen, Felsen zu zertrümmern, Kanäle auszuschachten, Klippen wegzuräumen und sogar Wasserfälle auszugleichen. »Auch das kenne ich auswendig«, schrie Ursula. »Es ist, als mache die Zeit kehrt, als seien wir zum Anfang zurückgekehrt.« Als José Arcadio Segundo ausgerechnet hatte, daß der Fluß schiffbar sei, setzte er seine Pläne dem Bruder eingehend auseinander, und dieser stellte ihm die zur Ausführung seines Projekts notwendigen Geldmittel zur Verfügung. Er verschwand für lange Zeit. Es hieß, sein Plan, ein Schiff zu kaufen, sei nur ein Kniff, um sich mit dem Vermögen des Bruders aus dem Staub zu machen, als die Nachricht eintraf, ein sonderbares Wasserfahrzeug nähere sich dem Dorf. Macondos Einwohner, die sich kaum mehr an José Arcadio Buendías gewaltige Unternehmungen erinnerten, stürzten ans Ufer und erlebten mit ungläubig aufgerissenen Augen die Ankunft der ersten und letzten Barke, die jemals im Dorf landen sollte. Es war jedoch nicht mehr als ein von zwanzig Männern am Ufer getreideltes Balkenfloß. Am Bug leitete José Arcadio Segundo mit vor Zufriedenheit strahlender Miene das umständliche Manöver. Mit ihr kam eine Gruppe prachtvoller Matronen angereist, die sich gegen die mörderische Sonne mit zierlichen Sonnenschirmen schützten, die kostbare Seidenschals über den Schultern trugen, deren Gesichter mit farbigen Salben bemalt waren, die natürliche Blumen im Haar trugen, goldene Schlangen um die Arme und Diamanten an den Zähnen. Die Floßfähre war das einzige Fahrzeug, das José Arcadio Buendía bis nach Macondo heraufbrachte und auch nur dieses einzige Mal; doch nie gab er den Fehlschlag seines Unternehmens zu und posaunte vielmehr seine Leistung als Sieg der Willenskraft aus. Mit seinem Bruder rechnete er gewissenhaft ab und kehrte alsbald zu seiner Alltagsbeschäftigung, der Hahnenzucht, zurück. Das einzige, was von seinem glücklosen Abenteuer übrigblieb, war ein Hauch der Erneuerung, den Frankreichs Matronen mitbrachten, deren großartige Künste die überlieferten Methoden der Liebe veränderten, deren Sinn für sozialen Wohlstand mit Catarinos Butike aufräumte und die Straße in einen Bazar mit japanischen Laternen und schmachtenden Drehorgeln verwandelte. Sie waren die Urheberinnen des blutrünstigen Karnevals, der drei Tage lang Macondo auf den Kopf stellte und als dessen einzige dauerhafte Folge Aureliano Segundo Fernanda del Carpio kennenlernte.

Remedios die Schöne wurde zur Königin ausgerufen. Ursula, die sich wegen der betörenden Schönheit ihrer Urenkelin Sorgen machte, konnte die Wahl nicht verhindern. Bisher hatten sie sie nicht ausgehen lassen, es sei denn in Amarantas Begleitung zur Messe, wobei sie das Gesicht mit einer schwarzen Mantille bedecken mußte. Die weniger frommen Männer, die sich als Priester verkleideten, um in Catarinos Butike schwarze Messen abhalten zu können, gingen nur in die Kirche, um womöglich einen Blick auf Remedios zu werfen, deren legendäre Schönheit das ganze Moorgebiet mit Inbrunst pries. Viel Zeit verging indes, bevor sie ihrer ansichtig wurden, und es wäre besser gewesen, die Gelegenheit hätte sich ihnen nie geboten, weil die meisten von ihnen nie wieder ruhig und ungestört schlafen konnten. Der Mann, dem es gelang, ein Fremder, büßte für immer seine Seelenruhe ein und versank im Sumpf der Verworfenheit und des Elends, mit dem Erfolg, daß er Jahre später von einem Nachtzug gevierteilt wurde, als er einmal auf dem Schienenstrang einschlief. Von dem Augenblick an, da er in der Kirche in einem grünen Samtanzug mit gestickter Weste gesehen wurde, zweifelte niemand daran, daß er, von der Zauberkraft Remedios der Schönen angelockt, einen weiten Weg zurückgelegt hatte, ja vielleicht aus einer ausländischen Stadt herbeigereist war. Er war so schön, so schmuck und gelassen, und sein Auftreten war so selbstsicher, daß Pietro Crespi neben ihm wie ein Milchbart gewirkt hätte, und viele Frauen flüsterten geringschätzig lächelnd, er verdiene in Wirklichkeit die Mantille. Er verkehrte in Macondo mit niemandem. Er erschien am Sonntag bei Tagesanbruch wie ein Märchenprinz auf einem Pferd mit silbernem Steigbügel und einer samtenen Schabracke und verließ das Dorf unmittelbar nach der Messe.

Die Macht seiner Gegenwart war so groß, daß man von seinem ersten Kirchgang an fest daran glaubte, zwischen ihm und Remedios der Schönen sei ein stummes, spannendes Duell im Gange, eine unwiderrufliche Herausforderung, deren Höhepunkt nicht nur die Liebe, sondern auch der Tod sein könne. Am sechsten Sonntag erschien der Kavalier mit einer Teerose in der Hand. Stehend hörte er die Messe, wie er es immer getan hatte, und trat zum Schluß Remedios der Schönen in den Weg, um ihr die einzelne Rose zu schenken. Mit einer natürlichen Geste, als sei sie auf diese Huldigung vorbereitet, nahm sie sie entgegen, und nun enthüllte sie das Gesicht einen Lidschlag lang und dankte ihm mit einem Lächeln. Mehr tat sie nicht. Doch nicht nur für den Kavalier, auch für alle Männer, die das glücklose Vorrecht hatten dabeizusein, war dies ein ewiger Augenblick.

Von nun an stellte der Ritter seine Musikkapelle vor dem Fenster der schönen Remedios auf, mitunter sogar bis zum Morgengrauen. Aureliano Segundo war der einzige, der herzliches Mitleid mit ihm empfand und versuchte, ihm seine Hartnäckigkeit auszureden. »Verlieren Sie nicht Ihre Zeit«, sagte er eines Abends zu ihm. »Die Frauen dieses Hauses sind schlimmer als Mauleselinnen.« Er bot ihm seine Freundschaft an, lud ihn ein, ein Champagnerbad zu nehmen, versuchte ihm beizubringen, daß die Weibchen seiner Familie Eingeweide aus Kieselsteinen hätten, doch es wollte ihm nicht gelingen, den Starrsinn des Freundes zu brechen. Erbittert über die endlosen Konzertnächte, drohte Oberst Aureliano Buendía ihm, seinen Herzenskummer mit Pistolenschüssen zu heilen. Doch nichts brachte den Besucher von seinem Ziel ab, ausgenommen sein eigener beklagenswerter Verfall. Denn aus einem eleganten, makellosen Bewerber wurde ein abgerissener Strolch. Man flüsterte, er habe Macht und Vermögen in seiner fernen Heimat aufgegeben, obgleich seine Herkunft nie bekannt wurde. Er sank zum Rauf- und Saufbruder herab und begann in Catarinos Butike im eigenen Kot zu erwachen. Das traurigste an seinem Drama war, daß Remedios die Schöne ihm nicht einmal einen Blick gönnte, als er wie ein Prinz gekleidet in der Kirche aufgetaucht war. Sie hatte die gelbe Rose ohne jede böse Absicht und eher belustigt über seine ausgefallene Gebärde angenommen, und die Mantille hatte sie gehoben, weniger um ihr Gesicht zu zeigen, als um das seine besser sehen zu können.

In Wirklichkeit war Remedios die Schöne kein Geschöpf von dieser Welt. Ihre Geschlechtsreife war schon fortgeschritten, als Santa Sofía von der Frömmigkeit sie noch immer baden und ankleiden mußte und als sie dann allein fertig wurde, mußte sie dennoch überwacht werden, damit sie nicht mit einem in ihren eigenen Kot getunkten Stöckchen kleine Tiere an die Wände malte. Sie erreichte das zwanzigste Lebensjahr, ohne lesen und schreiben gelernt zu haben, ohne sich bei Tisch selbst bedienen zu können, und sie lief splitternackt durchs Haus, weil ihre Natur sich gegen jede Art der Förmlichkeit sperrte. Als der junge Wachkommandant ihr seine Liebe gestand, wies sie ihn einfach zurück, weil so viel Leichtfertigkeit sie erschreckte. »Hör nur, wie einfältig er ist«, sagte sie zu Amaranta. »Er hat gesagt, er stirbt meinetwegen, als wäre ich Kotbrechen mit Darmverschlingung.« Als man ihn dann wirklich tot vor ihrem Fenster auffand, bestätigte Remedios die Schöne ihren ersten Eindruck.

»Seht ihr«, warf sie hin. »Er war vollkommen einfältig.«

Man hätte meinen mögen, sie sähe die Wirklichkeit der Dinge durch alle Äußerlichkeiten hindurch mit durchdringender Hellsicht. Jedenfalls war das der Standpunkt des Oberst Aureliano Buendía, für den Remedios die Schöne keineswegs geistig zurückgeblieben, sondern genau das Gegenteil war. »Es ist, als kehre sie heim aus zwanzig Jahren Krieg«, sagte er bisweilen. Ursula ihrerseits dankte Gott, daß Er ihre Familie mit einem Geschöpf von so ausnehmender Reinheit beschenkt habe, doch gleichzeitig war sie über ihre Schönheit betrübt, die ihr eine widersprüchliche Tugend schien, eine teuflische Falle mitten in ihrer Lauterkeit. Daher beschloß sie, das Kind von der Welt abzusondern, sie vor jeder irdischen Versuchung zu beschirmen, ohne zu wissen, daß Remedios die Schöne vom Mutterleib an gegen jede Ansteckung gefeit war. Der Gedanke, man könne im Pandämonium des Karnevals sie zur Schönheitskönigin küren, wäre ihr nie in den Sinn gekommen. Doch Aureliano Segundo, von dem Einfall besessen, sich als Tiger zu verkleiden, holte Pater Antonio Isabel ins Haus, damit er Ursula davon überzeuge, daß der Karneval kein heidnisches Fest sei, wie sie behauptete, sondern eine katholische Tradition. Endlich überredet, gab sie, wiewohl mit knirschenden Zähnen, ihre Einwilligung zu der Krönung.

Die Nachricht, Remedios Buendía solle die Herrscherin der Festwochen werden, überquerte in wenigen Stunden die Grenzen des Moorgebiets, gelangte bis in entlegene Gebiete, wohin der Ruf ihrer Schönheit noch nicht gedrungen war, und löste Unruhe aus unter denen, die in ihrem Zunamen noch ein Sinnbild des Umsturzes sahen.

Eine unbegründete Unruhe! Wenn es in jener Zeit einen harmlosen Menschen gab, so war es der gealterte, enttäuschte Oberst Aureliano Buendía, der nach und nach jede Berührung mit den Gegebenheiten der Nation verloren hatte. In seiner Werkstatt eingesperrt, bildete seine einzige Beziehung zur übrigen Welt sein Handel mit den goldenen Fischchen. Einer der früheren Soldaten, die sein Haus in den ersten Tagen des Friedens bewacht hatten, verkaufte sie in den Ortschaften des Moors und kehrte geld- und nachrichtenbeladen heim. So wußte er zu berichten, daß die konservative Regierung mit Hilfe der Liberalen den Kalender reformierte, damit jeder Präsident hundert Jahre an der Macht bleiben könne. Daß endlich das Konkordat mit dem Heiligen Stuhl unterzeichnet worden sei. Daß aus Rom ein Kardinal mit einer Diamantenkrone und einem Thron aus massivem Gold eingetroffen sei, daß die liberalen Minister sich hätten porträtieren lassen, wie sie kniend seinen Ring küßten, weiter, daß die Primaballerina einer spanischen Kompagnie während ihres Aufenthalts in der Hauptstadt von einer Bande Maskierter aus ihrem Umkleideraum entführt worden sei und am darauffolgenden Sonntag im Sommerpalast des Präsidenten der Republik nackt getanzt habe. »Erzähl mir nichts von Politik«, sagte der Oberst. »Unser Geschäft ist es, Fischchen zu verkaufen.« Als das öffentliche Gerücht, er wollte nichts von der Lage des Landes wissen, weil er in seiner Werkstatt reich werde, Ursula zu Ohren kam, lachte sie nur. Mit ihrem schrecklichen Sinn fürs Praktische brachte sie kein Verständnis für das Geschäft des Obersten auf, der Fischchen gegen Goldmünzen eintauschte, nur um die Goldmünzen wieder zu Goldfischchen zu machen, und so unentwegt weiter mit dem Erfolg, daß er desto mehr arbeiten mußte, je mehr er verkaufte, um einem aufreizenden Teufelskreis Genüge zu tun. Doch in Wirklichkeit reizte ihn nicht das Geschäft, sondern die Arbeit. Er brauchte so viel Konzentration, um die Schuppen aneinanderzureihen, winzige Rubine als Augen einzulegen, Kiemen auszuwalzen und Schwanzflossen einzusetzen, daß ihm keine einzige Lükke mehr verblieb, die er mit seiner Enttäuschung über den Krieg hätte ausfüllen können. Er war von der Aufmerksamkeit, die sein kostbares Kunsthandwerk forderte, so beansprucht, daß er in kürzester Zeit mehr alterte als in all den Kriegsjahren, und wenn seine Haltung ihm das Rückgrat verbog und seine Kleinarbeit ihm die Augen verdarb, so belohnte die unerbittliche Sammlung ihn dafür mit Seelenfrieden. Das letzte Mal, das man ihn mit Kriegsdingen beschäftigt sah, fiel in die Zeit, als eine Veteranengruppe beider Parteien um seine Unterstützung für die ewig versprochene und ewig verschobene Gewährung der lebenslänglichen Pension bat. »Vergeßt die ganze Sache«, sagte er zu ihnen. »Ihr seht doch, daß ich meine Pension ausgeschlagen habe, um die Qual loszuwerden, bis zu meinem Tod auf sie warten zu müssen.« Anfangs besuchte Oberst Gerineldo Márquez ihn gegen Abend, dann setzten sich beide vor die Haustür und sprachen von der Vergangenheit. Doch Amaranta konnte die Erinnerungen nicht ertragen, die der von seiner Kahlheit vorzeitig vergreiste, müde Mann in ihr wachrief, und daher quälte sie ihn mit so ungerechten Kränkungen, daß er nur noch zu besonderen Gelegenheiten kam und schließlich, von der Lähmung befallen, völlig ausblieb. Wortkarg, still, gleichgültig gegen den neuen, das Haus durchflutenden Lebenshauch, begriff Oberst Aureliano Buendía nur, daß das Geheimnis eines guten Alters nichts anderes ist als ein ehrenhafter Pakt mit der Einsamkeit. Nach leichtem Schlaf stand er um fünf Uhr auf, trank in der Küche seine ewige Tasse schwarzen Kaffee ohne Zukker, schloß sich den ganzen Tag in seiner Werkstatt ein und zog gegen vier Uhr nachmittags, einen Hocker hinter sich herschleifend, durch die Veranda, ohne einen Blick auf die Glut der Rosenstöcke zu werfen, auf den Glanz der Stunde, auf Amarantas Furchtlosigkeit, deren Melancholie im Abenddämmer ein deutlich vernehmbares Kochtopfgeklapper verursachte, und hockte sich vor die Haustür, solange die Mücken es erlaubten. Einmal wagte jemand, seine Einsamkeit zu stören.

»Wie geht's, Oberst?« sagte der Betreffende im Vorbeigehen.

»Es geht«, erwiderte er. »Ich warte auf meinen Leichenzug.«

Somit war die Unruhe, welche die öffentliche Erwähnung seines Zunamens anläßlich der Krönung von Remedios der Schönen ausgelöst hatte, völlig unbegründet. Freilich waren viele entgegengesetzter Ansicht. Unschuldig an der sie bedrohenden Tragödie sprengte die Dorfbevölkerung den Hauptplatz mit lärmendem Jubel. Der Karneval hatte den Höhepunkt der Tollheit erreicht, Aureliano Segundo hatte schließlich seinen Wunsch, sich als Tiger zu vermummen, befriedigt und schlenderte glückselig, wiewohl heiser vom vielen Fauchen, durch die ausgelassene Menge, als eine buntgewürfelte Komparserie auf dem Moorweg erschien und die betörendste Frau, die Phantasie zu erschaffen vermocht hatte, in einer vergoldeten Sänfte herantrug. Einen Augenblick lang setzten die friedlichen Bewohner Macondos ihre Masken ab, um das bezaubernde Geschöpf mit Smaragdkrone und Hermelinmantel, das nicht nur eine Herrscherin in Pailletten und Kreppapier zu sein, sondern rechtmäßige Machtbefugnis auszustrahlen schien, besser sehen zu können. Es fehlten auch nicht helle Köpfe, die sofort eine Herausforderung vermuteten. Doch Aureliano Segundo überspielte sofort die allgemeine Verblüffung und erklärte die Neugekommenen zu Ehrengästen und placierte salomonisch Remedios die Schöne und die eingedrungene Königin auf dasselbe Postament. Bis Mitternacht nahmen die als Beduinen verkleideten Fremden an dem Festestaumel teil und bereicherten ihn sogar durch üppiges Feuerwerk und akrobatische Vorstellungen, die an die Künste der Zigeuner erinnerten. Plötzlich, auf dem Höhepunkt des Trubels, wurde das empfindsame Gleichgewicht gestört.

»Es lebe die liberale Partei!« gellte eine Stimme. »Es lebe Oberst Aureliano Buendía!«

Gewehrsalven erstickten die Pracht des Feuerwerks, Schreckensschreie übertönten die Musik, und der Jubel wurde von der Panik weggefegt. Noch Jahre später hieß es, die königliche Wache der eingedrungenen Herrscherin sei eine Abteilung des Regulärheeres gewesen, die unter ihren reichen Maurengewändern Dienstwaffen versteckt gehalten hätte. Die Regierung wies die Beschuldigung in einer Sonderbekanntmachung zurück und versprach eine erschöpfende Untersuchung der blutigen Episode. Doch die Wahrheit wurde nie aufgeklärt, so daß sich folgende Lesart durchsetzte: die königliche Wache, ohne im geringsten herausgefordert worden zu sein, habe Kampfstellung bezogen und auf einen Befehl ihres Kommandanten erbarmungslos in die Menge gefeuert. Als die Ruhe wiederhergestellt und im Dorf kein einziger falscher Beduine mehr zu sehen war, lagen auf dem Platz tot oder verwundet: neun Clowns, vier Kolumbinen, siebzehn Kartenkönige, ein Teufel, drei Musikanten, zwei Pairs von Frankreich und drei japanische Kaiserinnen. In der panischen Verwirrung gelang es José Arcadio Segundo, Remedios die Schöne in Sicherheit zu bringen, und Aureliano Segundo trug die fremde Herrscherin in zerfetztem Kostüm und blutbespritztem Hermelinmantel auf den Armen ins Haus. Sie hieß Fernanda del Carpio. Als Schönste unter den fünftausend Schönsten des Landes erwählt, war sie mit dem Versprechen nach Macondo gebracht worden, zur Königin von Madagaskar erkoren zu werden. Ursula pflegte sie wie eine Tochter. Statt ihre Unschuld anzuzweifeln, empfand das Dorf Mitleid mit ihrer Lauterkeit. Sechs Monate nach dem Gemetzel, als die Verwundeten geheilt und die letzten Blumen auf dem

Massengrab verwelkt waren, holte Aureliano Segundo sie aus der fernen Stadt, wo sie mit ihrem Vater lebte, und heiratete sie in Macondo bei einem zwanzig Tage dauernden Hochzeitsfest.

Fast wäre die Ehe nach zwei Monaten auseinandergegangen, da Aureliano Segundo, um Petra Cotes zu entschädigen, sie als Königin von Madagaskar malen ließ. Als Fernanda dies erfuhr, packte die Jungvermählte ihre Koffer und verließ Macondo, ohne sich zu verabschieden. Aureliano Segundo holte sie auf dem Moorweg ein. Nach langem Flehen und dem Gelöbnis, sich zu bessern, gelang es ihm, sie wieder heimzuführen, worauf er die Konkubine fallenließ.

Petra Cotes trug im Bewußtsein ihrer Überlegenheit keine Besorgnis zur Schau. Sie hatte einen Mann aus ihm gemacht. Als reines Kind, den Kopf voller phantastischer Ideen und ohne jede Beziehung zur Wirklichkeit, hatte sie ihn aus Melchíades' Kammer geholt, hatte ihm einen Platz in der Welt gegeben. Ihn, der von Natur verschlossen war, menschenscheu und zu einsamen Grübeleien neigte, hatte sie zu einem wie ausgewechselten, lebensvollen, aufgeschlossenen, mitteilsamen Charakter geformt, hatte ihm Lebensfreude eingeimpft und die Lust zu Ausschweifung und Verschwendung, bis er außen und innen der Mann war, den sie sich seit ihrer Jugend erträumt hatte. Nun hatte er geheiratet, wie Söhne eben früher oder später heiraten. Er hatte nicht gewagt, sie davon in Kenntnis zu setzen. Dabei führte er sich so kindisch auf, daß er falschen Groll und eingebildete Haßgefühle heuchelte, um dadurch Petra Cotes die Schuld an dem Bruch zuzuschieben. Eines Tages, als Aureliano Segundo ihr ungerechte Vorwürfe machte, ließ sie sich nicht übertölpeln, sondern nannte die Dinge beim Namen:

»Du willst nur die Königin heiraten, weiter nichts«, sagte sie.

Beschämt wie er war, täuschte Aureliano Segundo einen Tobsuchtsanfall vor, erklärte sich unverstanden und beleidigt und besuchte sie nie wieder. Ohne einen Augenblick ihre prachtvolle Selbstbeherrschung eines ruhenden Raubtiers zu verlieren, lauschte sie dem Hochzeitskonzert und -feuerwerk, der Ausgelassenheit des Volksfestes, als sei das alles nur ein neuer Dummejungenstreich Aureliano Segundos. Wer sie wegen ihres Geschicks trösten wollte, den beruhigte sie mit einem Lächeln. »Keine Sorge«, sagte sie. »Bei mir spülen Königinnen das Geschirr.« Und einer Nachbarin, die ihr geweihte Kerzen brachte, mit denen sie das Bildnis ihres entschwundenen Geliebten beleuchten sollte, bedeutete sie mit rätselhafter Sicherheit:

»Die einzige Kerze, die ihn zurückbringt, brennt immer.«

Wie sie es vorausgesehen hatte, kehrte Aureliano Segundo gleich nach den Flitterwochen zurück. Er brachte seine alten Kumpane mit, dazu einen fahrenden Fotografen sowie die Robe und den blutverschmierten Hermelinmantel, den Fernanda im Karneval getragen hatte. In der Hitze des Festgelages, das an jenem Nachmittag stattfand, verkleidete er Petra Cotes als Königin, krönte sie zur unumschränkten, lebenslänglichen Herrscherin von Madagaskar und verteilte Abzüge ihres Porträts unter seine Freunde. Und sie beteiligte sich nicht nur an dem Spiel, sondern empfand sogar insgeheim Mitleid mit ihm, wenn sie an seine Angst dachte, die ihn auf diese ungewöhnliche Art der Versöhnung gebracht haben mußte. Um sieben Uhr abends, noch immer im Königinnengewand, empfing sie ihn im Bett. Wenn er auch kaum zwei Monate verheiratet war, merkte sie doch bald, daß die Dinge im Hochzeitsbett nicht gutgingen, und genoß das köstlichste Rachegefühl. Als er aber zwei Tage später nicht zurückzukommen wagte, sondern einen Sendboten schickte, um den Termin der Trennung zu vereinbaren, begriff sie, daß größere Geduld als vorgesehen vonnöten sei, da er bereit schien, sich dem äußeren Anschein zuliebe aufzuopfern. Auch jetzt verlor sie nicht die Nerven. Wieder gab sie mit einer Unterwürfigkeit nach, die den allgemeinen Eindruck bestärkte, sie sei eben ein armes Weib, und das einzige Andenken, das sie von Aureliano Segundo behielt, war ein Paar Lackstiefel, mit denen er seinen eigenen Worten zufolge einst ins Grab gelegt werden wollte. Diese bewahrte sie, in Lumpen gewickelt, in der Tiefe einer Truhe auf und bereitete sich auf ein Warten ohne Verzweiflung vor.

»Früher oder später muß er kommen«, sagte sie sich, »auch wenn nur, um diese Stiefel anzuziehen.«

Sie brauchte nicht so lange zu warten, wie sie vermutet hatte. Tatsächlich war Aureliano Segundo sich seit seiner Hochzeitsnacht darüber im klaren, daß er zu Petra Cotes viel früher als nötig zurückkehren würde, um seine Lackstiefel anzuziehen: Fernanda war als Frau für das Leben verloren. Sie war tausend Kilometer vom Meer entfernt geboren und erzogen worden, in einer düsteren Stadt, durch deren gepflasterte Gäßchen die Karossen der Vizekönige in Alptraumnächten ratterten. Zweiunddreißig Glockentürme läuteten um sechs Uhr abends die Totenglocke. In das mit Totengruftfliesen verlegte Herrenhaus drang nie ein Sonnenstrahl. Die Luft war in den Zypressen des Innenhofs gestorben, in den bleichen Tapeten der Schlafzimmer, unter den schwitzenden Arkaden des Nardengartens. Bis zu ihrer Geschlechtsreife hatten Fernanda keine anderen Nachrichten aus der Welt erreicht als die melancholischen Klavierübungen von irgendeinem Bewohner eines Nachbarhauses, der sich jahraus, jahrein keine Mittagsruhe gönnte. Im Schlafzimmer ihrer leidenden Mutter, die grün und vergilbt aussah, im staubigen Licht der Fensterscheiben hörte sie die methodischen, hartnäckigen, verzagten Fingerübungen und dachte, daß, während sie hier Kränze aus Trauerperlen flocht, jene Musik draußen in der Welt erklang. Und ihre

Mutter, die im Fünfuhrfieber schwitzte, erzählte ihr vom Glanz der Vergangenheit. Als ganz kleines Kind hatte Fernanda in einer Mondnacht eine weißgekleidete bildschöne Frau den Garten in Richtung Kapelle durchschreiten sehen. Am meisten beunruhigte sie an dieser flüchtigen Vision, daß diese ihr genau wie sie selber vorkam, als habe sie sich selbst zwanzig Jahre im voraus gesehen. »Es ist deine Urgroßmutter, die Königin«, erklärte ihre Mutter zwischen zwei Hustenanfällen. »Sie starb an einem Luftzug, als sie einen Nardenzweig abschneiden wollte.« Viele Jahre später, als sie begann, sich wie ihre Urgroßmutter vorzukommen, bezweifelte Fernanda die Kindheitsvision, doch die Mutter verübelte ihr ihre Ungläubigkeit.

»Wir sind unerhört reich und mächtig«, sagte sie. »Eines Tages wirst du eine Königin sein.«

Sie glaubte es, wenngleich sie sich an den langen, mit Leinen und Silber gedeckten Tisch setzten, nur um eine Tasse Wasserschokolade und einen süßen Wecken zu essen. Bis zu ihrem Hochzeitstag träumte sie von einem legendären Königreich, obgleich ihr Vater, Don Fernando, eine Hypothek auf das Haus aufnehmen mußte, um ihr eine Aussteuer zu kaufen. Das war weder Größeneinfalt noch -wahnsinn. So war sie erzogen worden. Seit sie denken konnte, erinnerte sie sich, ihre Notdurft in einem mit dem Familienwappen verzierten goldenen Nachtgeschirr verrichtet zu haben. Mit zwölf Jahren verließ sie zum erstenmal das Haus in einem Pferdewagen, und zwar nur, um das zwei Blocks entfernte Kloster zu besuchen. Ihre Schulkameradinnen wunderten sich, daß sie abseits, auf einem Stuhl mit hoher Rückenlehne sitzen mußte und sich nicht einmal in der Pause unter sie mengen durfte. »Sie ist anders«, erklärten die Nonnen. »Sie wird eine Königin sein.« Ihre Mitschülerinnen glaubten es, weil sie schon damals das schönste, distinguierteste und zurückhaltendste junge Mädchen war, das sie je gesehen hatten.

Als sie nach acht Jahren lateinische Verse zu machen, Klavichord zu spielen, mit den Kavalieren über Falkenjagd und mit den Erzbischöfen über Apologetik zu sprechen und sich mit ausländischen Herrschern über Staatsgeschäfte und mit dem Papst über die Angelegenheiten Gottes auszulassen verstand, kehrte sie in ihr Elternhaus zurück, um Trauerpalmen zu flechten. Sie fand es geplündert vor. Es waren nur die unentbehrlichen Möbel zurückgeblieben, die Kandelaber und das silberne Tischzeug, denn die Hausgeräte waren eines nach dem anderen verkauft worden, um die Kosten ihrer Erziehung zu dekken. Ihre Mutter war dem Fünfuhrfieber erlegen. Ihr Vater, Don Fernando, schwarz gekleidet, mit einem steifen Kragen und einer über die Brust hängenden goldenen Uhrkette, gab ihr jeden Montag eine Silbermünze für den Haushalt und nahm dafür die in der vergangenen Woche fertiggestellten Trauerkränze an sich. Er verbrachte den größten Teil des Tages in der Klausur seines Arbeitszimmers und kehrte von seinen seltenen Ausgängen vor sechs Uhr zurück, um mit ihr den Rosenkranz zu beten. Fernanda schloß mit niemandem innige Freundschaft. Nie drang zu ihr ein Laut von den Kriegen, die das Land ausbluteten. Nie versäumte sie, um drei Uhr nachmittags die Fingerübungen von nebenan zu hören. Sie begann sogar bereits, an ihre Zukunft als Königin zu glauben, als eines Tages zwei laute Schläge des Türklopfers erschallten und sie einem schmucken Militär mit zeremoniellem Gehabe öffnete, der eine Narbe auf der Wange und eine Goldmedaille auf der Brust trug. Dieser schloß sich mit ihrem Vater im Arbeitszimmer ein. Zwei Stunden später holte ihr Vater sie aus dem Nähzimmer. »Pack deine Sachen«, sagte er. »Du mußt eine lange Reise antreten.« So kam es, daß sie nach Macondo geführt wurde. Von einem Tag zum anderen lud das Leben ihr mit einem grausamen Schlag die ganze Last einer Wirklichkeit auf, die ihre Eltern ihr jahrelang verheimlicht hatten. Wieder zu Hause, schloß sie sich weinend in ihr Zimmer ein, gleichgültig gegen Don Fernandos Bitten und Erklärungen, der damit die Brandwunde des unerhörten Possenspiels zu lindern suchte. Sie hatte sich geschworen, ihr Schlafzimmer bis zu ihrem Tode nicht mehr zu verlassen, als Aureliano Segundo kam, um sie zu holen. Das war ein unbegreiflicher Glücksfall, da sie in der Verwirrung ihrer Empörung, im Zorn ihrer Beschämung ihn angelogen hatte, damit er nie ihren wahren Namen erfahre. Die einzige wirkliche Spur, über die Aureliano Segundo verfügte, als er auf die Suche nach ihr ging, waren ihre unverkennbare Hochlandaussprache und ihr Beruf als Flechterin von Trauerkränzen. Er suchte sie erbarmungslos. Mit der wilden Tollkühnheit, mit der José Arcadio Buendía die Sierra überquert hatte, um Macondo zu gründen, mit dem blinden Stolz, dank dem Oberst Aureliano Buendía nutzlose Kriege entfesselt hatte, mit der unsinnigen Hartnäckigkeit, durch die Ursula das Überleben ihrer Sippe sicherstellte, genauso, ohne einen Augenblick der Mutlosigkeit, suchte Aureliano Segundo Fernanda. Als er fragte, wo man Trauerkränze kaufen könne, wurde er von Haus zu Haus geführt, damit er sich die besten aussuchen könne. Als er fragte, wo die schönste Frau wohne, die es auf der Erde gäbe, führten alle Mütter ihn zu ihren Töchtern. Er verirrte sich in Nebelschneisen, in vergessenheitsgeschlagenen Zeiträumen, in Labyrinthen der Enttäuschung. Er durchquerte eine gelbe Hochfläche, wo das Echo die Gedanken wiedergab und wo die Angst ahnungsvolle Spiegelungen hervorrief. Nach fruchtlosen Wochen gelangte er in eine unbekannte Stadt, wo alle Glocken die Totenstunde einläuteten. Obwohl er sie nie gesehen und niemand sie ihm beschrieben hatte, erkannte er sofort die vom Knochensalz zerfressenen Mauern, die baufälligen pilzigen Holzbalkone und das ans Portal geheftete, vom Regen fast verwischte traurigste Kärtchen von der Welt mit der Aufschrift *Trauerkränze zu verkau-*

fen. Von da an bis zu dem eisigen Morgen, an dem Fernanda das Haus der Fürsorge ihrer Oberin überließ, blieb den Nonnen kaum Zeit, um die Aussteuer zu nähen und die Kandelaber und das silberne Besteck und die goldene Nachtschüssel in sechs Truhen zu verpacken, abgesehen von dem unübersehbaren, unbrauchbaren Strandgut eines Familienschiffbruchs, der erst nach zwei Jahrhunderten eingetreten war. Don Fernando lehnte die Einladung mitzureisen ab. Doch versprach er nachzukommen, sobald er seinen Verpflichtungen genügt hätte, und sobald er seine Tochter gesegnet hatte, schloß er sich wieder in sein Arbeitszimmer ein und schrieb ihr jene mit Trauervignetten und dem Familienwappen verzierten Briefbilletts, welche die erste menschliche Berührung waren, die sich zwischen Fernanda und ihrem Vater zeitlebens herstellen sollte. Für sie war dies ihr wirklicher Geburtstag. Für Aureliano Segundo war es fast zugleich der Anfang und das Ende des Glücks.

Fernanda brachte einen kostbaren Kalender mit vergoldeten Schlüsseln mit, in dem ihr Seelenhirte mit maulbeerfarbener Tinte die Tage geschlechtlicher Enthaltsamkeit eingetragen hatte. Abzüglich der Karwoche, der Sonntage, der gebotenen Feiertage, der ersten Freitage des Monats, der Bettage, Opfertage und periodischen Behinderungen war der werktätige Teil ihres Jahrbuchs auf zweiundvierzig in einem Gestrüpp maulbeerfarbener Kreuze verstreute Tage beschränkt. Aureliano Segundo, überzeugt, daß die Zeit dieses feindliche Stacheldrahtnetz niederreißen würde, verlängerte das Hochzeitsfest über den vorgeschriebenen Termin hinaus. Erschöpft von der Bürde, dauernd leere Kognak- und Champagnerflaschen in den Müll werfen zu müssen, damit sie nicht das Haus vollstopften, und gleichzeitig neugierig geworden, weil die Jungvermählten zu verschiedenen Zeiten und in getrennten Zimmern schliefen, während weiterhin Feuerwerk krachte, Musik ertönte und viel geopfert wurde, besann Ursula sich auf ihre eigenen Erfahrungen und fragte sich, ob Fernanda nicht vielleicht auch einen Keuschheitsgürtel trage, der früher oder später den Spott des Dorfes hervorrufen und eine Tragödie auslösen könne. Doch Fernanda gestand, sie lasse lediglich zwei Wochen verstreichen, bevor sie die erste Berührung mit ihrem Gatten zulasse. Nach beendetem Termin öffnete sie denn auch die Türe ihres Schlafzimmers entsagungsvoll wie bei einem Sühneopfer, und Aureliano Segundo sah die schönste Frau der Erde mit ihren gloriosen Augen eines erschrockenen Tieres und ihr über das Kopfkissen gebreitetes langes kupferfarbenes Haar. Hingerissen von dem Anblick, gewahrte er erst nach einer Weile, daß Fernanda ein knöchellanges weißes Nachthemd trug mit handgelenklangen Ärmeln und einem großen, runden, kostbar umsäumten Knopfloch in Bauchhöhe. Aureliano Segundo konnte sich eines Lachanfalls nicht erwehren.

»Das ist das Obszönste, was ich in meinem Leben gesehen habe«, schrie er mit einer Lachsalve, die durchs Haus dröhnte. »Ich habe ein Schwesterchen der Nächstenliebe geheiratet.«

Als er einen Monat später nicht erreicht hatte, daß seine Frau das Nachthemd auszog, ließ er Petra Cotes im Königinnenstaat malen. Später, als er Fernanda zur Rückkehr ins Haus bewegen konnte, gab sie im Fieber der Versöhnung seinem Drängen nach, verstand ihm jedoch nie die Ruhe zu verschaffen, von der er geträumt hatte, als er sie in der Stadt mit den zweiunddreißig Glockentürmen suchte. Aureliano Segundo fand in ihr nichts als ein tiefes Gefühl der Trostlosigkeit. Eines Nachts, kurz bevor ihr erster Sohn geboren wurde, merkte Fernanda, daß ihr Mann heimlich zu Petra Cotes' Bett zurückgekehrt war.

»Das stimmt«, gab er zu. Und erklärte im Ton niedergeschlagener Resignation, er habe es tun müssen, damit die Tiere weiterhin würfen.

Er brauchte eine Zeitlang, um sie von der Notwendigkeit einer so ausgefallenen Maßnahme zu überzeugen, doch als es ihm zuletzt anhand von anscheinend unwiderleglichen Beweisen glückte, war das einzige Versprechen, das Fernanda ihm abzwang, daß er sich nicht vom Tod im Bett seiner Konkubine überraschen lasse. So lebten denn die drei ungestört weiter: Aureliano Segundo pünktlich und liebevoll mit beiden; Petra Cotes stolzgebläht über die Versöhnung; und Fernanda heuchelnd, sie wisse von nichts.

Der Pakt führte jedoch nicht dazu, daß Fernanda sich der Familie fügte. Vergebens bestand Ursula darauf, daß sie den wollenen Busenstreif ablegte, mit dem sie aufstand, wenn sie geliebt worden war, und der das Getuschel der Nachbarn hervorrief. Sie brachte sie nicht dazu, daß sie das Badezimmer benutzte oder den Nachttopf oder daß sie das goldene Nachtgeschirr an Oberst Aureliano Buendía verkaufte, damit er goldene Fischchen daraus schmiedete. Amaranta fühlte sich von ihrer gezierten Aussprache und von ihrer Gewohnheit, jedes Ding zu beschönigen, so angewidert, daß sie vor ihr immer Kauderwelsch sprach.

»*Diefisefe*«, sagte sie, »*gefehörtfe zufu defenenfen diefi sichfi vorfo ihfirerfer eifeigenfenenfen Scheifeissefe efekelnfen.*«

Eines Tages wollte Fernanda, verärgert über die Spötterei, wissen, was Amaranta da sage, und diese beschönigte ihre Antwort nicht.

»Ich sage«, sagte sie, »daß du zu denen gehörst, die den Arsch mit der Stirn verwechseln.«

Von jenem Tag an tauschten sie kein Wort mehr miteinander. Wenn es die Umstände erforderten, schickten sie einander Nachrichten oder sagten sich die Dinge mittelbar. Trotz der sichtbaren Feindseligkeit der Familie verzichtete Fernanda nicht auf den Wunsch, die Sitten ihrer Ahnen einzuführen. Sie machte Schluß mit dem

Brauch, in der Küche zu essen und wenn immer man Hunger hatte, und führte Pflichtmahlzeiten zu bestimmten Stunden an dem mit Leinen, Kandelabern und silbernem Besteck gedeckten Tisch des Eßzimmers ein. Die Feierlichkeit einer Handlung, die Ursula stets als die schlichteste des Alltags betrachtet hatte, schuf eine künstliche Atmosphäre, gegen die sich als erster der sonst so wortkarge José Arcadio Segundo auflehnte. Doch der Brauch setzte sich wie das Tischgebet vor der Mahlzeit durch und erregte so sehr die Neugier der Nachbarn, daß bald das Gerücht umlief, die Buendías setzten sich nicht wie andere Sterbliche an den Tisch, sondern hätten den Akt des Essens in ein Hochamt verwandelt. Sogar der eher aus der Eingebung des Augenblicks als der Tradition erwachsene Aberglaube Ursulas prallte gegen den von ihren Eltern ererbten Aberglauben Fernandas, der für jede Gelegenheit genau umrissen feststand. Solange Ursula im Vollbesitz ihrer Fähigkeiten war, hielten sich etliche der alten Gewohnheiten, und ihre Eingebungen übten noch einen gewissen Einfluß auf das Familienleben aus, doch als sie das Augenlicht verlor und die Last der Jahre sie in einen Winkel verwies, schloß sich der von Fernanda am ersten Tag ihrer Ankunft begonnene strenge Ring vollständig, so daß niemand außer ihr mehr das Schicksal der Familie bestimmte. Der Handel mit Konditoreiwaren und Karameltierchen, den Santa Sofía von der Frömmigkeit nach Ursulas Willen weiterführte, wurde von Fernanda als unwürdige Tätigkeit angesehen und von ihr daher schleunigst unterbunden. Die vom Tagesanbruch bis zur Schlafenszeit weitgeöffneten Türen des Hauses wurden während der Mittagsruhe unter dem Vorwand, die Sonne erhitze die Schlafzimmer, zugemacht und schließlich für immer geschlossen. Der seit der Gründerzeit am Türsturz befestigte Aloezweig und der Brotlaib wurden durch eine Herz-Jesu-Nische ersetzt. Oberst Aureliano Buendía, dem diese Veränderungen nicht entgingen, sah ihre Folgen voraus. »Wir werden langsam feine Leute«, protestierte er. »Wenn das so weitergeht, werden wir wieder gegen die konservative Regierung kämpfen, doch diesmal, um einen König an ihre Spitze zu stellen.« Taktvoll, wie sie war, vermied Fernanda, ihn vor den Kopf zu stoßen. Insgeheim störte sie seine unabhängige Geisteshaltung, sein Widerstand gegen jede Form sozialer Starrheit. Seine Tasse Kaffee um fünf Uhr früh, die Unordnung in seiner Werkstatt, seine zerschlissene Dekke und seine Gewohnheit, sich abends vor die Tür auf die Straße zu setzen, brachten sie zur Verzweiflung. Doch sie mußte diesen aus dem Mechanismus der Familie losgelösten Teil gewähren lassen, weil sie gewiß war, der alte Oberst sei ein nur von den Jahren und den Enttäuschungen besänftigtes Tier, das in einem Anfall der Altersaufruhr die Grundfesten des Hauses ohne weiteres erschüttern konnte. Als ihr Gatte beschloß, ihren ersten Sohn nach dem Urgroßvater zu nennen, wagte sie keinen Einspruch, weil sie erst seit einem Jahr da war. Doch als die erste Tochter geboren wurde, äußerte sie ohne Umschweife ihren Entschluß, sie nach ihrer Mutter Renata zu nennen. Ursula hingegen hatte entschieden, sie solle Remedios getauft werden. Nach einem erregten Streitgespräch, in dem Aureliano Segundo als belustigter Vermittler auftrat, wurde das Kind auf den Namen Renata Remedios getauft, doch Fernanda rief es kurzerhand Renata, während die Familie ihres Mannes und das ganze Dorf es unbekümmert Meme, die Verkleinerungsform von Remedios, nannten.

Anfangs erwähnte Fernanda ihre Familie nicht, doch mit der Zeit begann sie ihren Vater zu idealisieren. Dann sprach sie von ihm bei Tisch als einem außergewöhnlichen Menschen, der auf jede Eitelkeit verzichtet hatte und dabei war, sich in einen Heiligen zu verwandeln. Aureliano Segundo, verwundert über die unzeitgemäße Verherrlichung seines Schwiegervaters, widerstand nicht der Versuchung, hinter dem Rücken seiner Frau darüber zu spotten. Und die übrige Familie tat es ihm nach. Selbst Ursula, die argwöhnisch über der Familieneinigkeit wachte und insgeheim unter den häuslichen Reibereien litt, erlaubte sich einmal zu bemerken, die päpstliche Zukunft ihres kleinen Urenkels sei gewährleistet, da er »der »Enkel eines Heiligen sei und der Sohn einer Königin und eines Viehdiebs«. Trotz der lächelnden Verschwörung gewöhnten die Kinder sich daran, an ihren Großvater wie an ein Fabelwesen zu denken, das in seinen Briefen fromme Verse zitierte und ihnen zu jedem Weihnachtsfest eine Kiste mit Geschenken schickte, die kaum durch die Haustür ging. In Wirklichkeit waren es die letzten Überreste eines hochherrschaftlichen Besitzes. Damit wurde im Kinderschlafzimmer ein Altar mit Heiligen in Lebensgröße aufgebaut, deren Glasaugen ihnen einen beunruhigenden Anschein von Leben verliehen und deren kunstvoll bestickte Tuchgewänder besser waren als die von irgendeinem Bewohner Macondos je getragenen Kleider. Nach und nach ging der Trauerglanz des alten, eiskalten Herrenhauses über auf das leuchtende Haus der Buendías. »Jetzt haben sie uns den ganzen Familienfriedhof geschickt«, bemerkte Aureliano Segundo einmal. »Jetzt fehlen nur noch die Trauerweiden und Grabsteine.« Auch wenn in den Kisten nie etwas ankam, womit die Kinder hätten spielen können, warteten sie das ganze Jahr auf den Dezember, weil die altmodischen, stets ungeahnten Geschenke schließlich doch eine Neuigkeit im Haus darstellten. Beim zehnten Weihnachtsfest, als der kleine José Arcadio sich für seine Abreise ins Seminar vorbereitete, kam sehnlicher erwartet als in den früheren Jahren die riesige Kiste des Großvaters an, fest vernagelt, mit Pech wasserdicht gemacht und mit der üblichen Aufschrift in gotischen Buchstaben an die hochwohlgeborene Señora Doña Fernanda del Carpio de Buendía gerichtet. Während sie den Brief im Schlafzimmer las, machten die

Kinder sich eilends ans Aufmachen der Kiste. Mit Aureliano Segundos gewohnter Hilfe erbrachen sie die Pechdichtung, zogen die Nägel aus dem Deckel, beseitigten die Schutzschicht Sägespäne und fanden darin einen mit Kupferbolzen verschlossenen Bleikoffer. Aureliano Segundo entfernte vor den ungeduldigen Kinderaugen die acht Bolzen und hatte kaum Zeit, sie mit einem Schrei beiseitezuschieben, als er die Bleidecke hob und Don Fernando erblickte, schwarz gekleidet und ein Kruzifix auf der Brust, während die geplatzte Haut Pestilenz rülpste und wie auf kleinem Feuer in schaumigem, sprudelndem, lebendig perlendem Saft kochte.

Bald nach der Geburt des Mädchens wurde das von der Regierung anberaumte, von allen unerwartete Jubiläum des Oberst Aureliano Buendía angekündigt, das gemeinsam mit dem Jahrestag des Friedensvertrags von Neerlandia begangen werden sollte. Doch dieser Entscheid stand dermaßen im Widerspruch zur offiziellen Politik, daß der Oberst sich heftig gegen die Feier aussprach und die Ehrung zurückwies. »Zum ersten Male höre ich das Wort Jubiläum«, sagte er. »Was es auch bedeuten mag, es kann nur eine Verhöhnung sein.« Nun füllte sich die enge Goldschmiedewerkstatt mit Emissären. Wieder kamen die viel älter und viel feierlicher gewordenen Anwälte in dunklen Anzügen, die zu einer anderen Zeit den Oberst wie Raben umflattert hatten. Als dieser sie auftreten sah, konnte er den Zynismus ihrer Glückwünsche nicht ertragen. Er befahl ihnen, ihn in Ruhe zu lassen, und bestand darauf, kein Vorkämpfer der Nation zu sein, wie sie behaupteten, sondern ein Kunsthandwerker ohne Erinnerungen, dessen einziger Traum sei, altersschwach zu sterben, in Vergessenheit und im Elend seiner goldenen Fischchen. Am meisten empörte ihn die Nachricht, daß sogar der Präsident der Republik beabsichtigte, dem Festakt in Macondo beizuwohnen, um ihm den Verdienstorden zu überreichen. Oberst Aureliano Buendía befahl ihnen, ihm wortwörtlich auszurichten, er erwarte mit ehrlicher Ungeduld jene verspätete, obschon wohlverdiente Gelegenheit, ihm eine Kugel zu verpassen, doch nicht, um ihm die willkürlichen, unzeitgemäßen Maßnahmen seines Regimes heimzuzahlen, sondern weil er einen Greis mißachte, der keinem Menschen etwas zuleide getan habe. So heftig stieß er seine Drohung hervor, daß der Präsident der Republik seine Reise in letzter Minute widerrief und ihm die Auszeichnung durch einen persönlichen Vertreter überbringen ließ. Bedrückt von mancherlei Sorgen, verließ Oberst Gerineldo Márquez sein Lahmenbett, um seinen alten Waffengenossen umzustimmen. Als dieser den von vier Männern getragenen Schaukelstuhl näher kommen sah, darin in gebauschten Kissen den Freund, der seine Siege und Mißgeschicke seit seiner Jugend geteilt hatte, zweifelte er nicht einen Augenblick, daß er diese Beschwerlichkeit nur auf sich nahm, um ihm seine Solidarität zu bekunden. Doch als er den wahren Zweck seines Besuches erfuhr, warf er ihn aus seiner Werkstatt:

»Ich komme zu spät zu der Überzeugung«, sagte er, »daß ich dir einen großen Gefallen getan hätte, wenn ich dich hätte erschießen lassen.«

So wurde das Jubiläum schließlich ohne Beteiligung irgendeines Familienmitgliedes begangen. Zufällig fiel es in die Karnevalswoche, doch niemand vermochte dem Oberst Aureliano Buendía die Idee auszureden, auch dieser Zufall sei von der Regierung vorausgeplant worden, um die Verhöhnung noch grausamer fühlbar zu machen. Von seiner Werkstatt aus hörte der Einsame die Marschmusik, die Böllerschüsse, das Glockengeläut des Tedeums und einige Sätze der vor dem Haus gehaltenen Reden, als die Straße auf seinen Namen umgetauft wurde. Seine Augen wurden feucht vor Empörung, vor wütender Ohnmacht, und zum erstenmal seit der Niederlage litt er darunter, nicht mehr den Schneid der Jugend zu haben, um einen blutigen Krieg zu entfesseln, der das konservative Regime bis zu den letzten Spuren ausgelöscht hätte. Das Echo der Ehrung war noch nicht verhallt, als Ursula an die Türe der Werkstatt klopfte.

»Stört mich nicht«, sagte er. »Ich bin beschäftigt.«

»Mach auf«, beharrte Ursula mit Alltagsstimme. »Es hat nichts mit dem Fest zu tun.«

Oberst Aureliano Buendía schob den Riegel zurück und erblickte in der Tür siebzehn Männer von unterschiedlichstem Aussehen, von allen Arten und Hautfarben, doch alle mit jenem einsamen Gesichtsausdruck, der genügt hätte, um sie an irgendeinem Fleck der Erde zu erkennen. Es waren seine Söhne. Ohne sich zu verabreden, ohne sich gegenseitig zu kennen, waren sie, angelockt vom Jubiläumstrubel, aus den entlegensten Winkeln des Küstenlandes herbeigeeilt. Alle trugen stolz den Namen Aureliano und den Zunamen ihrer Mütter. Während der drei Tage ihres Aufenthalts, sehr zu Ursulas Genugtuung und zu Fernandas Ärgernis, verursachten sie kriegsähnlichen Umtrieb. Amaranta suchte unter alten Papieren das Kontobüchlein, in dem Ursula die Namen sowie die Geburts- und Taufdaten aller aufgeschrieben hatte, und notierte daneben ihren jeweiligen augenblicklichen Aufenthaltsort. Anhand dieser Liste hätte man zwanzig Jahre Krieg rekapitulieren können. Mit ihr hätte man die Nachtwege des Obersten rekonstruieren können von dem Tagesanbruch an, da er von Macondo an der Spitze von einundzwanzig Mann zu einer kopflosen Rebellion ausgezogen war, bis er zum letztenmal in seiner blutverkrusteten Decke heimkehrte. Aureliano Segundo versäumte nicht die Gelegenheit, die Vettern mit einem donnernden Akkordeon- und Champagnergelage zu feiern, das als verspäteter Ausgleich für den infolge der Jubiläumsfeier mißlungenen Karneval gewertet wurde. Sie schlugen die Hälfte des Geschirrs entzwei, zertrampelten bei der Verfolgung eines Stiers, den sie prellen wollten, die Rosenstöcke, knallten die Hühner über den Haufen, zwangen Amaranta, Pietro Crespis wehmütige Walzer zu tanzen, erreichten, daß Remedios die Schöne Männerhosen anzog und den Klettermast erklomm, und ließen endlich im Speisezimmer ein talgbeschmiertes Schwein los, das Fernanda umrannte; doch niemand beklagte die Widerwärtigkeiten, da das Haus von einem Erdbeben guter Gesundheit zu erzittern schien. Oberst Aureliano Buendía, der sie anfangs argwöhnisch empfangen und sogar die Herkunft etlicher angezweifelt hatte, freute sich an ihren Verrücktheiten und beschenkte jeden vor seiner Abreise mit einem goldenen Fischchen. Sogar der menschenscheue José Arcadio Segundo ergötzte sie mit einem Hahnenkampfnachmittag, der fast mit einer Tragödie geendet hätte, weil mehrere der Aurelianos keine so guten Schiedsrichter von Hahnenkämpfen waren, daß sie auf den ersten Blick die Kniffe des Paters Antonio Isabel entlarvten. Aureliano Segundo, der die unbegrenzten Möglichkeiten der Lustbarkeiten sah, die eine so gewalttätige Verwandtschaft verhieß, entschied, alle sollten dableiben und mit ihm zusammenarbeiten. Der einzige, der das Anerbieten annahm, war Aureliano Triste, ein hochgewachsener Mulatte mit dem Schwung und Forschergeist des Großvaters, der sein Glück bereits in der halben Welt versucht hatte und daher mit jedem Aufenthaltsort zufrieden war. Die anderen, wiewohl noch unverheiratet, betrachteten ihr Schicksal als besiegelt. Alle waren geschickte Handwerker, häuslich gesinnte Männer, friedliche Leute. Am Aschermittwoch, bevor sie wieder ins Küstenland ausschwärmten, erreichte Amaranta, daß sie Sonntagskleider anzogen und sie in die Kirche begleiteten. Eher belustigt als fromm, ließen sie sich zum heiligen Tisch führen, wo Pater Antonio Isabel ihnen das Aschenkreuz auf die Stirn malte. Als der Jüngste sich schließlich zu Hause die Stirn säubern wollte, entdeckte er, daß sein

Zeichen wie das der Brüder unauslöschlich war. Sie versuchten es mit Wasser und Seife, dann mit Erde und Besenpriemkraut, zum Schluß mit Bimsstein und Lauge, und doch konnten sie das Kreuz nicht wegwischen. Dafür rieben Amaranta und die übrigen Messegänger sich es ohne Schwierigkeit ab. »So ist's besser«, sagte Ursula zum Abschied. »Von jetzt an kann euch keiner mehr verwechseln.« Und sie zogen ab, voran die Knallfrösche loslassende Musikkapelle, und hinterließen im Dorf den Eindruck, daß die Sippe Buendía Samen für viele Jahrhunderte vorrätig hatte. Aureliano Triste mit seinem Aschenkreuz auf der Stirn richtete im Randbezirk des Dorfs die Eisfabrik ein, von der José Arcadio Buendía in seinem Erfinderwahn geträumt hatte.

Monate nach seiner Ankunft, als er bereits bekannt und beliebt war, suchte Aureliano Triste ein Haus, um seine Mutter und eine unverheiratete Schwester (die keine Tochter des Oberst war) nachkommen zu lassen, und fand Gefallen an dem baufälligen großen Haus, das verlassen an einer Ecke des Platzes stand. Er fragte nach dem Besitzer. Jemand sagte ihm, es sei ein Niemandshaus, in dem vor Zeiten eine einsame Witwe gehaust habe, die sich von Erde und dem Kalk der Wände ernährt habe und die in ihren letzten Lebensjahren nur zweimal gesehen worden sei, als sie mit einem von winzigen künstlichen Blumen umrankten Hut und altsilberfarbenen Stiefeletten den Platz in Richtung Post überschritt, um Briefe an den Bischof abzuschicken. Man sagte, ihre einzige Lebensgefährtin sei eine seelenlose Dienerin gewesen, die Hunde und Katzen totschlug und jedes Tier, das ins Haus schlich, und die Leichen mitten auf die Straße warf, um das Dorfvolk mit dem Fäulnisgestank zu ärgern. So viel Zeit war verflossen, seit die Sonne die leere Haut des letzten Tiers mumifiziert hatte, daß jedermann annahm, die Herrin des Hauses und ihre Dienerin seien lange vor dem Ende der Kriege gestorben, und wenn das Haus noch stand, so, weil man in den letzten Jahren weder einen strengen Winter noch einen verheerenden Wind erlebt hatte. Die rostzerfressenen Angeln, die vom Überfluß der Spinnweben kaum noch zusammengehaltenen Türen, die von der Feuchtigkeit verklemmten Fenster und der von Unkraut und Wildblumen zernagte Fußboden, in dessen Ritzen Eidechsen nisteten und alle Arten von Ungeziefer, schienen die Auffassung zu bestätigen, daß dort zumindest seit einem halben Jahrhundert kein Menschenwesen mehr hauste. Der draufgängerische Aureliano Triste brauchte nicht so viele Beweise, um zur Tat zu schreiten. Mit der Schulter rammte er die Haustür, und schon stürzte das wurmstichige Holzwerk zusammen – ein lautloses Geriesel aus Staub, Erde und Termitennestern. Aureliano Triste blieb auf der Schwelle stehen und wartete, bis der Nebel sich legte, dann sah er mitten im Wohnzimmer die nach der Mode des vergangenen Jahrhunderts gekleidete knochendürre Frau mit ihrem von wenigen gelblichen Strähnen kaum bedeckten Schädel, mit ihren noch immer schönen großen Augen, in denen die letzten Sterne der Hoffnung erloschen waren, und mit ihrer von der Härte der Einsamkeit zerfurchten Gesichtshaut. Erschüttert von dieser Vision aus dem Jenseits, merkte Aureliano Triste kaum, daß die Frau mit einer altmodischen Armeepistole auf ihn zielte.

»Verzeihung«, murmelte er.

Ratlos blieb sie in der Mitte des von altem Hausrat vollgestopften Wohnzimmers sitzen und musterte Handbreit für Handbreit den vierschrötigen Riesen mit einer Aschentätowierung auf der Stirn, und durch den Staubnebel hindurch sah sie ihn im Nebel einer anderen Zeit mit einer Doppelflinte auf dem Rücken und einem Bündel Kaninchen in der Hand.

»Um der Liebe Gottes willen«, rief sie leise aus. »Es ist nicht gerecht, mich jetzt mit solch einer Erinnerung zu überfallen.«

»Ich möchte dieses Haus mieten«, sagte Aureliano Triste.

Nun hob die Frau die Pistole, zielte mit festem Puls auf das Aschenkreuz und spannte mit unwiderruflicher Entschlossenheit den Hahn.

»Gehen Sie!« befahl sie.

An jenem Abend erzählte Aureliano Triste seiner Familie beim Nachtmahl das Erlebnis, und Ursula weinte bestürzt.

»Heiliger Gott!« rief sie aus, den Kopf mit den Händen pressend. »Sie lebt noch!« Die Zeit, Kriege, die unzähligen täglichen Verhängnisse hatten sie Rebeca vollständig vergessen lassen. Die einzige, die sich keinen Augenblick darüber im unklaren war, daß sie lebte und in ihrer Larvensuppe verfaulte, war die unerbittliche, gealterte Amaranta. Sie dachte an sie bei Tagesanbruch, wenn das Eis des Herzens sie im einsamen Bett weckte, sie dachte an sie, wenn sie sich die welken Brüste und den abgezehrten Bauch seifte, wenn sie die weißen Unterröcke und Rüschenmieder des Alters anzog, wenn sie die schwarze, schreckliche Bußbinde wechselte. Immer, zu jeder Stunde, ob schlafend oder wach, in erhabensten und niedrigsten Augenblicken, dachte Amaranta an Rebeca, denn die Einsamkeit hatte ihre Erinnerungen ausgesondert, und zwar die betäubenden Haufen sehnsüchtigen Kehrichts, den das Leben in ihrem Herzen angehäuft hatte, verbannt, dafür aber die anderen, die bitteren geläutert, vergrößert und verewigt. Durch sie wußte Remedios die Schöne von Rebecas Dasein. Jedesmal, wenn sie durch das baufällige Haus schritten, erzählte sie ihr eine widerwärtige Begebenheit, eine schimpfliche Anekdote und erreichte damit, daß ihre Nichte ihren nagenden Groll teilte, daß dieser dadurch ihren Tod überholte, doch sie erreichte nicht ihr Ziel, weil Remedios gegen jede Art leidenschaftlicher Empfindung, zumal gegen die anderer, gewappnet war. Ursula dagegen, die eine Amaranta entgegengesetzte Entwicklung durchgemacht hatte, rief sich Rebeca mit einer von jeder Unreinheit befreiten Erinnerung wach, doch das Bild des bedauernswerten Geschöpfs, das in Begleitung des Rupfensacks mit den Gebeinen ihrer Eltern ins Haus gekommen war, behielt die Oberhand über die Kränkung, die sie unwürdig machte, dem Familienstamm verbunden zu bleiben. Aureliano Segundo entschied, sie müsse ins Haus aufgenommen und beschützt werden, doch sein guter Vorsatz zerschellte an Rebecas Unversöhnlichkeit, die viele Jahre des Leidens und Elends gebraucht hatte, um sich die Vorrechte der Einsamkeit zu erobern, und daher nicht bereit war, sie gegen ein vom falschen Zauber der Barmherzigkeit gestörtes Alter aufzugeben.

Im Februar, als die noch immer mit dem Aschenkreuz gezeichneten sechzehn Söhne des Obersten Aureliano Buendía wiederkehrten, erzählte Aureliano Triste ihnen im Festtrubel von Rebeca, und im Verlauf eines halben Tages stellten diese das alte Aussehen des Hauses wieder her; sie wechselten Türen und Fenster aus, strichen die Fassade mit fröhlichen Farben, verstärkten die Mauern und legten einen neuen Zementboden; zu einer Ausbesserung des Innern erhielten sie jedoch nicht die Erlaubnis. Rebeca zeigte sich nicht einmal an der Tür. Sie wartete, bis die unbesonnenen Ausbesserungen beendet waren; dann überschlug sie die Kosten der Reparatur und schickte ihnen durch Argénida, die alte, nach wie vor bei ihr lebende Dienerin, eine Handvoll seit dem letzten Krieg aus dem Umlauf gezogene Münzen, die Rebeca noch für gängig hielt. Erst jetzt stellte sich heraus, wie unfaßbar sie sich der Welt entfremdet hatte, und man begriff, daß es unmöglich sein würde, sie aus ihrem verbissenen Einsiedlerleben zu reißen, solange noch ein Funke Leben in ihr war.

Beim zweiten Besuch, den die Söhne des Obersten Aureliano Buendía Macondo abstatteten, blieb ein zweiter da, Aureliano Centeno, um mit Aureliano Triste zusammenzuarbeiten. Er war einer der ersten, die ins Haus ihrer Taufe zurückkehrten, und Ursula und Amaranta erinnerten sich seiner sehr wohl, weil er in wenigen Stunden jedweden Gegenstand zertrümmert hatte, der ihm in die Finger geraten war. Die Zeit hatte seine frühere Wachswut gemildert; nun war er ein mittelgroßer, blatternarbiger Mann, doch seine überwältigende Zerstörungswut war ungebrochen. So zertrümmerte er so viele Teller, ohne sie zu berühren, daß Fernanda beschloß, Zinngeschirr für ihn zu kaufen, bevor er die letzten Stükke ihres kostbaren Porzellans zerschmeißen konnte, und auch ihre widerstandsfähigen Metallteller waren in kurzer Zeit verbeult und verbogen. Doch zum Ausgleich für seine unwiderstehliche, ihn selbst verbitternde Besessenheit war er von einer Herzlichkeit, die sofortiges Vertrauen auslöste, sowie von ungeahnter Arbeitskraft. In kurzer Zeit nahm die Herstellung von Eis dergestalt zu, daß der Ortsmarkt überschwemmt wurde, so daß Aureliano Triste daran denken mußte, den Absatz auf weitere Moordörfer auszudehnen. Damit tat er den entscheidenden Schritt nicht nur zur Modernisierung seiner Industrie, sondern auch zur Verknüpfung des Dorfes mit der übrigen Welt.

»Wir brauchen eine Eisenbahnlinie«, sagte er.

Zum ersten Male wurde dieses Wort in Macondo gehört. Angesichts des Entwurfs, den Aureliano Triste auf den Tisch zeichnete und der ein unmittelbarer Nachfahre der Aufrisse war, mit denen José Arcadio Buendía den Sonnenkrieg geplant hatte, fand Ursula sich in ihrem Eindruck bestätigt, daß die Zeit im Kreise lief. Doch im Gegensatz zu seinem Großvater verlor Aureliano Triste weder den Schlaf noch den Appetit, auch quälte er niemanden mit Anfällen von Übellaunigkeit, sondern arbeitete die gewagtesten Projekte als greifbare Möglichkeiten aus, stellte rationelle Berechnungen über Kosten und Lieferzeiten an und führte sie unbeirrt zu Ende. Aureliano Segundo, dem etwas vom Urgroßvater anhaftete und etwas vom Oberst Aureliano Buendía fehlte, war gegen Schlappen völlig unempfindlich; so stellte er Geldmittel für den Bau der Eisenbahn mit der gleichen Leichtfertigkeit zur Verfügung, mit der er die unsinnige Schiffahrtsgesellschaft seines Bruders finanziert hatte. Aureliano Triste befragte den Kalender und reiste am darauffolgenden Mittwoch ab, um nach der Regenzeit zurückzusein. Dann hörte man nichts mehr von ihm. Frohlockend über die Gewinne der Fabrik hatte Aureliano Centeno mittlerweile die Herstellung von Eis auf der Grundlage von Fruchtsäften statt Wasser erprobt und erfand auf diese Weise unbeabsichtigt und unwillkürlich das Speiseeis mit dem Gedanken, auf diese Weise die Produktion einer Fabrik, die er für seinen Besitz hielt, zu erweitern, da sein Bruder weder nach der Regenzeit auftauchte noch den ganzen Sommer hindurch ein Lebenszeichen von sich gab. Zu Beginn des anschließenden Winters jedoch kam ein Weib, das in der Stunde der schlimmsten Hitze Wäsche im Fluß wusch, höchst aufgeregt und laut zeternd durch die Hauptstraße gerannt.

»Da kommt was Unheimliches«, stieß sie mühsam hervor, »so was wie eine Küche, die ein Dorf hinterdrein schleppt.«

In diesem Augenblick erzitterte das Dorf von weithin hallenden Pfiffen und ungeahntem Zischen. Zwar hatte man in den vorangegangenen Wochen beobachtet, wie Arbeitstrupps Schwellen und Schienen legten, doch hatte sich niemand darum gekümmert, weil man das Ganze für eine neue Erfindung der Zigeuner hielt, die wieder einmal mit ihrem ach so veralteten und verachteten Pfeifen- und Paukenkonzert ein weiß Gott wie wunderwirkendes Gebräu der Djalalis aus Djalalaibad anzupreisen gedachten. Als sie sich aber von dem betäubenden Pfeifen und Keuchen erholt hatten, liefen alle Einwohner auf die Gassen hinaus und sahen Aureliano Triste von der Lokomotive aus winken, sahen gebannt den blumengeschmückten Zug, der zum erstenmal mit acht Monaten Verspätung eintraf. Der unschuldige gelbe Zug, der so viele Unsicherheiten und Handgreiflichkeiten, so viele Verheißungen und Mißgeschicke und so viele Veränderungen, Verhängnisse und Sehnsüchte nach Macondo bringen sollte.

Betört von so vielen, so wundervollen Erfindungen, wußten die Leute von Macondo nicht, wo sie mit Staunen beginnen sollten. So verbrachten sie schlaflose Nächte beim Begaffen der von einer Lichtanlage gespeisten bleichen elektrischen Glühlampe, ein Mitbringsel Aurelianos bei der zweiten Fahrt des Zuges, an dessen aufsässiges Gepuffe man sich nur schwer gewöhnte. Sie empörten sich über die lebenden Bilder, die der wohlhabende Kaufmann Don Bruno Crespi in dem Theater mit den Löwenrachen vorführte, weil eine in einem Filmstreifen verstorbene und beerdigte Figur, über deren Unglück sie kummervolle Tränen vergossen, im nächsten Film quietschlebendig als Araber auferstand. Das Publikum, das zwei Centavos zahlte, um die Schicksalsschläge der Personen zu teilen, ertrug nicht den unerhörten Spott und zertrampelte die Kassenloge. So erläuterte denn der Bürgermeister auf Don Bruno Crespis Drängen in einer Bekanntmachung, das Kino sei eine Illusionsmaschine, die keinen leidenschaftlichen Überschwang der Zuschauer verdiene. Angesichts dieser entmutigenden Erklärung vermuteten viele, sie seien Opfer eines neuaufgelegten Zigeunerschwindels geworden, so daß sie beschlossen, fortan das Kino zu meiden, da sie bereits genügend mit eigenen Sorgen gesegnet waren, um noch geheucheltes Mißgeschick von Phantasiegeschöpfen beweinen zu können. Ähnliches geschah mit den Zylindergrammophonen, die Frankreichs fröhliche Matronen als Ersatz für die altmodischen Drehorgeln herbeischleiften und die der Musikkapelle eine Zeitlang erheblichen Abbruch tun sollten. Zunächst vermehrte die Neugier die Kundschaft der verbotenen Straßen ums Vielfache, und man wußte sogar von respektablen Damen, die sich als Dorfleute verkleideten, um die Neuigkeit des Grammophons aus der Nähe zu beobachten, doch sie beobachteten es so lange und aus solcher Nähe, daß sie bald zu dem Schluß kamen, es sei gar keine Zaubermühle, wie alle dachten und wie die Matronen versicherten, sondern ein mechanischer Kunstgriff, der nicht mit einem so ergreifenden, so menschlichen und von so viel Alltagswahrheit strotzenden Ding wie einer Musikkapelle zu vergleichen war. Die Enttäuschung war so groß, daß, als das Grammophon so volkstümlich wurde, daß jedes Haus eines anschaffte, man es nicht als Unterhaltungsgegenstand für Erwachsene ansah, sondern als auseinandernehmbares Spielzeug für Kinder. Hatte dagegen ein Dorfbewohner die Gelegenheit, die rauhe Wirklichkeit des auf der Eisenbahnstation eingerichteten Telefons festzustellen, das er infolge der Handkurbel für eine Vorform des Grammophons hielt, gerieten sogar die Ungläubigsten aus dem Konzept. Es war, als habe Gott beschlossen, jede Fähigkeit des Staunens auf die Probe zu stellen, und halte Macondos Einwohner in einem fortgesetzten Hin und Her des Frohlockens und der Enttäuschung, zwischen Zweifel und Offenbarung, bis schließlich niemand mehr genau wissen konnte, wo die Grenzen der Wirklichkeit lagen. Es war ein derartiges Gemisch aus Wahrheiten und Spiegelfechtereien, daß José Arcadio Buendías Gespenst unter der Kastanie sich vor Ungeduld krümmte und nicht anders konnte, als bei hellichtem Tag im Haus auf und ab zu gehen. Seit die Eisenbahnlinie offiziell eröffnet worden war und der Zug regelmäßig mittwochs um elf Uhr einfuhr, seit man das erste Stationsgebäude aus Holz errichtet hatte mit Büro, Telefon und einem Schalter zum Verkauf der Fahrscheine, sah man in Macondos Gassen Männer und Frauen, die zwar gewöhnliches, alltägliches Gebaren heuchelten, in Wirklichkeit aber Zirkusvolk glichen. Ein über die Lumpereien der Zigeuner bereits aufgebrachtes Dorf war kein günstiges Pflaster für die Gleichgewichtskünstler des fahrenden Handels, die mit dem gleichen Wortschwall einen pfeifenden Kochtopf wie ein Lebenselixier für die Rettung der Seele am siebten Tag anpriesen; doch bei denen, die sich aus Müdigkeit beschwatzen ließen, und den chronisch Unvorsichtigen strichen sie gewaltige Gewinne ein. Unter diesen Bauernfängern in Reithosen und Gamaschen, mit Tropenhelm und Stahlbrille, mit Topasaugen und Kapaunhaut traf an einem soundsovielten Mittwoch in Macondo ein Mensch ein, der im Haus der Buendías zu Mittag aß: der rundliche, lächelnde Mr. Herbert.

Niemand achtete bei Tisch auf ihn, bis das erste Büschel Bananen verspeist war. Aureliano Segundo war ihm zufällig begegnet, als er sich in mühsamem Spanisch darüber beschwerte, daß im Hotel Jacob kein einziges Zimmer frei sei, und so lud er ihn nach Hause ein, wie er es bislang mit zahlreichen Fremden getan hatte. Dieser handelte mit Fesselballons, mit denen er in der halben Welt große Gewinne erzielt hatte; in Macondo indes hatte er niemanden bewegen können aufzusteigen, weil man dort die Erfindung als Rückschritt ansah, nachdem man die fliegenden Teppiche der Zigeuner beobachtet und erprobt hatte. So beabsichtigte er denn, mit dem nächsten Zug wieder abzureisen. Als nun das getigerte Büschel Bananen aufgetragen wurde, das beim Mittagessen gewöhnlich im Eßzimmer aufgehängt wurde, riß er die erste Frucht ohne große Begeisterung ab. Doch dann aß er im Sprechen weiter, kostend, kauend, eher zerstreut wie ein Philosoph als genießend wie ein Feinschmecker, und als er das erste Büschel aufgegessen hatte, bat er um ein zweites. Dann förderte er aus seinem Werkzeugkasten, den er immer bei sich führte, ein kleines Etui mit optischen Instrumenten zutage. Und mit der unglaublichen Aufmerksamkeit eines Diamantenkäufers musterte er eingehend eine Banane, die er mit einem besonderen Stilett in ihre Teile zerlegte, diese auf einer Apothekerwaage wog und ihren Durchmesser mit dem Winkelmaß eines Waffenschmieds maß. Nun kramte er aus dem Kasten eine Reihe von Werkzeugen hervor, mit denen er die Temperatur maß, den Feuchtigkeitsgrad der Luft und die Intensität des Lichts. Das Ganze war eine so spannende Zeremonie, daß niemand ruhig weiteressen konnte in Erwartung, Mr. Herbert möge sich über seine Versuche äußern, doch er sagte nichts, was seine Absichten erhellt hätte.

An den folgenden Tagen sah man ihn mit einem Netz und einer Botanisiertrommel in der Umgebung des Dorfes Schmetterlinge fangen. Am Mittwoch traf ein Stab Ingenieure, Agronomen, Hydrologen, Topographen und Landmesser ein, die mehrere Wochen hindurch dieselben Gegenden erkundeten, in denen Mr. Herbert Schmetterlinge gejagt hatte. Später traf Señor Jack Brown in einem Anhänger des gelben Eisenbahnzuges ein, ganz mit Silberplatten verschalt, mit Sesseln aus bischöflichem Samt ausgestattet und mit einem blauen Glasdach versehen. Mit diesem Sonderwagen kamen gleichfalls, Señor Brown umschwänzelnd, die feierlichen schwarzgekleideten Rechtsanwälte, die in früherer Zeit Oberst Aureliano Buendía allerwärts begleitet hatten, und dies ließ die Dorfbewohner vermuten, die Agronomen, die Hydrologen, Topographen und Landvermesser, dazu Mr. Herbert mit seinen Fesselballons und seinen bunten Faltern wie auch Señor Brown mit seinem fahrenden Mausoleum und seinen wütenden deutschen Doggen hätten etwas mit dem Krieg zu tun. Freilich blieb nicht viel Zeit zu Vermutungen, da die argwöhnischen Einwohner von Macondo sich noch immer fragten, was zum Teufel los sei, als ihr Dorf sich bereits in ein Lager aus blechgedeckten Holzhäusern verwandelt hatte, bewohnt von Fremden, die aus der halben Welt im Zug angereist kamen, nicht nur auf den Sitzen und Plattformen des Zuges, sondern auch auf dem Dach der Wagen. Die Grünhörner, die später ihre schmachtenden Frauen in Musselinkleidern und riesigen Gazehüten mitbrachten, errichteten ein besonderes Dorf auf der anderen Seite des Schienenstrangs mit palmengesäumten Straßen, Häusern mit eisernen Gitterfenstern, mit weißen Tischchen auf den Terrassen, mit Ventilatoren an der Decke und weiten blauen Rasenflächen mit Pfauen und Wachteln. Dieser Teil war wie ein riesiger Hühnerstall von einem elektrisch geladenen Zaun umgeben, der in den kühlen Sommermonaten schwarz von gebratenen Tauben erwachte. Noch wußte niemand, was sie suchten oder ob sie in Wirklichkeit nur Philanthropen waren, und doch hatten sie bereits einen mächtigen Wirbel verursacht, und der war zwar verwirrender als einst der der alten Zigeuner, dafür aber weniger vorübergehend und verständlich. Mit Hilfsmitteln begabt, die in früherer Zeit der göttlichen Vorsehung vorbehalten waren, veränderten sie die Regenzeiten, beschleunigten den Kreislauf der Ernten, lenkten den Fluß aus seinem uralten Bett ab und verlegten ihn mit seinen weißen Kieselsteinen und seinem eiskalten Gefälle ans andere Ende des Dorfes, hinter den Friedhof. Bei dieser Gelegenheit errichteten sie auch eine Betonfeste auf dem verblaßten Grab José Arcadios, damit der Pulvergestank des Leichnams nicht das Wasser vergiftete. Für die Fremden, die ohne Liebschaften ankommen sollten, verwandelten sie die Straße von Frankreichs liebreichen Matronen in ein noch ausgedehnteres Dorf als das andere, und eines ruhmreichen Mittwochs lief ein Zug ein, beladen mit den unwahrscheinlichsten Huren, mit babylonischen, in unvordenklichen Künsten bewanderten Weibchen, ausgerüstet mit allen Arten von Salben und Reizmitteln zur Belebung Schwachbewehrter, zur Entspannung Verklemmter, zur Sättigung Heißhungriger, zur Aufreizung Bescheidener, zur Züchtigung Vielseitiger und zur Besserung Vereinsamter. Die Türkenstraße, bereichert mit leuchtenden Kolonialwarenläden, welche die alten bunten Bazare verdrängt hatten, wimmelte samstags abends von einem Strom von Abenteurern, die sich zwischen den Spieltischen drängten, den Schießständen, dem Gäßchen, wo Zukunft prophezeit und Träume gedeutet wurden, den Tischen mit Spritzgebackenem und Trinkbarem – und das lag sonntags früh auf dem Boden verstreut zwischen Leibern, die mitunter glückseligen Trunkenbolden gehörten und fast immer Gaffern, die von Schüssen, Faustschlägen, Messerstichen oder Flaschenhieben Rauflustiger niedergestreckt worden waren. Es war eine so stürmische, unzeitgemäße Invasion, daß man in der ersten Zeit überhaupt nicht auf die Straße gehen konnte wegen all der im Wege stehenden Möbel und Truhen, wegen des Betriebs der Zimmerleute, die ihre Häuser ohne jede Erlaubnis auf jedwedem freien Gelände zusammenhämmerten, wegen des Ärgernisses der Liebespaare, die ihre Hängematten zwischen den Mandelbäumen aufspannten und unter dem Sonnenzelt vor den Augen aller die Liebe betrieben. Den einzigen stillen Winkel schufen die friedlichen antillischen Neger, die eine Seitenstraße anlegten mit Pfahlbauten, vor deren Türen hockend sie gegen Abend schwermütige Choräle in ihrem verworrenen Kauderwelsch sangen. So viele Veränderungen geschahen in so kurzer Zeit, daß acht Monate nach Mr. Herberts Besuch Macondos einstige Einwohner in der Frühe aufstanden, um ihr eigenes Dorf kennenzulernen.

»Seht, was wir uns damit eingebrockt haben«, sagte damals Oberst Aureliano Buendía, »daß wir ein Grünhorn zum Bananenessen eingeladen haben.«

Aureliano Segundo hingegen wußte sich vor Freude über die Lawine von Ausländern gar nicht zu lassen. Bald füllte sich das Haus mit unbekannten Gästen, mit unschlagbaren Weltenbummlern, so daß es hieß, Behelfsschlafzimmer im Innenhof einrichten, das Speisezimmer erweitern und den alten Eßtisch durch einen neuen mit sechzehn Gedecken, mit neuem Geschirr und Besteck austauschen; doch auch so mußte in zwei Abteilungen zu Mittag gegessen werden. Fernanda sah sich gezwungen, ihre Bedenken zu verscheuchen und die allerverkommensten Gäste wie Könige zu empfangen, die den Hausflur mit ihren Stiefeln beschmutzten, im Garten urinierten, ihre Schlummermatten irgendwo auslegten und daherschwatzten, ohne sich um Empfindlichkeiten von Damen oder Ziererereien von Herren zu scheren. Amaranta ärgerte sich so sehr über den Überfall dieses Pöbels, daß sie wieder wie in alten Zeiten in der Küche aß. Oberst Aureliano Buendía, überzeugt, daß die Mehrzahl derer, die ihn in seiner Werkstatt begrüßten, es nicht aus Sympathie oder Wertschätzung taten, sondern aus Neugierde, eine historische Reliquie zu bestaunen, ein Museumsfossil, beschloß, sich hinter Schloß und Riegel einzusperren, so daß er sich nur noch selten auf seinem Hocker vor der Haustüre sehen ließ. Ursula hingegen verspürte selbst in der Zeit, als sie bereits die Füße nachschleppte und sich an den Wänden entlangtastete, kindliche Freude beim Einfahren des Zuges. »Fleisch und Fisch braten«, befahl sie den vier Köchinnen, die sich tummelten, um unter der unermüdlichen Leitung Santa Sofías von der Frömmigkeit zur Zeit fertig zu werden. »Wir brauchen von allem«, beharrte sie, »denn man weiß nie, was die Ausländer essen wollen.« Der Zug lief in der heißesten Tageszeit ein. Zur Mittagessenszeit ließ Marktlärm das Haus erzittern, und die schwitzenden Kostgänger, die keine Ahnung hatten, wer ihre Gastgeber waren, brachen rudelweise ein, um die besten Plätze am Tisch zu erobern, während die Köchinnen sich mit ihren gewaltigen Suppenterrinen, den Fleischkesseln, den Gemüseschüsseln, den Reisplatten gegenseitig pufften und mit unerschöpflichen Schöpflöffeln Limonade aus Fäßchen einschenkten. So groß war das Durcheinander, daß Fernanda bei dem Gedanken, manch einer könnte sich zweimal bedienen, fast verzweifelte und sich bei mehr als einer Gelegenheit mit den

Kraftausdrücken einer Gemüsefrau Luft machte, weil irgendein verwirrter Tischgast sie um die Rechnung bat. Über ein Jahr war seit Mr. Herberts Besuch vergangen, und man wußte nur, daß die Grünhörner Bananen in dem verzauberten Gebiet zu säen gedachten, das José Arcadio Buendía und seine Männer auf der Suche nach den großen Erfindungen durchquert hatten. Auch zwei weitere Söhne des Oberst Aureliano Buendía mit ihrem Aschenkreuz auf der Stirn kamen, herbeigeschleppt von jenem vulkanischen Rülpser, und rechtfertigten ihren Entschluß mit einem Satz, der vielleicht die Gründe aller erklärte.

»Wir sind gekommen«, sagten sie, »weil alle Welt kommt.«

Remedios die Schöne war die einzige, die von der Bananenseuche unangefochten blieb. Sie war in einer prachtvollen Jugendlichkeit steckengeblieben und wurde immer widerspenstiger gegen Förmlichkeiten, immer gleichgültiger gegen Böswilligkeit und Argwohn und fand das Glück in ihrer eigenen Welt schlichter Wirklichkeiten. Sie verstand nicht, warum die Frauen sich das Leben mit Miedern und Unterröcken erschwerten, weshalb sie sich eine weite Hanfsoutane schneiderte, die sie einfach über den Kopf streifte und damit das Kleidungsproblem bündig löste, ohne dabei um das Gefühl des Nacktseins zu kommen, denn das war ihrer Ansicht nach die einzig anständige Haustracht. Man bedrängte sie so sehr, sich das regengleich auf die Knöchel herabfließende Haar zu schneiden und sich mit Kämmen einen Knoten aufzustecken und Zöpfe mit bunten Bändern zu flechten, daß sie sich schlichtweg den Kopf rasierte und aus ihrer Haarpracht Perücken für die Heiligenbilder herstellte. Verblüffend an ihrem Vereinfachungstrieb war dies: Je mehr sie sich auf der Suche nach Bequemlichkeit von Modischem befreite, je mehr sie der Unmittelbarkeit folgend sich über Förmlichkeiten hinwegsetzte, desto betörender wurde ihre unglaubliche Schönheit, desto herausfordernder wirkte ihr Verhalten auf die Männer. Als die Söhne des Obersten Aureliano Buendía zum erstenmal in Macondo weilten, erinnerte sich Ursula daran, daß in deren Adern das gleiche Blut floß wie in denen ihrer Urenkelin, und sie erbebte von vergessenen Schrecken. »Halte die Augen offen«, warnte sie. »Mit jedem von ihnen bekommst du Kinder mit Schweineschwänzen.« Sie aber machte sich so wenig aus der Warnung, daß sie sich als Mann verkleidete und sich im Sand wälzte, um den Klettermast zu erklimmen, und unter den durch das unerträgliche Schauspiel völlig durchgedrehten siebzehn Vettern fast eine Tragödie anstiftete. Daher schlief keiner von ihnen, wenn sie das Dorf besuchten, im Haus, und die vier Dagebliebenen wohnten auf Ursulas Geheiß in Mietzimmern. Remedios die Schöne, hätte sie von jener Vorsichtsmaßnahme gewußt, wäre vor Lachen gestorben. Bis zum letzten Augenblick ihres Erdenlebens wußte sie nicht, daß ihr unrettbares Schicksal eines betörenden Weibchens ein tägliches Verhängnis war. Jedesmal, wenn sie, Ursulas Anweisungen zuwiderhandelnd, im Speisezimmer erschien, löste sie eine verzweifelte Panik unter den Fremden aus. Es war allzu offensichtlich, daß sie unter dem rohen Nachthemd nackt war, und niemand konnte begreifen, daß ihr rasierter, formvollendeter Schädel keine Herausforderung war und daß ihre Unbekümmertheit, mit der sie ihre Schenkel entblößte, um sich bei der Hitze Luft zu machen, und das Vergnügen, mit dem sie nach dem Essen mit den Händen sich die Finger ableckte, keine verbrecherische Aufreizung war. Kein Familienmitglied erfuhr jemals, was die Ausländer sehr bald bemerkten: daß Remedios die Schöne einen verwirrenden Atem verströmte, einen quälenden Hauch, der noch mehrere Stunden nach ihrem Auftreten im Raume schwebte. In Liebeshändeln erfahrene weltgewandte Männer behaupteten, nie ein ähnliches Begehren verspürt zu haben wie jenes, das der natürliche Hautgeruch der schönen Remedios hervorrief. In der Begonienveranda, im Besuchssalon, in irgendeinem Winkel des Hauses ließ sich der genaue Punkt angeben, an dem sie gewesen war, sowie die mittlerweile verflossene Zeit. Es war eine bestimmte, unverwechselbare Fährte, die zwar kein Hausinsasse zu unterscheiden wußte, weil sie seit langem zu den täglichen Gerüchen gehörte, die jedoch jeder Fremde auf der Stelle erkannte. Daher verstanden sie als einzige, daß der junge Wachkommandant aus Liebe gestorben und daß ein aus anderen Ländern zugereister Kavalier der Verzweiflung anheimgefallen war. Nichts ahnend von der beunruhigenden Luft, in der sie sich bewegte, von dem unerträglichen Zustand innerer Verhängnisse, die sie auf Schritt und Tritt auslöste, trat Remedios die Schöne den Männern ohne jeden Hintergedanken entgegen und verdrehte ihnen den Kopf mit ihrer unschuldigen Gefälligkeit. Als Ursula endlich die Anweisung durchsetzte, sie solle mit Amaranta in der Küche essen, damit die Fremden sie nicht sähen, fühlte sie sich sogleich behaglicher, weil sie sich endlich von jeder Disziplin befreit sah. In Wirklichkeit war es ihr gleichgültig, wo sie aß, und so aß sie auch nicht mehr zu bestimmten Stunden, sondern nach den Launen ihres Appetits. Manchmal stand sie um drei Uhr morgens auf, um zu Mittag zu essen, schlief den ganzen Tag und hielt sich mehrere Monate an einen auf den Kopf gestellten Stundenplan, bis irgendein Zufall ihn wieder zurechtrückte. Liefen die Dinge günstiger, stand sie um elf Uhr vormittags auf, schloß sich bis um zwei Uhr splitternackt im Bad ein und erlegte Skorpione, während sie ihren festen, langen Schlaf abschüttelte. Dann besprühte sie sich mittels einer Kalebasse aus einem Brunnen. Das war ein so ausgedehnter, so eingehender, zeremonienreicher Akt, daß, wer sie nicht kannte, hätte meinen mögen, sie sei in eine wohlverdiente Anbetung ihres eigenen Körpers vertieft. Doch für sie entbehrte dieser einsame Ritus jeder Sinnlichkeit, und es war lediglich eine Art, die Zeit totzuschlagen, bis sie Hunger bekam. Eines Tages, als sie zu baden begann, hob ein Fremder einen Dachziegel hoch, und schon stockte ihm bei dem Schauspiel ihrer Nacktheit der Atem. Sie sah die fassungslosen Augen durch die zerbrochenen Ziegel hindurch und zeigte nicht etwa Scham, sondern Bestürzung.

»Vorsicht«, rief sie. »Sonst fallen Sie herunter.«

»Ich will Sie nur sehen«, murmelte der Fremde.

»Ah, gut«, sagte sie. »Aber geben Sie Obacht, die Dachziegel sind brüchig.«

Das Gesicht des Fremden zeigte schmerzliche Betäubung, er schien dumpf gegen seinen primitiven Trieb anzukämpfen, um die Fata Morgana nicht zu zerstören. Remedios die Schöne dachte, er habe Angst, die Dachplatten könnten brechen, und badete rascher als gewöhnlich, damit der Mann nicht länger in Gefahr schwebte. Während sie sich also mit Wasser aus dem Brunnen besprengte, sagte sie, es sei eine Not mit dem schadhaften Dach, denn sie glaube, die vom Regen angefaulte Blätterschicht sei schuld daran, daß das Bad von Skorpionen wimmle. Der Fremde hielt dieses Geschwätz für einen Vorwand ihrerseits, ihre Willfährigkeit zu tarnen, so daß er der Versuchung zu einem weiteren Schritt nicht widerstehen konnte, als sie sich einzuseifen begann.

»Lassen Sie mich Sie einseifen«, murmelte er.

»Ich danke Ihnen für Ihr freundliches Angebot«, sagte sie. »Aber ich komme mit meinen zwei Händen aus.«

»Und wenn es nur der Rücken ist«, flehte der Fremde.

»Das wäre wirklich vergeudete Zeit«, sagte sie. »Ich habe nie gehört, daß die Leute sich gegenseitig den Rükken einseifen.«

Nachher, während sie sich abtrocknete, bat der Fremde mit tränenblinden Augen darum, daß sie ihn heirate. Sie erwiderte grundaufrichtig, sie werde nie einen so einfältigen Mann heiraten, der fast eine Stunde verliere und dabei noch sein Mittagessen verpasse, nur um eine Frau baden zu sehen. Schließlich, als sie in ihre Soutane schlüpfte, konnte der Mann die Feststellung, daß sie tatsächlich nichts darunter trage, wie alle Welt vermutete, nicht länger ertragen und fühlte sich für immer vom glühenden Eisen jenes Geheimnisses geprägt. Nun löste er zwei weitere Ziegel, um sich in das Bad hinunterzulassen.

»Es ist sehr hoch«, warnte sie ihn erschrocken. »Sie werden sich den Hals brechen.«

Die modrigen Dachplatten gingen unter Donnergetöse in Stücke, der Mann konnte nur noch einen Schreckensschrei ausstoßen, brach sich das Genick und starb schmerzlos auf dem Zementboden. Die Fremden, die im Speisezimmer den Lärm hörten und eilends den Leichnam holten, spürten auf seiner Haut den beklemmenden Geruch Remedios der Schönen. Er war dergestalt in seinen Körper übergegangen, daß die Ritzen des Gehirns kein Blut verströmten, sondern ein von jenem geheimen Duft getränktes Amberöl, und nun verstanden sie, daß der Geruch der schönen Remedios die Männer über den Tod hinaus, ja noch den Staub ihrer Gebeine quälte. Im übrigen brachten sie den grauenhaften Unfall nicht mit den anderen beiden Männern in Verbindung, die wegen Remedios der Schönen gestorben waren. Noch fehlte ein Opfer, damit die Fremden und viele von Macondos alten Einwohnern der Legende Glauben schenkten, Remedios Buendía verströme keinen Liebesatem, sondern Todeshauch. Die Gelegenheit, dies zu erproben, ergab sich Monate später, an einem Nachmittag, als Remedios die Schöne mit einer Gruppe von Freundinnen die jüngsten Pflanzungen besichtigte. Für die Leute von Macondo war es eine neue Belustigung, die feuchten, endlosen, bananenstaudengesäumten Alleen zu durchwandern, wo die Stille von anderswoher zu stammen schien, noch unverbraucht und daher so schwer mit der Stimme zu durchdringen. Mitunter verstand man die Worte des anderen kaum auf einen halben Meter Entfernung, während man das am

Ende der Pflanzung Gesprochene deutlich wahrnahm. Für die jungen Mädchen Macondos war das neuartige Spiel Anlaß zu Gelächter und Verblüffung, Erschrockenheit und Spott, und abends sprach man von dem Spaziergang wie von einer Traumerfahrung. So groß war der Ruf dieser Stille, daß Ursula nicht das Herz hatte, Remedios die Schöne um diese Kurzweil zu bringen, und ihr daher eines Nachmittags den Besuch erlaubte, falls sie einen Hut aufsetze und das passende Kleid anziehe. Sobald die Gruppe junger Mädchen die Pflanzung betrat, tränkte sich die Luft mit Todesduft. Die Männer, die in den Furchen arbeiteten, fühlten sich von seltener Verzauberung heimgesucht, von einer unsichtbaren Gefahr bedroht, und manch einer verfiel unwiderstehlichen Weinkrämpfen. Remedios die Schöne und ihre verstörten Freundinnen konnten noch gerade in ein benachbartes Haus flüchten, als sie fast von einem Trupp wütender Mannsbilder angefallen wurden. Kurz darauf wurden sie von den vier Aurelianos gerettet, deren Aschenkreuze einen heiligen Schauder einflößten, als seien sie ein Kastenzeichen, ein Siegel der Unverletzlichkeit. Remedios die Schöne erzählte niemandem, daß einer der Männer, den Aufruhr nutzend, sie mit einer Hand wie eine Adlerklaue, die den Rand eines Felssturzes umklammert, am Bauch packte. Mit einer Art blitzartiger Benommenheit bot sie dem Angreifer die Stirn und sah die trostlosen Augen, die in ihrem Herzen wie eine glühende Klage haftenblieben. In jener Nacht prahlte der Mann mit seiner Kühnheit und rühmte sich seines Glücks in der Türkenstraße, Minuten bevor ein Pferdehuf seine Brust zermalmte, und eine Menge Fremder sah, wie er sich mitten auf der Straße blutspuckend im Todeskampf wand.

Die Vermutung, daß Remedios die Schöne Macht über den Tod besaß, fußte damals auf vier unwiderleglichen Tatsachen. Wenngleich etliche Männer, die leicht mit dem Wort umgingen, gerne behaupteten, es lohne, das Leben für eine Liebesnacht mit einer so hinreißenden Frau zu opfern, so traf es andererseits zu, daß niemand dies zu erreichen suchte. Vielleicht hätte nicht nur, um sie zu bezwingen, sondern auch, um ihre Gefährlichkeit zu bannen, ein ebenso ursprüngliches wie einfaches Gefühl wie die Liebe genügt, doch das war das einzige, was niemandem einfiel. Ursula kümmerte sich nicht wieder um sie. Zu einer anderen Zeit, als sie die Absicht, sie für die Welt zu retten, noch nicht aufgegeben hatte, suchte sie sie für die elementaren Dinge des Hauses zu erwärmen. »Die Männer verlangen mehr, als du glaubst«, sagte sie rätselhaft zu ihr. »Es gibt viel zu kochen, zu fegen, es gibt viel mehr Kleinlichkeiten zu ertragen, als du glaubst.« Im Grunde täuschte sie sich selber, wenn sie sie fürs häusliche Glück zu zähmen suchte, weil sie davon überzeugt war, daß kein Mann auf Erden, der seine Leidenschaft bei ihr befriedigt habe, eine so unverständliche Schlamperei auch nur einen Tag ertragen könne. Die Geburt des letzten José Arcadio und ihr felsenfester Entschluß, ihn zum Papst zu erziehen, brachte sie schließlich von ihren Besorgnissen für die Urenkelin ab. So überließ sie jene ihrem Schicksal, darauf vertrauend, daß früher oder später ein Wunder geschehen und in dieser Welt, in der es von allem gab, ein Mann mit hinreichender Wurstigkeit auftauchen würde, um sie in Kauf zu nehmen. Schon viel früher hatte Amaranta jeden Versuch aufgegeben, ein nützliches weibliches Wesen aus ihr zu machen. Seit den vergessenen Nähnachmittagen, als die Nichte sich damit zufriedengab, die Kurbel der Nähmaschine zu drehen, gelangte sie zu dem einfachen Schluß, daß sie blöd war. »Wir werden dich verlosen müssen«, sagte sie zu ihr, verblüfft über ihre Unempfindlichkeit gegen männliche Annäherungsversuche. Später, als Ursula darauf drängte, Remedios die Schöne mit einer Mantille über dem Gesicht in die Messe zu schicken, dachte Amaranta, das geheimnisvolle Hilfsmittel würde so herausfordernd wirken, daß in Kürze ein hinreichend neugieriger Mann auftauchen und den wunden Punkt ihres Herzens erforschen würde. Doch als sie sah, daß sie einem Anwärter, der aus vielen Gründen erstrebenswerter war als ein Prinz, die kalte Schulter zeigte, ließ sie alle Hoffnungen fahren. Fernanda machte nicht einmal den Versuch, sie zu verstehen. Als sie Remedios die Schöne als Königin kostümiert in dem blutigen Karneval gesehen hatte, war sie ihr als ein außergewöhnliches Geschöpf vorgekommen. Doch als sie sie mit den Händen essen sah, unfähig, eine Antwort zu geben, die nicht ein Wunder an Einfalt war, bedauerte sie lediglich, daß die Dummköpfe der Familie so lange lebten. Obgleich Oberst Aureliano Buendía nach wie vor glaubte und es auch wiederholte, Remedios die Schöne sei in Wirklichkeit das hellsichtigste Wesen, das er je gekannt habe, und sie dies mit ihrer verblüffenden Fähigkeit, alle zu verspotten, immer wieder bewies, überließ man sie der Güte Gottes. Nun schweifte Remedios die Schöne durch die Wüste der Einsamkeit, doch ohne Kreuz auf dem Rücken, reifend in ihren alptraumlosen Träumen, in ihren endlosen Bädern, bei ihren ungeordneten Mahlzeiten, in ihrem tiefen, langen, erinnerungslosen Stillschweigen, bis zu einem Märznachmittag, an dem Fernanda im Garten ihre Bettücher aus Brabanter Leinen legen wollte und dazu die Frauen des Hauses um Hilfe bat. Kaum hatten sie damit begonnen, als Amaranta merkte, daß Remedios die Schöne plötzlich bis zur Durchsichtigkeit erbleichte.

»Fühlst du dich schlecht?« fragte sie.

Remedios die Schöne, die das Laken am anderen Ende hielt, lächelte mitleidig.

»Im Gegenteil«, sagte sie. »Ich habe mich nie wohler gefühlt.«

Kaum hatte sie gesprochen, als Fernanda spürte, wie ein leichter lichter Lufthauch ihr die Laken entriß und diese vollständig ausbreitete. Amaranta fühlte ein geheimnisvolles Zittern im Spitzensaum ihrer Röcke und wollte sich am Laken festklammern, um nicht zu fallen, genau in dem Augenblick, als Remedios die Schöne aufzufahren begann. Die fast völlig erblindete Ursula war die einzige, die genug Ruhe bewahrte, um die Natur dieses unvermeidlichen Windzugs zu erkennen; sie überließ die Laken der Laune des Lichts und blickte zu Remedios der Schönen auf, die ihr ein Lebewohl zuwinkte inmitten des Flatterns der Laken, die mit ihr aufstiegen, die mit ihr die Luft der Käfer und Dahlien verließen und mit ihr durch die Luft flogen, wo es kein Vier-Uhr-Nachmittags mehr gab und wo sie sich mit ihr für immer in den höchsten Sphären verloren, wo nicht einmal die höchsten Vögel der Erinnerung sie einholen konnten.

Natürlich dachten die Fremden, Remedios die Schöne sei schließlich ihrem unwiderruflichen Schicksal der Bienenkönigin erlegen und ihre Familie versuche, ihre Ehre nun mit dem Schwindel der Levitation zu retten. Die neidzerfressene Fernanda nahm schließlich das Wunder hin und betete lange Zeit zu Gott, er möge ihr die Laken zurückgeben. Die Mehrheit glaubte an das Wunder, und man zündete sogar Kerzen an und betete Rosenkränze. Vielleicht wäre lange Zeit nicht viel anderes gesprochen worden, hätte die barbarische Ausrottung der Aurelianos die Verwunderung nicht durch das Entsetzen abgelöst. Wenngleich Oberst Aureliano Buendía das Geschehene nicht als Vorahnung wertete, so hatte er das tragische Ende seiner Söhne doch in gewisser Weise vorausgesehen. Als Aureliano Serrador und Aureliano Arcaya, die beiden, die inmitten des Aufruhrs ankamen, ihren Wunsch bekundeten, in Macondo zu bleiben, suchte ihr Vater sie umzustimmen. Er verstand nicht, was sie in einem Dorf anstellen wollten, das von einem Tag zum anderen zu einem Ort der Gefahr geworden war. Doch Aureliano Centeno und Aureliano Triste boten ihnen mit Aureliano Segundos Unterstützung Arbeit in ihren Unternehmen an. Oberst Aureliano Buendía hatte noch ziemlich wirre Gründe, diesen Entschluß nicht zu fördern. Seitdem er Señor Brown in dem ersten nach Macondo gelangten Automobil gesehen hatte – ein orangefarbenes Kabriolett mit einem Horn, das mit seinem Gebell die Hunde verscheuchte –, empörte der alte Krieger sich über die unterwürfigen Zurufe der Leute, und es wurde ihm klar, daß die Eigenart der Männer sich geändert hatte, seit sie Frauen und Kinder verließen und mit einer Flinte über der Schulter in den Krieg zogen. Seit dem Waffenstillstand von Neerlandia bestanden die örtlichen Machthaber aus Bürgermeistern ohne Tatkraft, aus dekorativen Richtern, die man unter den friedlichen, müden Konservativen Macondos auswählte. »Das ist ein Regime armer Teufel«, bemerkte Oberst Aureliano Buendía, als er die barfüßigen, knüppelbewaffneten Polizisten vorbeipatrouillieren sah. »Wir haben so viele Kriege geführt, und nur, damit man uns nicht das Haus blau anpinselt.« Als die Bananengesellschaft kam, wurden freilich die örtlichen Beamten durch machtbewußte Ausländer ersetzt, die Señor Brown in dem elektrisch geladenen Hühnerstall unterbrachte, damit sie – wie er erklärte – eine Würde genössen, die ihrem Amt zukam und nicht unter Hitze und Mücken und den ungezählten Unbequemlichkeiten und Entbehrungen des Dorfes zu leiden hätten. Die früheren Polizisten wurden von buschmessertragenden Totschlägern abgelöst. In seiner Werkstatt eingeschlossen, dachte Oberst Aureliano Buendía über diese Veränderungen nach, und zum erstenmal in seinen wortkargen Jahren der Einsamkeit quälte ihn die entschiedene Gewißheit, daß es ein Irrtum gewesen war, den Krieg nicht bis zu seinen letzten Konsequenzen fortzusetzen. In jenen Tagen führte ein Bruder des vergessenen Oberst Magnífico Visbal seinen siebenjährigen Enkel zu einem der Limonadekarren auf dem Platz, und dafür, daß das Kind versehentlich gegen einen Polizeifeldwebel stieß und seine Limonade über dessen Uniform schüttete, hieb der Barbar ihn zu Hackfleisch und schlug dem Großvater, der ihm in den Arm fiel, mit einem Schlag den Kopf ab. Das ganze Dorf sah den Enthaupteten, den eine Gruppe von Männern nach Hause trug, sah den Kopf, den eine Frau am Haar nachschleppte, sah den bluttriefenden Sack, in den sie die Stücke des Knaben gepackt hatten.

Das war für Oberst Aureliano Buendía das Höchstmaß an Buße. Plötzlich empfand er schmerzlich die gleiche Empörung, die er in seiner Jugend empfunden hatte angesichts des Leichnams jener Frau, die mit Stockschlägen getötet worden war, weil ein tollwütiger Hund sie gebissen hatte. Er blickte die Gruppen Neugieriger an, die vor dem Haus herumlungerten, und mit seiner alten, von tiefem Selbsthaß wiederhergestellten Stentorstimme lud er seinen ganzen Haß, den er nicht mehr im Herzen ertragen konnte, gegen sie ab.

»Eines Tages«, schrie er, »werde ich meine jungen Leute bewaffnen, damit sie mit diesen Scheißgrünhörnern aufräumen!«

Im Verlauf jener Woche wurden seine siebzehn Söhne an verschiedenen Orten der Küste wie Hasen von unsichtbaren Verbrechern gejagt, die auf die Mitte ihrer Aschenkreuze zielten. Aureliano Triste verließ das Haus seiner Mutter um sieben Uhr abends, als ein Gewehrschuß aus der Dunkelheit seine Stirn durchbohrte. Aureliano Centeno wurde in der Hängematte, die er immer in der Fabrik aufspannte, aufgefunden, einen Eisstichel bis zum Griff zwischen den Brauen. Aureliano Serrador hatte seine Verlobte nach einem Kinobesuch ins Haus ihrer Eltern zurückbegleitet und befand sich in der erleuchteten Türkengasse auf dem Rückweg, als jemand, der nie erkannt wurde, aus der Menge einen Revolverschuß auf ihn abgab, der ihn in einen Kessel mit kochender Butter niederstreckte. Einige Minuten später klopfte jemand an der Tür des Zimmers, in das sich Aureliano Arcaya mit einer Frau eingeschlossen hatte, und schrie: »Eil dich, sie morden deine Brüder.« Die Frau, die bei ihm war, erzählte später, Aureliano Arcaya sei aus dem Bett gesprungen, habe die Tür aufgerissen und sei von der Salve einer Mauser begrüßt worden, die ihm das Gehirn zerfetzt habe. In jener Todesnacht, während das Haus sich zur Totenwache bei den vier Leichnamen vorbereitete, lief Fernanda wie eine Wahnsinnige durchs Dorf auf der Suche nach Aureliano Segundo, den Petra Cotes in einem Kleiderschrank eingeschlossen hatte in dem Glauben, der Ausrottungsbefehl betreffe alle, die den Namen des Obersten trugen. Sie ließ ihn erst am vierten Tag frei, als die von verschiedenen Küstenorten eingelaufenen Telegramme zu verstehen gaben, die Raserei des unsichtbaren Feindes sei nur gegen die mit einem Aschenkreuz gezeichneten Brüder gerichtet. Amaranta suchte das Rechenbüchlein, in dem sie die Daten der Neffen notiert hatte, und strich nach dem Eingang der Telegramme die Namen aus, bis nur der des ältesten übrig war. Man erinnerte sich seiner sehr gut wegen des Gegensatzes zwischen seiner dunklen Haut und den großen grünen Augen. Er hieß Aureliano Amador, war Zimmermann und wohnte in einem am Fuß der Sierra versteckten Dorf. Nachdem Aureliano Segundo zwei Wochen auf ein Telegramm mit seiner Todesnachricht gewartet hatte, schickte Aureliano Segundo ihm einen Warnboten in der Annahme, er ahne nichts von der über seinem Kopf schwebenden Drohung. Der Bote kehrte mit der Nachricht zurück, Aureliano Amador sei in Sicherheit. In der Nacht der Ausrottung hätten zwei Männer ihn in seinem Haus gesucht und ihre Revolver auf ihn abgeschossen, sein Aschenkreuz jedoch verfehlt. Aureliano Amador habe die Mauer des Innenhofs überspringen und sich ins Labyrinth der Sierra retten können, die er dank der mit ihm befreundeten Indios, mit denen er Holzhandel trieb, Handbreit für Handbreit kannte. Seither habe man nichts mehr von ihm gehört.

Das waren schwarze Tage für Oberst Aureliano Buendía. Der Präsident der Republik richtete ein Beileidstelegramm an ihn, in dem er eine eingehende Untersuchung versprach, und ließ die Toten ehren. Auf seinen Befehl fand sich der Bürgermeister bei der Beerdigung mit vier Trauerkränzen ein, die er im Haus auf den Särgen niederlegen wollte, doch der Oberst warf ihn auf die Straße. Nach der Beerdigung setzte er ein unverschämtes Telegramm an den Präsidenten der Republik auf und gab es persönlich beim Telegrafisten ab, der sich indes weigerte, es abzuschicken. Infolgedessen schmückte er es mit äußerst beleidigenden Ausdrücken aus, steckte es in einen Umschlag und gab es bei der Post auf. Wie es ihm beim Tod seiner Frau, wie es ihm so viele Male während des Krieges beim Tod seiner besten Freunde ergangen war, verspürte er kein Gefühl der Trauer, nur blinde, ziellose Wut, ausweglose Ohnmacht. Er beschuldigte sogar den Pater Antonio Isabel der Mittäterschaft, weil er seine Söhne mit einem unauslöschlichen Aschenkreuz gezeichnet habe, damit sie von ihren Feinden leichter erkannt werden könnten. Der hinfällige Priester, dessen Gedanken sich allmählich verwirrten und der seine Pfarrkinder auf der Kanzel mit den ungereimtesten Bibelauslegungen erschreckte, erschien eines Nachmittags im Hause mit dem Topf, in dem er seine Aschermittwochsasche mischte, und versuchte damit die ganze Familie einzureiben, um zu beweisen, daß sie sich mit Wasser wegwaschen ließ. Doch das Entsetzen über das Unglück saß so tief, daß nicht einmal Fernanda sich zu dem Experiment herbeiließ und kein Buendía je mehr am Aschermittwoch vor dem Abendmahlstisch erschien.

Oberst Aureliano Buendía fand lange keine Ruhe wieder. Er gab die Herstellung der Fischchen auf, aß nur noch mühsam und lief, seine Wolldecke hinter sich herschleifend, wie ein Schlafwandler im Haus umher, dumpfen Zorn wiederkäuend. Nach Ablauf von drei Monaten hatte er aschgraues Haar, und sein alter Zwirbelbart mit den pomadisierten Spitzen fiel über die blutleeren Lippen herab; dafür waren seine Augen von neuem jene glühenden Kohlen, die einst bei seiner Geburt seine Betrachter erschreckt hatten und die später nur die Stühle anzusehen brauchten, damit diese ins Kreisen gerieten. In seiner quälenden Wut versuchte er vergebens die Vorhersagen herauszufordern, die seine Jugend auf gefährlichen Pfaden geleitet hatten bis zur trostlosen Einöde des Ruhms. Er war verloren, verirrt in einem fremden Haus, wo niemand mehr die geringste Spur der Zuneigung in ihm erregte. Einmal öffnete er Melchíades' Zimmer auf der Suche nach Fährten einer Vorkriegsvergangenheit und fand nur Trümmer, Unrat und Haufen von in so vielen Jahren der Verlassenheit angesammeltem Abfall. In den Umschlägen der Bücher, die niemand je wieder gelesen hatte, in den alten, feuchtigkeitszerfressenen Pergamenten gedieh eine aschgraue Flora, und in der Luft, die vom ganzen Haus die reinste, leuchtendste gewesen war, hing ein unerträglicher Geruch von vermoderten Erinnerungen. Eines Morgens fand er Ursula weinend unter der Kastanie auf dem Schoß ihres toten Gatten sitzen. Oberst Aureliano Buendía war der einzige, der den von einem halben Jahrhundert der Stürme gebeugten kraftvollen Greis nie sah. »Begrüße deinen Vater«, sagte Ursula zu ihm. Und er blieb eine Sekunde vor der Kastanie stehen und stellte wieder einmal fest, daß auch der leere Raum keine Zuneigung in ihm erregte.

»Was sagst du?« fragte er.

»Er ist sehr traurig«, erwiderte Ursula, »weil er glaubt, du wirst sterben.«

»Sag ihm«, lächelte der Oberst, »daß man nicht stirbt, wenn man muß, sondern wenn man kann.«

Die Vorahnung des toten Vaters tilgte die letzten Spuren des Hochmuts in seinem Herzen, doch er verwechselte das mit einem plötzlichen Aufwallen von Kraft. Daher bestürmte er Ursula, sie solle ihm verraten, wo die Goldmünzen im Hof vergraben seien, die man in jenem gipsernen Joseph gefunden hatte. »Du wirst es nie erfahren«, sagte sie zu ihm mit der von alter bitterer Erfahrung genährten Festigkeit. »Eines Tages«, fügte sie hinzu, »wird der Besitzer dieses Vermögens erscheinen, und nur er wird sie ausgraben.« Niemand wußte, warum ein Mann, der immer so uneigennützig gehandelt hatte, plötzlich Geld begehrte, und zwar nicht etwa bescheidene Summen, die zur Überbrückung einer Notlage ausgereicht hätten, sondern ein unerhörtes Vermögen, bei dessen Erwähnung Aureliano Segundo ein Schwindelgefühl des Staunens befiel. Die alten Parteigänger, die er um Hilfe anging, versteckten sich, um ihn nicht empfangen zu müssen. Zu jener Zeit hörte man ihn sagen: »Augenblicklich besteht der einzige Unterschied zwischen Liberalen und Konservativen darin, daß die Liberalen die Fünfuhrmesse und die Konservativen die Achtuhrmesse besuchen.« Dennoch legte er sich so hartnäckig ins Zeug, bat er so inständig, verletzte er seine Grundsätze der Würde dergestalt, daß er, indem er sich mit stillschweigendem Eifer und unerbittlicher Ausdauer überall durchschlängelte und ein bißchen hier, ein wenig dort ergatterte, in acht Monaten mehr Geld zusammengekratzt hatte, als Ursula vergraben hielt. Nun besuchte er den siechen Oberst Gerineldo Márquez mit der Bitte, ihm bei der Anzettelung des totalen Krieges zu helfen.

In einem bestimmten Augenblick wäre Oberst Gerineldo Márquez in der Tat der einzige gewesen, der auch in seinem Schaukelstuhl eines Gelähmten die verschimmelten Stränge des Aufstands in Bewegung zu setzen vermocht hätte. Während Oberst Aureliano Buendía sich nach dem Waffenstillstand von Neerlandia in die Verbannung seiner goldenen Fischchen geflüchtet hatte, war er mit den aufständischen Offizieren, die ihm bis zur Niederlage die Treue gehalten hatten, in ständiger Berührung geblieben. Mit ihnen führte er nun den trostlosen Krieg der täglichen Erniedrigung, der Bittgesuche und der Denkschriften, des »Kommen Sie morgen wieder«, des »Es ist fast soweit«, des »Wir prüfen Ihren Fall mit gebührender Aufmerksamkeit«; mit ihnen führte er den hoffnungslosen, verlorenen Krieg gegen »Ihre höchst aufmerksamen, zuverlässigen Diener«, welche die Gewährung der lebenslänglichen Pension unterschreiben sollten und doch nie unterschrieben. Der alte, der blutige Krieg von zwanzig Jahren hatte sie nicht so mitgenommen wie der zermürbende Krieg des ewigen Aufschubs. Selbst Oberst Gerineldo Márquez, der drei Attentaten entkommen war, der fünf Verletzungen überlebt hatte und aus ungezählten Schlachten unversehrt hervorgegangen war, hielt dem grausamen Ansturm des Wartens nicht stand, erlag dem Elend des Alters und dachte dabei zwischen den Lichtrauten eines geliehenen Hauses an Amaranta. Die letzten Veteranen, von denen es noch Kunde gab, erschienen auf einem Zeitungsfoto mit empört erhobenem Blick neben einem namenlosen Präsidenten der Republik, der ihnen eine Medaille mit seinem Konterfei fürs Knopfloch und eine blut- und pulververschmierte Fahne für ihr Grab schenkte. Die anderen, würdigeren, warteten im Schatten der öffentlichen Mildtätigkeit noch immer auf einen Brief und starben währenddessen vor Hunger, überlebten aus Wut und vermoderten altersschwach in der kostbaren Scheiße des Ruhms. Als Oberst Aureliano Buendía sie daher aufforderte, einen tödlichen Brand zu entfachen, der mit jeder Spur eines von ausländischen Eindringlingen aufrechterhaltenen Regimes der Bestechlichkeiten und Ärgernisse aufräumte, konnte Oberst Gerineldo Márquez nicht ein Zittern des Mitleids unterdrücken.

»Ach, Aureliano«, seufzte er, »ich wußte ja, daß du alt bist, aber jetzt merke ich, daß du viel älter bist, als du aussiehst.«

Im Trubel der letzten Jahre hatte Ursula nur wenig Muße gefunden, sich um José Arcadios Ausbildung für das Amt des Papstes zu kümmern, als dieser in aller Eile für die Übersiedlung ins Seminar vorbereitet werden mußte. Seine zwischen Fernandas Strenge und Amarantas Bitterkeit hin und her gezerrte Schwester Meme erreichte fast zur gleichen Zeit das Alter für die Klosterschule, in der die Nonnen aus ihr eine Klavichordvirtuosin machen würden. Ursula hegte schwere Zweifel hinsichtlich der Methoden, mit denen sie den Geist des trägen Lehrlings für das Amt des Papstes geschult hatte, schob die Schuld jedoch weder auf ihr wankelmütiges Alter noch auf die Nebelschwaden, die sie nur den Umriß der Dinge erkennen ließen, sondern auf etwas, was sie selbst nicht zu bestimmen vermochte und doch undeutlich als fortschreitenden Verschleiß der Zeit erkannte. »Die Jahre von heute sind nicht mehr wie die von einst«, pflegte sie zu sagen im Gefühl, die Alltagswirklichkeit entgleite ihren Händen. Früher – so dachte sie – wuchsen die Kinder sehr langsam heran. Sie brauchte nur an all die Zeit zu denken, die notwendig gewesen war, damit José Arcadio, der älteste, mit den Zigeunern fortzog, und an all das, was geschehen mußte, bevor er wie eine Kreuzotter bemalt zurückkehrte und wie ein Astronom redete, und an die Dinge, die im Hause geschahen, bevor Amaranta und Arcadio die Sprache der Indios vergaßen und Spanisch lernten. Man brauchte nur all die Sonne und den Nachttau zu bedenken, die der arme José Arcadio Buendía unter der Kastanie erduldet hatte, und all die Zeit, während der es seinen Tod zu beweinen galt, bevor man einen Oberst Aureliano Buendía zu Grabe trug, der nach so viel Krieg und nach so viel Leiden noch nicht das Alter von fünfzig Jahren erreicht hatte. Einst, nachdem sie einen langen Tag mit der Herstellung von Karamel verbracht hatte, blieb ihr noch Zeit übrig, um sich der Kinder anzunehmen, um im Weiß ihrer Augen zu sehen, ob sie eine Portion Rizinusöl nötig hatten. Jetzt hingegen, wenn sie nichts zu tun hatte und José Arcadio von morgens bis abends auf ihrer Hüfte reiten ließ, zwang die schlechte Beschaffenheit der Zeit sie dazu, die Dinge nur halb zu tun. Tatsächlich weigerte Ursula sich jetzt, wo sie die Zahl ihrer Jahre bereits vergessen hatte, zu altern; sie störte überall, wo sie auftauchte, steckte ihre Nase in alles hinein und lag den Ausländern in den Ohren, ob sie ihr nicht während der Kriegsjahre einen Sankt Joseph aus Gips zur Aufbewahrung bis nach der Regenzeit übergeben hätten. Niemand wußte genau, wann ihr Augenlicht nachzulassen begonnen hatte. Noch in ihren letzten Jahren, als sie schon nicht mehr aus dem Bett aufstehen konnte, wirkte sie einfach altersschwach, doch niemand entdeckte, daß sie erblindet war. Sie selber hatte es schon vor José Arcadios Geburt bemerkt. Anfangs glaubte sie, es handele sich um eine vorübergehende Schwäche, nahm heimlich Marksaft und träufelte sich Bienenhonig in die Augen, doch sehr bald überzeugte sie sich, daß sie so rettungslos in der Finsternis versank, daß sie nie eine genauere Vorstellung von der Erfindung des elektrischen Lichts gewann, da sie nach dem Anbringen der ersten Glühbirnen nur einen vagen Schimmer gewahrte. Sie sagte es niemandem, denn damit hätte sie vor aller Öffentlichkeit zugegeben, daß sie unbrauchbar geworden war. So erlegte sie sich eine stumme Lehrzeit der Entfernungen, der Dinge und der menschlichen Stimmen auf, um mit der Erinnerung zu sehen, was der Schatten des grauen Stars ihr vernebelte. Später entdeckte sie die unvorhergesehene Hilfe der Gerüche, die sich in der Finsternis überzeugender offenbarten als Umrisse und Farben und die sie aus der Schande der Selbstaufgabe retteten. Im Dunkel des Zimmers verstand sie, die Nadel einzufädeln und ein Knopfloch zu nähen, sie wußte, wann die Milch überkochte. Sie kannte mit so großer Sicherheit den Ort, an dem sich jeder Gegenstand befand, daß sie selbst bisweilen vergaß, daß sie blind war. Einmal stellte Fernanda das Haus auf den Kopf, weil sie ihren Ehering verloren hatte, und Ursula fand ihn auf einem Bord des Kinderschlafzimmers. Während die anderen sich sorglos durchs Haus bewegten, überwachte sie sie mit ihren vier Sinnen, um nie überrascht zu werden, und entdeckte nach einiger Zeit, daß jedes Familienmitglied tagtäglich, ohne es zu merken, die gleichen Gänge, die gleichen Verrichtungen und zur gleichen Stunde fast die gleichen Wörter wiederholte. Erst wenn sie von dieser kleinlichen Routine abwichen, liefen sie Gefahr, etwas zu verlieren. Als Ursula daher Fernandas Ratlosigkeit wegen des verlorenen Eherings bemerkte, fiel ihr ein, daß Fernandas einzige aus dem Rahmen fallende Handlung an jenem Tag das Lüften der Kindermatten gewesen war, weil Meme in der voraufgegangenen Nacht eine Wanze entdeckt hatte. Da die Kinder beim Saubermachen dabei waren, dachte Ursula, Fernanda müsse ihn an den einzigen für die Kinder unerreichbaren Ort gelegt haben: auf das Wandbord. Fernanda dagegen suchte ihn nur auf den Spuren ihres täglichen Ganges, ohne zu wissen, daß die Suche verlorener Dinge von Alltagsgewohnheiten gehemmt wird und es daher so schwer ist, sie wiederzufinden. José Arcadios Erziehung half Ursula bei ihrer ermüdenden Aufgabe, über die geringsten Veränderungen auf dem laufenden zu bleiben. Als sie merkte, daß Amaranta die Heiligengestalten des Schlafzimmers anzog, tat sie so, als lehre sie das Kind die Farbunterschiede.

»Laß mal sehen«, sagte sie, »und erzähl mir, welche Farbe der heilige Erzengel Raffael trägt.«

Auf diese Weise lieferte der Kleine ihr die Nachrichten, die ihre Augen ihr vorenthielten, und lange bevor er ins

Seminar ging, konnte Ursula mit Hilfe des Stoffs die verschiedenen Farben der Heiligengewänder unterscheiden. Bisweilen gab es unvorhergesehene Unfälle. Eines Nachmittags stickte Amaranta in der Begonienveranda, und Ursula stieß mit ihr zusammen.

»Um Himmels willen«, brummte Amaranta, »passen Sie doch auf, wohin Sie gehen.«

»Du sitzt an einem Platz, an dem du nichts zu suchen hast«, gab Ursula zurück.

Für sie war es so. An jenem Tag indessen gewahrte sie etwas, was niemand entdeckt hatte: Die Sonne veränderte im Laufe des Jahres kaum merklich ihre Bahn, so daß der, der sich in die Veranda setzte, nach und nach seinen Platz verändern mußte, ohne es zu merken. Fortan brauchte Ursula sich nur an das Datum zu erinnern, um die genaue Stelle zu wissen, an der Amaranta saß. Obgleich ihre Hände immer sichtbarer zitterten und ihre Füße ihr immer schwerer wurden, war ihre geschrumpfte Gestalt nie an so vielen Orten gleichzeitig gesehen worden. Sie war fast so geschäftig wie zu der Zeit, als sie die ganze Last des Hauses getragen hatte. Im übrigen verfügte sie in der undurchdringlichen Einsamkeit ihrer Altersschwäche über so viel Hellsicht, um die unbedeutendsten Familienereignisse zu überprüfen, daß sie zum erstenmal deutlich die Wahrheiten sah, die frühere Obliegenheiten ihr verhüllt hatten. In der Zeit, in der José Arcadio fürs Seminar vorbereitet wurde, hatte sie das Leben des Hauses seit Macondos Gründung bis ins kleinste durchdacht und dabei ihre bisherige Meinung über ihre Abkömmlinge durchgehend geändert. Dabei stellte sie fest, daß Oberst Aureliano Buendía seine Zuneigung zur Familie nicht wegen der Verschärfung des Krieges verloren hatte, wie sie vorher geglaubt hatte, sondern daß er nie jemanden geliebt hatte, nicht einmal seine Gattin Remedios oder die ungezählten Ein-Nacht-Frauen, die durch sein Leben gegangen waren, und noch viel weniger seine Söhne. Sie begriff mit einemmal, daß er nicht aus Idealismus so viele Kriege geführt hatte, wie alle Welt glaubte, daß er nicht aus Müdigkeit auf den bevorstehenden Sieg verzichtet hatte, wie alle Welt glaubte, sondern daß er aus demselben Anlaß, aus reiner, sündiger Hoffart gewonnen und verloren hatte. Sie kam zu dem Schluß, daß jener Sohn, für den sie ihr Leben gegeben hätte, einfach ein liebesunfähiger Mensch war. Eines Nachts, als sie ihn noch im Leibe trug, hatte sie ihn weinen gehört. Es war eine so deutliche Klage, daß José Arcadio Buendía neben ihr erwachte und Gefallen fand an dem Gedanken, sein Sohn werde ein Bauchredner werden. Andere Personen sahen ihn als Wahrsager. Sie hingegen erzitterte bei der Gewißheit, das tiefe Gejammer sei ein erstes Anzeichen des schrecklichen Schweineschwanzes, und sie bat Gott, er möge das Kind in ihrem Leib sterben lassen. Doch nun gewährte die Altershellsicht ihr die wiederholte Erkenntnis, daß ein im Mutterleib weinendes Kind kein Anzeichen von Bauchredner- oder Wahrsagekunst sei, sondern ein untrügliches Zeichen für Liebesunfähigkeit. Und dieses entwertete Bild ihres Sohnes erweckte in ihr mit einem Schlag all das Mitleid, das sie ihm schuldete. Amaranta hingegen, deren Herzenshärte sie entsetzte, deren besessene Bitterkeit sie verbitterte, erkannte sie letzten Endes als die zartfühlendste Frau, die je gelebt hatte, und sie begriff mit mitleidiger Klarsicht, daß weder die ungerechten Quälereien, die Pietro Crespi durch sie erduldet hatte, von Rachsucht diktiert waren, wie alle Welt glaubte, noch das langsame Martyrium, zu dem sie das Leben des Obersten Gerineldo Márquez verurteilt hatte, von ihrer bösen Gallenbitternis bestimmt worden war, wie alle Welt glaubte, sondern daß beide Handlungen ein Kampf auf Leben und Tod zwischen maßloser Liebe und unbezwinglicher Feigheit gewesen waren und daß schließlich Amarantas stetige irrationale Angst über ihr eigenes, gemartertes Herz triumphiert hatte. Zu jener

Zeit begann Ursula Rebeca mit Namen zu nennen und sie sich mit alter, aus später Reue und plötzlicher Bewunderung gesteigerter Liebe wachzurufen, weil sie begriffen hatte, daß Rebeca allein, die sich nie von ihrer Milch ernährt hatte, sondern von der Erde der Erde und dem Kalk der Wände, daß sie, in deren Adern kein Blut aus ihren Adern floß, sondern das unbekannte Blut jener Unbekannten, deren Gebeine nach wie vor im Grabe klapperten, daß diese Rebeca mit dem ungeduldigen Herzen, mit dem ungeduldigen Leib als einzige den hemmungslosen Mut besessen hatte, den Ursula sich für ihre Sippe gewünscht hätte.

»Rebeca«, sagte sie, die Wände betastend, »wie ungerecht sind wir gegen dich gewesen.«

Im Hause glaubte man natürlich, sie phantasiere, besonders seit sie mit erhobenem Arm umherging wie der Erzengel Gabriel. Fernanda indessen merkte, daß eine Sonne der Hellsicht über dem Schatten dieses Fieberwahns lag, denn Ursula konnte ohne Zaudern bekanntgeben, wieviel Geld im vergangenen Jahr für den Haushalt ausgegeben worden war. Amaranta kam auf den gleichen Gedanken, als ihre Mutter eines Tages in der Küche beim Umrühren der Suppe plötzlich, ohne zu wissen, daß man ihr zuhörte, sagte, die Maismühle, die man den ersten Zigeunern abgekauft habe und die verschwunden war, noch bevor José Arcadio die Welt zum fünfundsechzigstenmal umschifft hatte, befinde sich noch immer in Pilar Terneras Haus. Gleichfalls fast hundertjährig, jedoch wohlauf und behende trotz ihrer unglaublichen Schwammigkeit, welche die Kinderschar erschreckte, wie ihr Lachen einst die Tauben erschreckt hatte, wunderte Pilar Ternera sich nicht über Ursulas Denkschärfe, weil ihre eigene Erfahrung ihr anzuzeigen begann, daß ein waches Alter scharfsinniger sein kann als die Befunde der Kartenspiele.

Als Ursula indessen merkte, die Zeit habe ihr nicht

ausgereicht, um José Arcadios Berufung zu unterbauen, befiel sie Mutlosigkeit. Sie begann Irrtümer zu begehen und suchte mit den Augen zu sehen, was Intuition ihr deutlicher zu erkennen gegeben hätte. Eines Morgens schüttete sie im Glauben, es sei Blumenwasser, den Inhalt eines Tintenfasses dem Kind über den Kopf. Ihre Sucht, sich in alles einzumischen, führte zu so vielen Zusammenstößen, daß sie häufig von Übellaunigkeit heimgesucht wurde und das Dunkel zu durchbrechen suchte, mit dem man sie schließlich wie mit einem Spinnennetz zu umgarnen suchte. Nun merkte sie, daß ihre Ungeschicklichkeit nicht der erste Sieg der Altersschwäche und der Dunkelheit war, sondern ein Versagen der Zeit. Sie dachte, früher, als Gott nicht so heftig mit Monaten und Jahren betrogen hatte, wie es die Türken beim Abmessen eines Meters Perkal taten, sei eben alles anders gewesen. Jetzt wuchsen nicht nur die Kinder rascher heran, auch die Gefühle entwickelten sich anders. Kaum war Remedios die Schöne mit Leib und Seele zum Himmel aufgefahren, als die rücksichtslose Fernanda in den Ecken nörgelte, jene habe die Leintücher mitgenommen. Kaum waren die Leiber der Aurelianos in ihren Gräbern erkaltet, sah Aureliano Segundo bereits zum zweitenmal sein Haus erleuchtet und besetzt von Trunkenbolden, die Akkordeon spielten und sich in Champagner badeten, als seien nicht Christen gestorben, sondern Hunde, als sei dieses Haus von Verrückten, das so viele Kopfschmerzen und so viele Karameltierchen gekostet hatte, dazu bestimmt, ein Misthaufen der Verworfenheit zu werden. Daran denkend, während José Arcadios Reisetruhe vorbereitet wurde, fragte Ursula sich, ob es nicht besser sei, sich ein für allemal ins Grab zu legen, sich mit Erde zudecken zu lassen, und furchtlos fragte sie Gott, ob Er wirklich glaube, die Menschen seien aus Eisen, um die vielen Kümmernisse und Demütigungen auszuhalten; und während sie fragte und fragte, fachte sie ihre eigene

Verbitterung nur immer heftiger an und fühlte den unwiderstehlichen Drang, sich wie ein Ausländer Luft zu machen und sich endlich einen Augenblick der Auflehnung zu gönnen, jenen so oft begehrten und so oft verschobenen Augenblick, sich die Entsagung in den Hintern zu schieben und einmal auf alles zu scheißen und ihr Herz von dem riesigen Haufen von Schimpfwörtern zu entlasten, die sie während eines ganzen Jahrhunderts des Einverständnisses hatte hinunterschlucken müssen.

»Scheiße!« schrie sie.

Amaranta, die Wäsche in die Truhe zu legen begann, glaubte, sie sei von einem Skorpion gestochen worden.

»Wo ist er?« fragte sie bestürzt.

»Wer?«

»Das Tier!« erklärte Amaranta.

Ursula deutete mit einem Finger aufs Herz.

»Hier«, sagte sie.

Eines Donnerstags um zwei Uhr nachmittags reiste José Arcadio ab ins Seminar. Ursula sollte sich ihn immer wieder wachrufen, so wie sie ihn beim Abschiednehmen vor sich zu sehen glaubte, träge und ernst und tränenlos, wie sie es ihn gelehrt hatte, vor Hitze halb erstickend in seinem grünen Samtanzug mit Kupferknöpfen und einem gestärkten Band um den Hals. Das Speisezimmer roch noch immer nach dem aufsässigen Duft von Lavendelwasser, das sie ihm auf den Kopf gegossen hatte, um seiner Spur im Hause nachgehen zu können. Während der Dauer des Abschiedsmittagessens tarnte die Familie ihre Unruhe mit fröhlichem Gebaren und feierte mit übertriebener Begeisterung die Bemerkungen Pater Antonio Isabels. Als man aber die samtgefütterte, mit Silberecken beschlagene Truhe fortschleppte, war es, als sei ein Sarg aus dem Hause fortgetragen worden. Der einzige, der sich weigerte, an der Abschiedsfeierlichkeit teilzunehmen, war Oberst Aureliano Buendía.

»Dieser Schwindel hat uns noch gefehlt«, brummte er. »Ein Papst!«

Drei Monate später brachten Aureliano Segundo und Fernanda Meme ins Internat und kehrten mit einem Klavichord zurück, das den Platz des Pianolas einnahm. Zu jener Zeit begann Amaranta ihr eigenes Totenhemd zu weben. Das Bananenfieber hatte sich gelegt. Die alten Einwohner von Macondo waren von den Neuankömmlingen verdrängt worden und sahen sich auf ihren einstigen kargen Lebensunterhalt beschränkt; immerhin trösteten sie sich mit der Auffassung, einen Schiffbruch überlebt zu haben. Im Haus wurden nach wie vor Gäste zum Mittagessen empfangen, doch in Wirklichkeit kehrte das alte Leben erst Jahre später wieder ein, als die Bananengesellschaft abgereist war. Dennoch traten grundlegende Veränderungen im überkommenen Geist der Gastlichkeit ein, da nunmehr Fernanda ihre eigenen Gesetze erzwang. Da Ursula ins Dunkel verwiesen und Amaranta von der Arbeit an ihrem Totenhemd in Anspruch genommen waren, hatte sie als einstiger Herrscherlehrling alle Freiheit, ihre Gäste zu wählen und ihnen die ihr von ihren Eltern eingedrillten strengen Formen aufzuzwingen. In einem Dorf, das durch die Gewöhnlichkeit, mit der die Fremden ihre leichterworbenen Vermögen verpulverten, auf den Kopf gestellt war, machte ihre Strenge das Haus zu einer Hochburg wiedererstandener Sitten. Für sie waren fraglos jene Menschen die anständigen, die nichts mit der Bananengesellschaft zu tun hatten. Sogar ihr Schwager José Arcadio Segundo wurde Opfer ihres diskriminierenden Eifers, weil er in anfänglicher Begeisterung von neuem seine prachtvollen Hähne versteigert und sich als Vorarbeiter in der Bananengesellschaft verdingt hatte.

»Solange der die Räude der Fremden hat«, sagte Fernanda, »kommt er mir nicht wieder ins Haus!«

Die dem Haus auferlegte Unduldsamkeit wirkte so beklemmend, daß Aureliano Segundo sich bei Petra Cotes endgültig wohler fühlte. Unter dem Vorwand, seine Frau zu entlasten, verlegte er zunächst die Lustbarkeiten dorthin. Unter dem Vorwand, die Tiere verlören ihre Fruchtbarkeit, verlegte er anschließend die Vieh- und Pferdeställe. Unter dem Vorwand, das Haus der Konkubine sei weniger heiß, verlegte er endlich das kleine Kontor, in dem er seinen Geschäften nachging. Als Fernanda merkte, daß sie eine Witwe war, ohne daß ihr Mann das Zeitliche gesegnet hätte, war es bereits zu spät, um die Dinge wieder in ihren früheren Zustand zu bringen. Aureliano Segundo aß kaum mehr zu Hause, und der einzige Anschein, den er wahrte, wie den Beischlaf mit seiner Frau, genügte nicht, irgend jemanden zu überzeugen. Eines Nachts blieb er versehentlich bis zum Morgen in Petra Cotes' Bett liegen. Wider sein Erwarten machte Fernanda ihm nicht den geringsten Vorwurf und stieß auch keinen Seufzer des Grolls aus, sandte dafür aber noch am selben Tag seine zwei Kleidertruhen ins Haus der Konkubine. Sandte sie in hellichter Sonne und mit der ausdrücklichen Anweisung an die Träger, sie mitten auf der Straße zu tragen, damit alle Welt sie sähe, in der Annahme, ihr verirrter Mann werde die Schande nicht ertragen können und mit gesenkter Stirn in den Pferch zurückkehren. Doch jene heroische Geste war nur ein weiterer Beweis, wie schlecht Fernanda nicht nur den Charakter ihres Mannes kannte, sondern auch das Wesen einer Gemeinschaft, die nichts mit der ihrer Eltern zu tun hatte, denn jeder, der die Truhen auf der Reise sah, sagte sich, das sei schließlich der natürliche Schlußpunkt einer Geschichte, deren Interna ein jeder kannte, und Aureliano Segundo feierte die geschenkte Freiheit mit einem Lustfest von drei Tagen. Zu allem Unglück für die Gattin, die mittlerweile mit ihren düsteren Talarkleidern, ihren anachronistischen Medaillons und ihrem abwegigen Hochmut in eine traurige Reife sank, schien die Konkubine in einer zweiten Jugend zu erblühen, gehüllt in hübsche Kleider aus Naturseide, die Augen vom Rachefeuer getigert. Aureliano Segundo ergab sich ihr wieder wie früher mit der Glut der Jugend, als Petra Cotes ihn nicht seinetwegen begehrte, sondern weil sie ihn mit seinem Zwillingsbruder verwechselte, und, während sie mit beiden gleichzeitig schlief, dachte, Gott habe ihr das Glück beschert, einen Mann zu haben, der so liebte, als wäre er zwei. Ihre wiederhergestellte Leidenschaft loderte so heftig, daß sie mehr als einmal, wenn sie sich zu Tisch setzten und dabei einander anblickten, die Schüssel zudeckten und im Schlafzimmer vor Hunger und Liebe starben. Angeregt von den Gegenständen, die er anläßlich seiner flüchtigen Besuche bei den französischen Matronen gesehen hatte, kaufte Aureliano Segundo Petra Cotes ein Bett mit einem erzbischöflichen Baldachin, ließ die Fenster mit Samtvorhängen schmücken und Decke und Wände des Schlafzimmers mit Bergkristallspiegeln verkleiden. All das machte ihn leichtlebiger und verschwenderischer denn je. Mit dem Zug, der täglich um elf Uhr ankam, erhielt er Kisten um Kisten mit Champagner und Brandy. Auf dem Rückweg vom Bahnhof schleppte er zu einer Stegreifsauferei alle mit, die er unterwegs traf. Einheimische oder Fremde, Bekannte oder Unbekannte, ohne Unterschied von Stand und Klasse. Sogar der aalglatte Señor Brown, der nur in einem seltsamen Idiom zu verkehren verstand, ließ sich von den verführerischen Zeichen locken, die Aureliano Segundo ihm machte, und so betrank er sich mehrmals sinnlos in Petra Cotes' Haus und ließ sogar seine wilden deutschen Doggen, die ihn überallhin begleiteten, zu texanischen Liedern tanzen, die er zum Takt des Akkordeons irgendwie kaute.

»Aus dem Weg, Kühe«, schrie Aureliano Segundo im Festestaumel. »Aus dem Weg, das Leben ist kurz.«

Er hatte nie besser ausgesehen, er war nie beliebter gewesen, nie hatte seine Zucht üppiger floriert. Man schlachtete so viele Ochsen, Schweine und Hühner bei den endlosen Gelagen, daß die Erde des Innenhofs von all dem Blut schwarz wurde und schlammig. Der Hof war ein einziger Abfallhaufen von Knochen und Gekröse, ein Misthaufen von Überresten geworden, so daß man alle Augenblicke Dynamitkerzen anzünden mußte, damit die Aasgeier den Geladenen nicht die Augen auskratzten. Aureliano Segundo wurde schwammig, er lief violett an und wurde schildkrötenhaft infolge eines Heißhungers, der nur mit dem José Arcadios nach seiner Rückkehr von seiner Weltumseglung zu vergleichen war. Der Ruf seiner zügellosen Freßgier, seiner unmäßigen Verschwendungssucht, seiner unvergleichlichen Gastfreiheit reiste über die Grenzen des Moors hinaus und zog die anerkanntesten Fresser der Küste an. Aus allen Teilen reisten sagenhafte Vielfraße herbei, um an den in Petra Cotes' Haus veranstalteten unsinnigen Turnieren der Ausdauer und Widerstandsfähigkeit teilzunehmen. Aureliano Segundo war der unbesiegte Eßmeister bis zu jenem glücklosen Samstag, an dem Camila Sagastume erschien, ein im ganzen Land unter dem schönen Namen *Die Elefantin* bekanntes totemistisches Weibchen. Der Zweikampf zog sich bis in den frühen Dienstag hinein. Nachdem Aureliano Segundo in den ersten vierundzwanzig Stunden ein Kalb mit Maniok, Yamswurzel und gebratenen Bananen und außerdem eineinhalb Kisten Champagner vertilgt hatte, war er seines Sieges gewiß. Er wirkte auch begeisterter, vitaler als seine unerschütterliche Gegnerin, die offensichtlich einen berufsmäßigeren Stil besaß, dadurch aber die buntscheckigen, das Haus überflutenden Zuschauer weniger entflammte. Während der von Siegesdurst beflügelte Aureliano Segundo schlang, zerteilte die Elefantin das Fleisch mit Chirurgenkunst und aß es ohne Hast, ja mit einem gewissen Vergnügen. Sie war riesenhaft und massig, doch trotz ihrer kolossalen Korpulenz überwog ihre zarte Weiblichkeit, außerdem hatte sie ein so schönes Gesicht, so feine gepflegte Hände und einen so unwiderstehlichen persönlichen Charme, daß, als Aureliano Segundo sie ins Haus treten sah, er leise hinwarf, er hätte das Turnier lieber im Bett als am Tisch ausgetragen. Später, als er sie die Kalbskeule verspeisen sah, ohne gegen eine einzige Regel des guten Geschmacks zu verstoßen, bemerkte er allen Ernstes, dieses zartfühlende, betörende und unersättliche Rüsseltier sei gewissermaßen die ideale Frau. Er irrte nicht. Der Ruhm einer Knochenknackerin, der der Elefantin vorausging, ermangelte der Grundlagen. Sie war keine Ochsenwürgerin, auch keine Bartdame eines griechischen Zirkus, wie es hieß, sondern Leiterin einer Singakademie. Sie hatte bereits als achtbare Familienmutter essen gelernt, und zwar auf der Suche nach einer Methode, nach der ihre Kinder besser zu ernähren waren, doch nicht mittels künstlicher Appetitanreger, sondern durch die absolute Ruhe des Geistes. Ihre in der Praxis bewiesene Theorie fußte auf dem Grundsatz, daß ein Mensch, der alle Gewissensfragen ins reine gebracht hat, bis zur völligen Erschöpfung unentwegt essen kann. Folglich setzte sie aus moralischen Gründen und nicht aus sportlichem Ehrgeiz Akademie und Heim hintan, um sich mit einem Menschen zu messen, dessen Ruhm als großer Esser ohne Grundsätze landauf, landab reiste. Sobald sie Aureliano Segundo sah, wußte sie, daß ihn nicht der Magen, sondern der Charakter im Stich lassen würde. Nach Ablauf der ersten Nacht, während die Elefantin furchtlos weiteraß, schien Aureliano Segundo vom vielen Reden und Lachen schlappmachen zu wollen. Dann schliefen sie vier Stunden. Nach dem Erwachen trank ein jeder den Saft von fünfzig Orangen, acht Liter Kaffee und dreißig rohe Eier. Beim zweiten Tagesanbruch nach vielen schlaflosen Stunden und nach dem Konsum zweier Schweine, eines Büschels Bananen und vier Kisten Champagners vermutete die Elefantin, Aureliano Segundo habe unwillkürlich ihre Methode entdeckt, jedoch auf dem widersinnigen Weg der völligen Verantwortungslosigkeit, und sei daher weit gefährlicher, als sie dachte. Trotzdem stand Aureliano Segundo, als Petra Cotes zwei gebratene Truthähne auftrug, am Rand der Kongestion.

»Wenn Sie nicht mehr können, essen Sie nicht weiter«, sagte die Elefantin. »Dann machen wir ›unentschieden‹.«

Ihr Vorschlag war gut gemeint, denn auch sie brachte aus Gewissensbissen darüber, daß sie den Tod ihres Gegners herbeiführte, kaum mehr einen Bissen hinunter. Doch Aureliano Segundo deutete dies als neue Herausforderung und würgte den Truthahn unter Überforderung seiner unglaublichen Freßkraft hinunter. Dann wurde er ohnmächtig. Fiel mit dem Gesicht auf den Knochenteller, schäumte wie ein Hund und erstickte unter Todesröcheln. Mitten in seiner Finsternis fühlte er, wie er von einem hohen Turm in einen bodenlosen Abgrund gestürzt wurde, und begriff in einem letzten Blitz der Hellsicht, daß ihn auf dem Grund seines Falls ohne Ende der Tod erwartete.

»Bringt mich zu Fernanda«, stöhnte er.

Die Freunde, die ihn zu Hause ablieferten, glaubten, er habe damit das seiner Frau gemachte Versprechen eingelöst, nicht im Bett der Konkubine zu sterben. Petra Cotes hatte die Lackstiefel eingewichst, die er im Sarg tragen wollte, und suchte bereits jemanden, der sie ihm anzöge, als man ihr meldete, Aureliano Segundo befinde sich außer Lebensgefahr. Tatsächlich war er binnen einer knappen Woche wiederhergestellt, und vierzehn Tage später feierte er das Ereignis seines Überlebens mit einer Orgie ohnegleichen. Er blieb bei Petra Cotes wohnen, besuchte jedoch Fernanda täglich und aß sogar mitunter im Familienkreis, als habe das Schicksal die Lage umgekehrt und ihn zum Gatten der Konkubine und zum Liebhaber der Gattin gemacht.

Für Fernanda war das eine Beruhigung. Im Überdruß

ihrer Verlassenheit bestand ihre einzige Zerstreuung im Klavichordüben während der Mittagspause und im Briefwechsel mit ihren Kindern. Die eingehenden Berichte, die sie ihnen alle vierzehn Tage schickte, enthielten keine wahre Zeile. Sie verschwieg ihnen ihren Kummer. Sie verbarg vor ihnen die Trostlosigkeit eines Hauses, das trotz des Lichts auf den Begonien, trotz der Gluthitze von zwei Uhr nachmittags, trotz des häufigen, in der Straße aufgellenden Festtrubels mehr und mehr dem elterlichen Kolonialpalast glich. Fernanda schlich allein zwischen drei lebenden Gespenstern und dem toten Gespenst José Arcadio Buendías umher, der sich bisweilen mit lauerndem Blick in das dämmrige Wohnzimmer setzte, während sie Klavichord spielte. Oberst Aureliano Buendía war ein Schatten. Seit seinem letzten Ausgang, um Oberst Gerineldo Márquez einen Krieg ohne Zukunft vorzuschlagen, verließ er seine Werkstatt nur, um unter der Kastanie zu urinieren. Außer dem Haarschneider alle drei Wochen empfing er keine Besuche mehr. Er ernährte sich von x-Beliebigem, das Ursula ihm einmal am Tag vorsetzte, und verfertigte seine goldenen Fischchen mit der gleichen Leidenschaft von einst, stellte aber den Verkauf ein, als er erfuhr, daß die Leute sie nicht als Schmuck erwarben, sondern als historische Reliquien. Mit Remedios' Puppen, die sein Schlafzimmer seit seinem Hochzeitstag schmückten, veranstaltete er im Innenhof ein großes Feuer. Die wachsame Ursula merkte zwar, was ihr Sohn da anstellte, konnte es jedoch nicht verhindern.

»Du hast ein Herz aus Stein«, sagte sie.

»Das hat nichts mit dem Herzen zu tun«, sagte er. »Das Zimmer wird voll von Motten.«

Amaranta webte an ihrem Totenhemd. Fernanda begriff nicht, warum sie gelegentlich Briefe an Meme schrieb und ihr sogar bisweilen Geschenke schickte, dafür aber José Arcadio mit keinem Wort erwähnen wollte. »Ihr werdet sterben, ohne zu wissen, warum«, erwiderte

Amaranta, als sie ihr die Frage über Ursula stellte, und diese Antwort säte in ihrem Herzen ein Rätsel, das sie nie ergründen konnte. Hochgewachsen, degengleich, hochmütig, stets angetan mit üppigen Spitzenröcken und mit einem Anflug von Distinktion, der den Jahren und den bösen Erinnerungen widerstand, schien Amaranta das Aschenkreuz der Jungfräulichkeit auf der Stirn zu tragen. In Wirklichkeit trug sie es an der Hand, in der schwarzen Binde, die sie nicht einmal zum Schlafen ablegte und die sie selber wusch und bügelte. Ihr Leben verfloß beim Besticken ihres Totenhemds. Man hätte meinen mögen, sie sticke tags und entsticke nachts, und nicht etwa in der Hoffnung, auf diese Weise die Einsamkeit niederzuzwingen, sondern um sie im Gegenteil aufrechtzuerhalten.

Fernandas größte Sorge in den Jahren ihrer Verlassenheit betraf Meme, die ihre ersten Ferien zu Hause verbringen und Aureliano Segundo nicht antreffen würde. Die erlittene Kongestion bereitete ihren Befürchtungen ein Ende. Als Meme zurückkehrte, waren ihre Eltern nicht nur übereingekommen, das Kind solle im Glauben gelassen werden, Aureliano Segundo sei nach wie vor ein häuslicher Gatte, es dürfe auch keine Verstimmung im Hause merken. Jedes Jahr spielte Aureliano Segundo zwei Monate hindurch die Rolle des Mustergatten und veranstaltete Feste mit Eis und Gebäck, bei denen die lebhaft-fröhliche Schülerin sich auf dem Klavichord produzierte. Schon damals stand fest, daß sie nur wenig vom Charakter der Mutter geerbt hatte. Eher glich sie einer zweiten Ausgabe Amarantas, als diese noch nicht die Bitternis gekostet hatte und das Haus noch mit ihren Tanzschritten erfreute, mit zwölf, vierzehn Jahren, bevor ihre geheime Leidenschaft zu Pietro Crespi ihr Herz endgültig in eine andere Richtung gelenkt hatte. Doch im Gegensatz zu Amaranta, im Gegensatz zu allen, offenbarte Meme noch nicht das Einsamkeitszeichen der Familie und schien völlig mit der Welt übereinzustimmen, auch wenn sie sich um zwei Uhr nachmittags im Wohnzimmer einschloß und mit unbeugsamer Selbstzucht Klavichord übte. Es lag auf der Hand, daß es ihr zu Hause gefiel, daß sie das ganze Jahr von dem Trubel der Jugendlichen träumte, den ihre Ankunft auslöste, und daß sie sogar etwas von ihres Vaters Neigung zu Sorglosigkeit, Ausgelassenheit und Gastfreiheit besaß. Das erste Anzeichen dieser verhängnisvollen Erbschaft trat in ihren dritten Ferien zutage, als Meme mit vier Nonnen und achtundsechzig Klassenkameradinnen, die sie auf eigene Faust und ohne Vorankündigung zu einem Wochenbesuch in ihr Elternhaus eingeladen hatte, zu Hause eintraf.

»Was für ein Verhängnis!« klagte Fernanda. »Dieses Geschöpf ist ebenso barbarisch wie sein Vater!«

Es galt, bei Nachbarn Betten und Hängematten auszuleihen, neun Runden für die Tagesmahlzeiten einzurichten, bestimmte Badezeiten festzusetzen und irgendwo vierzig Hocker auszuleihen, damit die kleinen Mädchen in blauen Uniformen und Männerstiefeln nicht den ganzen Tag kopflos umhertollten. Die Einladung erwies sich als Fehlschlag, weil die lärmenden Schülerinnen erst zum Frühstück erschienen, wenn das erste Mittagessen begann; und mit dem Abendessen ging es kaum anders, so daß in der ganzen Woche nur ein einziger Spaziergang in die Pflanzungen zustande kam. Bei Einbruch der Nacht waren die Nonnen erschöpft und unfähig, einen Finger zu rühren, um Ordnung zu schaffen, während die Herde der unermüdlichen jungen Mädchen im Innenhof alberne Schullieder sang. Eines Tages hätten sie fast Ursula umgerannt, die immer da helfen wollte, wo sie am meisten störte. Bei einer anderen Gelegenheit regten sich die Nonnen auf, weil Oberst Aureliano Buendía unter der Kastanie pißte, ohne sich um die Anwesenheit der Schülerinnen zu kümmern. Amaranta war nahe daran, Panik zu säen, weil eine der Nonnen in die Küche kam, während sie die Suppe salzte, und nichts anderes zu fragen wußte, als was denn das weiße Pulver sei, das sie handvollweise in den Topf warf.

»Arsenik«, sagte Amaranta.

Am Abend ihrer Ankunft entstand beim Schlafengehen vor dem Klosett ein derartiges Gedränge, daß die letzten erst um ein Uhr in der Frühe an die Reihe kamen. Nun kaufte Fernanda zweiundsiebzig Nachttöpfe, machte aber damit aus dem Nachtproblem nur ein Morgenproblem, weil vom Morgengrauen an eine Schlange Mädchen, eine jede mit ihrem Nachttopf in der Hand, darauf wartete, ihn drinnen spülen zu können. Wenn auch etliche Fieber bekamen und andere sich eine Infektion von Mückenstichen zuzogen, so nahmen die meisten die lästigsten Schwierigkeiten mit bewundernswürdiger Widerstandsfähigkeit in Kauf und tummelten sich in der heißesten Tageszeit im Garten. Als sie endlich abzogen, waren die Blumen zertrampelt, die Möbel zerschlagen und die Wände mit Skizzen und Aufschriften verschandelt, doch in ihrer Erleichterung über ihre Abreise verzieh Fernanda ihnen den Schaden. Sie gab die Betten und Hocker zurück, stellte aber die zweiundsiebzig Nachttöpfe in Melchíades' Kammer ab. Die verriegelte Behausung, um die in früherer Zeit das geistige Leben des Hauses gekreist hatte, war seit jener Zeit als *Nachttopfzimmer* bekannt. Für Oberst Aureliano Buendía war das der passendste Namen, denn während die übrige Familie sich weiterhin wunderte, daß Melchíades' Zimmer gegen Staub und Verfall gewappnet war, sah er es in eine Mistgrube verwandelt. Jedenfalls schien es ihm gleichgültig zu sein, wer recht hatte, und wenn er von dem Schicksal der Kammer erfuhr, so nur, weil Fernanda ihn einen ganzen Nachmittag durch ihr dauerndes Hereinkommen störte, um die Nachttöpfe zu verwahren.

In jenen Tagen tauchte José Arcadio Segundo wieder im Haus auf. Schritt geradeswegs durch die Veranda, ohne jemanden zu begrüßen, und schloß sich zu einem Gespräch mit dem Oberst in der Werkstatt ein. Obschon Ursula ihn nicht sehen konnte, erkannte sie ihn an seinen Vorarbeiterstiefelabsätzen und staunte über den unrettbaren Abstand, der ihn von der Familie, ja von seinem Zwillingsbruder trennte, mit dem er in der Kindheit erfinderische Verwechslungsspiele gespielt hatte und mit dem ihn kein einziger Zug mehr verband. Er war gradlinig, feierlich und wirkte nachdenklich, war von Sarazenenschwermut und hatte einen düsteren Glanz in seinem herbstfarbenen Gesicht. Am meisten glich er seiner Mutter, Santa Sofía von der Frömmigkeit. Ursula warf sich ihre Neigung vor, ihn zu vergessen, wenn sie von der Familie sprach, doch als sie ihn wieder im Haus spürte und merkte, daß der Oberst ihn während seiner Arbeitszeit in die Werkstatt einließ, prüfte sie wiederum ihre alten Erinnerungen und fand sich in ihrer Annahme bestätigt, daß er in einem bestimmten Augenblick seiner Kindheit mit seinem Zwillingsbruder getauscht habe, weil eigentlich er und nicht der andere Aureliano hätte heißen müssen. Niemand kannte sein Leben im einzelnen. Zu einer Zeit erfuhr man, daß er keinen festen Wohnsitz habe, daß er in Pilar Terneras Haus Hühner züchte und bisweilen dort schlafe, daß er indes fast immer bei den französischen Matronen übernachte. Ohne Liebe, ohne Ehrgeiz trieb er dahin, wie eine Sternschnuppe in Ursulas Planetensystem.

In Wirklichkeit war José Arcadio Segundo kein Mitglied der Familie und würde auch nie einer anderen angehören seit jenem fernen Morgengrauen, an dem Oberst Gerineldo Márquez ihn mit in die Kaserne genommen hatte, nicht um eine Erschießung zu erleben, sondern um für den Rest seines Lebens nie mehr das traurige, etwas spöttische Lächeln des Erschossenen zu vergessen. Das war nicht nur die älteste, sondern auch die einzige Erinnerung seiner Kindheit. Die andere an einen Greis in einer anachronistischen Weste und einem Schlapphut mit rabenschwingengleicher Krempe, der vor einem blendendhellen Fenster Wundergeschichten erzählte, vermochte er in keiner bestimmten Zeitspanne unterzubringen. Es war eine unsichere, von Lehren oder Sehnsüchten bare Erinnerung im Gegensatz zu der Erinnerung an den Erschossenen, die wirklich die Richtung seines Lebens bestimmt hatte und mit zunehmendem Alter immer deutlicher in seinem Gedächtnis wiederkehrte, als bringe der Ablauf der Zeit sie ihm näher. Ursula suchte sich José Arcadio Segundos zu bedienen, damit Oberst Aureliano Buendía sein Schneckenhausdasein aufgäbe. »Überrede ihn doch dazu, daß er ins Kino geht«, sagte sie. »Wenn er auch die Filme nicht mag, so kommt er dabei wenigstens mal an die frische Luft.« Doch bald wurde ihr bewußt, daß er ihren Bitten gegenüber genauso unempfindlich war, wie es der Oberst gewesen wäre, und daß beide gleichermaßen gewappnet waren gegen menschliches Gefühl. Wenngleich weder sie noch irgend jemand je erfuhr, wovon die beiden bei ihren langen Werkstattsitzungen sprachen, sah sie dennoch ein, daß sie als einzige Familienmitglieder verwandtschaftliche Beziehungen verbanden.

In Wirklichkeit hätte José Arcadio Segundo den Oberst auch nicht aus seiner Vereinsamung herauszureißen vermocht. Der Überfall der Schülerinnen hatte seine Geduld auf die höchste Probe gestellt. Unter dem Vorwand, trotz der Vernichtung von Remedios' verführerischen Puppen sei das Hochzeitsschlafzimmer den Motten ausgeliefert, spannte er eine Hängematte in der Werkstatt auf und verließ diese nur noch, um seine Notdurft im Innenhof zu verrichten. Ursula vermochte nicht das alltäglichste Gespräch mit ihm herbeizuführen. Sie wußte, daß er seinem Essen keinen Blick gönnte, sondern den Teller in die äußerste Ecke seines Arbeitstisches schob, bis er sein Fischchen beendet hatte, und es war ihm gleichgültig, ob die Suppe sich mit einer Haut überzog, ob das Fleisch kalt wurde. Seit Oberst Gerineldo Márquez sich geweigert hatte, ihm in einem greisenhaften Krieg beizustehen, verhärtete er sich immer mehr. Er verschloß sich in sich selbst, so daß die Familie schließlich an ihn wie an einen Toten dachte. Keine menschliche Regung war mehr an ihm zu beobachten bis zu einem gewissen elften Oktober, an dem er vor die Haustüre trat, um einen Zirkus vorbeiziehen zu sehen. Bis zu diesem Augenblick war jener Tag für Oberst Aureliano Buendía gewesen wie jeder andere seiner letzten Jahre. Um fünf Uhr morgens weckte ihn der Lärm der Kröten und Grillen hinter der Mauer. Seit Samstag fiel ein Nieselregen, und er hätte nicht sein deutliches Geflüster auf dem Blattwerk des Gartens zu hören brauchen, weil er es ohnehin in seinen eiskalten Knochen gespürt hätte. Wie immer war er in seine Wolldecke gewickelt und steckte in seinen langen Unterhosen aus roher Baumwolle, die er aus Bequemlichkeit trug, auch wenn er sie selber wegen ihres verstaubten Anachronismus »konservative Unterhosen« nannte. Er zog die engen Hosen an, schloß aber nicht die Schnallen und steckte auch nicht den sonst benutzten goldenen Knopf in den Hemdkragen, weil er ein Bad zu nehmen gedachte. Dann legte er sich die Decke wie eine Kapuze über den Kopf, kämmte sich mit den Fingern den verfilzten Bart und ging im Innenhof urinieren. Der Sonnenaufgang stand noch lange aus, und José Arcadio Buendía schlummerte noch unter dem vom Sprühregen halb verfaulten Palmdach. Er sah ihn nicht, wie er ihn nie gesehen hatte, und hörte auch nicht die unverständlichen Worte, die das Gespenst seines Vaters an ihn richtete, als es von dem seine Schuhe besprühenden warmen Uringesprudel erwachte. Er verschob sein Bad auf später, nicht wegen der Kälte und der Feuchtigkeit, sondern wegen des drückenden Oktobernebels. Wieder in der Werkstatt, spürte er den Dochtgeruch der Öfen, die Santa Sofía von der Frömmigkeit gerade anzündete, und wartete in der Küche, bis der Kaffee kochte, um sich seine Tasse ohne

Zucker mitnehmen zu können. Santa Sofía von der Frömmigkeit fragte ihn wie jeden Morgen, welcher Wochentag es sei, worauf er antwortete, es sei Dienstag, der elfte Oktober. Als er die vom Feuerschein vergoldete furchtlose Frau sah, die in diesem Augenblick ebensowenig dazusein schien, wie sie es für ihn je gewesen war, fiel ihm plötzlich ein, daß an einem elften Oktober mitten im Krieg ihn die grausame Gewißheit geweckt hatte, die Frau, mit der er geschlafen hatte, sei tot. Sie war es wirklich, und er vergaß das Datum nicht, weil auch sie ihn eine Stunde vorher nach dem Tag gefragt hatte. Trotz der Erinnerung wurde er sich auch diesmal nicht bewußt, wie sehr ihn seine Vorahnungen verlassen hatten, und während er Kaffee kochte, dachte er aus purer Neugierde, doch ohne einen Schatten der Sehnsucht an die Frau, deren Namen er nie erfahren und deren lebende Gesichtszüge er nie gesehen hatte, weil sie sich im Dunkeln zu seiner Hängematte getastet hatte. Jedenfalls erinnerte er sich in der Leere so vieler Frauen, die auf gleiche Weise in sein Leben getreten waren, nicht daran, daß sie es war, die im Taumel der ersten Begegnung fast in ihren eigenen Tränen versunken war, und kaum eine Stunde vor ihrem Tod ihm geschworen hatte, ihn bis in den Tod zu lieben. Er dachte nicht mehr an sie, auch nicht an eine andere, nachdem er mit seiner dampfenden Tasse in die Werkstatt getreten war, und zündete das Licht an, um die goldenen Fischchen zu zählen, die er in einem Blechtopf verwahrte. Es waren siebzehn. Seit seinem Entschluß, nicht mehr zu verkaufen, stellte er tagsüber weiterhin Fische her und schmolz sie im Tiegel ein, sobald er fünfundzwanzig fertig hatte, um dann wieder von neuem anzufangen. Er arbeitete den ganzen Vormittag selbstvergessen, ohne nachzudenken, ohne wahrzunehmen, daß gegen zehn Uhr ein Platzregen einsetzte und jemand an der Werkstatt vorbeiging und schrie, man solle die Haustüren schließen, wenn man keine Überschwemmung im

Haus haben wolle, ja ohne seiner selbst gewahr zu werden, bis Ursula mit dem Mittagessen hereinkam und das Licht löschte.

»Was für ein Guß!« sagte sie.

»Oktober«, sagte er.

Dabei hob er nicht den Blick von dem ersten Fischchen des Tages, weil er gerade die Rubine in die Augenhöhlen einsetzte. Erst als er damit fertig war und es zu den anderen in den Blechtopf legte, machte er sich ans Auslöffeln seiner Suppe. Dann aß er bedächtig das Stück gedünstetes Zwiebelfleisch, den gekochten Reis und die gebratenen Bananenscheiben, alles auf demselben Teller. Weder die günstigsten noch die widrigsten Umstände veränderten seinen Appetit. Nach dem Mittagessen spürte er das Mißbehagen der Muße. Infolge einer Art wissenschaftlichen Aberglaubens arbeitete er nie, badete nie, betrieb die Liebe nie vor Ablauf von zwei Verdauungsstunden, und dieser sein Glaube war so tief verwurzelt, daß er mehrmals Kriegsoperationen verschob, um die Truppe nicht der Gefahr einer Kongestion auszusetzen. So legte er sich in seine Hängematte, schabte sich mit einem Federmesser das Wachs aus den Ohren und schlief nach wenigen Minuten ein. Träumte, er trete in ein leeres Haus mit weißen Wänden, und der Alptraum, er sei der erste Mensch, der es betrete, mache ihn bange. Er besann sich im Traum darauf, daß er das gleiche in der vorigen Nacht und in vielen Nächten der letzten Jahre geträumt hatte, und wußte, daß das Bild beim Erwachen in seinem Gedächtnis verwischt sein würde, weil jener immer wiederkehrende Traum die Tugend besaß, nur innerhalb des gleichen Traums erinnert zu werden. Tatsächlich erwachte Oberst Aureliano Buendía einen Augenblick später, als der Haarschneider an der Werkstattür klopfte, unter dem Eindruck, unfreiwillig wenige Sekunden geschlafen und keine Zeit zum Träumen gehabt zu haben. »Heute nicht«, sagte er zum Haarschneider. »Wir sehen uns Freitag.«

Sein Bart war drei Tage alt, getigert von weißen Strähnen, aber er hielt Rasieren nicht für notwendig, wenn er sich am Freitag die Haare schneiden lassen würde und dann alles auf einmal besorgen lassen konnte. Der zähe Schweiß des unerwünschten Schlummers erweckte die Furunkelnarben in seinen Achselhöhlen zu neuem Leben. Mittlerweile hatte der Regen aufgehört, doch noch war die Sonne nicht erschienen. Oberst Aureliano Buendía rülpste vernehmlich, und der hochkommende saure Suppengeschmack war wie der Befehl seines Organismus, sich die Wolldecke überzuhängen und aufs Klosett zu gehen. Dort blieb er über dem zähen Gärgestank, der aus dem Holzkasten aufstieg, länger als nötig hocken, bis die Gewohnheit ihn mahnte, es sei Zeit, wieder an die Arbeit zu gehen. Während des Wartens besann er sich darauf, daß es Dienstag und daß José Arcadio Segundo wegen des Zahltags auf den Gütern der Bananengesellschaft nicht in die Werkstatt gekommen war. Diese Erinnerung wie alle anderen der letzten Jahre brachte ihn im falschen Augenblick auf den Krieg. Er besann sich darauf, daß Oberst Gerineldo Márquez ihm einmal ein Pferd mit einem weißen Stern auf der Stirn versprochen hatte und nie wieder darauf zurückgekommen war. Dann schweifte er in die verschiedensten Episoden ab, rief sie sich jedoch wertfrei ins Gedächtnis zurück, weil er, da er an nichts anderes denken konnte, gelernt hatte, kühl nachzudenken, damit die unumgänglichen Erinnerungen keines seiner Gefühle verletzten. Als er wieder in der Werkstatt war, sah er, daß die Luft trockener geworden war, und beschloß, ein Bad zu nehmen, doch Amaranta war ihm zuvorgekommen. So machte er sich denn an das zweite Fischchen des Tages. Er lötete gerade den Schwanz, als die Sonne mit solcher Kraft hervorkam, daß die Helligkeit wie ein alter Kutter ächzte. Die vom dreitägigen Regen reingewaschene Luft füllte sich mit Flügelameisen. Jetzt fiel ihm ein, daß er urinieren mußte, er wollte das

Bedürfnis aber zurückdrängen, bis er das Fischchen zusammengesetzt hatte. Um vier Uhr ging er in den Innenhof, als er in der Ferne Blechmusik hörte, Paukenschläge und jubelnde Kinder, und zum erstenmal seit seiner Jugend ging er der Sehnsucht auf den Leim und durchlebte von neuem den wunderbaren Nachmittag der Zigeuner, an dem sein Vater ihn mitgenommen hatte, um das Eis kennenzulernen. Santa Sofía von der Frömmigkeit ließ ihre Arbeit in der Küche liegen und lief vor die Haustür.

»Der Zirkus!« schrie sie.

Statt zur Kastanie zu gehen, trat Oberst Aureliano Buendía gleichfalls vor die Haustür und mischte sich unter die den Zug begaffenden Neugierigen. Er sah eine in Gold gekleidete Frau auf dem Nacken eines Elefanten. Sah ein trauriges Dromedar. Sah einen als Holländerin verkleideten Bären, der mit einem Schöpflöffel und einem Kochtopf den Takt zur Musik schlug. Sah die Clowns am Schwanz des Aufzugs Grimassen schneiden und sah wiederum seiner jämmerlichen Einsamkeit ins Gesicht, als alles vorüber war und nichts blieb als der leuchtende Raum auf der Straße und die mit Flügelameisen angefüllte Luft und ein Haufen zum Abgrund der Ungewißheit drängender Gaffer. Dann ging er zur Kastanie und dachte an den Zirkus, und während er urinierte, versuchte er weiter an den Zirkus zu denken, fand aber schon keine Erinnerung mehr. Steckte den Kopf zwischen die Schultern wie ein Küken und blieb, die Stirn an den Stamm gelehnt, regungslos stehen. Bis zum nächsten Tag um elf Uhr merkte die Familie nichts, als Santa Sofía von der Frömmigkeit den Müll in den Hinterhof trug und dabei gewahrte, daß die Aasgeier herabstießen.

Memes letzte Ferien fielen mit der Trauer um Oberst Aureliano Buendías Tod zusammen. Das verschlossene Haus war kein Ort für Feste. Man sprach nur flüsternd, man aß schweigend, dreimal am Tag wurde der Rosenkranz gebetet, und sogar das Klavichordüben in der Mittagshitze klang trauervoll. Trotz ihrer geheimen Feindschaft gegen den Oberst bestimmte Fernanda, beeindruckt von der Feierlichkeit, mit der die Regierung des toten Feindes gedachte, die Strenge der Trauer. Solange die Ferien seiner Tochter andauerten, kam Aureliano Segundo wie üblich zum Schlafen nach Hause; auch mußte Fernanda etwas tun, um ihre Vorrechte einer rechtmäßigen Ehefrau wiederzugewinnen, so daß Meme im Jahr darauf ein neugeborenes Schwesterchen vorfand, das gegen den Willen der Mutter auf den Namen Amaranta Ursula getauft wurde.

Memes Ausbildung war beendet. Ihr Diplom als Klavichordkonzertistin hatte sie sich durch ihr Virtuosentum verdient, mit dem sie Volkslieder des 17. Jahrhunderts bei einer Schlußfeier spielte, die zugleich die Trauerzeit beendete. Noch mehr als ihre Kunst bewunderten die Geladenen ihre seltsame Zweiseitigkeit. Denn ihr leichtfertiger, ja etwas kindischer Charakter schien für ernsthafte Tätigkeiten denkbar ungeeignet, doch sobald sie sich ans Klavichord setzte, wurde sie ein völlig anderes Mädchen, dessen ungeahnte Reife ihr das Aussehen einer Erwachsenen verlieh. So war sie in allem. In Wahrheit besaß sie keine ausgesprochene Begabung; um jedoch ihre Mutter nicht zu erzürnen, hatte sie sich durch unbeugsame Selbstzucht die höchste Kunstfertigkeit erworben. Man hätte sie zu irgendeiner anderen Ausbildung zwingen können, und die Ergebnisse wären die gleichen gewesen.

Seit ihrer Kindheit war ihr Fernandas Strenge eine Last, zumal deren Gewohnheit, für alle anderen zu entscheiden, und sie wäre eines viel größeren Opfers als des Klavichordübens fähig gewesen, nur um sich nicht an ihrer Unduldsamkeit zu stoßen. Bei der Schlußfeier hatte sie den Eindruck, daß jenes Pergament mit gotischen Lettern und verzierten Anfangsbuchstaben sie von einer Verpflichtung freisprach, die sie weniger aus Gehorsam als aus Bequemlichkeit übernommen hatte, und sie vermutete, daß fortan nicht einmal die hartnäckige Fernanda sich für ein Instrument interessieren würde, das sogar die Nonnen als Museumsfossil betrachteten. In den ersten Jahren freilich glaubte sie sich zu täuschen, weil ihre Mutter, nachdem sie die halbe Stadt mit dem Spiel ihrer Tochter nicht nur im eigenen Salon, sondern auch an ungezählten, in Macondo veranstalteten Wohltätigkeitsabenden, Schulkonzerten und vaterländischen Feiern eingeschläfert hatte, jeden Neuankömmling einlud, in dem sie einen Bewunderer der Tugenden ihrer Tochter witterte. Erst nach Amarantas Tod, als die Familie sich wiederum in Trauer verschloß, konnte Meme ihr Klavichord zuschließen und den Schlüssel in irgendeinem Kleiderschrank verlegen, ohne daß Fernanda sich die Mühe nahm, nachzusehen, wann und durch wessen Schuld er verlegt worden war. Mit dem gleichen Gleichmut, mit dem sie sich ihrer Ausbildung unterzogen hatte, widerstand Meme jetzt dem Vorspielen. Das war der Preis ihrer Freiheit. Fernanda war so erfreut über ihre Gefügigkeit und so stolz auf die Bewunderung, die ihre Kunst hervorrief, daß sie nie etwas dagegen hatte, wenn sich das Haus mit Memes Freundinnen füllte, wenn sie den Nachmittag in den Pflanzungen verbrachte und mit Aureliano Segundo oder mit Damen ihres nächsten Umgangs ins Kino ging, sofern Pater Antonio Isabel den Film auf der Kanzel genehmigt hatte. In diesen Augenblicken der Zerstreuung trat Memes wahrer Geschmack zutage. Ihr

Glück lag am anderen Ende der Disziplin, in lärmenden Festlichkeiten, in verliebten Herzensergüssen, in ausgedehnten Geheimsitzungen mit ihren Freundinnen, wo man rauchen lernte und von Männern schwatzte, wo man sogar einmal an Hand von drei Flaschen Zuckerrohrrum über die Stränge schlug, sich auszog und die eigenen Körperteile mit denen der anderen verglich. Nie würde Meme jenen Abend vergessen, als sie Süßholzwurzel kauend ins Haus kam und, ohne daß ihre Verwirrung bemerkt wurde, sich an den Tisch setzte, an dem Fernanda und Amaranta zu Abend aßen, ohne das Wort aneinander zu richten. Sie hatte zwischen Lachen und angstvollem Weinen zwei schlimme Stunden im Schlafzimmer einer Freundin verbracht und durch diese Krise das seltene Gefühl des Muts gefunden, das ihr gefehlt hatte, um aus der Schule zu fliehen und ihrer Mutter auf die eine oder andere Weise zu verstehen zu geben, sie solle sich das Klavichord sonstwohin stecken. Am Kopfende des Tisches sitzend und eine Hühnersuppe schlürfend, die ihr wie ein Elixier der Auferstehung in den Magen rann, sah Meme zum erstenmal Fernanda und Amaranta im entlarvenden Licht der Wirklichkeit. Sie mußte sich zusammennehmen, um ihnen nicht ihre ganze Ziererei, ihre geistige Armut, ihren Größenwahn ins Gesicht zu schleudern. Seit ihren zweiten Ferien wußte sie, daß ihr Vater nur im Haus wohnte, um den Schein zu wahren, und da sie Fernanda nur zu gut kannte und es später durchgesetzt hatte, Petra Cotes kennenzulernen, mußte sie ihrem Vater recht geben. Auch wäre sie lieber die Tochter der Konkubine gewesen. Benommen vom Alkohol, wie sie war, dachte Meme entzückt an das Ärgernis, das sie ausgelöst haben würde, hätte sie sich in diesem Augenblick Luft gemacht, und ihr Schelmenstreich trug ihr so viel innere Genugtuung ein, daß sie Fernanda auffiel.

»Was ist los?« fragte sie.

»Nichts«, erwiderte Meme. »Erst jetzt merke ich, wie sehr ich euch liebe.«

Amaranta erschrak über das Ausmaß von Haß, mit dem diese Erklärung geladen war. Fernanda hingegen war so bestürzt, daß sie verrückt zu werden glaubte, als Meme um Mitternacht mit schmerzgespaltenem Schädel erwachte und vom Gallespucken fast erstickte. Sie verschrieb ihr ein Fläschchen Rizinusöl, legte ihr Breiumschläge auf den Leib, Eisbeutel auf die Stirn und nahm ihr das Versprechen ab, die fünf Tage unbedingter Ruhe und die Diät einzuhalten, verordnet von dem neuen, überspannten französischen Arzt, der nach einer mehr als zweistündigen Untersuchung zu dem nebulösen Schluß gekommen war, sie habe ein Frauenleiden. In ihrer Niedergeschlagenheit und Mutlosigkeit blieb Meme nichts übrig, als auszuhalten. Ursula, schon völlig blind, aber noch immer tätig und hellwach, war die einzige, deren Diagnostik zutraf. Der geht's genau wie den Trinkern, dachte sie. Doch sie verscheuchte nicht nur diesen Gedanken, sondern warf sich überdies Leichtfertigkeit des Denkens vor. Aureliano Segundo empfand Gewissensbisse, als er Memes bemitleidenswerten Zustand sah, und gelobte insgeheim, sich in Zukunft mehr um sie zu kümmern. So entstand die fröhliche Kameradschaft zwischen Vater und Tochter, die ihn eine Zeitlang befreite aus der bitteren Einsamkeit seiner Bummeleien, die sie aus Fernandas Vormundschaft befreite, ohne daß dies eine fast unvermeidlich scheinende häusliche Krise heraufbeschwor. Nun schob Aureliano Segundo fast jede Verpflichtung auf, um mit Meme zusammen sein, um sie ins Kino oder in den Zirkus mitnehmen zu können, und widmete ihr den größten Teil seiner Muße. In der letzten Zeit hatten seine lästige unsinnige Fettleibigkeit, deretwegen er seine Schnürsenkel nicht mehr zubinden konnte, sowie die ausschweifende Befriedigung aller Arten von Gelüsten begonnen, ihn griesgrämig zu stimmen. Doch die Entdeckung seiner Tochter schenkte ihm die alte Leutseligkeit wieder, und die Freude, mit ihr zusammenzusein, brachte ihn allmählich von seinem Luderleben ab. Meme war voll erblüht. Sie war nicht schön, wie auch Amaranta nie schön gewesen war, doch dafür war sie sympathisch, ausgeglichen und gefiel auf den ersten Blick. Sie hatte einen modernen Geist, der zwar Fernandas altmodische Nüchternheit und ihr schlechtverborgenes, knauseriges Herz beleidigte, dafür aber in Aureliano Segundo einen Schirmherrn fand. Er war es, der beschloß, sie aus der Schlafkammer, die sie seit ihrer Kindheit bewohnte, zu befreien, wo die wilden Augen der Heiligen noch immer die Schrecknisse ihrer Jugend nährten, und richtete ihr ein Zimmer mit einem Thronbett, einem üppigen Frisiertisch und Samtvorhängen ein, ohne zu merken, daß er ihr damit einen Abklatsch von Petra Cotes' Schlafgemach möblierte. Er war so freigebig gegen Meme, daß er nicht wußte, wieviel Geld er ihr gab, weil sie es ihm selbst aus der Tasche zog, und hielt sie auf dem laufenden über alle neuen Schönheitsmittel, die in den Kommissariaten der Bananengesellschaft eintrafen. Memes Zimmer füllte sich mit Bimssteinkissen zum Polieren der Fingernägel, mit Lockenkräuslern, Zahnglanzmitteln, mit Augentropfen für einen verschleierten Blick und ungezählten neuen Kosmetika und Verschönerungssalben, so daß Fernanda sich bei dem Gedanken empörte, der Toilettentisch ihrer Tochter könne kaum anders aussehen als der einer französischen Matrone. Im übrigen teilte Fernanda damals ihre Zeit zwischen der kleinen Amaranta Ursula, einem launischen, kränklichen Kind, und einem aufregenden Briefwechsel mit den unsichtbaren Ärzten. Als sie daher die Komplicität von Vater und Tochter entdeckte, rang sie Aureliano Segundo ein einziges Versprechen ab: sie nie in Petra Cotes' Haus mitzunehmen. Die Warnung war sinnlos, denn die Konkubine war über die Kameradschaft ihres Geliebten mit seiner

Tochter so erbost, daß sie ohnehin nichts von ihr wissen wollte. Petra Cotes quälte eine bislang unbekannte Angst, als fühle sie instinktiv, Meme brauche nur zu wünschen, um zu erreichen, was Fernanda nie erreicht hatte: sie einer Liebe zu berauben, deren sie bis zu ihrem Tode sicher zu sein glaubte. Zum erstenmal mußte Aureliano Segundo die Übellaunigkeit und den wütenden Spott seiner Konkubine ertragen und sogar befürchten, daß seine bereits einmal hin- und herbeförderten Truhen den Rückweg ins Haus der Ehefrau antreten müßten. Doch soweit kam es nicht. Keine Frau kannte einen Mann besser als Petra Cotes ihren Geliebten, und sie wußte daher, daß die Truhen dableiben würden, wo sie waren, denn wenn Aureliano Segundo etwas haßte, so die Sucht, sich das Leben durch Verbesserungen und Veränderungen zu erschweren. So blieben denn die Truhen, wo sie waren, und Petra Cotes machte sich daran, den Ehemann wiederzuerobern, wobei sie die einzigen Waffen zückte, mit denen seine Tochter nicht um ihn kämpfen konnte. Auch das war eine unnötige Anstrengung, da Meme nie beabsichtigt hatte, sich in ihres Vaters Angelegenheiten zu mischen, und wenn, dann hätte sie es zugunsten der Konkubine getan. Sie hatte auch nicht genug Zeit, um jemanden zu belästigen. Sie selbst fegte ihr Zimmer und machte ihr Bett, wie die Nonnen es sie gelehrt hatten. Morgens besorgte sie ihre Kleider, stickte in der Veranda oder nähte auf Amarantas alter handbetriebener Nähmaschine. Während die anderen ihre Mittagsruhe abhielten, übte sie zwei Stunden auf dem Klavichord, wohl wissend, daß das tägliche Opfer ihr Fernanda vom Leibe hielt. Aus dem gleichen Grund veranstaltete sie Konzerte bei Kirchenbasaren und Schulabenden, wenngleich sie immer seltener dazu aufgefordert wurde. Gegen Abend machte sie sich fertig, zog eines ihrer schlichten Kleider und ihre derben Schnürschuhe an, und wenn sie keine Verabredung mit ihrem Vater hatte, ging sie zu Freundinnen, wo sie bis

zum Abendessen blieb. Nur ausnahmsweise holte Aureliano Segundo sie nicht ins Kino ab.

Unter Memes Freundinnen waren drei junge Nordamerikanerinnen, die den Kreis des elektrisch geladenen Hühnerstalls durchbrochen und Freundschaften mit Macondos jungen Mädchen geschlossen hatten. Eine von ihnen war Patricia Brown. Dankbar über Aureliano Segundos Gastlichkeit, öffnete Señor Brown Meme die Türen seines Hauses und lud sie zu seinen Samstagstanzereien ein, die einzigen, zu denen die Grünhörner Einheimische zuließen. Als Fernanda dies erfuhr, vergaß sie einen Augenblick lang Amaranta Ursula und die unsichtbaren Ärzte und führte ein ausgewachsenes Melodrama auf. »Stell dir vor«, sagte sie zu Meme, »was der Oberst in seinem Grab denken wird.« Natürlich suchte sie Ursulas Unterstützung. Doch die blinde Greisin fand wider alles Erwarten, dagegen sei nichts einzuwenden, daß Meme an diesen Bällen teilnehme und die Freundschaft gleichaltriger amerikanischer junger Mädchen pflege, solange sie in ihren Auffassungen fest bleibe und sich nicht zur protestantischen Religion bekehren lasse. Meme begriff sehr genau die Gedanken der Urgroßmutter und stand am Tag nach dem Ball früher als gewöhnlich auf, um in die Messe zu gehen. Fernandas Widerstand hielt bis zu dem Tag an, als Meme sie mit der Nachricht entwaffnete, die Nordamerikaner wünschten sie auf dem Klavichord zu hören. Wieder einmal wurde das Instrument aus dem Hause geholt und in Señor Browns befördert, wo die junge Konzertistin in der Tat aufrichtigsten Beifall und die begeistertsten Glückwünsche erntete. Seither wurde sie nicht nur zu den Bällen, sondern auch zum sonntäglichen Baden im Schwimmbecken sowie einmal in der Woche zum Mittagessen eingeladen. Meme lernte wie eine Wettschwimmerin schwimmen, Tennis spielen und Virginia-Schinken mit Ananasscheiben essen. Zwischen Tanzen, Baden und Tennisspielen lernte sie auch auf englisch radebrechen. Aureliano Segundo begeisterte sich so sehr über die Fortschritte seiner Tochter, daß er bei einem Handlungsreisenden eine englische Enzyklopädie in sechs reichbebilderten Bänden erstand, die Meme in ihren Mußestunden las. Nun nahm die Lektüre ihre Aufmerksamkeit, die sie bislang verliebtem Geschwätz und Experimentiersitzungen mit ihren Freundinnen gewidmet hatte, in Anspruch, doch nicht, weil sie sich das Lesen als Disziplin auferlegt hätte, sondern weil sie allen Gefallen daran verloren hatte, über altbekannte Geheimnisse zu tratschen. Dabei erinnerte sie sich an jenes Besäufnis wie an ein kindisches Abenteuer, das ihr so komisch vorkam, daß sie es Aureliano Segundo erzählte, dem es dann noch komischer vorkam als ihr. »Wenn das deine Mutter wüßte«, sagte er prustend vor Lachen, wie er es immer tat, wenn sie ihm etwas anvertraute. Er hatte ihr auch das Versprechen abgenommen, ihn mit dem gleichen Zutrauen in ihre erste Liebschaft einzuweihen, und Meme erzählte ihm, ein nordamerikanischer Rotschopf, der seine Ferien im Elternhaus verbrachte, habe es ihr angetan. »Wie entsetzlich«, lachte Aureliano Segundo. »Wenn das deine Mutter wüßte!« Doch Meme erzählte ihm auch, dieser sei wieder in sein Land zurückgekehrt und habe seitdem nichts von sich hören lassen. Ihre reife Urteilskraft gewährleistete den häuslichen Frieden. Nun widmete Aureliano Segundo Petra Cotes mehr von seiner Zeit, und wenn auch Leib und Seele nicht mehr wie früher nach Ausschweifungen verlangten, verlor er keine Gelegenheit, diesen nachzugehen und das Akkordeon auszugraben, von dem einige Tasten bereits mit Schnürsenkeln befestigt waren. Im Haus stickte Amaranta an ihrem endlosen Totenhemd, und Ursula ließ sich von ihrer Hinfälligkeit in die Tiefe der Finsternis ziehen, wo für sie nur noch José Arcadio Buendías Gespenst unter dem Kastanienbaum sichtbar war. Fernanda festigte ihre Autorität. Die monatlichen Briefe an ihren Sohn José Arcadio enthielten keine Zeile der Lüge mehr, und sie verschwieg ihm darin nur ihren Briefwechsel mit den unsichtbaren Ärzten, die ein gutwilliges Geschwür in ihrem Dickdarm diagnostiziert hatten und dabei waren, an ihr einen telepathischen Eingriff vorzunehmen.

Man hätte meinen mögen, nun sei für lange Zeit ein ungestörter Friede und Glückszustand ins Haus eingekehrt, doch Amarantas unzeitgemäßer Tod verursachte ein neues Ärgernis. Es war ein unerwartetes Ereignis. Zwar hatte sie infolge ihres hohen Alters für sich gelebt, doch dank ihrer altbekannten eisernen Gesundheit noch immer kräftig und rüstig ausgesehen. Niemand kannte ihre Gedanken mehr seit dem Nachmittag, da sie Oberst Gerineldo Márquez endgültig den Laufpaß gegeben und sich zum Heulen in ihre Kammer eingeschlossen hatte. Als sie wieder erschien, waren ihre Tränen getrocknet, man sah sie nicht bei Remedios' der Schönen Himmelfahrt weinen, nicht bei der Ausrottung der Aurelianos, auch nicht beim Tod von Oberst Aureliano Buendía, den sie von allen Menschen auf der Welt am meisten geliebt hatte, wenngleich sie es erst beweisen konnte, als sein Leichnam unter dem Stamm gefunden wurde. Sie half beim Aufheben des Leichnams, sie legte ihm seinen Kriegerschmuck an, rasierte ihn, kämmte ihn und pomadisierte seinen Schnauzbart besser, als er es in seinen Ruhmesjahren je fertiggebracht hatte. Niemand sah darin einen Akt der Liebe, weil jedermann an Amarantas Vertrautheit mit den Riten des Todes gewöhnt war. Fernanda empörte sich darüber, daß sie den Katholizismus nicht in seiner Verbindung zum Leben, sondern zum Tod begriff, als sei er keine Religion, sondern ein Prospekt von Bestattungsbräuchen. Amaranta steckte zu tief im Gestrüpp ihrer Erinnerungen, um dergleichen apologetische Feinheiten zu verstehen. Sie hatte das hohe Alter mit lauter lebendigen Sehnsüchten erreicht. Wenn sie Pietro Crespis Walzer hörte, war ihr genauso nach Weinen zumute wie in ihrer

Jugend, als hätten Zeit und Prüfungen ihr nichts genutzt. Die Musikrollen, die sie selber in den Müll befördert hatte unter dem Vorwand, sie faulten vor Feuchtigkeit, kreisten nach wie vor und bewegten Hämmer in ihrem Gedächtnis. Sie hatte diese mit der sumpfigen Leidenschaft zu ersticken versucht, die sie sich mit ihrem Neffen Aureliano José erlaubt hatte, sie hatte in Oberst Gerineldo Márquez' bedächtigen, männlichen Schutz fliehen wollen, hatte sie jedoch nicht einmal mit dem verzweifeltsten Akt ihres Alters niederzuzwingen vermocht, als sie den kleinen José Arcadio drei Jahre, bevor er ins Seminar geschickt wurde, gebadet und liebkost hatte, doch nicht etwa wie eine Großmutter es mit einem Enkel getan hätte, sondern wie eine Frau es mit einem Mann tut, wie man es sich von den französischen Matronen erzählte und wie sie selber es mit Pietro Crespi mit zwölf, vierzehn Jahren hätte tun mögen, als sie ihn in seinen Ballhosen gesehen hatte und mit seinem Zauberstöckchen, mit dem er den Takt schlug. Mitunter schmerzte es sie, jenes Kielwasser des Elends hinter sich gelassen zu haben, mitunter war sie so wütend, daß sie sich in den Finger stach, doch mehr Schmerz und Wut und Bitterkeit verursachte ihr der duftende, wurmstichige Obstgarten der Liebe, den sie bis zum Tode mit sich herumschleppte. So wie Oberst Aureliano Buendía an den Krieg dachte, ohne es vermeiden zu können, so dachte Amaranta an Rebeca. Doch während es ihrem Bruder gelungen war, seine Erinnerungen unschädlich zu machen, so hatte sie die ihren nur noch mehr entfacht. Das einzige, worum sie viele Jahre lang Gott bat, war, er möge ihr nicht die Strafe auferlegen, sie vor Rebeca sterben zu lassen. Jedesmal, wenn sie an deren Haus vorbeiging und die Fortschritte der Zerstörung sah, gefiel ihr der Gedanke, daß Gott sie erhörte. Eines Nachmittags, als sie in der Veranda nähte, befiel sie die Gewißheit, daß sie an dieser Stelle in der gleichen Stellung im gleichen Licht sitzen werde, wenn die Nachricht von Rebecas Tod sie erreichen würde. So setzte sie sich denn und wartete auf sie, wie man auf einen Brief wartet, und eine Zeitlang riß sie sich auch Knöpfe ab, um sie wieder annähen zu können, damit die Muße ihr das Warten nicht länger und quälender mache. Niemand im Hause merkte damals, daß Amaranta ein kostbares Totenhemd für Rebeca webte. Später, als Aureliano Triste erzählte, er habe sie als Erscheinung gesehen mit zerfurchtem Gesicht und ein paar gelben Strähnen auf dem Schädel, wunderte Amaranta sich nicht, weil das beschriebene Gespenst ihrer seit langem genährten Vorstellung entsprach. Sie hatte beschlossen, Rebecas Leiche zu restaurieren, die Schäden des Gesichts mit Paraffin zu beheben und aus dem Haar der Heiligen eine Perücke für sie zu machen. Sie würde einen bildschönen Leichnam aus ihr bilden und ihn in seinem Leichenhemd und einem plüschausgeschlagenen Sarg mit Purpurrüschen bei einem prachtvollen Begräbnis den Würmern zur Verfügung stellen. Sie ersann den Plan mit so viel Haß, daß sie bei dem Gedanken, daß sie aus Liebe nicht anders gehandelt hätte, zutiefst erschrak, doch sie ließ sich nicht aus dem Konzept bringen und arbeitete alles bis ins kleinste aus, so daß sie mehr als eine Spezialistin, ja eine Virtuosin in Sachen Tod wurde. Das einzige, was sie in ihrem grauenvollen Plan nicht berücksichtigt hatte, war, daß sie trotz ihrer Bitten zu Gott vor Rebeca sterben könnte. Und so geschah es. Doch in ihrer letzten Stunde fühlte Amaranta sich nicht etwa gescheitert, sondern im Gegenteil von jeder Bitterkeit befreit, weil der Tod ihr das Vorrecht gewährt hatte, sich ihr mehrere Jahre im voraus anzukündigen. Sie hatte ihn eines glutheißen Mittags gesehen, neben ihr in der Veranda nähend, kurz nachdem Meme ins Internat abgereist war. Sie erkannte ihn unverzüglich, er hatte nichts Schreckliches an sich, denn er war eine altmodisch wirkende, blaugekleidete Frau mit langem Haar und sah fast so aus wie Pilar Ternera zu der Zeit, als sie in der Küche geholfen hatte. Fernanda war mehrmals zugegen und sah ihn nicht, obwohl er so wirklich, so menschlich war, daß er Amaranta um den Gefallen bat, ihm eine Nadel einzufädeln. Der Tod sagte ihr nicht, wann sie sterben müsse, auch nicht, ob ihre Stunde vor der Rebecas schlagen würde, sondern nur, sie solle mit dem Weben ihres eigenen Totenhemds am kommenden sechsten April beginnen. Er erlaubte ihr, es so ausgefallen und prächtig zu machen, wie sie wünschte, jedoch ebenso würdevoll wie das Rebecas, und kündigte ihr an, sie werde ohne Schmerz sterben, ohne Angst, ohne Bitterkeit, und zwar an dem Abend, da das Hemd fertiggestellt sei. In der Absicht, möglichst viel Zeit zu verlieren, bestellte sie Garn aus Herbstflachs und webte selber das Laken. Sie tat es mit so viel Sorgfalt, daß diese Arbeit allein vier Jahre beanspruchte. Dann begann sie mit der Stickerei. Je näher sie dem unausweichlichen Ende kam, desto tiefer begriff sie, daß nur ein Wunder ihr gestatten würde, die Arbeit über Rebecas Tod hinauszuzögern, doch gerade diese Konzentration verschaffte ihr die Ruhe, die sie brauchte, um sich mit dem Gedanken an ein Scheitern abzufinden. Nun verstand sie den Teufelskreis von Oberst Aureliano Buendías goldenen Fischchen. Die Welt machte an der Oberfläche ihrer Haut halt, und das Innere blieb frei von jeder Bitterkeit. Es schmerzte sie, diese Offenbarung nicht vor Jahren erlebt zu haben, als es noch möglich war, die Erinnerungen zu läutern und das Weltall in neuem Licht wiederherzustellen, sich Pietro Crespis Lavendelgeruch am Abend ohne zu zittern wachzurufen und Rebeca aus ihrem Jammerschlamm zu reißen, nicht aus Haß und nicht aus Liebe, sondern aus grenzenlosem Verständnis der Einsamkeit. Der Haß, den sie eines Abends in Memes Worten spürte, rührte sie nicht etwa, weil er sie betraf, sondern weil sie sich in einer neuen Jugend wiederholt sah, die so rein schien, wie die ihre wohl einst erschienen und dennoch bereits von Groll verdorben war. Doch nun war sie mit ihrem Schicksal dermaßen ausgesöhnt, daß die Gewißheit, alle Möglichkeiten einer Berichtigung seien versperrt, sie nicht im geringsten beunruhigte. Ihr einziges Ziel war, das Totenhemd zu beenden. Statt sie mit nutzlosen Kniffligkeiten hinauszuzögern, wie sie es anfangs getan hatte, beschleunigte sie nun ihre Arbeit. Eine Woche vorher rechnete sie sich aus, den letzten Stich würde sie in der Nacht des vierten Februar tun, und ohne ihr den Grund zu verraten, schlug sie Meme, wiewohl erfolglos, vor, ein auf den Tag darauf geplantes Konzert vorzuverlegen. Nun suchte Amaranta Mittel und Wege, sich um achtundvierzig Stunden zu verspäten, und vermutete sogar, der Tod gebe ihr nach, weil in der Nacht zum vierten Februar ein Gewitter die Lichtleitung zerstörte. Doch am Tage darauf um acht Uhr morgens machte sie den letzten Stich an der schönsten Handarbeit, die je von einer Frau beendet worden war, und verkündete ohne jeden dramatischen Unterton, sie werde gegen Abend sterben. Amaranta benachrichtigte nicht nur die Familie, sondern das ganze Dorf, weil sie sich in den Kopf gesetzt hatte, man könne ein Leben der Kleinlichkeit mit einem einzigen Gefallen an die Welt wiedergutmachen, und dachte, es gäbe keinen besseren als den, Briefe an die Toten mitzunehmen.

Die Nachricht, Amaranta Buendía werde in der Abenddämmerung abdampfen und die Todespost mitnehmen, wurde in Macondo vor Mittag bekannt, und um drei Uhr nachmittags stand im Wohnzimmer eine mit Briefen gefüllte Kiste. Wer nicht schreiben wollte, übermittelte Amaranta einen mündlichen Bescheid, den sie mit Namen und Todestag des Adressaten in ein Büchlein notierte. »Mach dir keine Sorgen«, beruhigte sie die Absender. »Sowie ich ankomme, frage ich nach ihm und richte ihm deine Botschaft aus.« Das war wie eine Posse. Amaranta verriet keinerlei Verwirrung, nicht das leiseste Zeichen von Schmerz, ja, sie wirkte durch die erfüllte

Pflicht verjüngt. Sie hielt sich so gerade und rank wie immer. Ohne die hervorstehenden Backenknochen und einige fehlende Zähne hätte sie weit jünger ausgesehen. Sie ordnete persönlich an, die Briefe in eine geteerte Kiste zu legen und bestimmte die Art ihrer Verwahrung im Grab zum Schutz gegen Feuchtigkeit. Morgens hatte sie einen Schreiner gerufen, von dem sie sich, im Wohnzimmer stehend, wie für ein Kleid für den Sarg Maß nehmen ließ. Während der letzten Stunden erwachte so viel Tatkraft in ihr, daß Fernanda glaubte, sie wolle nur alle verspotten. Aus der Erfahrung, daß die Buendías ohne Krankheit sterben, bezweifelte Ursula nicht, daß Amaranta den Tod vorausgeahnt habe, doch quälte sie die Furcht, die kopflosen Absender könnten im Begehren, ihre Briefe rechtzeitig abgeliefert zu sehen, sie am Ende noch lebend begraben. Daher bestand sie darauf, das Haus müsse geleert werden, wobei es zu Streit und Schreierei mit den Eindringlingen kam, doch gegen vier Uhr nachmittags hatte sie ihren Willen durchgesetzt. Zu dieser Stunde hatte Amaranta ihren Besitz unter die Armen verteilt und auf dem strengen, ungehobelten Brettersarg nur ihr Gewand und die einfachen Filzpantoffeln gelassen, die sie in den Tod mitnehmen wollte. Diese Vorsicht hatte sie nicht übersehen, da sie sich erinnerte, daß sie Oberst Aureliano Buendía nach seinem Tod ein Paar neue Schuhe hatte kaufen müssen, da ihm nur die in der Werkstatt gebrauchten Pantoffeln geblieben waren. Kurz vor fünf Uhr holte Aureliano Segundo Meme für das Konzert ab und wunderte sich, daß das Haus für die Beerdigung vorbereitet war. Wenn jemand in dieser Stunde lebendig erschien, war es die ruhige gelassene Amaranta, die sogar Zeit gefunden hatte, sich die Hühneraugen zu beschneiden. Aureliano Segundo und Meme verabschiedeten sich von ihr mit scherzhaftem Lebewohl und versprachen ihr, am nächsten Samstag würden sie das Freudenfest der Auferstehung feiern. Vom Gerede des

Volks, Amaranta Buendía empfange Briefe für die Toten, angelockt, kam Pater Antonio Isabel gegen fünf Uhr mit der letzten Wegzehrung, mußte aber fünfzehn Minuten warten, bis die Sterbende aus dem Bade kam. Als er sie in einem weißen Kattunhemd und ihr auf die Schultern herabwallendes Haar sah, glaubte der altersschwache Pfarrer, man habe sich hier einen Scherz erlaubt, und schickte den Chorknaben heim. Doch gedachte er die Gelegenheit zu nutzen und Amaranta nach fast zwanzig Jahren Schweigen die Beichte abzunehmen. Amaranta erwiderte bündig, sie bedürfe keinerlei geistlichen Beistands, ihr Gewissen sei rein. Fernanda empörte sich. Ohne sich darum zu kümmern, ob sie gehört werde, fragte sie sich mit vernehmlicher Stimme, welch schreckliche Sünde Amaranta begangen habe, um lieber gotteslästerlich zu sterben, als sich zu der Schande einer Beichte zu bekennen. Nun legte Amaranta sich nieder und zwang Ursula, öffentlich für ihre Jungfräulichkeit zu zeugen.

»Niemand soll sich Selbsttäuschungen hingeben«, schrie sie, damit es Fernanda hören solle. »Amaranta Buendía geht aus dieser Welt, wie sie gekommen ist.«

Sie stand nicht mehr auf. In ihre Kissen zurückgelehnt, als sei sie krank, flocht sie ihre langen Zöpfe und drehte sie zu Schnecken auf den Ohren, so wie sie nach den Anweisungen des Todes im Grab zu liegen hatte. Dann bat sie Ursula um einen Spiegel, sah zum erstenmal seit vierzig Jahren ihr Gesicht von Alter und Martyrium verwustet und staunte, wie sehr sie dem geistigen Bild ähnelte, das sie von sich hatte. Ursula folgerte aus der Stille im Alkoven, daß es bereits dunkelte.

»Verabschiede dich von Fernanda«, bat sie. »Eine Minute der Versöhnung wiegt mehr als ein ganzes Leben der Freundschaft.«

»Es lohnt nicht mehr«, erwiderte Amaranta.

Meme konnte nicht umhin, an sie zu denken, als die Lichter der Behelfsbühne angingen und sie mit dem zweiten Teil ihres Programms begann. Mitten im Stück flüsterte jemand ihr die Nachricht ins Ohr, und die Aufführung wurde unterbrochen. Als Aureliano Segundo zu Hause anlangte, mußte er sich einen Weg durch die Menge bahnen, um den Leichnam der greisen Jungfrau zu sehen: häßlich und verfärbt, mit der schwarzen Binde an der Hand und in ihr bildschönes Totenhemd gehüllt. Sie lag aufgebahrt im Wohnzimmer neben der Briefkiste.

Nach neun Nächten Totenwache bei Amarantas Leiche stand Ursula nicht mehr auf. Santa Sofía von der Frömmigkeit nahm sich ihrer an. Brachte ihr das Essen ins Schlafzimmer, frisches Wasser zum Waschen und hielt sie über die Geschehnisse in Macondo auf dem laufenden. Aureliano Segundo besuchte sie häufig und brachte ihr Kleider, die sie zu ihren alltäglich benötigten Gegenständen neben das Bett legte, so daß sie sich in kürzester Zeit eine eigene Welt in Reichweite aufbaute. Es gelang ihr, in der kleinen Amaranta Ursula, die ihr sehr ähnlich war und die sie lesen lehrte, große Zuneigung zu erwecken. Ihre Hellsicht, ihre Fähigkeit, sich selbst zu genügen, ließen vermuten, daß sie der Last der hundert Jahre erlegen war, doch wenngleich ihr Augenlicht offensichtlich stark nachgelassen hatte, vermutete niemand, daß sie völlig erblindet war. Sie verfügte über so viel Zeit und so viel inneres Schweigen, um das Leben des Hauses zu überwachen, daß sie als erste Memes stummen Kummer merkte.

»Komm her«, sagte sie. »Nun sind wir allein, und du kannst dieser armen Alten erzählen, was du auf dem Herzen hast.«

Meme wich der Unterhaltung mit beklommenem Gelächter aus. Ursula drang nicht in sie, sah jedoch ihren Verdacht bestätigt, als Meme sie nicht wieder besuchte. Sie wußte, daß jene früher als gewöhnlich aufstand, daß sie keine Minute Ruhe hatte, bis sie das Haus verlassen konnte, daß sie sich ganze Nächte im Bett des angrenzenden Schlafzimmers herumwälzte und daß ein umherflatternder Schmetterling sie bis aufs Blut reizen konnte. Einmal hörte sie sie sagen, sie wolle sich mit Aureliano Segundo treffen, und Ursula wunderte sich über die Kurzsichtigkeit Fernandas, die keinen Argwohn hegte, als ihr Mann nach Hause kam und nach seiner Tochter fragte. Es lag auf der Hand, daß Meme Geheimnisse hatte, dringende Verabredungen, verdrängte Ungeduld, und zwar lange vor dem Abend, als Fernanda das Haus mit der Nachricht überfiel, sie habe Meme mit einem Mann im Kino Küsse tauschen sehen.

Meme selbst war zu jener Zeit so verschlossen, daß sie Ursula beschuldigte, sie verraten zu haben. In Wirklichkeit verriet sie sich selber. Seit geraumer Zeit ließ sie hinter sich bündelweise Spuren, die den Argwohn des verschlafensten Hausgenossen geweckt hätten, und wenn Fernanda lange brauchte, um diese zu entdecken, so, weil sie gleichfalls durch ihre geheimen Beziehungen zu den unsichtbaren Ärzten benebelt war. Doch auch so merkte sie schließlich das tiefe Schweigen, das unvermutete Zusammenzucken, die Launenhaftigkeit und die Widersprüchlichkeiten ihrer Tochter. Nun machte sie sich an eine versteckte, dafür aber um so unerbittlichere Überwachung. Sie ließ sie zwar wie immer zu ihren Freundinnen gehen, half ihr beim Anziehen für die Samstagstanzereien, vermied es aber, ihr Fragen zu stellen, die ihr Mißtrauen erregt hätten. Sie hatte bereits hinreichend Beweise, daß Meme nicht das tat, was sie erzählte, und gab in Erwartung einer entscheidenden Gelegenheit trotzdem nicht ihren Verdacht preis. Eines Abends verkündete Meme, sie wolle mit ihrem Vater ins Kino gehen. Kurz darauf hörte Fernanda aus der Richtung von Petra Cotes' Haus Feuerwerk knallen und Aureliano Segundos unverkennbares Akkordeonspiel. Sofort zog sie sich an, betrat das Kino und sah im Halbdunkel der Orchesterplätze ihre Tochter. Richtig geraten zu haben, regte sie so auf, daß sie nicht den Mann sah, den sie küßte, dafür hörte sie aber inmitten der Witzeleien und des ohrenbetäubenden Gelächters der Zuschauer seine zitternde Stimme. »Es tut mir leid, Liebling«, hörte sie ihn sagen, und ohne ein Wort zu verlieren, führte sie Meme aus dem Zuschauerraum, setzte sie der Schande aus, sie durch die lärmende Türkenstraße zu zerren, und sperrte sie zu Hause in ihrem Schlafzimmer ein. Am nächsten Tag um sechs Uhr abends erkannte Fernanda die Stimme des Mannes, der sie besuchte. Er war jung, trübsinnig, mit dunklen, schwermütigen Augen, die sie nicht allzusehr verwundert haben würden, hätte sie Zigeuner gekannt, und besaß eine träumerische Art, die jeder weniger hartherzigen Frau die Beweggründe ihrer Tochter verständlich gemacht hätte. Er trug einen abgetragenen Leinenanzug, sein jämmerliches Schuhwerk war mit Weißblechflecken ausgebessert, in der Hand hielt er einen am vergangenen Samstag erstandenen runden Strohhut. Nie in seinem Leben war er so erschrocken gewesen und würde es auch nie mehr sein als in diesem Augenblick, und dennoch stellte er eine Würde und eine Selbstbeherrschung zur Schau, die ihn vor der Demütigung retteten, ebenso wie eine angeborene Anmut, die nur an seinen verarbeiteten schwieligen Händen und gesplitterten Fingernägeln haltmachte. Fernanda freilich genügte ein Blick, um zu sehen, daß er Arbeiter war. Sie gewahrte, daß er seinen besten Sonntagsanzug trug und daß seine Haut unter dem Hemd an der Krätze der Bananengesellschaft litt. Sie erlaubte ihm nicht zu sprechen. Sie erlaubte ihm nicht einmal, die Schwelle der Haustür zu überschreiten, die sie eine Sekunde darauf schließen mußte, da Schwärme gelber Falter ins Haus strömten.

»Gehen Sie fort«, sagte sie. »Sie haben unter anständigen Leuten nichts zu suchen.«

Er hieß Mauricio Babilonia. Er war in Macondo geboren und aufgewachsen und arbeitete als Mechanikerlehrling in den Werkstätten der Bananengesellschaft. Meme hatte ihn zufällig eines Nachmittags kennengelernt, als sie und Patricia Brown das Automobil holten, um eine Spritzfahrt durch die Plantagen zu unternehmen. Da der Chauffeur krank war, wurde er beauftragt, sie zu fahren, und Meme konnte endlich ihren Wunsch befriedigen, neben dem Fahrer zu sitzen, um das Steuern des Wagens kennenzulernen. Im Gegensatz zu dem offiziellen Chauffeur führte Mauricio Babilonia ihr die Handhabung praktisch vor. Das war zu der Zeit, als Meme im Haus Brown zu verkehren begann und als das Steuern eines Automobils für Damen noch als unschicklich galt. So begnügte sie sich denn mit der theoretischen Aufklärung und sah Mauricio Babilonia mehrere Monate nicht wieder. Später sollte sie sich erinnern, daß ihr, abgesehen von der Derbheit der Hände, während der Fahrt seine männliche Schönheit aufgefallen war, daß sie sich indes später bei Patricia Brown über seine reichlich hochmütige Sicherheit beschwert hatte. Am ersten Samstag, an dem sie mit ihrem Vater ins Kino ging, sah sie den in der Nähe sitzenden Mauricio Babilonia in seinem Leinenanzug wieder und merkte, daß er sich nicht für den Film interessierte, sondern sie mehrmals ansah, doch weniger um sie zu sehen, als um ihre Aufmerksamkeit auf sich zu lenken. Meme war die Vulgarität dieses Verhaltens lästig. Zum Schluß trat Mauricio Babilonia auf Aureliano Segundo zu und begrüßte ihn, und erst jetzt merkte Meme, daß die beiden einander kannten, weil er in Aureliano Tristes erstem Kraftwerk gearbeitet hatte und ihren Vater im Ton eines Untergebenen ansprach. Diese Feststellung verwischte ihren früheren Widerwillen gegen sein hochtrabendes Wesen. Dann sahen sie sich nicht allein wieder und wechselten außer dem Gruß auch kein einziges Wort, bis sie eines Nachts träumte, er rette sie aus einem Schiffbruch, sie aber empfinde keinen Dank mehr, sondern nur Wut. Es war, als habe sie ihm die Gelegenheit gegeben, die er wünschte, während Meme freilich das Gegenteil wünschte, nicht nur bei Mauricio Babilonia, sondern auch bei jedem anderen Mann, der sich für sie interessierte. Daher ärgerte es sie maßlos, daß sie nach dem Traum, statt ihn zu verabscheuen, vielmehr einen unwiderstehlichen Drang verspürte, ihn wiederzusehen. Im Laufe der Woche wuchs nur ihr Begehren und wurde dann am Samstag so ungestüm, daß sie sich wahnsinnig beherrschen mußte, damit Mauricio Babilonia bei der Begrüßung im Kino nicht merkte, daß ihr das Herz im Halse schlug. Benebelt von einem wirren Gemisch aus Lust und Wut, reichte sie ihm zum erstenmal die Hand, und erst jetzt erlaubte sich Mauricio Babilonia, sie zu drükken. Während des Bruchteils einer Sekunde bereute Meme ihren Impuls, doch ihre Reue verwandelte sich alsbald in grausame Genugtuung, als sie merkte, daß auch seine Hand verschwitzt und eisig war. In jener Nacht begriff sie, daß sie keine ruhige Minute mehr haben würde, solange sie nicht Mauricio Babilonia die Eitelkeit seines Anspruchs bewiesen hatte, und so kreiste ihr Denken die ganze Woche um dieses Begehren. Wieder nahm sie ihre Zuflucht zu allerhand Kniffen, damit Patricia Brown sie zum Abholen des Autos mitnahm. Schließlich nutzte sie die Anwesenheit des auf Ferienbesuch in Macondo weilenden nordamerikanischen Rotschopfs und ließ sich unter dem Vorwand, die neuen Automobilmodelle besichtigen zu wollen, von ihm in die Werkstätten mitnehmen. Von diesem Augenblick an, als sie ihn sah, verwarf Meme jede Selbsttäuschung und begriff, daß sie es in Wirklichkeit kaum erwarten könne, allein mit Mauricio Babilonia zu sein, doch die Gewißheit, er habe es gemerkt, sobald er sie kommen sah, brachte sie in Rage.

»Ich wollte gern die neuen Modelle sehen«, sagte Meme.

»Ein guter Vorwand«, sagte er.

Meme merkte, daß ihm sein Hochmut zu Kopf stieg, und suchte verzweifelt nach einem Mittel, ihn zu demütigen. Doch er ließ ihr keine Zeit. »Keine Angst«, sagte er leise. »Es ist nicht das erste Mal, daß eine Frau wegen eines Mannes den Kopf verliert.« Das brachte sie dergestalt aus der Fassung, daß sie die Werkstatt verließ, ohne die neuen Modelle besichtigt zu haben, und, vor Empörung weinend, sich die ganze Nacht im Bett hin und her wälzte. Der nordamerikanische Rotschopf, der sie in Wirklichkeit zu interessieren begonnen hatte, kam ihr wie ein Wickelkind vor. Nun fielen ihr die gelben Falter auf, die jedem Auftreten Mauricio Babilonias vorausgingen. Sie hatte sie schon vorher gesehen, vor allem in der Mechanikerwerkstatt, und gedacht, sie würden von der Ölfarbe angezogen. Einmal hatte sie sich im Halbdunkel des Kinos von ihnen umflattert gefühlt. Doch als Mauricio Babilonia ihr nachzustellen begann wie ein Gespenst, das sie nur in der Menge erkannte, begriff sie, daß die gelben Falter etwas mit ihm zu tun hatten. Mauricio Babilonia befand sich immer im Konzertpublikum, im Kino, im Hochamt, sie brauchte ihn nicht zu sehen, um ihn zu entdecken, weil die Falter auf ihn hindeuteten. Einmal wurde Aureliano Segundo wegen des beklemmenden Geflirrs so ungeduldig, daß sie ihm fast ihr Geheimnis anvertraut hätte, wie sie es sich fest vorgenommen hatte, doch ihr Instinkt sagte ihr, daß er diesmal nicht wie sonst lachend sagen würde: »Was würde deine Mutter sagen, wenn sie es wüßte.« Eines Morgens, als sie die Rosen beschnitten, schrie Fernanda entsetzt auf und zerrte Meme von dem Ort, wo sie stand: Es war im Garten, wo Remedios die Schöne zum Himmel aufgefahren war. Sie hatte nämlich eine Sekunde lang den Eindruck gehabt, das Wunder müsse sich mit ihrer Tochter wiederholen, weil ein plötzliches Geflatter sie gestört hatte. Es waren die Falter. Meme sah sie, als seien sie plötzlich im Licht entstanden, und ihr Herz machte einen Satz. In diesem Augenblick trat Mauricio Babilonia mit einem Paket ein – ein Geschenk von Patricia Brown, wie er sagte. Meme bezwang ihr Erröten, verbarg ihre Verwirrung und bat ihn sogar mit einem natürlich wirkenden Lächeln, er möge es auf die Balustrade legen, weil sie erdige Hände habe. Das einzige, was Fernanda an dem Mann auffiel, den sie wenige Monate später aus dem Haus werfen sollte, ohne sich darauf zu besinnen, daß sie ihn einmal gesehen hatte, war seine gallenfarbene Haut.

»Ein merkwürdiger Mensch«, sagte Fernanda. »Man sieht ihm an, daß er bald sterben wird.«

Meme dachte, ihre Mutter sei über die Falter erschrokken. Als sie die Rosensträucher beschnitten hatten, wusch sie sich die Hände und trug das Päckchen ins Schlafzimmer, um es zu öffnen. Sie fand eine Art chinesisches Spielzeug, aus fünf konzentrischen Kästchen bestehend, und im kleinsten ein von einem Anfänger in Schönschrift mühsam bekritzeltes Kärtchen: *Wir sehen uns am Samstag im Kino.* Meme war nachträglich noch sprachlos darüber, daß das Paket so lange auf der Balustrade in Reichweite von Fernandas Neugierde gelegen hatte, und wenn sie sich auch von Mauricio Babilonias Kühnheit und Findigkeit geschmeichelt fühlte, rührte sie seine Einfalt, mit der er auf ihr Kommen rechnete. Meme wußte bereits, daß Aureliano Segundo eine Verabredung für Samstag abend hatte. Dennoch erhitzte das Feuer der Erwartung sie im Laufe der Woche dermaßen, daß sie am Samstag ihren Vater überredete, sie allein ins Theater gehen zu lassen und sie nach der Vorstellung abzuholen. Ein Nachtfalter kreiste über seinem Kopf, solange die Lichter im Saal brannten. Dann passierte es. Als die Lichter ausgingen, setzte sich Mauricio Babilonia neben sie. Meme fühlte sich in einem Moor patschen, aus dem sie, wie es im Traum geschehen war, nur jener nach Maschinenöl riechende Mann retten konnte, den sie kaum im Halbdunkel zu unterscheiden vermochte.

»Wärst du nicht gekommen«, sagte er, »du hättest mich nie wiedergesehen.«

Meme fühlte das Gewicht seiner Hand auf ihrem Knie

und wußte, daß sie beide in dieser Sekunde ans Ende der Hilflosigkeit gelangt waren.

»Was mich an dir schockiert«, lächelte sie, »ist, daß du immer genau das sagst, was man nicht sagen darf.«

Sie verliebte sich rasend in ihn. Sie verlor Schlaf und Appetit und stürzte in eine so tiefe Einsamkeit, daß sogar ihr Vater ihr zur Last wurde. Sie dachte sich ein verwikkeltes Netz falscher Verpflichtungen aus, um Fernanda hinters Licht zu führen; sie verlor ihre Freundinnen aus den Augen und setzte sich über Konventionen hinweg, um sich mit Mauricio Babilonia irgendwo und irgendwann zu treffen. Anfangs störte sie seine Derbheit. Als sie sich das erste Mal auf der leeren Wiese hinter der Mechanikerwerkstatt sahen, brachte er sie erbarmungslos in einen tierischen Zustand, der sie völlig erschöpfte. Erst später begriff sie, daß auch das eine Art der Zärtlichkeit war, und nun verlor sie vollends die Ruhe und lebte nur noch für ihn, versessen darauf, in seinem betäubenden, laugegescheuerten Ölgeruch zu vergehen. Kurz vor Amarantas Tod erlebte sie in ihrer Verranntheit einen Augenblick der Hellsicht und zitterte angesichts der Ungewißheit der Zukunft. Dann hörte sie von einer Kartenlegerin, welche die Zukunft las, und suchte sie heimlich auf. Es war Pilar Ternera. Sobald diese sie eintreten sah, kannte sie Memes geheimste Beweggründe. »Setz dich«, sagte sie. »Ich brauche keine Karten, um die Zukunft einer Buendía festzustellen.« Meme wußte nicht und würde es auch nie wissen, daß diese hundertjährige Wahrsagerin ihre Urgroßmutter war. Sie hätte es auch dann nicht geglaubt, als jene ihr unverblümt und schonungslos offenbarte, ihre rastlose Vernarrtheit sei nur im Bett zu stillen. Das war auch Mauricio Babilonias Standpunkt, doch Meme wollte es nicht glauben und schrieb es der einem Arbeiter eigenen, ungesunden Veranlagung zu. Dann dachte sie, diese Art Liebe vernichte die andere Liebe, da die Männer so veranlagt waren, daß sie ihren

Hunger verschmähten, sobald ihr Appetit gestillt war. Pilar Ternera zerstreute nicht nur diesen Irrtum, sie bot ihr auch das alte Leinenbett an, auf dem sie Arcadio, Memes Großvater, empfangen hatte und später Aureliano José empfing. Überdies lehrte sie sie, unerwünschte Empfängnis durch Senfumschläge zu verhüten und empfahl ihr eine Reihe von Heiltränken, die im Falle von Widerwärtigkeiten »sogar Gewissensbisse« austrieben. Diese Unterredung flößte Meme den gleichen Mut ein, den sie am Nachmittag des Besäufnisses verspürt hatte. Im übrigen mußte sie wegen Amarantas Tod ihren Entschluß verschieben. Während der neun Nächte wich sie keinen Augenblick von der Seite Mauricio Babilonias, den die ins Haus geströmte Menschenmenge verwirrte. Dann kam die ausgedehnte Trauerzeit und die obligate Zurückgezogenheit, und so trennten sie sich eine Zeitlang. Das waren Tage von derartiger innerer Erregtheit, von so unwiderstehlichem Drängen und so viel verdrängtem Begehren, daß Meme an dem ersten Nachmittag, an dem sie ausgehen durfte, schnurstracks in Pilar Terneras Haus rannte. Widerstandslos gab sie sich Mauricio Babilonia hin, schamlos, formlos, dazu mit so natürlichem Freimut und so bewußter Einfühlung, daß auch ein argwöhnischerer Mann als er ihr Gebaren mit der reifsten Erfahrung hätte verwechseln können. Sie liebten sich zweimal in der Woche über drei Monate lang, beschützt von der unschuldigen Mitwisserschaft Aureliano Segundos, der ohne Böswilligkeit den Alibis seiner Tochter Glauben schenkte, nur um sie der Strenge ihrer Mutter zu entziehen.

An dem Abend, an dem Fernanda die beiden im Kino überraschte, fühlte Aureliano Segundo sein Gewissen belastet und suchte Meme in ihrem Schlafzimmer auf, in das Fernanda sie gesperrt hatte, darauf vertrauend, daß sie bei ihm, wie sie es ihm schuldete, ihr Herz ausschütten würde. Doch Meme leugnete alles. Sie war ihrer Sache so sicher, sie war so verankert in ihrer Einsamkeit, daß Aureliano Segundo den Eindruck gewann, zwischen ihnen beiden sei alles aus, ihre Kameradschaft und Verschworenheit seien nichts als entschwundene Illusionen. Er gedachte mit Mauricio Babilonia zu sprechen, im Vertrauen darauf, als einstiger Arbeitgeber und Vorgesetzter könne er ihn von seinen Absichten abbringen, doch Petra Cotes überzeugte ihn davon, dergleichen gehe nur Weiber an, so daß er weiterhin in Unsicherheit schwebte und nur hoffen konnte, der Zimmerarrest werde seine Tochter von ihrer Trübsal heilen.

Meme zeigte jedoch keinerlei Spuren von Kummer. Im Gegenteil, Ursula hörte im angrenzenden Schlafzimmer den ruhigen Atem ihres Schlafs, die Gelassenheit ihres täglichen Tuns, die Regelmäßigkeit ihrer Mahlzeiten und ihre gesunde Verdauung. Das einzige, was Ursula nach fast zwei Monaten Strafhaft neugierig machte, war, daß Meme nicht morgens badete wie alle anderen, sondern um sieben Uhr abends. Einmal wollte sie sie vor Skorpionen warnen, doch Meme, überzeugt, sie habe sie verraten, ging ihr so behutsam aus dem Weg, daß sie vorzog, sie nicht mit Naseweisheiten einer Ururgroßmutter zu quälen. Bei Einbruch der Nacht fielen die gelben Falter ins Haus ein. Jeden Abend bei der Rückkehr vom Bad fand Meme Fernanda in heller Verzweiflung Schmetterlinge mit der Mückenpumpe töten. »Es ist ein Verhängnis«, sagte sie. »Man hat mir mein ganzes Leben erzählt, Nachtfalter brächten Unglück.« Eines Abends, während Meme im Bad war, ging Fernanda zufällig in ihr Schlafzimmer und stieß dort auf so viele Falter, daß ihr fast der Atem verging. Sie packte den ersten besten Stoffetzen, um sie zu verscheuchen, und ihr Herz wurde vor Schrekken zu Eis, als sie die abendlichen Bäder ihrer Tochter mit den auf dem Boden verstreuten Mostrichumschlägen in Zusammenhang brachte. Diesmal wartete sie nicht wie beim erstenmal eine günstige Gelegenheit ab. Am nächsten Tag lud sie den neuen Bürgermeister, der mit ihr vom Hochland gekommen war, zum Mittagessen ein und bat ihn, eine Nachtwache im Hinterhof aufzustellen, da sie den Eindruck habe, Hühnerdiebe trieben sich dort des Nachts herum. In jener Nacht streckte die Wache Mauricio Babilonia nieder, als er die Dachplatten hochhob, um ins Bad hinunterzusteigen, wo Meme ihn erwartete, nackt und liebeszitternd zwischen Skorpionen und Faltern, so wie sie es fast jeden Abend während der vergangenen Monate getan hatte. Ein im Rückgrat steckengebliebenes Geschoß warf ihn für den Rest seines Lebens aufs Siechenlager. Er starb alt und einsam, ohne eine Klage, ohne Aufbegehren, ohne seinem Geheimnis untreu zu werden, gefoltert von seinen Erinnerungen und den gelben Faltern, die ihm keinen Augenblick Frieden ließen, und öffentlich als Hühnerdieb gebrandmarkt.

Die Ereignisse, die Macondo den Todesstoß versetzen sollten, begannen sich gerade abzuzeichnen, als Meme Buendías Sohn ins Haus gebracht wurde. Zu jener Zeit war die öffentliche Lage so ungewiß, daß niemand geneigt war, sich um Privatskandale zu kümmern, so daß Fernanda die günstige Atmosphäre nutzte, um das Kind zu verstecken, als hätte es nie existiert. Sie mußte es aufnehmen, weil die Umstände, unter denen man es ihr zugeführt hatte, eine Zurückweisung unmöglich machten. Wider Willen mußte sie es für den Rest ihres Lebens ertragen, weil ihr in der Stunde der Wahrheit der Mut fehlte, ihren geheimen Entschluß, es in der Zisterne zu ertränken, furchtlos auszuführen. So schloß sie es in Oberst Aureliano Buendías alter Werkstatt ein. Santa Sofía von der Frömmigkeit konnte sie weismachen, sie habe es in einem Körbchen schwimmend gefunden. Ursula sollte sterben, ohne seine Herkunft erfahren zu haben. Die kleine Amaranta Ursula, die einmal in die Werkstatt gelaufen kam, als Fernanda das Kind fütterte, glaubte gleichfalls an das schwimmende Körbchen. Aureliano Segundo, seiner Frau durch die widersinnige Art, mit der diese Memes Tragödie behandelte, endgültig entfremdet, erfuhr von der Existenz seines Enkels erst drei Jahre nach dessen Einzug ins Haus, als das Kind durch eine Achtlosigkeit Fernandas seinem Gefängnis entschlüpfte und für den Bruchteil einer Sekunde in der Veranda auftauchte, nackt, mit wirrem Haar und mit einem Geschlechtsteil wie ein Truthahnhals, als sei er kein Menschengeschöpf, sondern das enzyklopädische Abbild eines Menschenfressers.

Fernanda hatte nicht mit dieser bösen Wendung ihres unabwendbaren Schicksals gerechnet. Das Kind war wie die Rückkehr einer Schande, die sie für immer aus dem Haus verbannt zu haben glaubte. Kaum hatte man Mauricio Babilonia mit seinem zersplitterten Rückgrat entfernt, als Fernanda bereits einen bis ins kleinste gehenden Plan ersann, um jede Spur der Schmach zu tilgen. Ohne ihren Gatten zu befragen, packte sie am nächsten Tag ihre Siebensachen, legte in ein Köfferchen drei Kleider und die entsprechende Wäsche, die ihre Tochter benötigen konnte, und holte sie eine halbe Stunde vor Ankunft des Zuges in ihrem Schlafzimmer ab.

»Los, Renata«, sagte sie.

Sie gab ihr keine Erklärung. Meme ihrerseits erwartete keine und wollte auch keine. Sie wußte nicht nur nicht, wohin es ging, es wäre ihr auch gleichgültig gewesen, wenn man sie zur Schlachtbank geführt hätte. Sie hatte nie wieder gesprochen, sie würde auch nie im Leben wieder sprechen, seit sie den Schuß im Hinterhof und den gleichzeitigen Schmerzensschrei Mauricio Babilonias gehört hatte. Als ihre Mutter ihr befahl, das Schlafzimmer zu verlassen, kämmte sie sich nicht und wusch sich auch nicht das Gesicht; wie eine Schlafwandlerin stieg sie in den Zug, ohne die ihr nachflatternden gelben Falter zu bemerken. Fernanda erfuhr nie und gab sich auch nicht die Mühe, herauszufinden, ob ihr steinernes Schweigen eine Willensentscheidung war oder ob das Verhängnis sie mit Stummheit geschlagen hatte. Meme wurde sich der Reise durch die alte verzauberte Landschaft kaum bewußt. Sie sah nicht die beschatteten, endlosen Bananenpflanzungen zu beiden Seiten des Schienenstrangs. Sie sah nicht die weißen Häuser der Grünhörner, nicht ihre von Staub und Hitze verdorrten Gärten, nicht die Frauen in kurzen Hosen und blaugestreiften Hemden, die unter den Arkaden Karten spielten. Sie sah nicht die mit Bananenbüscheln beladenen Ochsenkarren auf den staubbedeckten Wegen. Sie sah nicht die jungen Mädchen, die wie Alsen in die durchsichtigen Flüsse sprangen und in den Zugreisenden Verlangen nach ihren prachtvollen Brüsten weckten, sah nicht die buntgewürfelten armseligen Baracken der Arbeiter, in denen Mauricio Babilonias gelbe Falter flatterten, vor deren Türen grünliche, schmutzige Kinder auf ihren Töpfchen saßen, daneben schwangere Weiber, die dem Zug Schimpfwörter nachschrien. Dieser flüchtige Augenblick, der für sie bei der Heimfahrt vom Internat ein Fest gewesen war, riß ihr Herz nicht aus seiner Benommenheit. Sie blickte auch nicht aus dem Fenster, als die glühende Feuchtigkeit der Pflanzungen vorüber war und der Zug durch das klatschmohnbetupfte Tiefland fuhr, in dem noch immer das verkohlte Gerippe der spanischen Galeone ragte, und gelangte bald darauf in die gleiche durchsichtige Luft und an das gleiche schmutzig schäumende Meer, an dessen Gestade fast ein Jahrhundert vorher José Arcadio Buendías Illusionen zerschellt waren.

Um fünf Uhr nachmittags, als man in die Endstation des Moors einfuhr, stieg sie auf Fernandas Geheiß aus. Sie bestiegen ein Gefährt, das einer riesigen Fledermaus glich, gezogen von einem kurzatmigen Gaul, und fuhren durch die verlassene Stadt, in deren endlosen, schwefelzerfurchten Straßen Klavierspiel widertönte, wie Fernanda es während der Mittagsruhe ihrer Jungmädchenzeit gehört hatte. Nun bestieg man einen Flußdampfer, dessen hölzernes Wasserrad einen Feuersbrunstlärm verursachte und dessen rostzerfressene Metallbeschläge wie ein Ofenrachen blinkten. Meme schloß sich in ihre Schlafkoje ein. Zweimal am Tag stellte Fernanda ihr einen Teller mit Essen neben ihr Bett, und zweimal am Tag holte sie ihn unangetastet wieder ab, nicht weil Meme etwa beschlossen hatte, Hungers zu sterben, sondern weil allein der Geruch von Nahrungsmitteln sie ekelte und ihr Magen sogar Wasser verweigerte. Damals wußte sie selbst nicht einmal, daß ihre Fruchtbarkeit der Senfdämpfe gespottet hatte, wie es Fernanda auch erst ein Jahr später erfuhr, als man ihr das Kind brachte. In der zum Erstikken heißen Kabine, völlig durchgedreht von der Erschütterung der Eisenwände und vom unerträglichen Schlammgeruch, den das Dampferrad aufwühlte, verlor Meme das Gefühl für den Ablauf der Tage. Viel Zeit war vergangen, als sie die letzten gelben Falter an den Flügeln des Ventilators zerschellen sah, und so fand sie sich mit Mauricio Babilonias Tod als einer unvermeidlichen Tatsache ab. Trotzdem gab sie nicht auf. Sie dachte auch an ihn während der beschwerlichen Reise auf Eselsrücken durch die blendende Hochwüste, in der sich einst Aureliano Segundo verirrt hatte, als er die schönste Frau suchte, die es auf Erden gab, und als er und die Seinen auf Indiopfaden die Kordillere erstiegen hatten und in die düstere Stadt eingezogen waren, deren gepflasterte Gäßchen vom bronzenen Todesgeläut von zweiunddreißig Kirchen widerhallten. In jener Nacht schliefen sie in dem verlassenen Herrenhaus aus der Kolonialzeit auf Dielenbrettern, die Fernanda auf den Boden eines gestrüppüberwucherten Zimmers breitete, eingewickelt in Vorhangfetzen, die sie von den Fenstern gerissen hatten und die bei jeder Körperbewegung zerfielen. Meme wußte, wo sie waren, denn im Grauen ihrer Schlaflosigkeit sah sie den schwarzgekleideten Herrn vorübergehen, der in einer fernen Weihnachtsnacht in einem Bleikoffer ins Haus gebracht worden war. Am nächsten Tag nach der Messe führte Fernanda sie zu einem freudlosen Gebäude, das Meme sofort aus den Bemerkungen erkannte, die ihre Mutter über das Kloster zu machen pflegte, in dem sie für das Amt einer Königin erzogen worden war, und nun begriff sie, daß sie ans Ende ihrer Reise gelangt waren. Während Fernanda im angrenzenden Arbeitszimmer mit jemandem sprach, wartete sie in einem mit großen Ölbildern von Erzbischöfen aus der Kolonialzeit geschmückten Wohnzimmer, vor Kälte zitternd, weil sie noch ein Voilekleid mit schwarzen Blümchen und die von der Kälte des Hochplateaus gedunsenen harten Halbstiefel trug. Sie stand in der Mitte des Salons und dachte in dem gelblichen Sprühlicht der Fenster an Mauricio Babilonia, als aus dem Büro eine bildschöne Novizin trat, die ihr Köfferchen mit ihrer dreifachen Wechselwäsche trug. Als sie auf Memes Höhe war, reichte sie ihr die Hand, ohne stehenzubleiben.

»Komm, Renata«, sagte sie.

Meme gab ihr die Hand und ließ sich mitnehmen. Als Fernanda sie das letzte Mal sah, suchte sie mit der Novizin Schritt zu halten, dann schloß sich das eiserne Gittertor des Klosters hinter ihr. Noch immer dachte sie an Mauricio Babilonia, an seinen Ölgeruch und sein Gefolge von Faltern, sie würde alle Tage ihres Lebens an ihn denken bis zu dem noch fernen frühen Herbstmorgen, an dem sie aus Altersschwäche sterben würde, unter anderem Namen und ohne je ein Wort gesprochen zu haben, in einem düsteren Hospital von Krakau.

Fernanda kehrte in einem von Militärpolizei bewachten Zug nach Macondo zurück. Während der Fahrt fiel ihr die Spannung der Reisenden auf, die vielen Soldaten in den an der Eisenbahnlinie gelegenen Dörfern und die in der Luft liegende Gewißheit, daß etwas Schlimmes geschehen müsse, doch erst bei ihrer Ankunft in Macondo erzählte man ihr, José Arcadio Segundo wiegle die Arbeiter der Bananengesellschaft zum Streik auf. »Das hat uns noch gefehlt«, sagte sich Fernanda. »Ein Anarchist in der Familie.« Der Streik brach zwei Wochen später aus, zeigte jedoch nicht die befürchteten dramatischen Folgen. Die Arbeiter verlangten, sonntags nicht zum Schneiden und Verladen der Bananen gezwungen zu werden, und die Forderung klang so gerecht, daß sogar Pater Antonio Isabel sich für sie einsetzte, weil er sie in Übereinstimmung mit Gottes Gesetz sah. Der Triumph der Aktion sowie anderer, die in den kommenden Monaten eingeleitet wurden, holte den farblosen José Arcadio Segundo, der der allgemeinen Auffassung zufolge bisher nur dazu gedient hatte, das Dorf mit französischen Huren zu füllen, aus seiner Namenlosigkeit. Genauso impulsiv und entschlossen wie er seine Kampfhähne versteigert hatte, um eine sinnlose Schiffahrtsgesellschaft zu gründen, hatte er den Posten des Vorarbeiters der Bananengesellschaft zur Verfügung gestellt, um die Partei der Arbeiter zu ergreifen. Sehr bald sprach man von ihm als einem Agenten internationaler Verschwörung gegen die öffentliche Ordnung. Eines Nachts im Verlauf einer von düsteren Gerüchten verdunkelten Woche entkam er wunderbarerweise vier Revolverschüssen, die ein Unbekannter auf ihn abfeuerte, als er eine Geheimsitzung verließ. Die Atmosphäre der kommenden Monate war so beklemmend, daß sogar Ursula sie in ihrem Winkel der Finsternis merkte und wiederum die gefahrvollen Zeiten zu durchleben glaubte, in denen ihr Sohn Aureliano die homöopathischen Pastillen des Umsturzes in der Tasche getragen hatte. Daher suchte sie mit José Arcadio Segundo zu sprechen, um ihn von diesem Präzedenzfall zu unterrichten, doch Aureliano Segundo teilte ihr mit, seit der Nacht des Attentats sei sein Aufenthalt unbekannt.

»Genau wie Aureliano«, rief Ursula aus. »Es ist, als drehe sich die Welt im Kreise.«

Fernanda blieb unberührt von der Unsicherheit jener Tage. Seit der heftigen Auseinandersetzung mit ihrem Mann darüber, daß sie Memes Schicksal ohne seine Zustimmung besiegelt habe, unterhielt sie keine Verbindung mehr zur Außenwelt. Aureliano Segundo war entschlossen, seine Tochter notfalls mit Hilfe der Polizei zu befreien, doch Fernanda zeigte ihm Dokumente, aus denen hervorging, daß sie aus eigenem Antrieb ins Kloster gegangen war. Tatsächlich hatte Meme sie unterzeichnet, als sie bereits hinter dem eisernen Gittertor war, und sie hatte es mit der gleichen Verachtung getan, mit der sie sich hatte hinbringen lassen. Im Grunde glaubte Aureliano Segundo nicht an die Rechtmäßigkeit der Beweisstükke, wie er nie daran geglaubt hatte, daß Mauricio Babilonia sich als Hühnerdieb in den Innenhof eingeschlichen hatte, doch beide Verfahren dienten ihm zur Beruhigung seines Gewissens, so daß er nun ohne Gewissensbisse in den Schatten von Petra Cotes zurückkehren konnte, wo er seine lärmenden Lustbarkeiten und hemmungslosen Fressereien wiederaufnahm. Fern von der Unruhe des Dorfs, taub gegen die fürchterlichen Voraussagen Ursulas, zog Fernanda die letzten Schrauben ihres bereits feststehenden Planes an. So schrieb sie einen ausführlichen Brief an ihren Sohn José Arcadio, der die niederen Weihen empfangen sollte, und teilte ihm mit, seine Schwester Renata sei an Gelbfieber im Frieden des Herrn verschieden. Dann übergab sie Amaranta Ursula der Fürsorge Santa Sofías von der Frömmigkeit und widmete sich fortan dem durch die Widerwärtigkeiten mit Meme ins Stokken geratenen Briefwechsel mit den unsichtbaren Ärzten. Als erstes setzte sie einen endgültigen Termin für den aufgeschobenen telepathischen Eingriff fest. Doch die unsichtbaren Ärzte erwiderten ihr, sie hielten es nicht für ratsam, solange der Zustand sozialer Unruhe in Macondo währe. Sie war jedoch so in Eile und dabei so wenig im Bilde, daß sie ihnen in einem neuen Brief erklärte, es bestehe kein Zustand der Unruhe, all das sei auf die Verrücktheiten ihres Schwagers zurückzuführen, der in diesen Tagen am Gewerkschaftsfieber leide, wie er zu anderer Zeit am Fieber der Hahnenkämpfe und der Schiffahrt gelitten habe. Sie konnten sich auch nicht bis zu jenem heißen Mittwoch einigen, als eine uralte Nonne an die Haustür klopfte, die einen Korb am Arm trug. Als Santa Sofía von der Frömmigkeit ihr öffnete, dachte sie, es sei ein Geschenk, und wollte ihr den mit einer herrlichen Spitzendecke bedeckten Korb abnehmen. Doch die Nonne hinderte sie daran, weil sie Anweisungen hatte, ihn Doña Fernanda del Carpio de Buendía höchstpersönlich und überdies höchst privat zu übergeben. Es war Memes Sohn. Fernandas alter Beichtvater erklärte ihr in einem Brief, er sei vor zwei Monaten geboren worden, man habe sich erlaubt, ihn auf den Namen Aureliano wie sein Großvater zu taufen, weil die Mutter nicht die Lippen geöffnet habe, um ihren Willen kundzutun. Fernanda lehnte sich innerlich gegen den bösen Scherz des Schicksals auf, besaß jedoch die Kraft, die Nonne nichts merken zu lassen.

»Wir werden sagen, wir haben ihn in dem schwimmenden Korb gefunden«, lächelte sie.

»Niemand wird es glauben«, sagte die Nonne.

»Wenn man es in der Heiligen Schrift geglaubt hat«, erwiderte Fernanda, »wird man es auch mir glauben.«

Die Nonne aß im Haus zu Mittag, während sie auf die Abfahrt des Zuges wartete, und erwähnte auftragsgemäß das Kind mit keinem Wort mehr, Fernanda indessen sah in ihr einen unerwünschten Zeugen ihrer Schande und bedauerte, daß der mittelalterliche Brauch, den Überbringer böser Botschaften zu erwürgen, nicht mehr geübt wurde. Nun beschloß sie, das Geschöpf gleich nach der Abreise der Nonne in der Zisterne zu ertränken, aber dann fehlte ihr doch der Mut dazu, und sie zog vor, sich in Geduld zu fassen, bis Gott in seiner unendlichen Güte sie von dieser Last befreie.

Der neue Aureliano war gerade ein Jahr alt, als die öffentliche Spannung ohne Vorankündigung zum Ausbruch kam. José Arcadio Segundo und andere Gewerkschaftsführer, die bis dahin im Untergrund verharrt hatten, tauchten mit einemmal an einem Wochenende auf und leiteten Kundgebungen in den Dörfern der Bananengebiete ein. Die Polizei beschränkte sich darauf, die Ordnung aufrechtzuerhalten. Doch in der Nacht zum Montag wurden die Rädelsführer aus ihren Häusern gezerrt und mit fünfkiloschweren Eisen an den Füßen in den Kerker der Provinzhauptstadt geschleppt. Unter ihnen befanden sich José Arcadio Segundo und Lorenzo Gavilán, ein nach Macondo verbannter Oberst der mexikanischen Revolution, der angeblich Zeuge des Heldentums seines Helfershelfers Artemio Cruz gewesen war. Immerhin waren sie vor Ablauf dreier Monate wieder auf freiem Fuß, weil die Regierung und die Bananengesellschaft sich nicht darüber einigen konnten, wer für die Ernährung der Inhaftierten aufzukommen habe. Diesmal fußte der Protest der Arbeiter auf der ungesunden Unterkunft, den Gaunereien bei der ärztlichen Betreuung und den niederträchtigen Arbeitsbedingungen. Überdies behaupteten sie, sie würden nicht mit Gold bezahlt, sondern mit Gutscheinen, die nur zum Einkauf von Virginia-Schinken in den Faktoreien der Gesellschaft berechtigten. José Arcadio Segundo wurde eingesperrt, weil er preisgegeben hatte, das System der Gutscheine diene der Gesellschaft nur als Hilfsmittel, ihre Fruchtschiffe zu finanzieren, die ohne Ladung für die Faktoreien von New Orleans hätten leer zu den Bananenverschiffungshäfen zurückfahren müssen. Die anderen Anklagen waren stadtbekannt. So untersuchten die Ärzte der Gesellschaft nicht die Kranken, sondern ließen sie nur in Indio-Reihe vor den Beratungsstellen antreten, und eine Krankenschwester legte ihnen eine türkisfarbene Pille auf die Zunge, gleich ob sie über Sumpffieber, Gonorrhöe oder Stuhlverstopfung klagten. Das Heilverfahren war so primitiv, daß die Kinder mehrmals antraten und, statt die Pillen zu schlucken, sie nach Hause mitnahmen, um die in der Lotterie ausgelosten Nummern damit zu bezeichnen. Die Arbeiter der Gesellschaft waren in armseligen Hütten zusammengepfercht. Statt Latrinen zu bauen, brachten die Ingenieure an Weihnachten für je fünfzig Personen ein tragbares Klosett ins Lager mit und suchten durch öffentliche Vorführungen zu beweisen, wie es am längsten halte. Die hinfälligen schwarzgekleideten Rechtsanwälte, die einst Oberst Aureliano Buendía bestürmt hatten und nunmehr Bevollmächtigte der Bananengesellschaft waren, entkräfteten diese Anklagen mittels an Zauberspuk gemahnenden Machenschaften. Als die Arbeiter einstimmig eine Beschwerdeschrift abgefaßt hatten, verging viel Zeit, bis sie die Bananengesellschaft davon offiziell in Kenntnis setzen konnten. Sobald er von der Entscheidung erfuhr, ließ Señor Brown seinen prunkvollen Glaswagen an den Zug hängen und verschwand mit den bekanntesten Vertretern seiner Firma aus Macondo. Immerhin stöberten am darauffolgenden Tag mehrere Arbeiter einen von ihnen in einem Bordell auf und zwangen ihn, eine Durchschrift des Antrags zu unterschreiben, als er mit einer Frau, die sich bereit gefunden hatte, ihn in die Falle zu locken, nackt im Bett lag. Die Anwälte mit ihren Leichenbittermienen bewiesen vor dem Gericht, jener Mann habe nichts mit der Gesellschaft zu tun, und damit niemand ihre Beweisgründe anzweifle, ließen sie ihn als Betrüger einsperren. Später, als die Arbeiter Señor Brown dabei ertappten, wie er inkognito in einem Dritterklasseabteil reiste, zwangen sie ihn zur Unterschrift einer weiteren Durchschrift der Beschwerdeschrift. Am nächsten Tag erschien er vor den Richtern mit schwarzgefärbtem Haar und sprach makelloses Spanisch. Die Anwälte bewiesen, daß er nicht Señor Jack Brown sei, Generalbevollmächtigter der Bananengesellschaft, geboren in Prattville, Alabama, sondern ein harmloser Verkäufer von Heilpflanzen, geboren in Macondo und daselbst auf den Namen Dagoberto Fonseca getauft. Kurz darauf ließen die Anwälte in Anbetracht eines neuen Versuchs der Arbeiter an mehreren öffentlichen Stellen die von Konsuln und Kanzlern beglaubigte Todesanzeige von Señor Brown aushängen, die bestätigte, daß er am vergangenen neunten Juni in Chicago von einem Feuerwehrwagen überfahren worden sei. Erschöpft von dem hermeneutischen Taumel, lehnten die Arbeiter jede weitere Verhandlung mit Macondos Behörden ab und traten mit ihren

Klagen vor den Obersten Gerichtshof. Dort bewiesen die Taschenspieler des Rechts, die Forderungen entbehrten jeder Gültigkeit, einfach weil die Bananengesellschaft keine Arbeiter in ihrem Dienst habe, nie welche eingestellt habe und nie welche einstellen werde, sondern sie gelegentlich und nur vorübergehend rekrutiere. Damit war der Schwindel des Virginia-Schinkens, der Wunderpillen und des Weihnachtsklosetts widerlegt, so daß das Nichtvorhandensein der Arbeiter durch einen anschließend feierlich bekanntgegebenen Richterspruch festgestellt wurde.

Der Massenstreik brach aus. Der Anbau blieb auf halbem Wege stecken, die Früchte verfaulten an den Stauden, und die einhundertundzwanzig Wagen langen Güterzüge blieben auf den Nebengleisen stehen. Die unbeschäftigten Arbeiter überschwemmten die Dörfer. Die Türkenstraße strahlte in einem tagelangen Samstag wider, und im Billardsaal des Hotels Jacob mußte ein Spieldienst von vierundzwanzig Stunden eingerichtet werden. Dort befand sich José Arcadio Segundo, als bekannt wurde, das Heer habe Befehl erhalten, die öffentliche Ordnung wiederherzustellen. Wenn er auch kein Mensch von Vorahnungen war, so kam ihm die Nachricht wie eine Ankündigung des Todes vor, die er seit jenem fernen Morgen erwartete, als Oberst Gerineldo Márquez ihm erlaubt hatte, eine Erschießung mitzuerleben. Trotzdem brachte die böse Ahnung ihn nicht aus der Ruhe. Er stieß sein Queue wie vorgesehen und schoß nicht vorbei. Bald darauf sagten ihm Trommelwirbel, Trompetenstöße, Geschrei und Getrampel der Menschenmenge, daß nicht nur die Billardpartie, sondern auch die stumme, einsame Partie, die er seit dem Morgengrauen jener Erschießung mit sich selber spielte, vorbei war. Er trat auf die Straße hinaus und sah sie. Es waren drei Regimenter, deren vom Galeerensklavengetrommel begleiteter Marschschritt die Erde erbeben ließ. Ihr vielköpfiger Drachenatem erfüllte die reine Helligkeit des Mittags mit pestilenzialischem Dampf. Die Soldaten waren klein, untersetzt, brutal. Sie schwitzten wie Gäule und stanken wie sonnengebeiztes Köderfleisch, sie besaßen die wortkarge Furchtlosigkeit und die Undurchdringlichkeit der Hochländer. Wenn ihr Vorbeimarsch auch eine Stunde dauerte, hätte man meinen mögen, es seien wenige im Kreise marschierende Abteilungen, denn alle sahen gleich aus, Söhne derselben Mutter, und alle trugen mit nämlichem Gleichmut Tornister und Feldflasche, die Schande des Gewehrs mit aufgepflanztem Bajonett und den Krebs des blinden Gehorsams und des Ehrgefühls. Ursula in ihrem Nebelbett hörte sie vorbeiziehen und hob die Hand mit zum Kreuz verschränkten Fingern. Santa Sofía von der Frömmigkeit, über die soeben geplättete gestickte Tischdecke gebeugt, kam eine Sekunde zu sich und dachte an ihren Sohn José Arcadio Segundo, der, ohne eine Miene zu verziehen, durch die Tür des Hotels Jacob die letzten Soldaten vorbeiziehen sah.

Das Standrecht befähigte das Heer, in der Kontroverse als Schiedsrichter aufzutreten, doch es kam zu keinem Versuch des Ausgleichs. Kaum waren sie in Macondo erschienen, da stellten die Soldaten auch schon ihre Gewehre in die Ecke, schnitten und verluden die Bananen und setzten die Züge in Bewegung. Die Arbeiter, die sich bis dahin aufs Warten verlegt hatten, schlugen sich, nur mit ihren Arbeitsmessern bewaffnet, in den Busch und begannen die Sabotage zu sabotieren. Sie steckten Güter und Faktoreien in Brand, rissen die Schienen heraus, um den Verkehr der Züge zu unterbinden, die sich mit Maschinengewehrfeuer einen Weg zu bahnen suchten, und durchschnitten die Telegrafen- und Telefondrähte. Die Bäche färbten sich mit Blut. Señor Brown, der heil im elektrisch geladenen Hühnerstall war, wurde mit seiner Familie und seinen anderen Landsleuten aus Macondo unter dem Schutz des Heeres in sicheres Gebiet geleitet.

Die Lage drohte in einen ungleichen, blutigen Bürgerkrieg auszuarten, als die Behörden die Arbeiter aufriefen, sich in Macondo zu versammeln. Der Aufruf verkündete, das Zivil- und Militäroberhaupt der Provinz, bereit, in den Konflikt einzugreifen, träfe am kommenden Freitag ein.

José Arcadio Segundo befand sich unter der Menschenmenge, die sich vom Freitag morgen an vor dem Bahnhof zusammenrottete. Er hatte an einer Versammlung der Gewerkschaftsführer teilgenommen und war zusammen mit Oberst Gavilán beauftragt worden, sich unter die Menge zu mischen und sie den Umständen entsprechend zu lenken. Ihm war nicht wohl dabei, und er zerknetete ein nach Schwefel schmeckendes Gebäck am Gaumen, als er gewahrte, daß das Heer Maschinengewehrnester um den kleinen Platz eingerichtet hatte, daß die stacheldrahtumzogene Bananenstadt mit Artilleriegeschützen bestückt war. Gegen zwölf Uhr waren mehr als dreitausend Personen, darunter Arbeiter, Frauen und Kinder, die auf einen Zug warteten, der nicht kam, über den kleinen Bahnhofsplatz hinausgequollen und drängten in die angrenzenden Gassen, die das Heer mit Maschinengewehrhecken verriegelt hatte. Vorläufig glich das Ganze weniger einer Empfangszeremonie als einem fröhlichen Jahrmarkt. Die Verkäufer der Türkenstraße hatten ihre Stände mit Gebackenem und ihre Getränkebuden dorthin verlegt, und die Leute nahmen gutherzig die Langeweile des Wartens und die mörderische Hitze in Kauf. Kurz nach drei Uhr tauchte das Gerücht auf, der offizielle Zug würde erst am darauffolgenden Tag eintreffen. Die erschöpfte Menge seufzte erleichtert auf. Nun stieg ein Leutnant des Heeres aufs Stationsdach, auf dem vier Maschinengewehrnester auf die Menge zielten, und ein Trompetenstoß gebot Stillschweigen. Neben José Arcadio Segundo stand eine barfüßige, sehr dicke Frau mit zwei Kindern von etwa vier und sieben Jahren. Sie trug das Kleine und bat José Arcadio Segundo, ohne ihn zu kennen, er möge das andere hochheben, damit es besser hören könne, was gesagt würde. José Arcadio Segundo setzte sich das Kind rittlings auf den Nacken. Noch viele Jahre später sollte das Kind erzählen, ohne daß jemand es ihm glauben würde, es habe den Leutnant gesehen, der durch einen Grammophontrichter das Gesetz Nummer IV des Zivil- und Militäroberhaupts der Provinz verlesen habe. Es war unterzeichnet von General Carlos Cortes Vargas und dessen Sekretär, Major Enrique García Isaza, es nannte in drei Artikeln von insgesamt achtzig Wörtern die Streikenden *eine Horde von Übeltätern* und ermächtigte das Heer, diese mit Gewehrsalven niederzumähen.

Nach Verlesung des Gesetzes löste ein Hauptmann inmitten eines ohrenbetäubenden Protestpfeifens den Leutnant auf dem Stationsdach ab und gab mit dem Grammophontrichter ein Zeichen, daß er zu sprechen wünsche. Die Menge verstummte.

»Señoras und Señores«, sagte der Hauptmann mit leiser, langsamer, etwas müder Stimme. »Sie haben fünf Minuten, auseinanderzugehen.«

Das Pfeifkonzert und das verstärkte Geschrei übertönten den Trompetenstoß, der den Beginn der Frist verkündete. Niemand rührte sich.

»Die fünf Minuten sind vorbei«, sagte der Hauptmann im gleichen Ton. »Noch eine Minute, dann wird geschossen.«

Schwitzend hob José Arcadio Segundo das Kind von den Schultern und übergab es der Frau. »Die Schweinehunde sind imstande und schießen«, murmelte sie. José Arcadio Segundo hatte keine Zeit zu sprechen, denn im selben Augenblick erkannte er die heisere Stimme des Oberst Gavilán, der mit einem Schrei das Echo auf die Worte der Frau gab. Trunken von der Spannung, von der wunderbaren Tiefe der Stille und überdies überzeugt, daß nichts die vom Todeszauber gebannte Menschenmenge von der Stelle bewegen würde, reckte José Arcadio Segundo sich über die vor ihm ragenden Köpfe, und zum erstenmal in seinem Leben hob er die Stimme.

»Schweinehunde!« schrie er. »Wir schenken euch die Minute, die noch fehlt.«

Am Ende seines Schreis geschah etwas, das nicht Schrecken auslöste, sondern eine Art von Betäubung. Der Hauptmann gab den Befehl zum Feuern, und vierzehn Maschinengewehrnester antworteten. Doch alles schien nur eine Posse zu sein. Es war, als seien die Maschinengewehre mit Platzpatronen geladen, denn man hörte zwar ihr keuchendes Geknatter, man sah ihr weißglühendes Spucken, aber man merkte nicht die geringste Reaktion, nicht eine Stimme, nicht einmal ein Seufzen in der festgefügten Menge, die von augenblicklicher Unverwundbarkeit versteint schien. Plötzlich, auf einer Seite des Bahnhofs, zerriß ein Todesschrei den Zauber: »Aaaay, meine Mutter.« Und nun brach inmitten der Menge mit unheimlichem Druck eine Erdbebenkraft aus, ein vulkanischer Atem, ein Weltuntergangsgebrüll. José Arcadio Segundo hatte kaum Zeit, das Kind hochzuheben, während die Mutter mit dem anderen von der panikgetriebenen, auseinanderstiebenden Menge mitgerissen wurde.

Viele Jahre später sollte das Kind immer wieder erzählen, obgleich die Nachbarn es für eine altbackene Grille hielten, José Arcadio Buendía habe es auf seinen Kopf gehoben, dann habe er sich fast in der Luft, wie im Schrecken der Menge schwimmend, in eine Seitenstraße zerren lassen. Auf seinem Ausguck konnte das Kind sehen, daß die kopflose Menge an die Straßenecke gelangte, daß die Maschinengewehrreihe das Feuer eröffnete. Mehrere Stimmen schrien gleichzeitig:

»Schmeißt euch auf den Boden! Schmeißt euch auf den Boden!«

Niedergemäht von den Maschinengewehrsalven, hatten

die ersten Reihen es bereits getan. Doch statt sich auf die Erde zu werfen, drängten die Überlebenden auf den kleinen Platz zurück, und nun warf die Panik sie mit einem Drachenschweifschlag in Form einer kompakten Welle gegen die andere kompakte Welle, die in entgegengesetzter Richtung floh, angetrieben von dem Drachenschweifschlag der gegenüberliegenden Straße, wo die Maschinengewehre gleichfalls erbarmungslos feuerten. So waren sie eingepfercht und kreisten in einem riesenhaften Wirbel, der allmählich auf seinen Schwerpunkt schrumpfte, weil seine Ränder von den unersättlichen, methodischen Scheren der Maschinengewehre rundherum systematisch geschält wurden wie eine Zwiebel. Das Kind sah eine kniende Frau mit kreuzartig verschränkten Armen in einem vom Beschuß geheimnisvoll verschonten reinen Raum. Dort legte José Arcadio Segundo es in dem Augenblick nieder, als er mit blutüberströmten Gesicht zusammenbrach, bevor die kolossale Horde den leeren Raum hinwegfegte mitsamt der knienden Frau, dem hohen Himmelslicht der Trockenzeit und mit der schändlichen Welt, in der Ursula Iguarán so viele Karameltierchen verkauft hatte.

Als José Arcadio Segundo erwachte, lag er mit dem Gesicht nach oben im Dunkeln. Er merkte, daß er in einem endlosen, schweigsamen Zug fuhr, daß sein Haar blutverklebt war und daß ihn alle Knochen schmerzten. Er fühlte unerträgliche Müdigkeit. Bereit, viele Stunden zu schlafen, beschirmt gegen Terror und Horror, bettete er sich auf die am wenigsten schmerzende Seite, und erst jetzt entdeckte er, daß er auf Toten lag. Im Wagen war kein Fleckchen frei, nur im Mittelgang. Seit der Metzelei mußten mehrere Stunden vergangen sein, weil die Leichen die Temperatur von Gips im Herbst hatten, dazu die Festigkeit von versteinertem Schaum, und die Verlader hatten offenbar genug Zeit gehabt, sie wohlgeordnet wie Bananenbüschel in die Güterwagen zu stapeln. Bemüht, dem Alptraum zu entkommen, schleppte José Arcadio Segundo sich von einem Wagen in den anderen, in der Fahrtrichtung des Zuges, und in den Lichtern, die beim Vorüberfahren an den schlummernden Dörfern zwischen den Holzplanken aufblitzten, konnte er die toten Männer sehen, die toten Frauen, die toten Kinder, die wie Abfallbananen ins Meer geworfen werden sollten. Er erkannte nur eine Frau, die Erfrischungsgetränke auf dem Platz verkauft hatte, und Oberst Gavilán, der noch immer das mit dem Schloß aus Morelia-Silber versehene aufgerollte Koppel hielt, mit dem er sich durch die panikgeschlagene Menge hindurchzuwinden versucht hatte. Als er zum ersten Wagen gelangte, sprang er ins Dunkle hinein und blieb im Graben liegen, bis der Zug vorbei war. Es war der längste, den er je gesehen hatte, mit nahezu zweihundert Güterwagen, mit je einer Lokomotive am Anfang, in der Mitte und am Ende. Er war völlig unbeleuchtet, verfügte nicht einmal über Positionslampen und glitt mit nächtlicher stummer Geschwindigkeit dahin. Auf den Wagen waren die dunklen Umrisse von Soldaten mit aufgepflanzten Maschinengewehren zu sehen.

Nach Mitternacht kam ein Sturzregen. José Arcadio Segundo wußte nicht, wo er abgesprungen war, er wußte aber, daß er, in entgegengesetzter Zugrichtung marschierend, nach Macondo gelangen würde. Nach mehr als drei Stunden Marsch, bis auf die Knochen durchnäßt, mit fürchterlich schmerzendem Kopf, konnte er die ersten Häuser im Morgendämmerlicht unterscheiden. Von Kaffeegeruch angelockt, trat er in eine Küche, wo eine Frau mit einem Kind im Arm sich über den Herd beugte. »Morgen«, keuchte er. »Ich bin José Arcadio Segundo Buendía.«

Er sprach seinen vollen Namen aus, Buchstaben für Buchstaben, um sich zu überzeugen, daß er am Leben war. Er tat gut daran, denn die Frau hatte gedacht, er sei ein Gespenst, als sie in der Tür die schmutzige, von der

Feierlichkeit des Todes gezeichnete düstere Gestalt mit blutverschmiertem Kopf und Anzug sah. Sie kannte ihn. Brachte ihm eine Decke, in die er sich wickeln sollte, während sein Zeug am Ofen trocknete, setzte Wasser auf, damit er sich die Wunde waschen könnte, die nur eine Schürfung war, und gab ihm eine reine Windel, um sich damit den Kopf zu verbinden. Dann reichte sie ihm eine Tasse Kaffee ohne Zucker, wie die Buendías ihn dem Hörensagen nach tranken, und breitete seine Kleider nahe am Herd aus.

José Arcadio Segundo sprach erst, als er seinen Kaffee getrunken hatte. »Es werden dreitausend sein«, murmelte er.

»Was?« – »Die Toten«, erläuterte er. »Es werden wohl alle sein, die am Bahnhof waren.«

Die Frau musterte ihn mit bedauerndem Blick. »Hier hat es keine Toten gegeben«, sagte sie. »Seit den Zeiten deines Onkels, des Oberst, ist in Macondo nichts passiert.« In drei Küchen, wo José Arcadio Segundo haltmachte, bevor er nach Hause kam, sagte man ihm das gleiche: »Es hat keine Toten gegeben.« Er ging über den Bahnhofsplatz und sah die Verkaufstische aufeinandergestapelt, und auch hier fand er keine Spur eines Gemetzels. Unter dem hartnäckigen Regen waren die Gassen verlassen, die Häuser verschlossen und zeigten keine Spur von Leben. Die einzige menschliche Nachricht war das Läuten zur ersten Messe. Er klopfte an Oberst Gavilåns Haustüre. Eine schwangere Frau, die er häufig gesehen hatte, schlug ihm die Tür ins Gesicht. »Er ist fort«, sagte sie erschrokken. »Ist in seine Heimat zurückgekehrt.« Der Haupteingang zum stacheldrahtumzogenen Hühnerstall war wie immer von zwei Ortspolizisten bewacht, die in ihren regenüberströmten Regenmänteln und Kautschukhelmen Steinfiguren glichen. In ihren Nebengäßchen sangen die antillanischen Neger im Chor die Samstagspsalmen. José Arcadio Segundo setzte über die Mauer des Innenhofs und betrat das Haus durch die Küche. Santa Sofía von der Frömmigkeit hob kaum die Stimme. »Daß Fernanda dich nur nicht sieht«, sagte sie. »Sie ist vor einer Weile aufgestanden.« Als erfülle sie eine selbstverständliche Pflicht, führte sie den Sohn ins *Nachttopfzimmer*, richtete ihm Melchíades' wackelige Pritsche her und reichte ihm gegen zwei Uhr mittags, während Fernanda ihr Schlummerstündchen hielt, einen Teller Essen durchs Fenster.

Aureliano Segundo hatte zu Hause geschlafen, weil der Regen ihn dort überrascht hatte, und wartete noch um drei Uhr, daß er aufhöre. Insgeheim von Santa Sofía von der Frömmigkeit in Kenntnis gesetzt, besuchte er um diese Stunde seinen Bruder in Melchíades' Kammer. Auch er glaubte die Lesart von dem Gemetzel nicht, nicht den Alptraum des mit Toten beladenen Güterzugs, der zum Meer fuhr. In der vergangenen Nacht war eine Sonderbekanntmachung der Regierung veröffentlicht worden, nach der die Arbeiter dem Befehl, den Bahnhofsplatz zu räumen, nachgekommen waren und sich in friedlichen Kolonnen nach Hause begeben hatten. Die Bekanntmachung teilte außerdem mit, die Gewerkschaftsführer hätten in ihrer hohen vaterländischen Gesinnung ihre Forderungen auf zwei Punkte beschränkt: Reform der ärztlichen Betreuung und Einbau von Latrinen in den Behausungen. Später wurde mitgeteilt: sobald die Militärbehörden das Einverständnis der Arbeiter erhalten hatten, wurde eilends Señor Brown benachrichtigt, der nicht nur die neuen Bedingungen annahm, sondern auch der Bevölkerung einen Dreitagelohn zahlte, damit sie die Beilegung des Streits gebührend feiern könne. Erst als die Militärs ihn fragten, für welchen Tag sie die Unterzeichnung des Vertrags versprechen dürften, blickte er durchs Fenster in den blitzschraffierten Himmel und machte eine Gebärde völliger Ungewißheit.

»Wenn der Regen aufhört«, sagte er. »Solange der Regen dauert, ist jede Tätigkeit eingestellt.«

Es hatte seit drei Monaten nicht geregnet, und es war Trockenzeit. Doch als Señor Brown seinen Entschluß mitteilte, begann im ganzen Bananengebiet jener sturzbachartige, strömende Regen, der José Arcadio Segundo auf dem Weg nach Macondo überrascht hatte. Eine Woche später regnete es noch immer. Die offizielle, tausendmal wiederholte und von der Regierung im ganzen Land durch alle ihr zur Verfügung stehenden Informationsmedien wiedergekäute Lesart setzte sich schließlich durch: Es hatte keine Toten gegeben, die zufriedenen Arbeiter waren zu ihren Familien heimgekehrt, und die Bananengesellschaft hatte für die Dauer des Regens ihre Arbeit eingestellt. Das Standrecht war weiterhin in Kraft für den Fall, daß der Sturzregen Notverordnungen zum Wohl der Bevölkerung nötig mache, doch die Truppen waren kaserniert. Tagsüber gingen die Soldaten mit hochgekrempelten Hosen durch die Straßen und spielten Schiffbruch mit den Kindern. Abends, nach dem Zapfenstreich, stießen sie mit ihren Gewehrkolben Türen ein, zerrten Verdächtige aus den Betten und nahmen sie auf eine Reise ohne Heimkehr mit. Das war noch immer die Fahndung und Ausrottung der Übeltäter, Mörder, Brandstifter und Aufrührer gegen das Gesetz Nummer Vier, doch die Militärs stritten es selbst den Verwandten ihrer Opfer gegenüber ab, welche die Diensträume der Kommandanten auf der Suche nach Auskünften überschwemmten. »Muß ein Traum gewesen sein«, betonten die Offiziere beharrlich. »In Macondo ist nichts passiert, passiert nichts, und wird auch nichts passieren. Es ist ein glückliches Dorf.« So vollendeten sie die Ausrottung der Gewerkschaftsführer.

Der einzige Überlebende war José Arcadio Segundo. Eines Abends im Februar hörte man an der Tür unverkennbare Gewehrkolbenstöße. Aureliano Segundo, der noch immer auf das Ende des Regens wartete, öffnete sechs Soldaten unter dem Befehl eines Offiziers. Regendurchnäßt, ohne ein Wort zu sagen, durchsuchten sie das Haus Zimmer für Zimmer, Schrank um Schrank, von den Wohnzimmern bis zur Speisekammer. Ursula erwachte, als jene Licht im Zimmer machten, und muckste sich nicht, solange die Untersuchung dauerte, hielt aber die Finger zum Kreuz verschränkt und bewegte sie dauernd in Richtung der Soldaten. Santa Sofía von der Frömmigkeit konnte noch rasch José Arcadio Segundo warnen, der in Melchíades' Kammer schlief, doch dieser begriff, daß es zum Fliehen zu spät war. So schloß denn Santa Sofía von der Frömmigkeit wieder die Tür, und er zog Hemd und Schuhe an und setzte sich wartend auf die Pritsche. In diesem Augenblick durchstöberten sie die Goldschmiedewerkstatt. Nachdem der Offizier das Hängeschloß hatte aufbrechen lassen, ließ er seine Blendlaterne durch den Raum kreisen und sah den großen Arbeitstisch und den Glasschrank mit den Säureflaschen und sonstigen Instrumenten, die noch genauso standen, wie ihr Besitzer sie hinterlassen hatte, und nun schien er zu begreifen, daß in dieser Kammer niemand wohnte. Dennoch fragte er Aureliano Segundo schlau, ob er Silberschmied sei, und dieser erklärte, dies sei die Werkstatt des Oberst Aureliano Buendía gewesen. »Aha«, machte der Offizier, zündete das Licht an und befahl eine so eingehende Durchsuchung, daß ihnen auch nicht die achtzehn goldenen Fischchen entgingen, die noch nicht eingeschmolzen in ihrem Blechtopf hinter den Flaschen versteckt waren. Der Offizier prüfte sie nacheinander auf dem Arbeitstisch, und nun wurde er menschlich. »Ich würde gern eins mitnehmen, wenn Sie gestatten«, sagte er. »Sie waren einst ein Geheimzeichen des Aufstands, heute sind sie eine Reliquie.« Er war jung, fast noch ein Jüngling, ohne jede Schüchternheit und sympathisch auf eine natürliche Art, die bisher nicht aufgefallen war. Aureliano Segundo schenkte ihm das Fischchen. Mit kindlich leuchtenden Augen steckte der Offizier es in seine

Hemdtasche, verwahrte die übrigen im Topf und stellte diesen an seinen Platz zurück.

»Das ist ein unschätzbares Andenken«, sagte er. »Oberst Aureliano Buendía war einer unserer größten Männer.«

Trotzdem änderte der Anfall von Menschlichkeit nicht sein dienstliches Verhalten. Vor Melchíades' neu verriegelter Kammer nahm Santa Sofía von der Frömmigkeit ihre Zuflucht zu einer letzten Hoffnung. »Seit fast einem Jahrhundert wohnt niemand in diesem Zimmer«, sagte sie. Der Offizier ließ öffnen, ließ seine Stablampe durch den Raum kreisen, und Aureliano Segundo und Santa Sofía von der Frömmigkeit sahen die Araberaugen José Arcadio Segundos in dem Augenblick, als das Strahlenbündel über sein Gesicht fuhr, und sie begriffen, daß dies das Ende einer Angst und der Anfang einer anderen sei, die nur im Entsagen Erleichterung finden würde. Doch der Offizier durchsuchte noch immer das Zimmer mit seiner Lampe und verriet keinerlei Zeichen von Interesse, bis er die zweiundsiebzig aufeinandergestapelten Nachttöpfe in den Schränken entdeckt hatte. Erst dann machte er Licht. José Arcadio Segundo saß auf dem Pritschenrand, bereit zum Aufbruch, jedoch feierlicher und nachdenklicher denn je. Im Hintergrund die Wandborde mit den zerlesenen Büchern, die Pergamentrollen, davor der sauber aufgeräumte Arbeitstisch, die noch frische Tinte in den Tintenfässern. Es lag die gleiche Reinheit in der Luft, die gleiche Durchsichtigkeit, die gleiche Ferne von Staub und Zerstörung, die Aureliano Segundo in seiner Kindheit gekannt und die nur Oberst Aureliano Buendía nicht bemerkt hatte. Doch der Offizier interessierte sich nur für die Nachttöpfe.

»Wie viele Personen wohnen in diesem Haus?« fragte er. »Fünf.« Offenbar verstand der Offizier nicht. Er ließ den Blick auf dem Raum haften, wo Aureliano Segundo und Santa Sofía von der Frömmigkeit noch immer José

Arcadio Segundo sahen, und auch dieser merkte, daß der Militär ihn anblickte, ohne ihn zu sehen. Dann löschte er das Licht und verschloß wieder die Tür. Als er mit seinen Soldaten sprach, begriff Aureliano Segundo, daß der junge Offizier das Zimmer mit denselben Augen gesehen hatte, mit denen Oberst Aureliano Buendía es gesehen hatte.

»Es ist wahr, in diesem Zimmer ist zumindest ein Jahrhundert lang kein Mensch gewesen«, sagte der Offizier zu den Soldaten. »Hier müssen sogar Schlangen hausen.«

Als die Tür ins Schloß fiel, hatte José Arcadio Segundo die Gewißheit, daß sein Krieg zu Ende war. Jahre vorher hatte Oberst Aureliano Buendía ihm von der Anziehungskraft des Krieges gesprochen und ihm dies an Hand von eigenen Erfahrungen zu beweisen versucht. Er hatte es geglaubt. Doch in der Nacht, als die Soldaten ihn anblickten, ohne ihn zu sehen, während er an die Spannung der letzten Monate dachte, an das Elend des Kerkers, an die Panik auf dem Bahnhofsplatz und an den mit Toten beladenen Güterzug, gelangte José Arcadio Segundo zu dem Schluß, daß Oberst Aureliano Buendía nichts anderes gewesen war als ein Possenreißer oder ein Dummkopf. Er verstand nicht, daß er so vieler Wörter bedurft hatte, um zu erklären, was er im Krieg fühlte, wenn eines genügte: Angst. In Melchíades' Kammer hingegen, beschirmt vom übernatürlichen Licht, vom Regenrauschen, von der Empfindung, unsichtbar zu sein, fand er die Ruhe, die er keine Sekunde lang in seinem bisherigen Leben verspürt hatte, und die einzige ihm verbliebene Angst war die, man könne ihn lebend begraben. Das erzählte er Santa Sofía von der Frömmigkeit, die ihm sein tägliches Essen brachte, und sie versprach ihm, alles zu tun, um bis über ihre Kräfte hinaus am Leben zu bleiben, damit sie sich versichern könne, daß er nur tot begraben würde. Gewappnet gegen jede Furcht, widmete sich José Arcadio Segundo nun der Aufgabe, Melchíades' Pergamente mehrmals durchzulesen, und fand desto größeren Gefallen daran, je weniger er davon begriff. Ans Regengeräusch gewöhnt, das während zwei Monaten zu einer neuen Form der Stille wurde, war das einzige, was seine Einsamkeit störte, Santa Sofías von der Frömmigkeit Kommen und Gehen. Daher bat er sie, doch das Essen aufs Fensterbrett zu stellen und wieder das Hängeschloß vor die Tür zu legen. Die übrige Familie vergaß ihn, auch Fernanda, der es nicht unangenehm war, ihn dort zu wissen, als sie erfuhr, daß die Militärs ihn gesehen hatten, ohne ihn zu erkennen. Nach sechs Monaten Zurückgezogenheit entfernte Aureliano Segundo angesichts des Abzugs der Soldaten aus Macondo das Hängeschloß, da er jemanden suchte, mit dem er sich unterhalten konnte, bis der Regen vorüber war. Sobald er die Tür öffnete, fühlte er sich vom Pestgestank der auf dem Fußboden stehenden und mehrmals benutzten Nachttöpfe zurückgestoßen. José Arcadio Segundo, aufgefressen von der Tanninbeize, gleichgültig gegen die von den widerwärtigen Dämpfen verdorbene Luft, las und las die unverständlichen Pergamente. Er schien von seraphischem Licht erleuchtet. Kaum hob er den Kopf, als er die Türe aufgehen sah, doch dem Bruder genügte sein Blick, um darin das unwiderrufliche Schicksal seines Urgroßvaters zu sehen. »Es waren mehr als dreitausend«, war alles, was José Arcadio Segundo sagte. »Nun bin ich sicher, daß es alle waren, die vor dem Bahnhof standen.«

Es regnete vier Jahre, elf Monate und zwei Tage. Es gab Zeiten des Nieselregens, in denen jedermann seinen Sonntagsstaat anzog und eine Genesungsmiene aufsetzte, um das Aufhellen des Wetters zu feiern, doch bald gewöhnte man sich daran, die Regenpausen als Zeichen einer Verschlechterung anzusehen. Aus dem Himmel stürzten sintflutartige Regengüsse, und der Norden schickte etliche Orkane, die Dächer abdeckten, Wände eindrückten und die letzten Stauden der Pflanzungen mitsamt den Wurzeln ausrissen. So wie es während der Schlaflosigkeitsplage geschehen war, auf die Ursula sich in jenen Tagen besann, regte das Verhängnis als solches zu Maßnahmen gegen die Langeweile an. Aureliano Segundo war einer von denen, die alles taten, um sich nicht vom Müßiggang unterkriegen zu lassen. Er war an dem Abend, an dem Señor Brown das Unheil berufen hatte, wegen irgendeiner Beiläufigkeit nach Hause gegangen, und Fernanda wollte ihm mit einem halb umgestülpten Regenschirm aushelfen, den sie in einem Schrank gefunden hatte. »Ich brauche ihn nicht«, sagte er. »Ich bleibe hier, bis es aufhört.« Das war natürlich keine unumgängliche Verpflichtung, doch war er nahe daran, sie wörtlich zu erfüllen. Da sein Zeug in Petra Cotes' Haus aufbewahrt war, zog er das, was er am Leibe trug, alle drei Tage aus und wartete in Unterhosen, während es gewaschen wurde. Um sich nicht zu langweilen, widmete er sich der Aufgabe, die zahlreichen Schäden des Hauses auszubessern. So verstärkte er Angeln, ölte Schlösser, schraubte Türgriffe fest und brachte Fensterriegel in Ordnung. Mehrere Monate lang sah man ihn mit einem Werkzeugkasten, den die Zigeuner in José Arcadio Buendías Zeit vermutlich zurückgelassen hatten, im Haus umherschleichen, und niemand wußte, ob dank der unfreiwilligen Leibesübung, aus winterlicher Langeweile oder aus zwangsweiser Enthaltsamkeit, jedenfalls schrumpfte sein Wanst allmählich ein wie ein Weinschlauch, sein glückseliges Schildkrötengesicht nahm an Vollblütigkeit ab, und sein Kinn rutschte immer mehr zurück, bis der ganze Mann weniger dickleibig war und sich seine Schnürsenkel wieder selbst zubinden konnte. Als Fernanda sah, daß er Türknöpfe anbrachte und Uhren auseinandernahm, fragte sie sich, ob er nicht dem Laster des Aufbauens um des Abbauens willen verfallen war, wie Oberst Aureliano Buendía es mit den goldenen Fischchen getan hatte, Amaranta mit den Knöpfen und dem Leichenhemd, José Arcadio Segundo mit den Pergamenten und Ursula mit ihren Erinnerungen. Doch sie kam zu keinem Ergebnis. Schlimm war nur, daß der Regen alles auf den Kopf stellte und daß im Getriebe der dürrsten Maschinen Blumen blühten, sofern man sie nicht alle drei Tage ölte, daß die Fäden der Brokatstoffe rosteten und daß auf der nassen Wäsche Safrantang wuchs. Die Luft war so feucht, daß die Fische, durch die Türen hereinund durch die Fenster herausspazierend, die Luft der Zimmer hätten durchschwimmen können. Eines Morgens erwachte Ursula in dem Gefühl, daß sie in angenehmer Benommenheit erlosch, und bat denn auch, man möge sie, notfalls auf einer Tragbahre, zu Pater Antonio Isabel bringen, als Santa Sofía von der Frömmigkeit entdeckte, daß ihr Rücken mit Blutegeln gespickt war. Rasch, bevor die Tiere sie ganz ausbluten konnten, entfernte man sie, indem man sie mit einem glühenden Scheit wegbrannte. Es wurde notwendig, Entwässerungskanäle um das Haus zu graben und es von Kröten und Schnekken zu säubern, damit man die Böden trockenlegen, die unter die Bettpfosten geschobenen Backsteine fortnehmen und man selbst wieder in Schuhen gehen konnte. Mit den vielfältigen Obliegenheiten beschäftigt, merkte Aureliano Segundo nicht, daß er alterte, bis zu einem Nachmittag, als er in einem Schaukelstuhl die frühe Abenddämmerung betrachtete und an Petra Cotes dachte, ohne zu erzittern. Es hätte ihn keinerlei Mühe gekostet, zur faden Liebe Fernandas zurückzukehren, deren Schönheit mit der Reife zur Ruhe gegangen war; doch der Regen hatte ihn gegen alle Nöte der Leidenschaft gewappnet und ihm den schwammigen Gleichmut der Appetitlosigkeit beschert. Er erfreute sich nur noch in Gedanken an den Dingen, die er bei diesem Regen, der fast schon ein Jahr dauerte, zu anderer Zeit unternommen hätte. Er hatte als einer der ersten Zinkplatten nach Macondo gebracht, früher noch, als diese durch die Bananengesellschaft in Mode gekommen waren, und zwar einfach, um Petra Cotes' Schlafzimmer damit zu decken und die tiefe Vertraulichkeit zu genießen, die damals das Prasseln des Regens auf dem Dach auslöste. Doch selbst diese verrückten Erinnerungen seiner absonderlichen Jugend ließen ihn kalt, als habe das letzte Bummelfest sein letztes Quentchen Geilheit aufgebraucht, als sei ihm nur das wunderbare Entgelt geblieben, sich alles Genossene ohne Bitterkeit oder Reue in die Erinnerung rufen zu können. Man hätte meinen mögen, erst die Sintflut habe ihm ermöglicht, sich hinzusetzen und nachzudenken, all das Gelaufe mit Kneifzange und Ölkännchen habe in ihm jene verspätete Lust auf ungezählte nützliche Handwerke wachgerufen, die er hätte im Leben ausüben können und die er nicht ausgeübt hatte, doch es traf weder das eine noch das andere zu, da die Versuchung zu einem seßhaften, häuslichen Leben weder eine Frucht der Überlegung noch der Bußfertigkeit war. Diese Neigung kam von weit her; der Regen hatte sie hervorgeholt aus Zeiten, als er in Melchíades' Kammer die wunderbaren Märchen von fliegenden Teppichen und Walfischen las, die sich von Schiffen mitsamt ihren Besatzungen ernährten. In jenen Tagen erschien durch ein Versehen Fernandas der kleine Aureliano in der Veranda, und so erfuhr sein Großvater das

Geheimnis seiner Familienzugehörigkeit. Er schnitt ihm die Haare, kleidete ihn ein, lehrte ihn, die Angst vor den Menschen zu verlieren, und man sah sehr bald, daß er ein echter Aureliano Buendía war mit seinen hohen Wangenbögen, seinem staunenden Blick und seinem einsamen Aussehen. Für Fernanda war es eine Erleichterung. Seit langem sah sie ein, wie hoffärtig sie gewesen war, doch sie wußte nicht, wie sie sich bessern sollte, denn je mehr Möglichkeiten sie ersann, desto weniger durchführbar erschienen sie ihr. Hätte sie geahnt, daß Aureliano Segundo die Dinge nehmen würde, wie er sie nahm, nämlich mit der Gutmütigkeit eines Großvaters, sie hätte auf viele Umschweife und Umstände verzichten können und schon vor einem Jahr alle Qual über Bord geworfen. Für Amaranta Ursula, die bereits ihre Milchzähne verloren hatte, war der Neffe wie ein quecksilbriges Spielzeug, das sie über die Langeweile des Regens hinwegtröstete. Nun erinnerte sich Aureliano Segundo an die englische Enzyklopädie, die seither niemand mehr in Memes altem Schlafzimmer berührt hatte. Und er begann, den Kindern die Bildtafeln zu zeigen, zumal die der Tiere, später die Landkarten und Fotos ferner Länder und berühmter Persönlichkeiten. Da er kein Englisch konnte und kaum die bekanntesten Städte und berühmtesten Persönlichkeiten zu unterscheiden wußte, erfand er Namen und Bildtexte, um die unersättliche Neugierde der Kinder zu befriedigen.

Fernanda glaubte wahrhaftig, ihr Mann warte nur auf trockenes Wetter, um wieder zu seiner Konkubine zu ziehen. In den ersten Monaten der Regenzeit fürchtete sie, er könne sich womöglich in ihr Schlafzimmer schleichen und sie zu dem beschämenden Geständnis zwingen, daß sie seit Amaranta Ursulas Geburt zu einer Versöhnung unfähig sei. Das war die Ursache für ihren nur durch die zahlreichen Pannen der Post unterbrochenen dringlichen Briefwechsel mit den unsichtbaren Ärzten.

Während der ersten Monate, als man von Zügen erfuhr, die im Sturm entgleisten, deutete ein Brief der unsichtbaren Ärzte darauf hin, daß die ihren verlorengingen. Später, als die Verbindung mit ihren unbekannten Brieffreunden abriß, dachte sie ernstlich daran, die Tigermaske aufzusetzen, die ihr Mann in dem blutigen Karneval benutzt hatte, um sich unter falschem Namen von den Ärzten der Bananengesellschaft untersuchen zu lassen. Doch eine der vielen Personen, die häufig mißliche Nachrichten von der Sintflut ins Haus brachten, hatte behauptet, die Gesellschaft baue ihre Behandlungsräume ab, um sie in trockenerem Gelände wieder aufzubauen. Nun verlor sie alle Hoffnung und fand sich damit ab, auf das Ende der Regenzeit und regelmäßige Postverbindungen zu warten; mittlerweile erleichterte sie sich ihre geheimen Beschwerden mit Mitteln der Eingebung, da sie lieber gestorben wäre, als sich in die Hände des einzigen Arztes zu begeben, der in Macondo geblieben war, des überspannten Franzosen, der sich von Eselsfutter ernährte. Sie hatte sich an Ursula herangemacht im Vertrauen darauf, daß sie ein Linderungsmittel für ihre inneren Leiden kenne. Doch die quälende Gewohnheit, die Dinge nicht beim Namen zu nennen, führte sie dazu, ein X für ein U zu halten, das Gebären durch das Abführen zu ersetzen und Blutungen mit Brand zu vertauschen, damit alles weniger schamlos klinge, so daß Ursula bündig schloß, ihre Gebrechen beträfen nicht die Gebärmutter, sondern die Eingeweide, und ihr riet, ein Säckchen Calomel auf leeren Magen einzunehmen. Abgesehen von diesem Leiden, das für jemanden, der nicht auch an der Krankheit der Schamhaftigkeit litt, keineswegs schamerregend war, abgesehen vom Verlust der Briefe hätte der Regen Fernanda, für die das ganze Leben letzten Endes eine einzige Regenzeit war, überhaupt nichts ausgemacht. Weder veränderte sie den Stundenplan, noch lockerte sie irgendeinen Ritus. Als der Eßtisch noch auf Backsteinen und die

Stühle noch auf Brettern standen, damit die Tischgäste keine nassen Füße bekamen, ließ sie nach wie vor auf Leinentischtüchern und chinesischem Porzellan auftragen und die Kandelaber beim Nachtmahl aufstellen, weil sie der Ansicht war, Naturkatastrophen dürften nicht als Vorwand für den Verfall der Sitten benutzt werden. Niemand hatte sich je wieder auf der Straße blicken lassen. Wäre es auf Fernanda angekommen, hätte es keiner je wieder getan und nicht erst, seit es zu regnen begann, sondern schon viel früher, da sie die Ansicht vertrat, Türen seien erfunden worden, um geschlossen zu sein, und die Neugier nach dem Straßenbetrieb sei Sache von Dirnen. Trotzdem war sie die erste, die hinausschaute, als bekannt wurde, der Leichenzug des Oberst Gerineldo Márquez komme vorbei, wenngleich das, was sie durch das halbgeöffnete Fenster sah, sie so bekümmerte, daß sie lange Zeit ihre Schwäche bereute.

Man hätte sich keine trostlosere Beerdigung denken können. Der Sarg fuhr auf einem Ochsenkarren, über den ein Dach aus Bananenblättern gespannt war, doch das Geprassel des Regens war so stark und die Straßen waren so verschlammt, daß die Räder bei jeder Drehung einsanken und das Verdeck fast einriß. Das auf den Sarg fallende traurige Gepladder durchnäßte die darübergebreitete Fahne – keine andere als die von den würdigsten Veteranen verschmähte blut- und pulverstaubverkrustete Flagge. Auf dem Sarg lag auch der Degen mit kupfer- und seidendurchwirktem Portepee, jener, den er am Kleiderständer des Wohnzimmers aufgehängt hatte, um unbewaffnet Amarantas Nähstube zu betreten. Hinter dem Karren patschten ein paar Barfüßige mit aufgekrempelten Hosen im Dreck, die letzten Überlebenden der Kapitulation von Neerlandia, in der einen Hand eine Viehtreiberstange, in der anderen einen vom Regen entfärbten Papierblumenkranz. In der noch immer nach Oberst Aureliano Buendía benannten Straße glichen sie einer unwirklichen Vision, und alle blickten beim Vorbeigehen das Haus an und bogen um die Ecke des Platzes, wo sie Hilfe erbitten mußten, um den Karren aus dem Matsch zu ziehen. Ursula hatte sich von Santa Sofía von der Frömmigkeit an die Türe tragen lassen. Sie verfolgte mit so großer Aufmerksamkeit die Einzelheiten des Leichenzugs, daß niemand zweifelte, sie sähe alles genau, zumal da ihre erzengelhaft erhobene Verkündigungshand das Auf und Ab des Karrens begleitete.

»Adiós, Gerineldo, mein Sohn«, schrie sie. »Grüß mir meine Leute und sag ihnen, wir sehen uns, wenn der Regen aufhört.«

Aureliano Segundo half ihr wieder ins Bett und befragte sie ebenso zwanglos, wie er immer mit ihr geredet hatte, was ihr Abschiedsgruß zu bedeuten habe.

»Es ist, wie ich sagte«, erwiderte sie. »Ich warte nur noch, daß der Regen aufhört, dann sterbe ich.«

Der Zustand der Straßen beunruhigte Aureliano Segundo. Zu spät um das Schicksal seiner Tiere besorgt, warf er sich ein Wachstuch über und ging zu Petra Cotes' Haus. Er traf sie im Innenhof bis zur Gürtellinie im Wasser stehend, bemüht, eine Pferdeleiche flottzumachen. Aureliano Segundo half ihr mit einer Eisenstange, und das gewaltige aufgeschwemmte Tier machte eine Kehrtwendung und wurde vom Schlammstrom fortgerissen. Seit dem Beginn des Regens hatte Petra Cotes nichts anderes getan, als ihren Innenhof von toten Tieren freizulegen. In den ersten Wochen sandte sie Aureliano Segundo Botschaften, damit er eilige Vorkehrungen treffe, worauf er antwortete, es hätte keine Eile, die Lage sei nicht beunruhigend, man würde sich etwas einfallen lassen, sobald der Regen aufhöre. Sie ließ ihm sagen, die Gehege seien überschwemmt, das Vieh fliehe in höhergelegenes Gelände, wo es kein Futter finde und dem Tiger und der Pest ausgeliefert sei. »Nichts zu machen«, antwortete Aureliano Segundo. »Neues Vieh wird geboren, sobald es trocknet.« Petra Cotes hatte sie rudelweise verenden sehen und hatte gerade noch Zeit, die zu schlachten, die feststeckten. Sie sah mit dumpfer Ohnmacht, wie die Sintflut erbarmungslos ein Vermögen verschluckte, das einstmals als das größte, solideste von Macondo gegolten hatte und von dem nun nichts als Pestgestank übrig war. Als Aureliano Segundo beschloß, die Lage persönlich zu überprüfen, fand er nur die Pferdeleiche und das Gerippe eines Maulesels unter den Ruinen des Pferdestalls. Petra Cotes sah ihn ohne Überraschung kommen, ohne Freude und ohne Groll, und gestattete sich nur ein spöttisches Lächeln.

»Du kommst rechtzeitig«, sagte sie.

Sie war gealtert, knochendürr, und ihre lanzenförmigen Raubtieraugen waren vom langen In-den-Regen-Blicken traurig und zahm geworden. Aureliano Segundo blieb über drei Monate bei ihr, nicht weil er sich dort jetzt wohler gefühlt hätte als in der Familie, sondern weil er all die Zeit zu dem Entschluß brauchte, sich wieder das Stück Wachstuch überzuwerfen. »Es hat keine Eile«, sagte er, wie er es im anderen Haus gesagt hatte. »Hoffen wir, daß es in den nächsten Stunden aufhört.« Im Verlauf der ersten Woche gewöhnte er sich an die Schäden, die Zeit und Regen an der Gesundheit seiner Konkubine angerichtet hatten; denn ganz allmählich sah er sie wieder, wie sie früher gewesen war, und besann sich auf ihre jubelnden Ausschweifungen und die taumelnde Fruchtbarkeit, die ihre Liebe unter den Tieren hervorgerufen hatte; und so weckte er sie eines Nachts in der zweiten Woche, teils aus Liebe, teils aus Berechnung, mit drängenden Liebkosungen. Petra Cotes regte sich nicht. »Schlaf ruhig«, murmelte sie. »Für diese Dinge ist die Zeit vorbei.« Aureliano Segundo sah sich selbst in den Deckenspiegeln, sah Petra Cotes' Rückgrat wie eine auf ein welkes Nervenbündel aufgezogene Spulenreihe und begriff, daß sie recht hatte, nicht etwa wegen der Zeit, sondern ihrer selbst wegen, die sich für dergleichen nicht mehr eigneten.

Aureliano Segundo kehrte mit seinen Truhen nach Hause zurück, überzeugt, nicht nur Ursula, sondern alle Einwohner Macondos warteten darauf, daß der Regen aufhöre, um zu sterben. Er hatte im Vorübergehen gesehen, wie sie in ihren Wohnzimmern mit versunkenem Blick und verschränkten Armen saßen und fühlten, daß eine Zeit ganz und gar ablief, eine ungerodete Zeit, weil es nutzlos war, sie in Monate und Jahre und die Tage in Stunden aufzuteilen, wo man nichts anderes tun konnte, als in den Regen zu sehen. Frohlockend empfingen die Kinder Aureliano Segundo, der für sie wieder auf dem schnaufenden Akkordeon spielte. Doch das Konzert nahm ihre Aufmerksamkeit weniger in Anspruch als die enzyklopädischen Sitzungen, so daß sie sich von neuem in Memes Schlafzimmer zusammenfanden, wo Aureliano Segundos Phantasie den Fesselballon in einen fliegenden Elefanten verwandelte, der zwischen den Wolken eine Schlafstätte suchte. Einmal traf er einen Mann zu Pferd, der trotz seiner exotischen Aufmachung vertraut aussah, und nach langer Prüfung kam er zu dem Schluß, daß es ein Porträt des Oberst Aureliano Buendía sei. Er zeigte es Fernanda, und auch sie mußte zugeben, daß der Reiter nicht nur dem Oberst ähnelte, sondern auch allen Familienmitgliedern, wenngleich er tatsächlich ein Tatarenkrieger war. So verging ihnen die Zeit zwischen dem Koloß von Rhodos und den Schlangenbeschwörern, bis seine Frau ihm ankündigte, in der Vorratskammer seien nur noch sechs Kilo Salzfleisch und ein Sack Reis übrig.

»Und was soll ich tun?« fragte er.

»Ich weiß es nicht«, erwiderte Fernanda. »Das ist Sache der Männer.«

»Gut«, sagte Aureliano Segundo. »Man wird etwas tun, sobald es aufhört.«

So zeigte er weiterhin größeres Interesse an der Enzyklopädie als am häuslichen Problem, auch als er sich beim Mittagessen mit einem Fetzchen Fleisch und ein paar Gabeln voll Reis begnügen mußte. »Jetzt kann man nichts machen«, sagte er. »Es kann ja nicht das ganze Leben weiterregnen.« Und je weiter er die Dringlichkeit fehlender Vorräte von sich schob, desto wütender wurde Fernandas Empörung, bis ihre gelegentlichen Einsprüche, ihre seltenen Ausbrüche sich in einer unbezähmbaren, hemmungslosen Sturzflut Luft machten, die eines Morgens mit dem eintönigen Kehrreim auf der Gitarre begann und sich im Laufe des Tages zu einem immer reicheren, prachtvolleren Ton steigerte. Aureliano Segundo wurde sich der Litanei erst am darauffolgenden Tag nach dem Frühstück bewußt, als er sich von einem Summen betäubt fühlte, das flüssiger und lauter war als das Geräusch des Regens: Es war Fernanda, die durchs ganze Haus zog und klagte, man habe sie nur zu einer Königin erzogen, damit sie als Dienerin in einem Irrenhaus ende mit einem Haderlump, Götzendiener und Wüstling als Mann, der sich mit offenem Mund hinlege und erwarte, daß Himmelsbrot ihm in den Mund regne, während sie sich die Nieren ausrenke in dem Bemühen, ein mit Stecknadeln zusammengebasteltes Heim aufrechtzuerhalten, in dem es so vieles zu tun, so vieles zu ertragen und verbessern gab, von der Gottesfrüh an bis zur Stunde des Schlafengehens, daß sie ins Bett fiel, die Augen voller Glasstaub, und trotzdem sagte kein Mensch zu ihr guten Morgen, Fernanda, wie hast du geschlafen, Fernanda, kein Mensch fragte sie, wenn auch nur aus Höflichkeit, warum sie so blaß sei, warum sie mit violetten Augenrändern aufwache, obwohl sie natürlich dergleichen nicht vom Rest einer Familie erwarten könne, die sie schließlich und endlich immer nur als Störung empfunden habe, als Herdlappen, als an die Wand gepinselten Zieraffen, und die tagaus, tagein in den Ecken über sie tuschle und sie eine Frömmlerin nenne, sie eine Pharisäerin schimpfe, ein Luder schimpfe, wobei sogar Amaranta, Gott gebe ihr ewige Ruhe, laut verkündet habe, sie gehöre zu denen, die den Mastdarm mit der Karwoche verwechseln, gelobt sei Gott, was für Worte, und sie, sie habe dem Willen des Heiligen Vaters zuliebe alles mit Entsagung ertragen, doch dann habe sie es nicht länger ausgehalten, als der Schurke von José Arcadio Segundo behauptete, das Verderben der Familie komme nur daher, daß sie ihre Türen einer Zierpuppe geöffnet habe, man stelle sich vor, einer angeberischen Zierpuppe, Gott behüte, einer Zierpuppe, die ein Kind des bösen Speichels sei und vom gleichen Kaliber der Lackaffen, welche die Regierung herschicke, um Arbeiter umzubringen, man höre sich das an, und er meinte damit keine andere als sie, das Patenkind des Herzogs von Alba, eine Dame von so edler Herkunft, daß den Frauen der Präsidenten die Leber schwoll, eine Uradlige wie sie, die das Recht hatte, mit elf altspanischen Zunamen zu unterschreiben, und die die einzige Sterbliche in diesem Dorf von Bankerten war, die sich durch ein Gedeck mit sechzehn verschiedenen Bestecken nicht aus dem Konzept bringen ließ, damit der Ehebrecher von ihrem Ehemann halbtot vor Lachen sagen konnte, so viele Löffel und Gabeln, so viele Messer und Löffelchen seien nichts für Christen, sondern für Tausendfüßler, und die die einzige war, die mit verbundenen Augen sagen konnte, wann man den Weißwein serviert und von welcher Seite und in welches Glas, und wann man den Rotwein serviert und von welcher Seite und in welches Glas, und nicht wie das Bauerntrampel von einer Amaranta, sie ruhe sanft, die glaubte, Weißwein werde tags serviert und Rotwein abends, und sie, die einzige an der ganzen Küste, die sich rühmen durfte, sich nur in goldene Nachttöpfe erleichtert zu haben, damit der Oberst Aureliano Buendía, er ruhe sanft, mit seiner bösen Freimaurergalle die Unverschämtheit besitze zu fragen, wo sie sich dieses Vorrecht verdient habe, ob sie vielleicht nicht etwa Scheiße kacke, sondern Lilien, man stelle sich das vor, mit diesen Worten, und damit Renata, ihre ureigene Tochter, die indiskreterweise ihre Entleerung im Schlafzimmer gesehen hatte, erwidert habe, ja, der Nachttopf bestehe aus reinem Gold und Wappenschmuck, doch da drinnen sei reine Scheiße, körperliche Scheiße, die aber schlimmer sei als die der anderen, weil es Scheiße einer Zierpuppe sei, man stelle sich vor, das von der eigenen Tochter, darum habe sie sich nie Illusionen über den Rest der Familie gemacht, jedenfalls dürfe sie mit Recht etwas mehr Rücksicht von seiten ihres Gatten erwarten, schließlich sei er ihr Ehegatte vor dem Sakrament, ihr Urheber, ihr gesetzlicher Schänder, der aus freiem, erhabenem Willen die schwere Verantwortung auf sich genommen habe, sie aus ihrem Elternhaus wegzuholen, wo ihr nie etwas gefehlt oder weh getan hatte, wo sie zu ihrem eigenen Zeitvertreib Trauerwedel geflochten habe, zumal ihr Taufpate einen Brief mit seiner Unterschrift und dem Petschaft seines Siegelrings gesandt habe, nur um zu sagen, die Hände seines Patenkindes seien nicht für die Aufgaben dieser Welt gemacht, es sei denn fürs Klavichordspielen, trotzdem habe der Wahnsinnsmensch von einem Ehegatten sie aus ihrem Elternhaus gezerrt mit allen Ermahnungen und Warnungen und sie dabei in diesen Höllenbrutkessel geschleift, wo man vor Hitze nicht atmen könnte, und noch bevor sie ihr Pfingstfasten beendet hatte, sei er mit seinen Wandertruhen und seinem Bummlerakkordeon abgezogen und habe sich in krassem Ehebruch mit einer Schlampe verlustiert, bei der man sich bloß den Hintern anzusehen brauche, na schön, was gesagt ist, ist gesagt, nun ist es raus, die man bloß mit ihrem Stutenhintern wackeln zu sehen brauchte, um zu erraten, daß sie eine, daß sie eine war, ganz im Gegensatz zu ihr, die eine Dame war, sei es im Palast oder auch im Schweinestall, am Tisch oder im Bett, eine Dame von Geburt, gottesfürchtig, gehorsam Seinen Gesetzen und Seinem Ratschluß untertan, mit der man folglich nicht die Geilereien und Bocksprünge machen konnte, die er mit der anderen aufstellte, die sich natürlich zu allem hergab wie die französischen Matronen, ja noch schlimmer, wenn man's recht bedachte, weil diese wenigstens so ehrbar waren, eine rote Lampe vor ihre Türe zu hängen, dergleichen Sauereien, man stelle sich vor, das fehlte noch gerade, mit der einzigen, vielgeliebten Tochter der Doña Renata Argote und des Don Fernando del Carpio, vor allem natürlich dieses heiligen Menschen und Mannes, dieses ganz großen Christen, eines Ritters vom Orden des Heiligen Grabes, jener, die unmittelbar von Gott das Vorrecht empfangen, sich unversehrt in ihrer Gruft zu bewahren mit einer Haut seidenglatt wie ein Brautkleid und mit Augen, durchsichtig wie Smaragd.

»Das stimmt nicht«, unterbrach Aureliano Segundo. »Als er gebracht wurde, stank er schon.«

Er hatte die Geduld gehabt, ihr einen ganzen Tag zuzuhören, bis er sie bei einem Fehler ertappte. Fernanda machte sich nichts daraus, senkte indes die Stimme. An jenem Abend beim Nachtmahl übertönte das beklemmende Summen der Litanei das Regengeräusch. Aureliano Segundo aß wenig, hielt den Kopf gesenkt und zog sich früh in sein Schlafzimmer zurück. Beim Frühstück am nächsten Morgen zitterte Fernanda, sah unausgeschlafen aus, schien aber all ihren Groll losgeworden zu sein. Trotzdem, als ihr Mann sie fragte, ob es nicht möglich sei, ein weiches Ei zu bekommen, erwiderte sie nicht einfach, die Eier seien letzte Woche ausgegangen, sondern verstieg sich in eine wütende Schmährede gegen die Männer, die ihre Zeit mit einer Nabelschau verbrachten und gleich darauf die Stirn hätten, als Vorspeise Schwalbenleberpastete zu verlangen. Wie immer nahm Aureliano Segundo die Kinder mit, um ihnen seine Enzyklopädie zu zeigen, und Fernanda tat, als wolle sie Memes Schlafzimmer aufräumen, nur damit er sie murmeln höre, es gehöre eine Portion Dreistigkeit dazu, unschuldigen Würmern den Bären aufbinden zu wollen, Oberst Aureliano Buendía sei in der Enzyklopädie abgebildet. Nachmittags, während die Kinder ihren Mittagsschlaf hielten, setzte Aureliano Segundo sich in die Veranda, und sogar bis dorthin verfolgte ihn Fernanda, forderte ihn heraus, quälte ihn, umschlich ihn mit ihrem aufsässigen Schmeißfliegengesumm und sagte, jetzt, wo kaum noch Steine zum Essen übrig wären, müßte ihr Gatte es sich natürlich bequem machen wie ein Sultan von Persien und den Regen betrachten, er sei eben nichts als ein Tagdieb, ein Gigolo, ein Taugenichts, schlapper als Rohbaumwolle, gewöhnt, sich von Weibern aushalten zu lassen, und offenbar überzeugt, die Frau des Jonas geheiratet zu haben, die sich bei der Geschichte von dem Wal so still verhalten habe. Aureliano Segundo hörte sie über zwei Stunden an, so gleichgültig, als sei er taub. Er unterbrach sie erst spät am Nachmittag, als er den Widerhall der Pauke nicht mehr ertragen konnte, der ihm das Hirn zermarterte:

»Bitte, schweige jetzt!«

Fernanda hingegen hob die Stimme. »Ich habe keinen Grund zu schweigen«, sagte sie. »Wer mich nicht hören will, kann weggehen!« Nun verlor Aureliano Segundo die Selbstbeherrschung. Ohne Hast stand er auf, als wolle er nur seine Knochen strecken, und mit durchaus abgemessener, methodischer Wut packte er einen nach dem anderen die Begonientöpfe, die Farnkübel, die Oreganokästen und zerschmetterte sie einen nach dem anderen am Erdboden. Fernanda erschrak, denn in Wirklichkeit war sie sich über die gewaltige innere Kraft ihrer Litanei nicht im klaren gewesen, doch nun war es zu spät für jeglichen Einlenkungsversuch. Trunken vom unaufhaltsamen Sturmwind seines Gefühlsausbruchs zerschmiß Aureliano Segundo die Scheiben des Glasschranks, und ohne sich zu übereilen, nahm er die einzelnen Stücke des Tafelgeschirrs heraus und zerschmiß sie am Boden zu Staub. Systematisch, mit derselben Sparsamkeit, mit der er das Haus mit Geldscheinen austapeziert hatte, zerschmetterte er an den Wänden das böhmische Kristall, die handbemalten Blumenvasen, die Bilder mit den Jungfrauen in rosenbeladenen Ruderbooten, die goldgerahmten Spiegel und alles, was zerbrechlich war vom Wohnzimmer bis zur Speicherkammer, und endete beim Küchenbottich, der in der Mitte des Innenhofs mit einer dumpf rollenden Explosion zerplatzte. Dann wusch er sich die Hände, warf sich das Wachstuch über und kehrte vor Mitternacht mit ein paar knochenharten Stükken Salzfleisch, etlichen Säcken Reis und kornwürmerdurchsetztem Mais sowie ein paar verkümmerten Büscheln Bananen wieder. Fortan fehlte es nicht mehr an Eßbarem.

Amaranta Ursula und der kleine Aureliano sollten sich der Sintflut als glückliche Zeit erinnern. Trotz Fernandas Strenge patschten sie im Morast des Innenhofes, jagten Eidechsen, um sie zu vierteilen, und spielten »Suppe vergiften«, indem sie Falterflügelstaub hineinwarfen, wenn Santa Sofía von der Frömmigkeit nicht aufpaßte. Ursula war ihr unterhaltsamstes Spielzeug. Sie sprangen nämlich mit ihr um wie mit einer altersschwachen Puppe, die sie von einer Ecke in die andere schleiften, die sie mit bunten Fetzen verkleideten und der sie das Gesicht mit Ruß und Ruku bemalten, und einmal hätten sie ihr fast die Augen ausgestochen, wie sie es bei den Kröten mit der Rosenschere taten. Nichts bereitete ihnen größere Freude als die Phantastereien der Greisin. Tatsächlich mußte im dritten Jahr der Regenzeit in ihrem Gehirn etwas vor sich gehen, denn nach und nach verlor sie den Sinn für die Wirklichkeit und verwechselte die augenblickliche Zeit mit zurückliegenden Zeiten ihres Lebens, und zwar so sehr, daß sie einmal drei Tage lang den Tod der Petronila Iguarán, ihrer Urgroßmutter, die vor mehr als einem Jahrhundert beerdigt worden war, untröstlich beweinte.

So versank sie in einen Zustand derart aberwitziger Verwirrung, daß sie glaubte, der kleine Aureliano sei ihr Sohn, der Oberst, zu der Zeit, als man ihn mitgenommen hatte, um das Eis kennenzulernen, und José Arcadio, der damals im Seminar war, sei der mit den Zigeunern abgezogene Erstgeborene. Sie sprach so viel von der Familie, daß die Kinder lernten, ihr Phantasiebesuche mit Menschen abzustatten, die nicht nur schon lange tot waren, sondern in ganz verschiedenen Epochen gelebt hatten. Mit aschebestäubtem Haupt und dem mit einem roten Fetzen bedeckten Gesicht im Bett sitzend, war Ursula glücklich inmitten einer unwirklichen Verwandtschaft, welche die Kinder bis ins Kleinste beschrieben, als hätten sie jene in Wirklichkeit gekannt. Ursula unterhielt sich mit ihren Vorfahren über die ihrem eigenen Leben vorangegangenen Ereignisse, freute sich über die Neuigkeiten, die jene ihr erzählten, und beweinte mit ihnen Tote, die weit jünger waren als ihre Besucher. Die Kinder merkten bald, daß Ursula im Lauf dieser Trugbildbesuche stets ein und dieselbe Frage stellte, um zu erfahren, wer der Mann sei, der während des Kriegs einen gipsernen Sankt Joseph in Lebensgröße gebracht hatte, damit man ihn über die Regenzeit aufbewahre. Auf diese Weise fiel Aureliano Segundo wieder das nur Ursula bekannte Versteck jenes Vermögens ein, doch alle Fragen und schlauen Machenschaften, die er sich ausdachte, waren fruchtlos, weil sie in ihrem Wahnlabyrinth einen Streifen Hellsicht zu bewahren schien, um jenes Geheimnis zu beschützen, das sie nur dem wahren Eigentümer des begrabenen Goldes zu offenbaren bereit war. Dabei benahm sie sich so geschickt und genau, daß, als Aureliano Segundo einen seiner Saufbrüder anwies, sich bei ihr als Besitzer des Vermögens auszugeben, sie ihn in ein eingehendes, von feinsinnigen Fallen gespicktes Verhör verwickelte.

Überzeugt, daß Ursula ihr Geheimnis mit ins Grab nehmen würde, stellte Aureliano Segundo einen Trupp

Ausgräber an unter dem Vorwand, Abzugskanäle im Innenhof und Hinterhof zu graben, und er sondierte persönlich den Grund mit Eisenstangen und allen Arten von Metalldetektoren, ohne während der drei Monate unermüdlichen Ausschachtens auf irgend etwas Goldähnliches zu stoßen. Später wandte er sich an Pilar Ternera in der Hoffnung, daß Spielkarten mehr hülfen als Gräber, doch sie erklärte rundweg, jeder Versuch sei nutzlos, solange Ursula noch lebe. Dafür bestätigte sie das Vorhandensein des Schatzes mit großer Genauigkeit: es seien siebentausendzweihundertvierzehn Goldmünzen in drei mit Kupferdraht verschlossenen Segeltuchsäcken, begraben in einem Kreis mit einem Halbmesser von einhundertundzweiundzwanzig Metern, wobei Ursulas Bett als Mitte zu nehmen sei, doch sie warnte, er werde nicht gefunden werden, bevor nicht der Regen aufgehört und die Sonne drei aufeinanderfolgende Junimonate die Sümpfe in Staub verwandelt habe. Die Ausführlichkeit und haargenaue Unbestimmtheit der Daten erinnerte Aureliano Segundo so deutlich an spiritistische Fabeln, daß er auf seinem Unternehmen beharrte, obwohl man im August war und mindestens drei Jahre hätte warten müssen, um die Bedingungen der Voraussicht zu erfüllen. Das erste, was seine Verwunderung auslöste, obwohl es gleichzeitig seine Verwirrung vergrößerte, war die Feststellung, daß die Entfernung von Ursulas Bett bis zur Mitte des Hinterhofs genau einhundertzweiundzwanzig Meter betrug. Fernanda fürchtete, er sei so verrückt wie sein Zwillingsbruder, als sie ihn die Messungen durchführen sah, und noch verrückter, als er dem Ausschachtungstrupp befahl, alle Gräben um einen Meter zu erweitern. Ebenso gepackt vom Forscherwahn wie sein Urgroßvater, als dieser die Straße der Erfindungen suchte, verlor Aureliano Segundo die letzten ihm verbliebenen Fettpolster, und seine frühere Ähnlichkeit mit dem Zwillingsbruder verstärkte sich wieder, nicht nur infolge seiner schlank gewordenen Figur, sondern auch durch sein zerstreutes Gebaren und sein in sich gekehrtes Wesen. Er kümmerte sich nicht mehr um die Kinder. Er aß irgendwann, kotig von Kopf bis Fuß, und zwar in einer Küchenecke, und antwortete kaum auf Santa Sofías von der Frömmigkeit gelegentliche Fragen. Da sie ihn derartig arbeiten sah, wie sie es ihm nie zugetraut hatte, hielt Fernanda seine Verwegenheit für Fleiß, seine Gier für Selbstverleugnung und seinen Eigensinn für Beharrlichkeit, und sie bekam furchtbare Gewissensbisse wegen der Heftigkeit, mit der sie gegen seine Trägheit gewettert hatte. Doch nun stand Aureliano Segundo nicht mehr der Sinn nach barmherziger Versöhnung. Bis zum Hals in einem Morast aus totem Gezweig und vermoderten Blumen steckend, stellte er den ganzen Garten auf den Kopf, nachdem er das gleiche mit Innenhof und Hinterhof bewerkstelligt hatte, und bohrte dabei die Fundamente der Ostgalerie des Hauses so tief an, daß eines Nachts alle Welt entsetzt wegen eines vermeintlichen Erdbebens erwachte, so sehr bebten die Wände, so laut krachte es unterirdisch, und tatsächlich waren drei Zimmer eingestürzt, und ein atemberaubender Riß hatte sich aufgetan von der Veranda bis hinüber zu Fernandas Schlafzimmer. Aureliano Segundo gab deshalb noch lange nicht seine Forschungstätigkeit auf. Selbst als seine letzten Hoffnungen dahin waren und er nur noch Sinn in den Voraussagen der Karten sah, verstärkte er die schartigen Fundamente, verstopfte die Spalte mit Mörtel und grub an der Westseite weiter. Dort arbeitete er noch in der folgenden zweiten Junihälfte, als der Regen nachzulassen begann, die Wolken höher stiegen und man sah, daß er von einem Augenblick zum anderen aufhören könne. Und so geschah es. Eines Freitags um zwei Uhr nachmittags war plötzlich die Welt von einer törichten Sonne erhellt, rot und rauh wie Ziegelstaub und fast so frisch wie das Wasser, und dann regnete es zehn Jahre nicht mehr.

Macondo war in Ruinen. Im Sumpfland der Straßen lagen zerstückelte Möbel, Tiergerippe mit bunten Lilien bedeckt, letzte Erinnerungen an Horden von Fremdlingen, die Macondo ebenso kopflos verlassen wie betreten hatten. Die während des Bananenfiebers wie Pilze aus dem Boden geschossenen Häuser waren verwaist. Die Bananengesellschaft baute ihre technischen Einrichtungen ab. Von der alten Stadt hinter dem Drahtzaun waren nur Trümmer übrig. Die Holzhäuser, die kühlen Terrassen, auf denen die friedlichen Kartennachmittage stattgefunden hatten, schienen von einem Vorläufer des prophetischen Windes niedergerissen, der Jahre später Macondo dem Erdboden gleichmachen sollte. Die einzige menschliche Spur, die der wütende Atem hinterließ, war ein Handschuh von Patricia Brown in dem unter Stiefmütterchen erstickten Automobil. Die verzauberte Landschaft, die José Arcadio Buendía zur Zeit der Gründung erforscht hatte, und wo bald darauf die Bananenpflanzung geblüht hatte, war ein Morast verfaulter Stauden, an dessen fernem Horizont man mehrere Jahre hindurch den stummen Schaum des Meeres sehen konnte. An dem ersten Sonntag, an dem Aureliano Segundo trockene Kleider anzog und einen Erkundungsgang durchs Dorf unternahm, befiel ihn tiefe Niedergeschlagenheit. Wer die Katastrophe überlebt hatte – dieselben Leute, die schon in Macondo gewohnt hatten, bevor es vom Orkan der Bananengesellschaft erschüttert worden war, saßen mitten auf der Straße und genossen die ersten Sonnenstrahlen. Noch hatten die Menschen die algengrüne Haut und den muffigen Regengeruch an sich, doch im Grunde ihres Herzens schienen sie froh, ihr Geburtsdorf wiedergewonnen zu haben. Die Türkenstraße sah wieder aus wie zu der Zeit, als die pantoffel- und ohrringtragenden Araber, die durch die Welt wanderten und Papageien gegen Flitterkram eintauschten, in Macondo ein ruhiges Plätzchen gefunden hatten, um sich von ihrer tausendjährigen

Wanderschaft auszuruhen. Nach all der Regenzeit waren die Waren der Bazare kaum mehr als Fetzen; die vor den Türen ausgestellten Stapelwaren waren von Moos überzogen, die Ladentische waren von Termiten unterhöhlt und die Wände von der Feuchtigkeit zerfressen; aber die Araber der dritten Generation saßen noch an denselben Stellen und in der gleichen Haltung wie ihre Väter und Großväter, wortkarg, unbekümmert, unempfindlich gegen die Zeit und gegen das Verhängnis, ebenso lebendig oder tot, wie sie nach der Pest der Schlaflosigkeit und den zweiunddreißig Kriegen des Oberst Aureliano Buendía gewesen waren. Ihre Seelenstärke angesichts der zertrümmerten Spieltische, der Stände mit Schmalzgebackenem, der Schießbuden und dem Gäßchen, in dem Träume gedeutet und die Zukunft vorausgesagt wurden, war so erstaunlich, daß Aureliano Segundo sie mit seiner üblichen Zwanglosigkeit fragte, welche geheimnisvollen Mittel ihnen zur Verfügung stünden, um im Sturm nicht Schiffbruch zu erleiden, wie zum Teufel sie es angestellt hätten, um nicht unterzugehen, und einer nach dem anderen, von Tür zu Tür, antwortete mit einem schlauen Lächeln und einem träumerischen Blick, und alle sagten unabhängig voneinander:

»Schwimmend.«

Petra Cotes war vielleicht die einzige Einheimische mit einem Araberherzen. Sie hatte den Sturm die letzten Trümmer ihrer Pferde- und Viehställe wegreißen sehen, hatte aber das Haus festgehalten. Im letzten Jahr hatte sie Aureliano Segundo dringende Botschaften geschickt, und dieser hatte ihr geantwortet, er wüßte noch nicht, wann er wieder in ihr Haus käme, jedenfalls würde er eine Kiste mit Goldmünzen mitbringen, um das Schlafzimmer zu pflastern. Dann hatte sie auf dem Grund ihres Herzens die letzten Kräfte zusammengescharrt, um das Unheil zu überleben, und war auf eine gerechte, überlegte Wut gestoßen, dank derer sie sich schwor, das von ihrem Geliebten vergeudete und von der Sintflut vollends vernichtete Vermögen wiederherzustellen. Dies war eine so unerschütterliche Entscheidung, daß Aureliano Segundo, der acht Monate nach ihrer letzten Botschaft wieder zu ihr ging, sie grün und zerzaust vorfand, mit eingesunkenen Augenlidern und räuderissiger Gesichtshaut, aber munter Zahlen auf Papierschnitzel schreibend, um eine Tombola zu veranstalten. Aureliano Segundo war sprachlos, er war so abgezehrt und so feierlich, daß Petra Cotes glaubte, nicht ihr lebenslänglicher Geliebter komme und wolle sie abholen, sondern sein Zwillingsbruder.

»Du bist verrückt«, sagte er. »Es sei denn, du willst Knochen verlosen.«

Sie sagte, er solle mal ins Schlafzimmer hineinschauen, und Aureliano Segundo sah die Mauleselin. Die Haut klebte ihr ebenso an den Knochen wie ihrer Herrin, aber sie war ebenso lebendig und entschlossen wie sie. Petra Cotes hatte sie mit ihrer Wut ernährt, und als kein Gras mehr da war und auch kein Mais und keine Wurzeln, beherbergte sie sie in ihrem eigenen Schlafzimmer und gab ihr die Perkallaken zu fressen, die Perserteppiche, die Plüschbettdecken, die Samtvorhänge, den golddurchwirkten Baldachin und die Seidenquasten der bischöflichen Bettstatt.

Ursula mußte sich unsagbar anstrengen, um ihr Versprechen einzulösen und zu sterben, sobald der Regen aufhörte. Ihre während der Regenzeit so seltenen Blitze der Hellsicht wurden vom August an häufiger, als der trockene Wind zu blasen begann, der die Rosensträucher erstickte und die Sümpfe versteinerte und der über Macondo den glühenden Staub regnen ließ, der für immer die verrosteten Blechdächer und die hundertjährigen Mandelbäume bedeckte. Ursula weinte aus Mitleid, als sie entdeckte, daß sie über drei Jahre lang den Kindern als Spielzeug gedient hatte. Sie wusch sich das bepinselte Gesicht, zog die bunten Papierstreifen vom Kopf, die Mauereidechsen und getrockneten Kröten, die Samenkernhalsbänder und alten Araberketten, die sie ihr am ganzen Leib befestigt hatten, und zum ersten Male seit Amarantas Tod stand sie ohne Hilfe aus ihrem Bett auf, um sich von neuem ins Familienleben einzugliedern. Der Mut ihres unbezwinglichen Herzens führte sie in der Finsternis. Wer ihr Tasten beobachtete und etwa gegen ihre stets erzengelgleich auf Kopfhöhe gehaltenen Arme stieß, dachte wohl, wie schwer ihr der eigene Körper wöge, glaubte aber längst nicht, daß sie blind sei. Sie brauchte nicht zu sehen, daß die seit dem ersten Wiederaufbau mit so viel Sorgfalt gepflegten Blumenbeete vom Regen zerstört und von Aureliano Segundos Ausschachtungen vollends vernichtet waren, daß Wände und Fundamente gerissen waren, die Möbel wackelig und entfärbt, die Türen aus den Angeln gehoben, daß die Familie sich vom früher undenkbaren Geist der Entsagung und Niedergeschlagenheit bedroht sah. Wenn sie tastend durch die leeren Schlafkammern schlich, vernahm sie das beharrliche Donnern der im Holzwerk bohrenden Termiten, das

Schneidegeräusch der Motten in den Kleiderschränken und das verheerende Getöse der riesigen bunten Ameisen, die während der Sintflut gediehen waren und die Fundamente des Hauses untergruben. Eines Tages öffnete sie die Truhe der Heiligen und mußte Santa Sofía von der Frömmigkeit zu Hilfe rufen, um die Kellerasseln loszuwerden, die sie aus dem Innern ansprangen und bereits die Gewänder zu Staub zernagt hatten. »In einer solchen Schlamperei kann man nicht leben«, sagte sie. »Wenn das so weitergeht, werden wir noch von all dem Ungeziefer aufgefressen.« Fortan fand sie keine Sekunde Ruhe mehr. Schon vor Tagesanbruch stand sie auf und musterte alle verfügbaren Hilfskräfte, sogar die Kinder, an. Legte die wenigen noch tragbaren Kleider in die Sonne, überrumpelte die Kellerasseln mit Insektenpulver, schabte die Termitengänge an Türen und Fenstern ab und vergiftete die Ameisen in ihren Löchern mit ungelöschtem Kalk. Das Restaurationsfieber lockte sie schließlich in die vergessenen Zimmer. So ließ sie die Behausung, in der José Arcadio Buendía sich auf der Suche nach dem Stein der Weisen das Gehirn zermürbt hatte, von Trümmern und Spinnweben säubern, schaffte Ordnung in der von den Soldaten durchstöberten Silberschmiedewerkstatt und bat endlich um die Schlüssel von Melchíades' Kammer, um dort nach dem Rechten zu sehen. Getreu José Arcadio Segundos Wunsch, der sich jede Einmischung verbeten hatte, sofern kein greifbares Anzeichen seines erfolgten Todes zu sehen sei, nahm Santa Sofía von der Frömmigkeit ihre Zuflucht zu allen Arten von Vorwänden, um Ursula abzulenken. Doch ihre Entschlossenheit, nicht den unbrauchbarsten Winkel des Hauses dem Getier zu überlassen, war so unbeugsam, daß sie jedes ihr in den Weg gestellte Hindernis überwand und nach drei Tagen des Beharrens erreichte, daß man ihr die Kammer öffnete. Sie mußte sich an den Türpfosten klammern, um nicht vom Pestgestank umgeworfen zu werden, brauchte aber nicht mehr als zwei Sekunden, um sich darauf zu besinnen, daß darin die zweiundsiebzig Nachttöpfe der Novizinnen untergebracht waren und daß in einer der ersten Regennächte eine Militärpatrouille das Haus vergeblich nach José Arcadio Segundo durchsucht hatte.

»Gelobt sei Gott!« rief sie aus, als habe sie alles gesehen. »Man hat sich solche Mühe gegeben, dir Manieren beizubringen, und nun haust du wie ein Schwein.«

José Arcadio Segundo las noch immer in seinen Pergamenten. Das einzig Sichtbare in dem undurchdringlichen Haargewirr waren die grünbeschlammten Zähne und die reglosen Augen. Als er die Stimme seiner Urgroßmutter erkannte, bewegte er den Kopf in Richtung Tür, versuchte zu lächeln und wiederholte unwillkürlich einen uralten Ausspruch Ursulas.

»Was willst du«, murmelte er, »die Zeit vergeht.«

»So ist es«, sagte Ursula. »Aber nicht ganz so.«

Als sie das sagte, wurde ihr bewußt, daß sie die gleiche Antwort gab, die Oberst Aureliano Buendía ihr in seiner Todeskandidatenzelle gegeben hatte, und wieder einmal erschauerte sie angesichts des Beweises, daß die Zeit nicht vorüberging, wie sie gerade zugegeben hatte, sondern daß sie im Kreise lief. Doch auch jetzt gab sie nicht auf. Sie schalt José Arcadio Segundo, als sei er ein Kind, und bestand darauf, daß er badete, sich rasierte und seine Kräfte der Wiederinstandsetzung des Hauses widmete. Der bloße Gedanke, diese Kammer zu verlassen, die ihm Frieden geschenkt hatte, erschreckte José Arcadio Segundo. Er schrie, keine Menschenmacht brächte ihn hier heraus, und zwar nur, weil er nicht den Güterzug mit seinen zweihundert mit Toten beladenen Waggons sehen wolle, der jeden Abend zum Meer abdampfe. »Es sind alle, die am Bahnhof waren«, schrie er. »Dreitausendvierhundertundacht.« Erst jetzt begriff Ursula, daß er in einer viel dichteren Nebelwelt als der ihren weilte, in einer ebenso undurchdringlichen und einsamen wie die seines Urgroßvaters. Sie ließ ihn im

Zimmer, erreichte indessen, daß das Schloß nicht mehr vorgehängt wurde, daß jeden Tag saubergemacht wurde, daß die Töpfe in den Müll geworfen wurden und man ihm nur einen daließ und daß José Arcadio Segundo so reinlich und anständig gehalten wurde, wie es der Urgroßvater in seiner langen Gefangenschaft unter der Kastanie gewesen war. Zunächst deutete Fernanda dies Treiben als einen Anfall von Alterswahnsinn und konnte nur mühsam ihre Erbitterung beherrschen. Doch José Arcadio kündigte ihr zu jener Zeit aus Rom an, er gedenke nach Macondo zu kommen, bevor er die Priesterweihen empfange, und die gute Nachricht machte sie so froh, daß sie sich von einem Tag auf den anderen dabei ertappte, wie sie die Blumen viermal am Tag begoß, damit ihr Sohn keinen üblen Eindruck vom Haus bekomme. Derselbe Anreiz trieb sie auch dazu, ihren Briefwechsel mit den unsichtbaren Ärzten wieder aufzunehmen und in der Veranda die Farn- und Oreganokübel sowie die Begonientöpfe wieder aufzustellen, und noch bevor Ursula erfahren konnte, daß sie von Aureliano Segundos Zerstörungswut zerschlagen worden waren. Später verkaufte sie das silberne Tischservice und kaufte Keramikgeschirr, Suppenschüsseln, zinnerne Schöpflöffel und Alpakabestecke und machte dadurch die an das Porzellan der Indischen Kompagnie und an böhmisches Kristall gewöhnten Wandschränke um einiges ärmer. Aber das war Ursula noch nicht genug. »Man öffne mir Türen und Fenster«, schrie sie. »Man koche mir Fleisch und Fisch, man kaufe die größten Schildkröten, es sollen auch wieder Fremde kommen und ihr Bettzeug in den Ecken ausbreiten und in die Rosenbüsche pissen, sie sollen sich an den Tisch setzen und essen, so viel sie wollen, sie sollen rülpsen und maulen und alles mit ihren Stiefeln versauen und mit uns machen, was ihnen einfällt, denn das ist die einzige Art und Weise, den Untergang zu verscheuchen.« Doch das war eitler Wahn. Sie war schon zu alt und hatte schon zu lange gelebt, als daß sie das Wunder mit den Karameltieren hätte wiederholen können, und keiner ihrer Nachkommen hatte ihre Stärke geerbt. So blieb das Haus auf Fernandas Befehl geschlossen.

Aureliano Segundo, der seine Truhen wieder in Petra Cotes' Haus befördert hatte, sorgte lediglich dafür, daß die Familie nicht Hungers starb. Mit dem Erlös der verlosten Mauleselin kauften Petra Cotes und er andere Tiere, mit deren Hilfe sie ein noch wackeliges Lotteriegeschäft auf die Beine stellten. Aureliano Segundo zog von Haus zu Haus und bot die kleinen Lose an, die er eigenhändig bunt bemalt hatte, um sie anziehender und überzeugender zu machen, ohne vielleicht dabei zu merken, daß viele aus Dankbarkeit, die meisten aber aus Mitleid kauften. Immerhin erwarben auch die gutmütigsten Käufer dabei das Recht, für zwanzig Centavos ein Schwein und für zweiunddreißig ein Kalb zu gewinnen, eine Aussicht, die sie so begeisterte, daß sie am Dienstagabend Petra Cotes' Innenhof in der Sekunde überschwemmten, als ein beliebig gewählter Junge das Gewinnlos aus der Tasche zog. Bald artete das Ganze zu einem Wochenmarkt aus, denn schon am Nachmittag stellten die Verkäufer von Schmalzgebackenem und Getränken ihre Tische und Buden im Innenhof auf, und viele der Gewinner opferten an Ort und Stelle das gewonnene Tier unter der Bedingung, daß andere für Musik und Schnaps aufkamen, so daß Aureliano Segundo sich unversehens wieder Akkordeon spielen und an bescheidenen Freßturnieren teilnehmen sah. Bei diesem schäbigen Abklatsch der einstigen Lustgelage entdeckte Aureliano Segundo jedoch nur, wie tief seine Lebensgeister gesunken waren, wie sehr ihn seine Begabung zum Meisterlebemann im Stich gelassen hatte. Er war wie ausgewechselt. Die einhundertzwanzig Kilo, die er einmal gewogen hatte, als er die Elefantin herausforderte, waren auf achtundsiebzig geschrumpft; sein einfältiges aufgeschwemmtes Schildkrötengesicht hatte sich zu einem Leguankonterfei gewandelt, und nun trieb er meist am Rand des Überdrusses und der Erschöpfung dahin. Für Petra Cotes indes war er mehr denn je der ideale Gatte, vielleicht weil sie das Mitleid, das er in ihr weckte, mit der Liebe verwechselte, vielleicht aber noch mehr mit der Solidarität, die das Elend in beiden geweckt hatte. Das zerfledderte Bett hörte auf, ein Lotterbett zu sein, und wurde zu einer Zufluchtstätte der Vertraulichkeiten. Befreit von ihren Lustspiegeln, die sie versteigert hatten, um Tombolatiere einkaufen zu können, sowie von der lüsternen Seiden- und Samtpracht, welche die Mauleselin verspeist hatte, blieben sie, unschuldig wie ein schlafloses Ahnenpaar, bis in die späte Nacht auf und nutzten die Zeit, die sie früher verbraucht hatten, um sich selbst zu verbrennen, damit, Kasse zu machen und ihre Centavos nutzbringend anzulegen. Mitunter überraschte sie der erste Hahnenschrei, während sie Münzenhäufchen ab- und auftrugen, da etwas wegnahmen und es dort hinzufügten, um mit dem einen Fernanda zu befriedigen, mit dem zweiten für Amaranta Ursula Schuhe zu kaufen, mit dem dritten Santa Sofía, die seit den Zeiten des großen Lärms nichts mehr anzuziehen hatte, ein neues Kleid zu erstehen, ein Häufchen zurückzulegen für einen Sarg für Ursula, sofern sie stürbe, ein zweites für den Kaffee, der alle drei Monate um einen Centavo fürs Pfund stieg, ein drittes für den Zucker, der immer weniger süßte, ein viertes für das Brennholz, das von der Sintflut noch immer feucht war, ein fünftes für Papier und bunte Tinte für die Lose, ein sechstes restliches Häufchen, um damit den Wert des Aprilkalbs zu tilgen, dessen Fell sie wunderbarerweise gerettet hatten, weil es in dem Augenblick, als fast alle Tombolalose verkauft waren, Anzeichen von Karbunkeln gezeigt hatte. Diese Armutsmessen waren von solcher Reinheit, daß die beiden Fernanda fast immer den besten Teil abtraten, und sie taten es nicht etwa aus Reue oder Nächstenliebe, sondern einfach, weil deren

Wohlergehen ihnen mehr am Herzen lag als ihr eigenes. In Wirklichkeit, obgleich es keinem von ihnen auffiel, handelten sie so, weil sie an Fernanda wie an eine Tochter dachten, die sie gerne gehabt hätten und nie bekommen hatten, so daß sie einmal drei Tage lang auf ihren Maisbrei verzichteten, damit jene sich eine holländische Tischdekke kaufen konnte. Doch sie mochten sich bei ihrer Arbeit halbtot arbeiten, sie mochten noch soviel Geld auf die Seite legen und sich die unmöglichsten Kniffe ausdenken, ihre Schutzengel schliefen aus Übermüdung ein, während sie Münzen hin- und herschoben, um auch noch einen Zehrpfennig für ihr Leben herauszuwirtschaften. Und sie fragten sich in ihrer Schlaflosigkeit, die ihnen ihr armseliges Guthaben einbrachte, was in aller Welt geschehen war, daß die Tiere nicht mehr so hemmungslos warfen wie einst, warum das Geld ihnen unter den Händen zerrann und warum Leute, die bis dahin ganze Haufen Geldscheine für Ausschweifungen verschleudert hatten, es für einen Raubüberfall auf eine Einöde ansahen, wenn man ihnen zwölf Centavos für die Verlosung von sechs Hühnern abverlangte. Aureliano Segundo dachte, ohne es auszusprechen, daß das Übel nicht etwa in der Welt sei, sondern in einem verborgenen Winkel von Petra Cotes' geheimnisvollem Herzen, wo während der Sintflut etwas geschehen sein mußte, das die Tiere unfruchtbar und das Geld flüchtig machte. Von diesem Rätsel geplagt, drang er so tief in ihr Gefühlsleben ein, daß er auf der Suche nach seinen Interessen die Liebe fand, weil er im Bemühen, ihre Liebe zu gewinnen, sie zu lieben begann. Petra Cotes ihrerseits gewann ihn desto lieber, je mehr sie seine Zuneigung wachsen fühlte, und so kam es, daß sie in der Fülle des Herbstes wieder an den jugendlichen Aberglauben glaubte, die Armut sei eine Hörigkeit der Liebe. Nun sahen sie in den sinnlosen Ausschweifungen, dem übertriebenen Luxus und der unbändigen Unzucht von einst nur Hindernisse und beklagten, wieviel Leben es sie gekostet hatte, das Paradies der geteilten Einsamkeit zu entdecken. Nach so vielen Jahren der unfruchtbaren Komplicität wahnsinnig verliebt, genossen sie das Wunder, sich am Tisch ebenso zu lieben wie im Bett, und wurden so glücklich, daß sie noch als müde alte Leutchen sich wie Kaninchen neckten und wie junge Hunde balgten.

Die Tombolas brachten nie viel ein. Anfangs vergrub Aureliano Segundo sich drei Tage der Woche zum Entwerfen all der Lose in seinem alten Viehzüchterbüro, wobei er je nach dem zu verlosenden Tier ganz geschickt ein rotes Kühlein, ein grünes Schweinchen oder eine Schar blauer Hühnchen malte und in gut nachgeahmter Zeitungsschrift den Namen zeichnete, den Petra Cotes sich für das Geschäft ausgedacht hatte, etwa: *Tombola der Göttlichen Vorsehung*. Doch mit der Zeit ermüdete ihn das Zeichnen der nahezu zweitausend Lose pro Woche so sehr, daß er Tiere, Namen und Zahlen in Gummistempel ritzen ließ, und nun brauchte er diese nur noch in bunte Stempelkissen zu drücken. In seinen letzten Jahren kam er auf die Idee, die Zahlen durch Rätsel zu ersetzen, so daß der Preis unter alle, die es errieten, aufgeteilt wurde, doch das System erwies sich als derartig verwickelt und gab Anlaß zu so viel Argwohn, daß sie es nach dem zweiten Versuch aufgaben.

Aureliano Segundo war so erpicht, den Ruf seiner Lotterien zu heben, daß ihm kaum Zeit blieb, die Kinder zu sehen. Fernanda steckte Amaranta Ursula in eine kleine Privatschule, die nicht mehr als sechs Schülerinnen aufnahm, weigerte sich aber, Aureliano in die öffentliche Schule zu schicken. Sie glaubte schon genug getan zu haben, als sie erlaubte, daß er sein Zimmer verließ. Überdies wurden zu jener Zeit nur rechtmäßige Kinder katholischer Ehen angenommen, und in der Geburtsurkunde, die mit einer Sicherheitsnadel an Aurelianos Kleidchen festgeheftet war, als er ins Haus gebracht wurde, war er als Findelkind bezeichnet. So blieb er denn eingesperrt, hing einmal von Santa Sofías von der Frömmigkeit Obhut, zum zweiten von Ursulas geistigen Unterweisungen ab und entdeckte auf diese Weise die enge Welt des Hauses – den Erläuterungen der Großmütter gemäß. Er war zart, schlank, von einer Neugierde, welche die Erwachsenen aus der Fassung brachte; doch im Gegensatz zu dem forschenden und bisweilen hellsichtigen Blick, den der Oberst in seinem Alter gehabt hatte, war der seine flatternd und ein wenig zerstreut. Während Amaranta Ursula in ihrer Kinderschule war, jagte er im Garten Würmer und quälte Insekten. Doch einmal, als Fernanda ihn dabei ertappte, als er Skorpione in ein Kästchen packte, um sie unter Ursulas Matte zu legen, schloß sie ihn in Memes altes Schlafzimmer ein, wo er sich seine einsamen Stunden mit dem Betrachten von Bilderbogen der Enzyklopädie vertrieb. Dort fand Ursula ihn eines Abends, als sie das Haus mit einem nachttaunassen Nesselzweig besprengte, und obgleich sie mehrmals mit ihm zusammen gewesen war, fragte sie ihn, wer er sei.

»Ich bin Aureliano Buendía«, sagte er.

»Stimmt«, erwiderte sie. »Es ist Zeit, daß du das Silberschmiedehandwerk erlernst.«

Wieder verwechselte sie ihn mit ihrem Sohn, weil der auf die Sintflut gefolgte heiße Wind, der in Ursulas Gehirn gelegentliche Blitze der Hellsicht ausgelöst hatte, vorüber war. Sie gewann den Verstand nicht wieder. Wenn sie ihr Schlafzimmer betrat, traf sie dort Petronila Iguarán mit der lästigen Krinoline und dem perlengestickten Bolero, den sie zu allen Verabredungen anlegte, sie traf Tranquilina María Minata Alacoque Buendía, ihre Großmutter, die sich in ihrem Schaukelstuhl einer Gelähmten mit einer Pfauenfeder fächelte, außerdem ihren Urgroßvater Aureliano Arcadio Buendía mit seinem falschen Dolman der vizeköniglichen Garde, auch Aureliano Iguarán, ihren Vater, der sich ein Gebet ausgedacht hatte, damit die Viehzecken verbrannten und aus dem

Fell der Kühe fielen, und ihre gottesfürchtige Mutter und den Vetter mit dem Schweineschwanz und José Arcadio Buendía und ihre toten Kinder, alle auf Stühlen an den Wänden sitzend, als befänden sie sich nicht auf Besuch, sondern bei einer Totenwache. Sie entspann eine bunte Plauderei und plapperte über Dinge entlegener Orte und unzusammenhängender Zeiten, so daß, wenn Amaranta Ursula von der Schule heimkehrte und Aureliano der Enzyklopädie müde war, beide sie im Bett sitzend fanden, wo sie durch ein Totenlabyrinth irrend Selbstgespräche führte. »Feuer!« schrie sie einmal entsetzt und säte einen Augenblick lang Panik im Haus, doch was sie verkündete, war nur der Brand eines Pferdestalls, den sie im Alter von vier Jahren erlebt hatte. Sie vermengte die Vergangenheit dergestalt mit der Gegenwart, daß niemand in den zwei oder drei Blitzen der Erleuchtung, die sie vor dem Sterben erlebte, mit Sicherheit behaupten konnte, ob sie von dem sprach, was sie fühlte, oder von dem, was sie erinnerte. Nach und nach schrumpfte sie und wurde so sehr Embryo und Mumie zu Lebzeiten, daß sie in ihren letzten Monaten einer getrockneten Zwetschge in einem Nachthemd, daß ihr stets erhobener Arm zuletzt einer Affenpfote glich. Mehrere Tage verharrte sie reglos, und Santa Sofía von der Frömmigkeit mußte sie schütteln, um sich zu überzeugen, daß sie noch lebte, und setzte sie sich sogleich auf den Schoß, um sie löffelweise mit Zuckerwasser zu ernähren. Sie sah aus wie eine neugeborene Greisin. Amaranta Ursula und Aureliano hoben sie auf und trugen sie im Schlafzimmer herum und stellten sie auf den Altar, um zu beweisen, daß sie tatsächlich kaum größer war als das Jesuskind, und eines Nachmittags versteckten sie sie in einem Schrank der Speicherkammer, wo die Ratten sie hätten zernagen können. Am Palmsonntag gingen sie in ihr Schlafzimmer, während Fernanda in der Messe war, und packten Ursula am Hals und an den Fußgelenken.

»Armes Ururgroßmütterchen!« sagte Amaranta Ursula. »Sie ist an Altersschwäche gestorben.«

Ursula fuhr zusammen.

»Ich bin noch am Leben!« sagte sie.

»Siehst du«, sagte Amaranta Ursula, ihr Lachen unterdrückend, »sie atmet nicht mal mehr.«

»Ich spreche doch!« schrie Ursula.

»Sie spricht nicht mal mehr«, sagte Aureliano. »Sie ist wie ein Grillchen gestorben.«

Nun ergab sich Ursula dem Anschein. »Mein Gott«, rief sie leise aus. »Das also ist der Tod.« Und sie begann ein endloses Gebet, ein überstürztes, tiefes, das über zwei Tage andauerte und am Dienstag in ein Gewirr von Bitten zu Gott und praktischen Ratschlägen ausartete, damit die bunten Ameisen nicht das Haus zum Einstürzen brachten, damit die Lämpchen vor Remedios' Daguerreotyp nicht ausgingen, damit Sorge getragen werde, daß kein Buendía einen gleichblütigen Ehepartner heirate, weil sonst die Kinder mit einem Schweineschwanz geboren würden. Aureliano Segundo suchte ihr im Delirium das Geständnis zu entlocken, wo das Gold vergraben sei, doch wiederum schlugen seine Bitten fehl. »Wenn der Eigentümer kommt«, sagte Ursula, »wird Gott ihn erleuchten, daß er es findet.« Santa Sofía von der Frömmigkeit war sicher, daß sie von einem Augenblick zum anderen tot umfallen würde, weil sie in jenen Tagen eine bestimmte Verwirrung in der Natur beobachtet hatte: Die Rosen rochen nach Gänsefuß, und wenn sie einen Topf mit Kichererbsen fallen ließ, blieben die Kerne in der vollkommenen geometrischen Ordnung von Seesternen unbeweglich auf dem Erdboden liegen, und eines Nachts sah sie eine Reihe leuchtender orangefarbener Scheiben am Himmel fliegen.

Am Gründonnerstagmorgen war sie tot. Als man ihr das letzte Mal um die Zeit der Bananengesellschaft beim Ausrechnen ihres Alters geholfen hatte, war sie zwischen hundertfünfzehn und hundertzwanzig Jahren alt gewesen. Sie wurde in einem Kästchen beerdigt, kaum größer als das Körbchen, in dem Aureliano gebracht worden war, und ganz wenige Leute wohnten der Beerdigung bei, teils weil nicht viele sich ihrer erinnerten, teils weil es an jenem Mittag so heiß war, daß die verstörten Vögel wie Schrotschüsse gegen die Mauern prallten und die Fliegenfenster durchstießen, um in den Schlafzimmern tot zu Boden zu fallen.

Anfangs glaubte man an eine Landplage. Die Hausfrauen erschöpften sich beim Zusammenfegen der vielen toten Vögel, zumal während der Mittagsruhe, und die Männer warfen sie karrenweise in den Fluß. Am Sonntag der Auferstehung behauptete der hundertjährige Pater Antonio Isabel auf der Kanzel, der Tod der Vögel sei eine Folge des schlechten Einflusses des Ewigen Juden, den er selber in der vergangenen Nacht gesehen habe. Er beschrieb ihn als eine Kreuzung aus Bock und Ketzerweib, als ein teuflisches Biest, dessen Atem die Luft ausdörrte und dessen Auftreten dazu führte, daß die neuvermählten Bräute Frühgeburten zur Welt brächten. Es waren nicht viele, die seiner apokalyptischen Predigt ihr Ohr liehen, weil das Volk überzeugt war, der Pfarrer fasele aus Altersschwäche. Doch eine Frau weckte am Mittwoch in aller Herrgottsfrühe das ganze Dorf, weil sie auf Spuren eines zweifüßigen Spalthufers gestoßen war. Und diese waren so deutlich, so unverkennbar, daß alle, die sie prüften, an der Existenz eines dem vom Pfarrer geschilderten ähnlichen schauerlichen Wesens keinen Zweifel mehr hegten und übereinkamen, in ihren Hinterhöfen Fallen aufzustellen. So gelang der Fang. Zwei Wochen nach Ursulas Tod wurden Aureliano Segundo und Petra Cotes von dem aus der Nachbarschaft herübertönenden Gejammer eines ungewöhnlich großen Kalbes unliebsam aus dem Schlaf geweckt. Als sie aufstanden, war bereits eine Gruppe Männer dabei, das Ungeheuer aus den in eine mit Laub bedeckte Grube eingerammten Staketen zu ziehen;

außerdem brüllte es nicht mehr. Wiewohl nicht größer als ein Halbwüchsiger, hatte es das Gewicht eines Rindes; aus seinen Wunden floß grünliches, öliges Blut. Seinen Rumpf bedeckte ein rauhes, von kleinen Zecken übersätes Fell, und die Haut war durch eine Kruste von Saugfischen versteinert; doch im Gegensatz zu der Beschreibung des Pfarrers gehörten seine menschlichen Teile eher einem siechen Engel an als einem Menschen, weil die Hände zart und geschickt waren, die Augen groß und dämmrig; auch hafteten an den Schulterblättern vernarbte, hornhäutige Stummel mächtiger Flügel, die wohl mit einer Bauernhacke abgeschlagen worden waren. Sie hängten es mit den Fesseln an einem Mandelbaum des Dorfplatzes auf, damit jeder es sehen konnte; und als es zu verfaulen begann, verbrannten sie es auf einem Scheiterhaufen, weil nicht zu ermitteln war, ob es dank seiner Bastardnatur als Tier in den Fluß geworfen oder als Christ beerdigt zu werden verdiente. Es wurde nie festgestellt, ob tatsächlich seinetwegen die vielen Vögel starben, jedenfalls brachten weder die jungen Mütter Frühgeburten zur Welt, noch ließ die Hitze nach.

Rebeca starb gegen Ende des Jahres. Argénida, ihre lebenslängliche Dienerin, bat die Behörden um Hilfe, die Türe des Schlafzimmers einzustoßen, in dem ihre Herrin seit drei Tagen eingesperrt war, und man fand sie in dem einsamen Bett, eingeschnurrt wie eine Krabbe, den Kopf kahl vom Grind und den Daumen im Mund. Aureliano Segundo übernahm die Beerdigung und beabsichtigte, das Haus zum Verkauf wiederherzustellen, doch der Verfall war schon so weit fortgeschritten, daß die neugestrichenen Wände zerbröckelten, und kein Mörtel war fest genug, um zu verhindern, daß das Unkraut die Böden zermahlte und die Pfeiler durch den Efeu verfaulten.

So ging alles seit der Sintflut. Die Gleichgültigkeit der Menschen stand im Widerspruch zur Gier des Vergessens, die allmählich die Erinnerungen erbarmungslos zernagte, und zwar so sehr, daß zu jener Zeit, anläßlich eines neuen Jahrestags des Friedensvertrags von Neerlandia, etliche Abgesandte des Präsidenten der Republik nach Macondo kamen, um endlich den von Oberst Aureliano Buendía mehrmals abgelehnten Orden zu überbringen, und einen ganzen Nachmittag damit verloren, einen Menschen aufzustöbern, der ihnen sagen konnte, wo sie einen seiner Nachfahren finden konnten. Aureliano Segundo war versucht, ihn entgegenzunehmen im Glauben, es sei eine reingoldene Medaille, doch Petra Cotes überzeugte ihn von der Würdelosigkeit einer derartigen Handlung, als die Emissäre bereits Bekanntmachungen und Festreden für die Zeremonie vorbereiteten. Zu jener Zeit kamen auch die Zigeuner wieder, die letzten Erben von Melchíades' Wissenschaft, und fanden das Dorf so heruntergewirtschaftet und seine Einwohner so abgesondert von der übrigen Welt, daß sie, Magneteisen hinter sich herschleifend, wieder in die Häuser zogen, als handle es sich dabei um die allerneueste Entdeckung der babylonischen Weisen, und wieder die Sonnenstrahlen mit ihrer Riesenlupe bündelten; wiederum fehlte es auch nicht an solchen, die mit offenem Mund zusahen, wie Öfen umfielen und Kessel rollten, nicht an solchen, die fünfzig Centavos zahlten, um über eine Zigeunerin zu staunen, die ein künstliches Gebiß aus dem Munde nahm und es wieder einsetzte. Ein altersschwacher Zug, der niemanden brachte und niemanden mitnahm und nur an der verlassenen Station hielt, war das einzige, was von dem einst überfüllten Zug übriggeblieben war, an den Señor Brown seinen Sonderwagen mit Glasdach und Bischofssesseln angehängt hatte, sowie von den Obstzügen mit einhundertundzwanzig Güterwagen, deren Durchfahrt einen ganzen Nachmittag dauerte. Die Abgesandten der Kurie, die zur Überprüfung des Berichts über die seltsame Vogelsterblichkeit und die Opferung des Ewigen Juden eingetroffen waren, fanden Pater Antonio Isabel mit den Kindern »Blindes Huhn« spielend, und im Glauben, sein Bericht rühre vom Alterswahn her, entführten sie ihn in ein Asyl. Bald darauf schickten sie Pater Augusto Angel, einen Kreuzritter des neuen Aufgebots, unnachgiebig, tollkühn, furchtlos, der die Glocken eigenhändig mehrmals am Tag läutete, damit die Gemüter nicht erschlafften, der von Haus zu Haus ging und die Langschläfer weckte, damit sie zur Messe gingen; doch vor Ablauf eines Jahres verfiel er gleichfalls der Nachlässigkeit, die man mit der Luft einatmete, dem glühend heißen Staub, der alles altern ließ und verstopfte, der Schlaflust, welche die beim Mittagessen verspeisten Knödel während der unerträglichen Hitze des Schlummerstündchens in ihm weckten.

Nach Ursulas Tod versank das Haus wiederum in einen Zustand des Verfalls, aus dem es nicht einmal ein so entschlossener, kraftstrotzender Wille wie der Amaranta Ursulas retten konnte, die viele Jahre später, als sie bereits eine vorurteilslose, fröhliche und moderne, mit beiden Füßen im Leben stehende Frau war, Türen und Fenster öffnete, die bunten Ameisen, die bereits bei hellichtem Tag in der Veranda umherspazierten, ausrottete und vergeblich versuchte, den vergessenen Geist der Gastlichkeit neu zu beleben. Fernandas Klosterleidenschaft hatte Ursulas hundert stürmischen Jahren einen unüberwindlichen Deich entgegengesetzt. Nicht nur weigerte sie sich, die Türen zu öffnen, als der heiße Wind vorüber war, sie ließ auch, der väterlichen Vorschrift gemäß, sich zu Lebzeiten begraben, die Fenster mit Kreuzlatten zunageln. Der aufwendige Briefwechsel mit den unsichtbaren Ärzten endete mit einem Fehlschlag. Nach wiederholtem Aufschub schloß sie sich nach dem vereinbarten Tages- und Stundenplan in ihr Schlafzimmer ein, nur bedeckt mit einem weißen Leintuch, den Kopf nordwärts gerichtet, und um ein Uhr morgens spürte sie, wie ihr Gesicht mit einem von einer eisigen Flüssigkeit getränkten Handtuch bedeckt wurde. Als sie erwachte, schien die Sonne durchs Fenster, und ihren Körper zierte eine lange, bogenförmige Naht von der Leiste bis zum Brustbein. Doch noch bevor die ihr verschriebene Genesungsruhe verstrichen war, erhielt sie einen fassungslosen Brief von den unsichtbaren Ärzten, die ihr mitteilten, sie hätten sie sechs Stunden lang untersucht, ohne etwas zu finden, was den von ihr so oft und so genau beschriebenen Symptomen entspräche. In Wirklichkeit hatte ihre verheerende Gewohnheit, die Dinge nicht bei ihrem Namen zu nennen, Anlaß zu einer neuen Verwirrung gegeben, denn das einzige, was die telepathischen Chirurgen feststellten, war eine Gebärmuttersenkung, die sich mit dem Gebrauch eines Pessars beheben ließ. Die enttäuschte Fernanda bat um genauere Auskünfte, doch ihre unbekannten Korrespondenten ließen ihre Briefe unbeantwortet. Sie fühlte sich vom Gewicht eines unbekannten Worts so zermalmt, daß sie ihre Scham hinunterzuschlucken beschloß, um zu fragen, was ein Pessar sei, und erst jetzt erfuhr sie, daß der französische Arzt sich vor drei Monaten an einem Deckenbalken erhängt hatte und gegen den Willen des Dorfs von einem früheren Waffenbruder des Oberst Aureliano Buendía beerdigt worden war. Nun vertraute sie sich ihrem Sohn José Arcadio an, und dieser sandte ihr aus Rom die Pessare mit einer schriftlichen Gebrauchsanweisung, die sie ins Klosett warf, nachdem sie sie auswendig gelernt hatte, damit niemand die Natur ihrer Gebrechen erfahre. Es war eine überflüssige Vorkehrung, da die einzigen Menschen, die im Haus wohnten, sie kaum noch wahrnahmen. Santa Sofía von der Frömmigkeit irrte in einsamer Altersschwäche umher, kochte das wenige, was gegessen wurde, und widmete sich fast völlig José Arcadio Segundos Betreuung. Amaranta Ursula, die Erbin mancher Reize von Remedios der Schönen, vertrieb sich mit Schularbeiten die Zeit, die sie früher verloren hatte, wenn sie Ursula quälte, und legte ein Urteilsvermögen und einen Lerneifer an den Tag, die in Aureliano Segundo die von Meme in ihm einst erweckten Hoffnungen aufleben ließen. Er hatte ihr versprochen, sie in Übereinstimmung mit einem zur Zeit der Bananengesellschaft eingeführten Brauch zum Abschluß ihrer Studien nach Brüssel zu schicken, und diese Illusion hatte ihn zu dem Versuch verführt, die von der Sintflut verwüsteten Ländereien zu neuem Leben zu erwecken. Wenn er jetzt gelegentlich im Hause gesehen wurde, so tat er es Amaranta Ursula zuliebe, denn mit der Zeit war er für Fernanda ein Fremder geworden, und der kleine Aureliano wurde desto menschenscheuer und einsilbiger, je näher er auf die Pubertät zuging. Aureliano Segundo vertraute darauf, daß das Alter Fernandas Herz besänftigte, damit das Kind sich dem argwöhnischen Leben eines Dorfes einfügen könne, in dem sich sicherlich niemand die Mühe machen würde, Mutmaßungen über seine Herkunft anzustellen. Doch sogar Aureliano schien die Zurückgezogenheit und Einsamkeit vorzuziehen und verriet keinerlei Neugier nach der Welt, die vor der Haustür begann. Als Ursula Melchíades' Zimmer aufbrechen ließ, umschlich er sie und warf verstohlene Blicke durch die halboffene Tür, und niemand erfuhr, in welchem Augenblick zwischen ihm und José Arcadio Segundo gegenseitige Zuneigung entstand. Aureliano Segundo entdeckte diese Freundschaft lange nach ihrem Entstehen, als er das Kind von dem Bahnhofsgemetzel reden hörte. Eines Tages klagte jemand bei Tisch über den Verfall des Dorfes seit dem Abzug der Bananengesellschaft, und Aureliano widersprach ihm mit der Reife und Erfahrung eines Erwachsenen. Nach seinem der allgemeinen Auffassung entgegengesetzten Standpunkt war Macondo ein blühender, fortschrittlicher Ort gewesen, bis die Bananengesellschaft ihn aus der Bahn warf, verdarb und ausbeutete, weil deren Ingenieure unter dem Vorwand, sich ihren den Arbeitern gegenüber eingegangenen Verpflichtungen zu entziehen, die Sintflut herausgefordert hätten.

Der Knabe sprach mit so viel Verstand, daß er Fernanda wie eine gotteslästerliche Parodie von Jesus unter den Schriftgelehrten vorkam, und er beschrieb eingehend und überzeugend, wie das Heer über dreitausend auf dem Bahnhofsplatz zusammengepferchte Arbeiter zusammenschoß, wie die Leichen auf einen Zug von zweihundert Güterwagen geladen und ins Meer geschüttet wurden. Genau wie die Mehrheit von der offiziellen Wahrheit überzeugt, es sei nichts geschehen, empörte Fernanda der Gedanke, das Kind könne die anarchistischen Triebe des Obersten Aureliano Buendía geerbt haben, und gebot ihm zu schweigen. Aureliano Segundo hingegen erkannte die Fassung seines Zwillingsbruders an. In Wirklichkeit war José Arcadio Segundo, obwohl er von jedermann für verrückt gehalten wurde, zu jener Zeit der hellsichtigste Bewohner des Hauses. Er lehrte den kleinen Aureliano Lesen und Schreiben, unterwies ihn im Studium der Pergamente und prägte ihm so genau ein, was die Bananengesellschaft in seinen Augen für Macondo bedeutet hatte, daß Aureliano, als er viele Jahre später ins Leben trat, glauben mußte, eine phantastische Lesart weiterzugeben, weil sie der von Geschichts- und Schulbüchern wiedergegebenen falschen diametral widersprach. In ihrem abgelegenen Kämmerchen, in das kein trockener Wind gelangte, kein Staub und keine Hitze, beschworen die beiden die atavistische Vision eines Greises mit einem Schlapphut mit Rabenschwingenkrempe, der viele Jahre vor ihrer Geburt mit dem Rücken zum Fenster von der Welt erzählt hatte. Gleichzeitig entdeckten beide, daß es dort immer März und immer Montag war, und nun begriffen sie, daß José Arcadio Buendía nicht so verrückt war, wie die Familie behauptete, sondern daß er als einziger in seiner Hellsicht die Wahrheit ahnte, daß auch die Zeit Zusammenstöße und Unglücksfälle erlitt, daß sie platzen und daher einen ewigen Splitter in einem Zimmer hinterlassen konnte. José Arcadio Segundo war es übrigens gelungen, die kryptischen Buchstaben der Pergamente zu entziffern. Er war sicher, daß sie einem Alphabet von siebenundvierzig bis dreiundfünfzig Schriftzeichen entsprachen, die getrennt kleinen Spinnen und Zecken ähnelten und in Melchíades' herrlicher Schönschrift zum Trocknen aufgehängten Wäschestücken glichen. Aureliano erinnerte sich, eine ähnliche Bildtafel in der englischen Enzyklopädie gesehen zu haben, weshalb er sie in sein Zimmer mitnahm, um sie mit der von José Arcadio Segundo zu vergleichen. In der Tat waren sie gleich.

Zu der Zeit, als Aureliano Segundo auf die Idee mit der Rätseltombola kam, erwachte er eines Morgens mit einem Kloß in der Kehle, als verdränge er einen Weinkrampf. Petra Cotes deutete ihn als eines der von der schlimmen Lage verursachten zahlreichen Bedrängnisse, und jeden Morgen betupfte sie über ein Jahr hindurch seinen Gaumen mit Honig und gab ihm Rettichsaft zu trinken. Als der Knoten in seiner Gurgel ihn so bedrückte, daß ihm das Atmen schwerfiel, suchte Aureliano Segundo Pilar Ternera auf, da sie verschiedene Heilkräuter kannte. Die unverwüstliche Großmutter, die an der Spitze eines geheimen kleinen Bordells hundert Jahre erreicht hatte, glaubte nicht an heilenden Aberglauben, sondern zog vor, ihre Karten in der Angelegenheit zu befragen. Sie sah den Karokönig, die Kehle durchbohrt von der Klinge des Pikbuben, und schloß daraus, daß Fernanda durch die überholte Methode, sein Bildnis mit Nadeln zu spicken, händeringend versuchte, ihren Mann zur Rückkehr ins Haus zu bewegen, aber infolge magelnder Kenntnis dieser bösen Kunst ihm ein inneres Geschwür beigebracht hatte. Da von Aureliano Segundo nur ein Hochzeitsbild vorhanden war und alle Abzüge ins Familienalbum eingezogen waren, durchsuchte er, wenn Fernanda anderweitig beschäftigt war, das ganze Haus und fand schließlich tief hinten im Kleiderschrank ein halbes Dutzend Pessare in Originalverpackung. Im Glauben, die roten Gummiringe seien Zaubergeräte, steckte er einen davon in die Tasche, um ihn Pilar Ternera zu zeigen. Diese vermochte ihre Natur zwar nicht zu bestimmen, doch die Sache kam ihr so verdächtig vor, daß sie sich das ganze halbe Dutzend bringen ließ und es auf einem im Innenhof entfachten Reisigfeuer verbrannte. Um Fernandas angebliche Hexerei auszutreiben, wies sie Aureliano Segundo an, eine Gluckhenne zu befeuchten und lebend unter der Kastanie zu begraben, was er in so gutem Glauben tat, daß, als er die gewendete Erde mit dürrem Laub bedeckte, er sich bereits besser fühlte. Fernanda ihrerseits legte das Verschwinden der Pessare als Vergeltungsschlag der unsichtbaren Ärzte aus und nähte sich in ihr Leibchen eine Innentasche ein, in der sie die von ihrem Sohn neu erhaltenen Exemplare aufbewahrte.

Sechs Monate nach der Beerdigung des Huhns erwachte Aureliano Segundo um Mitternacht von einem Hustenanfall und glaubte, von innen mit Krebszangen erwürgt zu werden. Nun begriff er, daß trotz aller vernichteten Zauberpessare und befeuchteten Beschwörungshühner die einzige, traurige Wahrheit die war, daß er starb. Er sagte es niemandem. Von der Angst gequält, er könne sterben, ohne Amaranta Ursula nach Brüssel geschickt zu haben, arbeitete er wie nie zuvor, und statt einer Tombola in der Woche veranstaltete er drei. Schon in aller Herrgottsfrühe sah man ihn durchs Dorf, ja durch seine entlegensten, armseligsten Viertel rennen und seine Lose mit einer Beharrlichkeit losschlagen, die man nur einem Sterbenden zugetraut hätte. »Hier ist die Göttliche Vorsehung«, predigte er. »Laßt sie euch nicht entgehen, sie kommt nur alle hundert Jahre einmal.« Er strengte sich rührend an, fröhlich zu wirken, leutselig, redselig, doch brauchte man nur seine schweißbedeckte Blässe zu sehen, um zu wissen, daß er auf dem letzten Loch pfiff. Mitunter verschwand er in leerstehenden Grundstücken, um von den Zangen, die ihn innerlich zerfleischten, einen

Augenblick auszuruhen. Noch um Mitternacht trieb er sich im Vergnügungsviertel herum, wo er die einsamen Frauen, die neben Victrolas schluchzten, mit Glückspredigten zu trösten suchte. »Diese Nummer ist schon seit vier Monaten nicht mehr herausgekommen«, sagte er, die Lose anpreisend. »Laß sie dir nicht entgehen, das Leben ist kürzer, als man glaubt.« Zu guter Letzt verloren sie vom vielen Spotten allen Respekt und nannten ihn in seinen letzten Monaten nicht mehr Don Aureliano, wie sie es immer getan hatten, sondern redeten ihn sogar mit »Göttliche Vorsehung« an. Langsam bekam seine Stimme falsche Töne, er detonierte immer mehr und versank schließlich in einem Hundegeröchel, doch sein Wille, die Ziehung in Petra Cotes' Innenhof noch immer spannend zu gestalten, war unbegrenzt. Doch je mehr er seine Stimme verlor, je mehr er einsah, daß er die Schmerzen bald nicht mehr aushalten würde, desto klarer begriff er, daß seine Tochter an Hand von verlosten Schweinen und Ziegenböcken nie im Leben nach Brüssel gelangen werde, weshalb er auf den Gedanken kam, die von der Sintflut zerstörten Ländereien, die mit etwas Kapital ohne weiteres wieder ertragreich gemacht werden konnten, in einer Spitzentombola zu verlosen. Das war eine so aufsehenerregende Unternehmung, daß sogar der Bürgermeister sich anbot, sie öffentlich bekanntzugeben, und so bildeten sich sogar Vereinigungen, die gemeinsam Hundert-Peso-Lose erwarben, die in weniger als einer Woche vergriffen waren. Am Abend der Tombola veranstalteten die Gewinner ein rauschendes, nur mit denen aus den glücklichen Zeiten der Bananengesellschaft vergleichbares Fest, und Aureliano Segundo spielte auf seinem Akkordeon zum letztenmal die vergessenen Lieder Francisco-des-Mannes, nur singen konnte er nicht.

Zwei Monate später reiste Amaranta Ursula nach Brüssel ab. Aureliano Segundo händigte ihr nicht nur den Gewinn der Sondertombola aus, sondern auch die Summe, die er in den vorhergegangenen Monaten hatte ersparen können, außerdem das wenige, was er durch den Verkauf des Pianolas, des Klavichords und anderer in Ungnade gefallener Nippesfiguren erlöst hatte. Nach seiner Rechnung mußte die Gesamtsumme für das Studium ausreichen, so daß nur noch der für die Rückreise benötigte Betrag ausstand. Fernanda, entsetzt über die Vorstellung, Brüssel liege in nächster Nähe des verderbten Paris, widerstand bis zum letzten Augenblick der Reise, beruhigte sich jedoch dank eines Briefes, den Pater Angel ihr an eine von Nonnen geleitete katholische Jungmädchenpension mitgab, wo Amaranta Ursula bis zum Abschluß ihrer Studienzeit zu wohnen versprach. Überdies erreichte der Pfarrer, daß sie in der Obhut einer Gruppe von Franziskanerinnen fuhr, die nach Toledo reisten, wo sie vertrauenswürdige Menschen treffen sollte, die sie nach Belgien weiterleiten würden. Während die für diesen Plan notwendigen Briefe in aller Eile gewechselt wurden, kümmerte Aureliano Segundo sich mit Petra Cotes' Hilfe um Amaranta Ursulas Ausrüstung. An dem Abend, an dem sie eine von Fernandas Hochzeitstruhen fertig packten, war alles so weit gediehen, daß die Studentin auswendig wußte, welche Kleider und Plüschpantoffeln sie während der Überfahrt über den Atlantik tragen sollte, und daß sie in dem blauen Samtmantel mit Kupferknöpfen und den Schuhen aus Cordobaleder an Land gehen würde. Sie wußte gleichfalls, wie sie die Füße zu setzen hatte, um nicht ins Wasser zu fallen, wenn sie auf dem Fallreep an Bord ging, daß sie keine Sekunde von der Seite der Nonnen weichen und die Kabine nur zu den Mahlzeiten verlassen, daß sie unter keinen Umständen auf Fragen antworten dürfe, die Fremde gleich welchen Geschlechts ihr auf hoher See stellten. Sie nahm ein Fläschchen mit Tropfen gegen Seekrankheit mit und ein Büchlein mit den eigens von Pater Angel eingetragenen sechs Gebeten zur Beschwörung von Seestürmen. Fernanda nähte ihr einen Leinengürtel zur Aufbewahrung des Geldes und zeigte ihr, wie dieser auf bloßem Körper zu tragen sei, damit sie ihn nicht einmal nachts abzubinden brauchte. Sie wollte ihr auch den mit Lauge gewaschenen und mit Alkohol desinfizierten goldenen Nachttopf mitgeben, doch Amaranta Ursula lehnte ab aus Angst, ihre Internatsgefährtinnen könnten sie deswegen verspotten. Wenige Monate später sollte Aureliano Segundo sich in seiner Todesstunde erinnern, wie er sie das letzte Mal gesehen hatte, als sie vergeblich die staubige Scheibe des Zweiter-Klasse-Abteils herunterzudrükken versuchte, um Fernandas letzte Ratschläge zu hören. Sie trug ein rosafarbenes Seidenkleid mit einem Sträußchen künstlicher Stiefmütterchen in der an der linken Schulter befestigten Agraffe, Maroquinschuhe mit Schnallen und niederem Absatz sowie seidene Strümpfe mit Gummibändern an den Waden. Sie war von zierlicher Gestalt, hatte offenes Haar und die lebhaften Augen, die Ursula in ihrem Alter gehabt hatte, und die Art, wie sie ohne Tränen, aber auch ohne Lächeln Abschied nahm, offenbarte die gleiche Charakterstärke. Den abfahrenden Zug begleitend und Fernanda am Arm haltend, damit sie nicht stolpere, konnte Aureliano Segundo ihr nur zuwinken, als seine Tochter ihm mit den Fingerspitzen einen Kuß zuwarf. Unbeweglich blieben die Gatten unter der glühenden Sonne stehen und, zum ersten Male seit ihrem Hochzeitstag eingehakt, sahen sie dem Zug nach, der mit dem schwarzen Punkt des Horizonts verschmolz.

Am neunten August, noch bevor der erste Brief aus Brüssel eintraf, unterhielt sich José Arcadio Segundo mit Aureliano in Melchíades' Kammer und sagte unwillkürlich:

»Denk immer daran, daß es über dreitausend waren und daß man sie ins Meer geworfen hat.«

Dann beugte er sich über die Pergamente und starb mit offenen Augen. Im selben Augenblick gelangte sein Zwillingsbruder in Fernandas Bett ans Ende des langen, qualvollen Martyriums der eisernen Krebse, die ihm die Kehle zerfressen hatten. Eine Woche vorher war er ins Haus zurückgekehrt, ohne Stimme, außer Atem und fast nur noch Haut und Knochen, dafür aber mit seinen Wandertruhen und seinem Bummlerakkordeon, um sein Versprechen, bei seiner Frau zu sterben, einzulösen. Petra Cotes half ihm beim Einpacken seiner Kleider und nahm Abschied, ohne eine Träne zu vergießen, vergaß jedoch, ihm seine Lackstiefel mitzugeben, die er im Sarg anziehen wollte. Als sie daher von seinem Tod erfuhr, zog sie Trauerkleidung an, wickelte die Stiefel in eine Zeitung und bat Fernanda um Erlaubnis, den Leichnam sehen zu dürfen. Fernanda ließ sie nicht über die Schwelle treten.

»Versetzen Sie sich an meine Stelle«, flehte Petra Cotes. »Stellen Sie sich vor, wie sehr ich ihn geliebt haben muß, um diese Demütigung zu ertragen.«

»Es gibt keine Demütigung, die eine Konkubine nicht verdient«, erwiderte Fernanda. »Warten Sie daher, bis einer von den vielen anderen stirbt, damit Sie ihm die Stiefel anziehen können.«

In Erfüllung ihres Versprechens enthauptete Santa Sofía von der Frömmigkeit die Leiche José Arcadio Segundos mit einem Küchenmesser, um sicherzugehen, daß er nicht lebend begraben würde. Die Leichname wurden in gleiche Särge gelegt, und nun erwies es sich, daß sie im Tod wieder übereinstimmten, wie sie es in ihrer Jugend getan hatten. Aureliano Segundos alte Saufkumpane legten auf seinen Sarg einen Kranz mit maulbeerfarbenem Band, auf dem zu lesen stand: *Aus dem Weg, Kühe, das Leben ist kurz*. Fernanda war über diesen Mangel an Ehrerbietung so empört, daß sie den Kranz in den Müll werfen ließ. Im Durcheinander der letzten Augenblicke verwechselten die trostlosen Trunkenbolde beim Hinaustragen die Särge und beerdigten beide im falschen Grab.

Lange Zeit verließ Aureliano nicht Melchíades' Kammer. Er erlernte die phantastischen Legenden des Buchs mit den fliegenden Blättern, die Zusammenfassung der Studien Hermanns des Gelähmten; die Anmerkungen über die dämonologische Wissenschaft, die Schlüssel zum Stein der Weisen, die Prophezeiungen des Nostradamus und die Untersuchungen über die Pest, so daß er ins Jugendalter gelangte, ohne das geringste über seine eigene Zeit zu wissen, dafür aber die grundlegenden Kenntnisse des mittelalterlichen Menschen besaß. Immer wenn Santa Sofía von der Frömmigkeit in sein Zimmer trat, fand sie ihn ins Lesen vertieft. Bei Tagesanbruch brachte sie ihm eine Tasse Kaffee ohne Zucker und zur Mittagsstunde einen Teller Reis mit gebratenen Bananenscheiben, das einzige, was seit Aureliano Segundos Tod im Haus gegessen wurde. Sie sorgte dafür, daß ihm das Haar geschnitten, daß sein Kopf von Nissen gesäubert wurde, daß ihm die alten, in vergessenen Truhen aufgefundenen Kleider angepaßt wurden, und als ihm ein Bart zu sprießen begann, brachte sie ihm das Rasiermesser Oberst Aureliano Buendías und seine kleine Totumakürbisschale für den Seifenschaum. Keiner von dessen Söhnen glich ihm dermaßen, nicht einmal Aureliano José, besonders wegen der hervorstehenden Backenknochen und des entschlossenen, etwas unerbittlichen Lippenschwungs. So wie es Ursula mit Aureliano Segundo ergangen war, als dieser in der Kammer studierte, glaubte Santa Sofía von der Frömmigkeit, Aureliano führe Selbstgespräche. In Wirklichkeit unterhielt er sich mit Melchíades. Eines glutheißen Mittags kurz nach dem Tod der Zwillinge sah er gegen das lichtblendende Fenster den düsteren Greis im Schlapphut mit Rabenschwingenkrempe gleichsam als

Verkörperung eines Andenkens, das schon lange vor seiner Geburt in seiner Erinnerung geruht hatte. Aureliano hatte soeben die Aufstellung des Pergament-Alphabets beendet. Als daher Melchíades ihn fragte, ob er die Sprache entdeckt habe, in der es abgefaßt sei, zögerte er nicht mit der Antwort. »In Sanskrit«, sagte er. Melchíades offenbarte ihm, daß seine Stunden, zu denen er in die Kammer zurückkehren könne, gezählt seien. Indessen zöge er seelenruhig auf die Weiden des endgültigen Todes, da Aureliano in den Jahren, die noch fehlten, bis die Pergamente ein Jahrhundert alt waren und entziffert werden konnten, Zeit zum Erlernen des Sanskrits habe. Er verriet ihm auch, daß in dem am Fluß endenden Gäßchen, wo zur Zeit der Bananengesellschaft die Zukunft geweissagt und die Träume gedeutet worden waren, ein katalanischer Weiser, der einen Bücherladen unterhielt, einen Band ›Sanskrit Primer‹ besaß, der in sechs Jahren von den Motten zerfressen sein würde, sofern er ihn nicht schleunigst kaufte. Zum ersten Male in ihrem Leben verriet Santa Sofía von der Frömmigkeit ein Gefühl, und zwar ein Gefühl der Verblüffung, als Aureliano sie bat, sie möge ihm das Buch bringen, das sie zwischen ›Gerusalemme Liberata‹ und Miltons Gedichten finden würde, und zwar ganz rechts auf dem zweiten Stock der Regale. Da sie nicht lesen konnte, lernte sie das Gehörte auswendig und beschaffte sich das Geld mit dem Verkauf von einem der siebzehn goldenen Fischchen, die in der Werkstatt übrig geblieben waren und deren Versteck nur sie und Aureliano seit der Nacht kannten, in der die Soldaten das Haus durchsucht hatten.

Aureliano schritt im Studium des Sanskrits fort, während Melchíades immer seltener kam, immer ferner wurde und sich endlich in der strahlenden Mittagshelle auflöste. Als Aureliano ihn zum letzten Mal spürte, war er nichts als unsichtbare Gegenwart, die murmelte: »Ich bin in Singapurs Dünen am Fieber gestorben.« Nun wurde die Kammer empfänglich für Staub, Hitze, Termiten, bunte Ameisen, Motten, die die Weisheit der Bücher und Pergamente in Sägemehl verwandeln sollten.

Im Haus fehlte es nicht an Nahrungsmitteln. Am Tag nach Aureliano Segundos Tod bot einer der Freunde, die den Kranz mit der unehrerbietigen Aufschrift gestiftet hatten, Fernanda an, eine von ihrem Mann geliehene Geldsumme zurückzuzahlen. So brachte denn fortan jeden Mittwoch ein Bote einen Korb mit Lebensmitteln ins Haus, der für eine Woche ausreichte. Niemand sollte je erfahren, daß Petra Cotes ihr diese Eßwaren schickte im Gedanken, die fortgesetzte Wohltätigkeit sei eine Form, diejenige zu demütigen, die sie gedemütigt hatte. Im übrigen schwand ihr Groll viel eher, als sie selbst gehofft hatte, und nun schickte sie die Lebensmittel weiter aus Stolz und schließlich aus Mitleid. Mehrmals, wenn ihr die Lust ausging, Lose zu verkaufen, und die Leute Gefallen an Tombolas verloren, verzichtete sie aufs Essen, nur damit Fernanda zu essen bekam, und ließ nicht ab, ihrer Verpflichtung nachzukommen, solange sie nicht ihren Leichenzug vorbeigehen sah.

Für Santa Sofía von der Frömmigkeit brachte die Verringerung der Hausbewohner vermutlich die Entspannung, auf die sie seit mehr als einem halben Jahrhundert der Arbeit Anrecht hatte. Nie hatte man ein Wort der Klage gehört von dieser schweigsamen, wortkargen, undurchdringlichen Frau, die in der Familie das engelhafte Erbe Remedios' der Schönen und die geheimnisvolle Feierlichkeit José Arcadio Segundos gesät hatte; die ein Leben der Einsamkeit und des Schweigens der Aufzucht einer Kinderschar gewidmet hatte, die sich kaum daran erinnerte, ihre Kinder und Enkel zu sein, und die Aureliano betreute, als sei er ihrem Schoß entsprungen, ohne daß sie selbst wußte, daß sie seine Urgroßmutter war. Nur in einem Haus wie diesem war es denkbar, daß sie auf einem Rupfensack in der Kornkammer schlief, mitten im nächtlichen Treiben der Ratten, ohne je einem Menschen von dem gräßlichen Eindruck zu erzählen, sich in der Dunkelheit angestarrt zu fühlen und zu spüren, daß eine Viper über ihren Bauch glitt. Sie wußte, daß, hätte sie es Ursula erzählt, diese ihr das eigene Bett angeboten hätte, doch das war in einer Zeit geschehen, wo niemand auch nur das geringste wahrnahm, solange man es nicht in der Veranda laut herausschrie, weil die viele Arbeit in der Bäckerei, die Wirren des Krieges, die Sorge um die Kinder niemandem Zeit übrigließen, an das Glück anderer zu denken. Petra Cotes, die sie nie sah, war die einzige, die sich ihrer erinnerte. Sie sorgte dafür, daß sie ein brauchbares Paar Schuhe zum Ausgehen hatte, daß ihr nie ein Kleid fehlte, auch nicht in den Zeiten, als man mit dem Erlös der Verlosungen Wunder wirken mußte. Als Fernanda ins Haus kam, hatte sie allen Grund anzunehmen, sie hätte es mit einer ewigen Dienerin zu tun, und wenn sie auch mehrmals sagte, jene sei die Mutter ihres Gatten, kam ihr das so unglaublich vor, daß sie länger brauchte, es zu begreifen, als es zu vergessen. Santa Sofía von der Frömmigkeit schien sich an ihrer untergeordneten Stellung nie zu stoßen. Sie erweckte im Gegenteil den Eindruck, als habe sie Freude daran, ohne Unterlaß, ohne ein Wort der Klage alle Winkel des Hauses zu durchstöbern und das riesige Anwesen sauber und ordentlich zu halten, das Haus, in dem sie seit ihrer Jugend gewohnt hatte und das zumal in den Zeiten der Bananengesellschaft mehr einer Kaserne als einem Heim geglichen hatte. Doch als Ursula starb, begannen Santa Sofías von der Frömmigkeit übermenschlicher Fleiß und ihre ungeheuerliche Arbeitskraft zu schwinden. Nicht nur, weil sie alt und erschöpft war, auch das Haus verfiel von einem Abend auf den nächsten Morgen der Altersschwäche. Zartes Moos kroch an den Wänden hoch. Als es schon keine glatte Fläche mehr im Innenhof gab, durchbrach Gestrüpp von unten den Zementfußboden der Veranda, splitterte ihn wie Glas, und durch die Ritzen drangen die gleichen gelben Blümchen, die Ursula fast ein Jahrhundert zuvor in dem Gefäß gefunden hatte, in dem Melchíades künstliches Gebiß aufbewahrt gewesen war. Ohne über die Zeit und die Hilfsmittel zu verfügen, um das Ungestüm der Natur zu bremsen, verbrachte Santa Sofía von der Frömmigkeit ihren Tag in den Schlafzimmern, wo sie die Eidechsen verscheuchte, die bei Einbruch der Nacht immer wiederkamen. Eines Morgens beobachtete sie, wie die bunten Ameisen aus den unterminierten Fundamenten krochen, den Garten durcheilten, die Balustrade erklommen, wo die Begonien die Farbe der Erde angenommen hatten, und bis ins tiefe Innere des Hauses vordrangen. Anfangs suchte sie sie mit einem Besen totzuschlagen, dann mit Insektenpulver und schließlich mit Kalk zu vertilgen, doch am nächsten Tag waren sie wieder an Ort und Stelle und zogen ihres Wegs, beharrlich, unbezwinglich. Fernanda, die Briefe über Briefe an ihre Kinder schrieb, nahm den unaufhaltsamen Ansturm der Zerstörung nicht wahr. Santa Sofía von der Frömmigkeit kämpfte allein weiter, versuchte dem Unkraut den Zugang zur Küche zu verwehren, riß die Büschel von Spinnweben, die in wenigen Stunden wieder da waren, von den Wänden und schabte die Termitengänge ab. Doch als sie sah, daß auch Melchíades' Kammer sich mit Staub und Spinnweben überzog, wenngleich sie sie dreimal am Tag fegte und abstaubte, und daß sie trotz ihres Putzfimmels von Ruin und Elendsluft bedroht war, die nur Oberst Aureliano Buendía und der junge Soldat vorausgesehen hatten, gab sie sich geschlagen. Nun zog sie ihren abgetragenen Sonntagsstaat an, ein Paar alte Schuhe Ursulas und Baumwollstrümpfe, ein Geschenk Amaranta Ursulas, und packte die zwei oder drei Kleidungsstücke, die ihr zum Wechseln geblieben waren, zu einem Bündel zusammen.

»Ich gebe auf«, sagte sie zu Aureliano. »Zu viel Hausarbeit für so armselige Knochen.«

Aureliano fragte sie, wohin sie gehe, worauf sie eine vage Geste beschrieb, als habe sie nicht die geringste Vorstellung von ihrem Schicksal. Trotzdem versuchte sie ihm klarzumachen, daß sie ihre letzten Jahre bei einer Kusine väterlicherseits in Riohacha zu verbringen gedenke. Das war keine einleuchtende Erklärung. Seit dem Tod ihrer Eltern hatte sie mit keinem einzigen Dorfbewohner in Verbindung gestanden, sie hatte weder Briefe noch Botschaften empfangen, auch hatte man sie nie von Verwandten reden hören. Aureliano schenkte ihr vierzehn goldene Fischchen, da sie dabei war, mit ihrem einzigen Besitz abzuziehen: mit einem Peso und fünfundzwanzig Centavos. Von seinem Zimmerfenster aus sah er sie mit ihrem Wäschebündel durch den Innenhof gehen, die Füße nachziehend, von den Jahren gebeugt, dann sah er sie die Hand durch ein Loch des soeben durchschrittenen Portals strecken, um den Sicherheitsriegel wieder vorzuschieben. Kein Mensch hörte je wieder von ihr.

Als sie von ihrer Flucht erfuhr, zeterte Fernanda den ganzen Tag, während sie Truhen, Kommoden und Schränke, ein Stück nach dem anderen durchwühlte, um sich zu überzeugen, daß Santa Sofía von der Frömmigkeit nichts mitgenommen hatte. Sie verbrannte sich die Finger bei dem Versuch, zum ersten Male in ihrem Leben Feuer zu machen, und mußte Aureliano um den Gefallen bitten, ihr das Kaffeekochen beizubringen. Mit der Zeit übernahm er denn auch den Küchendienst. So fand Fernanda beim Aufstehen das Frühstück fertig zubereitet und verließ ihr Schlafzimmer erst wieder, um sich ihr Essen abzuholen, das Aureliano für sie auf kleinem Feuer warm hielt und das sie am Kopfende des mit einem Leinentischtuch und Kandelabern geschmückten Eßzimmertischs mutterseelenallein vor fünfzehn leeren Stühlen verzehrte. Auch unter diesen Umständen teilten Fernanda und Aureliano nicht die Einsamkeit, vielmehr lebte ein jeder seine eigene Einsamkeit, ein jeder machte sein eigenes

Zimmer, während die Spinnennetze die Rosensträucher mit Schnee bedeckten, die Balken überspannten und die Wände polsterten. In jener Zeit gewann Fernanda den Eindruck, als fülle sich das Haus mit Gespenstern. Es war, als hätten die Gegenstände, vor allem die des täglichen Gebrauchs, die Fähigkeit entwickelt, aus eigener Kraft den Standort zu wechseln. So verging Fernanda die Zeit damit, daß sie die Schere suchen mußte, von der sie felsenfest überzeugt war, daß sie sie aufs Bett gelegt hatte, und nachdem sie alles auf den Kopf gestellt hatte, fand sie sie auf einem Bord der Küche, die sie in den letzten vier Tagen nicht betreten zu haben vermeint hatte. Plötzlich lag keine Gabel mehr in der Besteckschublade, und schon fand sie sechs auf dem Altar und drei in der Waschküche. Dieser Stand der Dinge wurde noch beklemmender, wenn sie sich zum Schreiben hinsetzte. Dann tauchte das Tintenfaß, das sie stets rechts stehen hatte, links auf, das Löschpapier, das plötzlich verschwunden war, fand sie zwei Tage später unter ihrem Kopfkissen wieder, und die an José Arcadio geschriebenen Briefbögen mischten sich unter die für Amaranta Ursula bestimmten; auch war sie stets von der Vorstellung geplagt, sie habe die Briefe in die verkehrten Umschläge gesteckt, was denn auch mehrmals vorkam. Einmal verlor sie ihre Schreibfeder. Vierzehn Tage später gab der Briefträger, der sie in seiner Tasche gefunden hatte und ihren Eigentümer von Haus zu Haus suchte, sie ihr zurück. Anfangs glaubte sie, daß die unsichtbaren Ärzte dahinter steckten wie seinerzeit hinter den verschwundenen Pessaren, so daß sie diese sogar in einem Brief bat, sie doch in Ruhe zu lassen; sie mußte jedoch diesen Brief unterbrechen, und als sie in ihr Zimmer zurückkehrte, fand sie den Brief nicht nur nicht wieder, sondern hatte auch ihren Vorsatz, ihn zu schreiben, völlig vergessen. Eine Zeitlang dachte sie, Aureliano sei der Anstifter. Daher begann sie ihn zu beobachten und legte ihm Gegenstände in den Weg, um ihn in dem Augenblick zu ertappen, wo er sie anderswohin legte; jedoch sehr bald kam sie zu der Überzeugung, daß Aureliano Melchíades' Kammer nur noch verließ, um in die Küche oder aufs Klosett zu gehen und überdies kein Mensch für Scherze war. Daher hielt sie das Ganze schließlich für Gespensterstreiche und beschloß, jedes Ding an seinen Gebrauchsort zu bannen. So band sie die Schere mit einer langen Hanfschnur am Kopfende ihres Bettes fest. Sie band den Federhalter und das Löschblatt ans Tischbein und klebte das Tintenfaß rechterhand auf den Tisch. Doch das Problem ließ sich nicht von einem Tag auf den anderen beheben, denn nach wenigen Stunden des Nähens war die Scherenschnur nicht mehr lang genug zum Schneiden, als hätten die Gespenster sie verkürzt. Das gleiche geschah mit der Feder, ja mit ihrem eigenen Arm, der nach kurzem Schreiben nicht mehr bis zum Tintenfaß reichte. Weder Amaranta Ursula in Brüssel noch José Arcadio in Rom erfuhren jemals von diesen belanglosen Mißgeschicken. Fernanda berichtete ihnen, sie sei glücklich, und sie war es auch, eben weil sie sich frei fühlte von jeder Pflicht, als habe das Leben sie von neuem in die Welt ihrer Eltern verpflanzt, wo sie nicht unter Alltagssorgen litt, da diese von vornherein in der Einbildungskraft verscheucht waren. Ihr unablässiger Briefwechsel ließ sie jeden Zeitbegriff verlieren. Vor allem seit Santa Sofía von der Frömmigkeit fort war. Sie hatte sich daran gewohnt, die Tage, die Monate und die Jahre zu zählen, wobei sie als Bezugspunkte die für die Rückkehr ihrer Kinder vorgesehenen Daten einsetzte. Doch als diese ihre Rückkehr immer wieder hinausschoben, brachte sie die Daten durcheinander, sie verwechselte die Termine, und ihre Tage glichen einander so sehr, daß sie nicht mehr ihren Ablauf spürte. Doch statt ungeduldig zu werden, fand sie großen Gefallen an den Verzögerungen. Es beunruhigte sie nicht, daß viele Jahre, nachdem er ihr verkündet hatte, er stehe am Vorabend seiner

Ordinierung, José Arcadio noch immer behauptete, er hoffe sein Theologiestudium zu beenden, um anschließend Diplomatie zu studieren, denn sie begriff, daß die Wendeltreppe, die zu Sankt Peters Stuhl führt, hoch und hindernisreich sein müsse. Dagegen geriet ihr Gemüt in Wallung bei Nachrichten, die für andere belanglos gewesen wären, wie bei der, ihr Sohn habe den Papst gesehen. Sie freute sich ebenso, als Amaranta Ursula ihr mitteilte, ihre Studien zögen sich länger als vorgesehen hinaus, weil ihre ausgezeichneten Prüfungsergebnisse ihr Vorrechte einbrächten, die ihr Vater in seinen Berechnungen nicht berücksichtigt hatte.

Als es Aureliano gelang, das erste Pergament zu übersetzen, waren über drei Jahre verflossen, seit Santa Sofía von der Frömmigkeit ihm die Grammatik gebracht hatte. Zwar war es keine unnütze Arbeit, sie stellte indes nur den ersten Schritt auf einem Weg dar, dessen Länge nicht abzusehen war, weil der spanische Wortlaut nichts bedeutete: es waren chiffrierte Verse. Aureliano fehlten alle Elemente zur Entschlüsselung der Texte, doch da Melchíades ihm gesagt hatte, daß die Bücher zur Enträtselung der Pergamente im Laden des katalanischen Weisen zu finden seien, beschloß er, Fernanda um Erlaubnis zu bitten, sie zu holen. In seinem Zimmer, das von dem Schutt, dessen unaufhaltsamer Vormarsch ihn schließlich bezwungen hatte, fast zerstört war, dachte er über die geeignete Form nach, in der er sein Anliegen vorbringen werde, sah Umstände voraus, überlegte die beste Gelegenheit, doch als er Fernanda traf, wie sie ihr Mittagessen vom Herd holte, was die einzige Möglichkeit zu einem Zwiegespräch war, verhedderte er sich in seiner so sorgfältig ausgearbeiteten Bitte, und seine Stimme versagte ihren Dienst. Nun belauerte er sie in ihrem Schlafzimmer. Er belauschte sie, wenn sie zur Tür ging, um die Briefe ihrer Kinder in Empfang zu nehmen und die ihren dem Briefträger auszuhändigen, und hörte bis tief in die

Nacht den harten, leidenschaftlichen Strich ihrer Feder auf dem Papier, bis er das Geräusch des Lichtschalters vernahm und das Gemurmel ihrer Gebete in der Dunkelheit. Erst dann schlief er ein, darauf vertrauend, daß der folgende Tag ihm die erhoffte Gelegenheit schenken werde. Er lebte dermaßen von der Illusion, die Erlaubnis könne ihm verweigert werden, daß er sich eines Morgens das schon auf die Schultern herabfallende Haar schnitt, sich seinen verfilzten Bart abrasierte, ein Paar enge Hosen anzog und dazu ein Hemd mit aufsetzbarem Kragen, das er von Gott weiß wem geerbt hatte, und in der Küche wartete, daß Fernanda zum Frühstück käme. Es kam aber nicht die Frau aller Tage, jene mit erhobenem Haupt und versteinertem Gang, sondern eine Greisin von übernatürlicher Schönheit mit einem vergilbten Hermelincape, einer vergoldeten Kartonkrone und dem schmachtenden Gebaren eines Menschen, der heimlich geweint hat. In der Tat hatte Fernanda, seit sie das mottenzerfressene Königinkostüm in Aureliano Segundos Truhen gefunden hatte, es immer wieder angelegt. Wer sie, berauscht von ihren monarchischen Gebärden, vor ihrem Spiegel gesehen hätte, würde sie für verrückt gehalten haben. Aber sie war es nicht. Sie hatte nur den königlichen Prunk zu einer Erinnerungsmaschine gemacht. Das erste Mal, als sie ihn anlegte, konnte sie nicht verhindern, daß sich ihr Herz verkrampfte, daß sich ihre Augen mit Tränen füllten, denn in diesem Augenblick spürte sie wieder den Geruch der frisch gewichsten Schaftstiefel des Soldaten, der sie aus ihrem Haus holte, um sie zur Königin zu krönen, und ihre Seele versteinerte sich aus Sehnsucht nach ihren verlorenen Träumen. Sie fühlte sich so alt, so vernichtet, so fern von den besten Stunden ihres Lebens, daß sie sogar die herbeisehnte, deren sie sich als der schlimmsten erinnerte, und erst jetzt entdeckte sie, wie sehr ihr die Oreganodüfte der Veranda fehlten, der Hauch der Rosensträucher gegen Abend, ja das derbe Benehmen der ausländischen Besucher. Ihr veraschtes Herz, das ohne zu wanken den gezieltesten Schlägen der Alltagswirklichkeit widerstanden hatte, erlag dem ersten Ansturm der Sehnsucht. Die Notwendigkeit, Trauer zu fühlen, wurde für sie zu einem desto größeren Laster, je schlimmer die Jahre sie verwüsteten. Immerhin machte die Einsamkeit sie menschlicher. Als sie aber eines Morgens in die Küche trat und ein knochiger, bleicher Jüngling mit wirr funkelnden Augen ihr eine Tasse Kaffee anbot, fühlte sie sich von Lächerlichkeit gepeinigt. So verweigerte sie ihm nicht nur die Erlaubnis, sondern verwahrte auch noch die Hausschlüssel in der Tasche, in der sie die unbenutzten Pessare versteckt hielt. Das war eine überflüssige Vorsichtsmaßnahme, denn hätte er es gewünscht, Aureliano hätte beliebig ungesehen aus dem Hause schlüpfen und wieder hereinschleichen können. Doch die ausgedehnte Gefangenschaft, die Unsicherheit, die Gewohnheit zu gehorchen, hatten in seinem Herzen die Saat des Aufruhrs verdorrren lassen. So kehrte er denn in seine Klausur zurück, las und überlas die Pergamente und hörte bis in die tiefe Nacht hinein Fernandas Schluchzen. Eines Morgens entfachte er wie gewöhnlich den Herd und fand in der erloschenen Glut das Essen, das er am vorhergehenden Tag für sie bereitgestellt hatte. Nun ging er in ihr Schlafzimmer und sah sie auf dem Bett ausgestreckt, mit dem Hermelincape zugedeckt, schöner denn je, mit einer zu einer Elfenbeinschale verwandelten Haut.

Als José Arcadio vier Monate später zurückkehrte, fand er sie unversehrt vor.

Ein seiner Mutter ähnlicherer Mensch war undenkbar. Er trug einen Anzug aus Trauertaft, ein Hemd mit rundem, gestärktem Kragen und statt der Krawatte ein schmales, zu einer Schleife geschlungenes Seidenband. Er war aschfahl, schmachtend, hatte einen ratlosen Blick und weichliche Lippen. Das in der Mitte des Schädels durch eine gerade, blutleere Linie gescheitelte schwarze, glänzende, glatte Haar hatte das gleiche künstliche Aussehen wie das Haar der Heiligen. Der Schatten seines gutrasierten Bartes in dem Paraffingesicht schien eine Gewissensfrage zu sein. Er hatte bleiche, grüngeäderte Hände mit Schmarotzerfingern und trug am linken Zeigefinger einen mit einem runden Opal geschmückten Ring aus massivem Gold. Als er die Haustüre öffnete, hätte Aureliano nicht zu raten brauchen, wer es war, um zu merken, daß er von weither kam. Wo er durchs Haus schritt, blieb ein Duft von Blumenwasser in der Luft hängen, das Ursula ihm als Kind stets auf den Kopf geträufelt hatte, um ihn in ihrer Finsternis finden zu können. Auf eine schwer erklärliche Weise war José Arcadio nach so vielen Jahren des Fortseins noch immer ein furchtbar trauriges und einsames Herbstkind. Er ging unmittelbar ins Schlafzimmer seiner Mutter, wo Aureliano vier Monate lang in der Brunnenröhre seines Großvaters Quecksilber verdampft hatte, um den Leichnam nach Melchíades' Formel zu konservieren. José Arcadio stellte keine Fragen. Er drückte einen Kuß auf die Stirn der Leiche und zog unter dem Saum ihres Rocks die Täschchen hervor, in dem sich die drei unbenutzten Pessare und der Kleiderschrankschlüssel befanden. All das tat er mit unmittelbarer, entschlossener Gebärde, die ganz im Gegensatz stand zu seinem schleppenden Gang. Aus dem Kleiderschrank holte er ein damasziertes, mit dem Familienwappen verziertes Kästchen und fand in dem nach Sandelholz duftenden Innern den umfangreichen Brief, in dem Fernanda ihr Herz von den ihm verheimlichten unzählbaren Wahrheiten entlastet hatte. Er las ihn stehend, begierig, jedoch ohne Ungeduld, aber auf der dritten Seite hielt er inne und musterte Aureliano, als erkenne er ihn erst jetzt.

»Nun«, sagte er mit einer Stimme, scharf wie ein Rasiermesser, »du bist also ein Bastard.«

»Ich bin Aureliano Buendía.«

»Geh in dein Zimmer«, sagte José Arcadio.

Aureliano ging und kam nicht einmal aus Neugierde wieder heraus, als er die Geräusche des einsamen Begräbnisses vernahm. Mitunter sah er von der Küche aus José Arcadio mit seinem keuchenden Atem, der ihn fast erstickte, durchs Haus wandern und lauschte seinen durch die zerfallenen Schlafzimmer schleichenden Schritten, wenn Mitternacht vorüber war. Viele Monate hindurch hörte er keinen Ton seiner Stimme und nicht nur, weil José Arcadio nicht das Wort an ihn richtete, sondern weil er erstens keine Lust zum Sprechen verspürte und zweitens an nichts anderes denken konnte als an die Pergamente. Bei Fernandas Tod hatte er das vorletzte Fischchen hervorgeholt und war in die Buchhandlung des katalanischen Weisen gegangen, um die ihm noch fehlenden Bücher zu suchen. Nichts, was er unterwegs sah, ging ihn an, vielleicht weil ihm zu Vergleichen Erinnerungen fehlten. Auch waren die verlassenen Straßen und die verödeten Häuser genau so, wie er sie sich in einer Zeit vorgestellt hatte, als er seine Seele hingegeben hätte, um sie kennenzulernen. Er hatte sich selbst die ihm von Fernanda verweigerte Erlaubnis erteilt, und nur einmal, mit einem einzigen Ziel, legte er so rasch wie möglich und ohne anzuhalten die elf Blocks zurück, die sein Haus von dem Gäßchen trennte, wo Träume gedeutet wurden, und trat atemlos in das vollgestopfte düstere Gewölbe, in dem man sich kaum umdrehen konnte. Der Ort glich weniger einer Buchhandlung als einem Müllhaufen alter Bücher, wahllos auf termitenzerfressene Wandborde aufgereiht, in spinnwebüberzogenen Ecken aufgehäuft und sogar in den für die Besucher vorgesehenen Gängen gestapelt. Auf einem mächtigen, gleichfalls von gewaltigen Wälzern beladenen Tisch schrieb der Inhaber unermüdlich in maulbeerfarbener, taumeliger Handschrift auf lose Schulheftblätter. Er hatte eine wundervolle Silbermähne, die ihm wie der Federbusch eines Kakadus in die Stirn hing, und seine blauen, lebhaften und engstehenden Augen offenbarten die Gefügigkeit eines Menschen, der alles gelesen hat. Er war in Unterhosen, schweißbedeckt, und sein Blick wich nicht von seiner Schrift, um zu sehen, wer gekommen war. Aureliano hatte keine Schwierigkeiten, aus all dem fabelhaften Durcheinander die fünf Bücher zu fischen, die er suchte, da sie genau an der von Melchíades bezeichneten Stelle lagen. Ohne ein Wort überreichte er sie mitsamt dem goldenen Fischchen dem katalanischen Weisen, und dieser prüfte sie, und seine Brauen zogen sich wie Miesmuscheln zusammen. »Du mußt verrückt sein«, sagte er achselzuckend in seiner Sprache und gab Aureliano die fünf Bücher mitsamt dem Fischchen zurück.

»Nimm sie mit«, sagte er auf spanisch. »Der letzte Mensch, der diese Bücher gelesen hat, dürfte Isaak der Blinde gewesen sein. Drum überleg dir, was du tust.«

José Arcadio richtete Memes Schlafzimmer wieder her, ließ die Samtvorhänge und den Damastbaldachin des vizeköniglichen Betts ausbessern und setzte das verwahrloste Bad, dessen Zementzisterne von einer zähen, faserigen Schicht verdunkelt war, wieder instand. Auf diese beiden Räume beschränkte sich sein Talmireich aus verschlissenem exotischem Plunder, falschen Parfüms und billigem Straß. Das einzige, was ihn im restlichen Haus zu stören schien, waren die Heiligen des Hausaltars, die er eines Nachmittags auf einem Reisigfeuer im Innenhof zu Asche verbrannte. Er schlief bis nach elf Uhr, dann ging er in einem mit goldenen Drachen geschmückten zerfetzten Hemd und in mit gelben Pompons verzierten Pantoffeln ins Bad, und dort hielt er einen Ritus ab, der in seiner ängstlichen Genauigkeit und Dauer an den von Remedios der Schönen erinnerte. Bevor er ins Bad stieg, aromatisierte er die Wanne mit Salzen, die er in drei Alabasterflakons mitgebracht hatte. Er nahm keine Waschungen mit dem Totumakürbis vor, sondern tauchte in dem duftenden Wasser unter und, eingeschläfert von der

Kühle und von der Erinnerung an Amaranta, ruhte er darin bis zu zwei Stunden auf dem Rücken. Wenige Tage nach seiner Ankunft legte er den Taftanzug – der einzige und überdies für das Dorf zu heiße Anzug, den er besaß – ab und vertauschte ihn mit enganliegenden, ähnlich den von Pietro Crespi im Tanzunterricht getragenen Hosen und einem aus lebenden Seidenraupen gewirkten Hemd mit seinen Initialen auf dem Herzen. Zweimal in der Woche wusch er seine gesamte Garderobe in der Zisternenwanne und blieb im Hemd, bis sie trocknete, weil er sonst nichts anzuziehen hatte. Er aß nie zu Hause, sondern ging aus, sobald die Nachmittagshitze nachließ, und kehrte erst nach Einbruch der Nacht zurück. Dann setzte er seine verängstigten Wanderungen fort, keuchte wie ein Kater und dachte an Amaranta. Sie und der entsetzte Blick der Heiligen im Schimmer des Nachtlämpchens waren die einzigen Erinnerungen, die er vom Haus bewahrte. Manches Mal in dem beklemmenden römischen August hatte er mitten im Traum die Augen geöffnet und Amaranta, idealisiert von der Bedrängnis der Verbannung, in ihren Spitzenröcken und mit ihrer verbundenen Hand aus einem feingeäderten Marmorbecken auftauchen sehen. Im Gegensatz zu Aureliano José, der jenes Bild im blutigen Morast des Krieges tunlichst erstickt hatte, hatte er es in einem Moor der Lüsternheit wachzuhalten gesucht, während er seine Mutter mit dem endlosen Schwindel der Berufung zum Papststuhl in Atem hielt. Weder ihm noch Fernanda war je aufgegangen, daß ihr Briefwechsel ein Austausch von Phantastereien gewesen war. José Arcadio, der das Seminar gleich nach seiner Ankunft in Rom verlassen hatte, nährte das Märchen von Theologie und kanonischem Recht weiter, um die in den schwärmerischen Briefen seiner Mutter erwähnte fabelhafte Erbschaft nicht zu gefährden, denn diese sollte ihn aus dem Elend und dem Schmutz erretten, den er mit zwei Freunden in einer Dachstube von Trastevere teilte. Als er Fernandas von der Vorahnung des drohenden Todes diktierten letzten Brief erhielt, packte er die verbliebenen Reste seiner falschen Pracht in einen Handkoffer und überquerte den Ozean in einem Schiffsraum, in dem die wie Schlachtvieh zusammengedrängten Auswanderer sich von kalten Makkaroni und wurmstichigem Käse ernährten. Bevor er Fernandas Testament las, das nichts war als eine eingehende, verspätete Aufzählung von Mißgeschicken, hatten die auseinandergefallenen Möbelstücke und das in der Veranda sprießende Unkraut ihm bedeutet, daß er in eine unentrinnbare Falle geraten und für immer aus dem diamantenen Licht und der unausdenklichen Luft des römischen Frühlings verbannt war. In seiner asthmazermürbten Schlaflosigkeit maß und maß er die Tiefe seines Unglücks, während er unablässig durch das düstere Haus wanderte, in dem Ursulas Schreie der Altersangst ihm die Weltangst eingeimpft hatten. Um sicherzugehen, daß sie ihn nicht in der Finsternis verlieren würde, hatte sie ihm einen Winkel des Schlafzimmers angewiesen, das einzige, in dem man vor den Toten sicher war, die von der Abenddämmerung an durchs Haus geisterten. »Alles Böse, was du tust«, sagte Ursula zu ihm, »sagen mir die Heiligen.« Die Angstnächte seiner Kinderzeit, sie beschränkten sich auf diesen Winkel, in dem er unter dem wachsamen, eisigen Blick der lauernden Heiligen vor Beklommenheit schwitzend bis zum Schlafengehen regungslos auf seinem Hokker saß. Das war eine überflüssige Folter, weil er schon zu jener Zeit vor allem, was ihn umgab, Entsetzen empfand und nur allzu bereitwillig vor allem erschrak, was ihm ihm Leben begegnete: Frauen der Straße, die einem das Blut verdarben; die Frauen des Hauses, die Söhne mit Schweineschwänzen zur Welt brachten; die Kampfhähne, die den Tod von Männern und Gewissensbisse für den Rest des Lebens hervorriefen; die Feuerwaffen, deren Berührung schon zu zwanzig Jahren Krieg verurteilte; die fehlgeschlagenen Unternehmungen, die nur zu Enttäuschung und Wahnsinn führten, und schließlich alles, was Gott in seiner unendlichen Güte erschaffen und was der Teufel verdorben hatte. Wenn er, von der Drehbank der Alpträume zermalmt, erwachte, befreiten ihn die Helligkeit des Fensters, die Liebkosungen Amarantas im Bad sowie die prickelnde Seidenquaste, mit der sie ihn zwischen den Beinen puderte, von allen Schrecken. Sogar Ursula wirkte anders in dem strahlenden Gartenlicht, weil sie ihm dort nicht von Dingen des Grauens sprach, sondern ihm die Zähne mit Kohlenstaub putzte, damit er das strahlende Lächeln eines Papstes bekäme, ihm die Nägel schnitt und polierte, damit die aus dem ganzen Erdkreis nach Rom wandernden Pilger über die Schönheit der päpstlichen Hände staunten, wenn er ihnen den apostolischen Segen gab, und ihn wie einen Papst kämmte und ihn mit Blumenwasser beträufelte, damit sein Körper und seine Kleider den Duft eines Papstes bekämen. Im Innenhof von Castelgandolfo hatte er den Papst auf einem Balkon gesehen, wie er vor einer Pilgerschar dieselbe Rede in sieben Sprachen hielt, und das einzige, was ihm tatsächlich auffiel, war das Weiß seiner Hände, die in Lauge gebeizt schienen, der betörende Glanz seiner Sommergewänder und sein verborgener Kölnischwasseratem.

Fast ein Jahr nach seiner Rückkehr ins Haus, als er, nur um essen zu können, bereits die silbernen Kandelaber und den wappengeschmückten Nachttopf verkauft hatte, bei dem in der Stunde der Wahrheit nur die eingelegte Wappenzier aus Gold war, bestand José Arcadios einziger Zeitvertreib darin, Kinder im Dorf einzusammeln und sie zum Spielen mit nach Hause zu nehmen. Er erschien mit ihnen während des mittäglichen Schlummerstündchens, ließ sie im Garten Seil hüpfen, in der Veranda singen und auf den Eßzimmermöbeln Kletterkunststücke vorführen, während er zwischen den Gruppen umherging und Anstandsunterricht erteilte. Zu jener Zeit hatte er die engen Hosen und das Seidenhemd abgelegt und trug nun in Araberläden erstandenes gewöhnliches Zeug, ohne jedoch seine schmachtende Würde und sein päpstliches Gebaren aufgegeben zu haben. Die Kinder beschlagnahmten das Haus so, wie es Memes Schulkameradinnen in der Vergangenheit getan hatten. Noch nach Einbruch der Nacht hörte man sie umherrennen und singen und stepptanzen, so daß das Haus einem disziplinlosen Internat glich. Aureliano kümmerte sich nicht um die Invasion, solange sie ihn in Melchíades' Kammer nicht störte. Eines Morgens stießen zwei Kinder die Türe auf und erschraken über den Anblick des schmierigen, bärtigen Menschen, der an seinem Arbeitstisch unablässig Pergamente entzifferte. Zwar wagten sie nicht einzutreten, umschlichen aber weiterhin die Behausung. Tuschelnd spähten sie durch die Spalten, warfen lebende Tiere durchs Oberlicht und nagelten sogar einmal von außen Tür und Fenster zu, so daß Aureliano einen halben Tag brauchte, um sie von innen aufzuzwingen. Übermütig geworden von ihrem ungestraften Treiben, drangen eines neuen Morgens vier Kinder in die Kammer ein, während Aureliano in der Küche war, entschlossen, die Pergamente zu vernichten. Doch sobald sie sich der vergilbten Blätter bemächtigt hatten, hob Engelskraft sie vom Boden auf und hielt sie schwebend in der Luft, bis Aureliano zurückkehrte und ihnen die Pergamente entriß. Fortan störten sie ihn nicht mehr.

Die vier größeren Knaben, die trotz ihres fortgeschrittenen Alters noch kurze Hosen trugen, sorgten für José Arcadios persönliches Wohlergehen. Sie kamen früher als die anderen und nutzten den Vormittag, ihn zu rasieren, ihn mit heißen Tüchern zu massieren, ihm Finger- und Fußnägel zu beschneiden und ihn mit Blumenwasser zu parfümieren. Bei mehreren Gelegenheiten stellten sie sich in die Badezisterne, um ihn von Kopf bis Fuß einzuseifen, während er halb auf dem Rücken schwamm und an

Amaranta dachte. Dann trockneten sie ihn ab, puderten seinen Körper und zogen ihn an. Einer der Jungen mit einem blonden Wuschelkopf und rosafarbenen Kaninchenaugen übernachtete dann meistens im Haus. Er war José Arcadio so eng verbunden, daß er dessen asthmatische Schlaflosigkeit teilte und wortlos mit ihm durch das finstere Haus wanderte. Eines Nachts sahen sie in Ursulas einstigem Akoven einen gelblichen Glanz durch den zu Kristall gewordenen Zementfußboden, als habe eine unterirdische Sonne den Schlafzimmerboden in Glas verwandelt. Sie brauchten kein Licht zu machen. Sie brauchten nur die zerbrochenen Platten des Winkels, in dem Ursulas Bett gestanden hatte und wo der Glanz am stärksten war, aufzuheben, um die geheime Krypta zu finden, nach der Aureliano Segundo in seinem Ausgrabungswahn bis zur Erschöpfung gefahndet hatte. Dort lagen die drei mit Kupferdraht verschlossenen Segeltuchsäcke und darin die siebentausendzweihundertundvierzehn Dublonen in Viererreihen, die in der Dunkelheit wie Glut leuchteten.

Der Fund des Schatzes wirkte wie eine Feuersbrunst. Statt dem im Elend gereiften Traum gemäß mit dem ungeahnten Vermögen nach Rom zurückzukehren, verwandelte José Arcadio das Haus in ein dekadentes Paradies. Er ließ die alten Samtvorhänge und den alten Schlafzimmerbaldachin erneuern und das Bad mit Boden- und Wandfliesen auslegen. Die Kredenz des Eßzimmers füllte sich mit kandierten Früchten, mit Schinken und Mixed Pickles, und die leerstehende Speicherkammer diente wieder dazu, Weine und Liköre aufzunehmen, die José Arcadio in zahlreichen, mit seinem Namen beschrifteten Kisten vom Bahnhof abholte. Eines Abends veranstalteten er und die vier älteren Knaben ein Fest, das sich bis in die Morgenstunden hinzog. Um sechs Uhr in der Frühe kamen sie nackt aus dem Schlafzimmer, ließen die Zisterne ablaufen und füllten sie mit Champagner. Sie tauchten

im Chor unter und schwammen darin wie Vögel, die in
einem sprudelnd-duftenden Goldhimmel umherflattern,
während José Arcadio am Rande der Festlichkeit auf dem
Rücken schwamm und sich mit offenen Augen Amaranta
zurückrief. So verharrte er in sich gekehrt und käute die
Bitternis seiner fragwürdigen Freuden wieder, bis die
müde gewordenen Knaben sich im Rudel ins Schlafzim-
mer verfügten, wo sie die Samtvorhänge herunterrissen,
um sich darin abzutrocknen, frohlockend den Spiegel aus
Bergkristall zersplitterten und im Bemühen, sich mög-
lichst ungestüm schlafen zu legen, den Baldachin in Stük-
ke schlugen. Als José Arcadio aus dem Badezimmer zu-
rückkehrte, fand er sie nackt durcheinander liegend im
verwüsteten Alkoven schlafen. Weniger aufgebracht
über den angerichteten Schaden als über das Selbstmit-
leid und den Selbstekel, die ihn in der trostlosen Leere
der Saturnalien befielen, bewaffnete er sich mit etlichen
Geißeln eines hündischen Kirchenvogts, die er in der
Tiefe seiner Truhe verwahrte, außerdem mit einem Bü-
ßerhemd und anderen Züchtigungs- und Kasteiungs-
werkzeugen, trieb die Jungen aus dem Haus, brüllte wie
ein Wahnsinniger und peitschte sie erbarmungsloser, als
er es mit einem Rudel Kojoten getan hätte. Vernichtet
blieb er auf der Strecke, überdies hart mitgenommen
von einem Asthmaanfall, der sich mehrere Tage hinzog
und ihm das Aussehen eines Todkranken verlieh. In der
dritten Marternacht schleppte er sich halb erstickt in
Aurelianos Zimmer und bat ihn, ihm doch in der näch-
sten Apotheke Pulver zum Inhalieren zu besorgen. So
kam es zu Aurelianos zweitem Ausgang. Er brauchte
nur zwei Blocks weit zu gehen, um zu der kleinen Apo-
theke mit ihren staubigen Schaufenstern und lateinbe-
schrifteten Porzellanflakons zu gelangen, wo ein junges
Mädchen mit der schweigsamen Schönheit einer Schlange
vom Nil das Medikament mischte, das José Arcadio ihm
auf einen Zettel geschrieben hatte. Der zweite Anblick

des verlassenen, nur von den trüben Straßenlampen beleuchteten Dorfs weckte in Aureliano kaum mehr Neugierde als das erste Mal. José Arcadio hatte schon gedacht, er sei geflohen, als er ihn doch wieder auftauchen sah, vor Eile leicht außer Atem und mit schleppenden Beinen, die durch das klösterliche Leben und den Mangel an Bewegung geschwächt und eingerostet waren. Seine Gleichgültigkeit gegen die Welt war so vollkommen, daß José Arcadio wenige Tage darauf sein der Mutter gegebenes Versprechen brach und ihm die Erlaubnis erteilte, beliebig auszugehen.

»Ich habe nichts auf der Straße zu tun«, erwiderte Aureliano.

Er blieb in seiner Klausur, vertieft in die Pergamente, die er zwar nach und nach enträtselte, deren Sinn er indes nicht zu deuten verstand. José Arcadio brachte ihm Schinken in Scheiben, kandierte Blumen, die im Mund einen Frühlingsgeschmack hinterließen, und bei zwei Gelegenheiten ein Glas guten Weins. Er interessierte sich nicht für die Pergamente, die er eher für eine esoterische Beschäftigung hielt, doch fiel ihm die seltene Weisheit und die unerklärliche Weltkenntnis auf, die der vereinsamte Verwandte besaß. Nun erfuhr er, daß er geschriebenes Englisch verstand und zwischen einem Pergament und dem nächsten die sechs Bände der Enzyklopädie von der ersten bis zur letzten Seite wie einen Roman gelesen hatte. Darauf führte er zunächst zurück, daß Aureliano von Rom sprechen konnte, als habe er dort viele Jahre gelebt, doch bald merkte er, daß er Kenntnisse besaß, die keineswegs enzyklopädisch waren, wie etwa Preise von Gegenständen. »Man weiß alles«, war die einzige Antwort, die er von Aureliano erhielt, als er fragte, wie er diese Auskünfte erworben habe. Aureliano seinerseits wunderte sich, daß José Arcadio, nahe besehen, so sehr abstach von dem Bild, das er sich von ihm gemacht hatte, als er ihn durchs Haus wandern sah. Er war imstande zu lächeln, sich dann und wann Sehnsucht nach der Vergangenheit des Hauses zu gestatten und sich um die jämmerliche Verfassung von Melchíades' Kammer Sorgen zu machen. Die Annäherung zwischen den beiden Einsiedlerkrebsen gleichen Geblüts war weit entfernt von Freundschaft, erlaubte ihnen jedoch die unergründliche Einsamkeit zu überwinden, die sie trennte und zugleich verband. Nun konnte José Arcadio auf Aureliano zurückgreifen, um bestimmte häusliche Probleme zu entwirren, die ihn aufbrachten. Aureliano seinerseits konnte sich in die Veranda setzen und dort Amaranta Ursulas Briefe lesen, die mit gleichbleibender Pünktlichkeit eintrafen, und das Bad benutzen, aus dem José Arcadio ihn seit seiner Ankunft vertrieben hatte.

Eines heißen Morgengrauens erwachten beide, aufgestört von heftigem Pochen an der Haustür. Es war ein dunkelhäutiger Greis mit großen, grünen Augen, die seinem Gesicht ein gespenstisches Schillern verliehen, sowie mit einem Aschenkreuz auf der Stirn. Seine zerfetzten Kleider, seine zerrissenen Schuhe, der alte Knappsack, den er als einziges Gepäck auf der Schulter trug, stempelten ihn zum Bettler, doch sein Gebaren war von einer Würde, die im deutlichen Gegensatz zu seinem Aussehen stand. Man brauchte selbst im Dämmer des Wohnzimmers nur einen Blick auf ihn zu werfen, um zu gewahren, daß die geheime Kraft, die ihm Leben lieh, nicht etwa Selbsterhaltungstrieb war, sondern die Gewohnheit der Angst. Es war Aureliano Amador, der einzige Überlebende der siebzehn Söhne des Obersten Aureliano Buendía, der eine Raststätte in seinem langen, gefahrvollen Flüchtlingsdasein suchte. Er gab sich zu erkennen, bat, man möge ihm Obdach gewähren in dem Haus, das er sich in seinen Parianächten als den letzten, ihm im Leben verbliebenen Hafen der Sicherheit ins Gedächtnis gerufen hatte. Doch José Arcadio und Aureliano vermochten sich nicht auf ihn zu besinnen. Im Glauben, einen Landstreicher vor sich zu haben, warfen sie ihn mit Püffen auf die Straße. Und nun erlebten die beiden vor der Tür den letzten Akt eines Dramas, das lange vor José Arcadios geistiger Reife begonnen hatte. Zwei Polizisten, die Aureliano Amador jahrelang verfolgt, die ihn wie Schweißhunde durch die halbe Welt gehetzt hatten, tauchten zwischen den Mandelbäumen des gegenüberliegenden Gehsteigs auf und gaben mit ihren Mausern zwei Schüsse ab, die ihn genau im Aschenkreuz trafen.

In Wirklichkeit wartete José Arcadio seit der Vertreibung der Knaben aus dem Haus auf Nachrichten von einem Überseedampfer, der vor Weihnachten nach Neapel ausgelaufen war. Er hatte nämlich Aureliano von seinem Plan gesprochen, sich ein Geschäft einzurichten, von dem er leben könne, da der Lebensmittelkorb seit Fernandas Beerdigung ausgeblieben war. Doch auch dieser letzte Traum sollte keine Wirklichkeit werden. Denn eines Septembermorgens, nachdem er mit Aureliano Kaffee in der Küche getrunken hatte, beendete José Arcadio gerade sein tägliches Bad, als durch die Spalten der Dachplatten die aus dem Hause gescheuchten vier Jungen einbrachen. Ohne ihm Zeit zur Verteidigung zu lassen, sprangen sie angezogen in die Zisterne, packten ihn am Haar und drückten seinen Kopf unter Wasser, bis das Gesprudel seines Todeskampfes unter der Oberfläche verebbte und der stille bleiche Körper des Thronfolgers in die duftenden Wassertiefen sank. Dann holten sie die drei Säcke mit Gold, deren Versteck nur sie und ihr Opfer kannten. Ihre Aktion war so rasch, methodisch und brutal, daß sie einem militärischen Überfall glich. Der in seiner Kammer eingeschlossene Aureliano merkte nichts. Als er José Arcadio an jenem Nachmittag in der Küche vermißte, suchte er ihn im ganzen Haus und fand ihn in den duftenden Spiegeln der Wanne schwimmen, riesig und gebläht und noch immer an Amaranta denkend. Erst jetzt begriff er, wie sehr er ihn zu lieben begonnen hatte.

Getrieben von Segelwinden, den Gatten an einer um den Hals geschlungenen Seidenschnur führend, kehrte Amaranta Ursula mit den ersten Dezemberengeln zurück. Sie kam ohne Vorankündigung in einem elfenbeinfarbenen Kleid, einem Perlenhalsband, das fast bis zu ihren Knien reichte, Smaragd- und Topasringen an den Fingern, das kurze, glatte Haar in Schwalbenschwänzen um die Ohren gelegt. Der Mann, den sie vor sechs Monaten geheiratet hatte, war ein reifer, schlanker Flame mit dem Aussehen eines Seefahrers. Sie brauchte nur die Tür zum Wohnzimmer aufzustoßen, um zu begreifen, daß ihre Abwesenheit länger und verheerender gewesen war, als sie vermutet hatte.

»Mein Gott«, schrie sie eher fröhlich als bestürzt. »Man sieht, daß hier eine Frau fehlt.«

Das Gepäck fand kaum Platz in der Veranda. Außer Fernandas uralter Truhe, mit der sie ins Internat geschickt worden war, brachte sie zwei Schrankkoffer mit, vier große Handkoffer, ein Futteral für Sonnenschirme, acht Hutschachteln, einen Riesenkäfig mit einem halben Hundert Kanarienvögel und das wie in einem Violoncellokasten tragbare zusammenklappbare Fahrrad ihres Gatten. Nach der langen Reise gönnte sie sich nicht einen Ruhetag. Sie streifte einen abgetragenen Overall über, den ihr Mann neben anderen Monteurkleidern mitgebracht hatte, und setzte eine neue Restauration des Hauses ins Werk. Sie schlug die bunten Ameisen in die Flucht, die die Veranda besetzt hatten, rief die Rosensträucher zu neuem Leben, riß das Unkraut mit der Wurzel aus und säte wieder Farne, Oregano und Begonien in den Töpfen der Balustrade. Sie stellte sich an die Spitze eines Trupps von Schreinern, Schlossern und Maurern, welche die Risse in den Böden flickten, die neue Türen und Fenster in die Angeln hängten, die Möbel erneuerten sowie Mauern und Wände weißten, so daß man drei Monate nach ihrer Ankunft wieder die jugendlich-festliche Luft einatmen konnte, die zur Zeit des Pianolas geweht hatte. Nie hatte man zu jeder Stunde und Gelegenheit im Hause bessere Laune gesehen, nie größere Lust zum Singen und Tanzen, nie eilfertigere Bereitschaft, ausgediente Gegenstände und Gewohnheiten in den Müll zu werfen. Mit einem Besenschwung machte sie Schluß mit den grabseligen Erinnerungen und der Unmenge von Plunder in den Winkeln, und das einzige, was sie aus Dankbarkeit gegen Ursula bewahrte, war Remedios' Daguerreotyp im Wohnzimmer. »Schaut, was für ein Luxus«, schrie sie halbtot vor Lachen. »Eine vierzehnjährige Urgroßmutter!« Als einer der Maurer ihr berichtete, das Haus sei bevölkert mit Gespenstern, und das einzige Mittel, sie zu verscheuchen, sei, die im Haus vergrabenen Schätze zu suchen, erwiderte sie unter Gelächter, sie glaube nicht an männlichen Aberglauben. Sie gab sich so zwanglos, so aufgeweckt, so freimütig und fortgeschritten, daß Aureliano, als er sie auf sich zukommen sah, nicht wußte, wie er sich verhalten sollte. »Was für ein Schreckgespenst!« schrie sie glücklich und breitete die Arme aus. »Schaut, wie groß mein angebeteter Menschenfresser geworden ist!« Bevor er sich wehren konnte, hatte sie eine Platte auf ihr mitgebrachtes Reisegrammophon gelegt und gab sich Mühe, ihm die neuesten Tänze beizubringen. Sie zwang ihn, seine von Oberst Aureliano Buendía geerbten schmutzigen Hosen auszuziehen, schenkte ihm jugendliche Hemden und zweifarbige Schuhe und schubste ihn auf die Straße hinaus, wenn er ihr allzulang in Melchíades' Kammer hockte.

Tätig, genau, unbezähmbar wie Ursula und fast so schön und herausfordernd wie Remedios die Schöne, besaß sie die seltene Gabe, Modisches vorwegzunehmen.

Wenn sie mit der Post die neuesten Schnitte erhielt, dienten diese ihr nur zu der Feststellung, daß sie sich in der Erfindung neuer Modelle, die sie auf Amarantas vorsintflutlicher Handkurbelnähmaschine nähte, nicht getäuscht hatte. Sie war auf alles abonniert, was in Europa an Modejournalen und Zeitschriften der Kunst und Volksmusik herauskam, und brauchte nur einen Blick hineinzuwerfen, um sich davon zu überzeugen, daß es in der Welt so zuging, wie sie es sich vorgestellt hatte. Es war kaum zu begreifen, daß eine so veranlagte Frau in ein von Staub und Hitze geschlagenes Dorf zurückkehrte und dazu noch mit einem Gatten, der begütert genug war, im irgendwo in der Welt zu leben, der sie überdies so vergötterte, daß er sich von ihr an einem Seidenband spazierenführen ließ. Je länger sie übrigens da waren, desto offensichtlicher wurde ihre Absicht, dazubleiben, da sie nur Pläne auf lange Sicht machte und nur Entschlüsse faßte, die auf ein bequemes Leben und ein ruhiges Alter in Macondo abzielten. Der Vogelkäfig bewies, daß es sich nicht um Stegreifprojekte handelte. Eines Briefes ihrer Mutter gedenkend, in dem von der Ausrottung der Vögel die Rede war, hatte sie ihre Rückreise um mehrere Monate verschoben, bis sie ein Schiff gefunden hatte, das auf den Inseln der Seligen anlegte, und dort wählte sie die fünfundzwanzig Pärchen der schönsten Kanarienvögel aus, um Macondos Himmel neu zu bevölkern. Das sollte die beklagenswerteste ihrer zahlreichen gescheiterten Unternehmungen werden. Je mehr die Vögel sich vermehrten, desto häufiger ließ Amaranta Ursula Pärchen frei, und kaum fühlten sie sich frei, als sie schon das Dorf fluchtartig verließen. Vergebens suchte sie ihnen die von Ursula während der ersten Restauration gebaute Voliere heimisch zu machen. Vergebens baute sie falsche Espartograsnester für sie in den Mandelbäumen, streute Kanariensamen auf die Dächer und ermunterte die Häftlinge, mit ihrem Gesang die Flüchtlinge heimzuholen, da diese bei der ersten Gelegenheit in die Lüfte schwebten und nur wenige Male am Himmel kreisten, gerade lang genug, um die Richtung für ihren Rückflug zu den Inseln der Seligen zu finden.

Selbst wenn es ihr im Verlauf eines Jahres nach ihrer Rückkehr nicht geglückt war, eine Freundschaft zu schließen oder ein Fest zu veranstalten, glaubte Amaranta Ursula noch immer, es müsse doch möglich sein, diese vom Unglück auserkorene Gemeinde zu erlösen. Gaston, ihr Mann, hütete sich, ihr zu widersprechen, wenngleich er seit dem tödlichen Mittag, an dem er aus dem Zug gestiegen war, begriffen hatte, daß der Entschluß seiner Frau von der Fata Morgana der Sehnsucht ausgelöst worden war. In der Überzeugung, sie werde der Wirklichkeit weichen müssen, machte er sich nicht einmal die Mühe, sein Fahrrad zusammenzusetzen, sondern suchte sich die schönsten Eier zwischen den Spinngeweben, welche die Maurer abrissen, öffnete sie mit den Fingernägeln und betrachtete mit einer Lupe stundenlang die winzigen Spinnen, die aus ihren Schalen krochen. Später, als er vermutete, Amaranta Ursula führe nur ihre Reformen fort, um sich nicht geschlagen zu geben, entschloß er sich, das umständliche Veloziped, dessen Vorderrad viel größer war als das Hinterrad, zusammenzusetzen, und beschäftigte sich damit, jedes einheimische Insekt, das er in der Umgebung fand, zu fangen und zu zerlegen, und schickte sie in Marmeladegläsern seinem früheren Professor der Naturgeschichte an der Universität Lüttich, wo er sich in Entomologie fortgebildet hatte, obwohl sein Hauptinteresse der Aeronautik galt. Wenn er Veloziped fuhr, trug er Akrobatentrikots, Dudelsackpfeifersocken und eine Detektivmütze; ging er zu Fuß, trug er rohes, makellos weißes Leinen, weiße Schuhe, eine seidene Krawatte, einen Strohhut und schwenkte einen Rohrstock. Er hatte bleiche Pupillen, die sein Seefahreraussehen unterstrichen, und einen Eichhörnchenschnurrbart. Obgleich er mindestens fünfzehn Jahre älter war als seine Frau, machten seine jugendlichen Neigungen, seine wachsame Entschlossenheit, sie glücklich zu machen, und seine Fähigkeiten eines guten Liebhabers den Altersunterschied wett. Ja, wer den Vierziger mit seinen behutsamen Gewohnheiten, mit seinem Seidenband um den Hals und seinem Zirkusrad sah, hätte nie geahnt, daß ihn ein zügelloser Liebesakt mit seiner jungen Frau verband und daß beide dem gegenseitigen Drang, wann immer die Eingebung sie überraschte, an den ungeeignetsten Stellen nachgaben, wie sie es seit ihrer ersten Begegnung getan hatten, und zwar mit einer Leidenschaft, die der Zeitablauf und die immer ungewöhnlicheren Umstände vertieften und bereicherten. Gaston war nicht nur ein wütender Liebhaber von unerschöpflicher Weisheit und Phantasie, er war vielleicht der erste Mann in der Geschichte der Gattung, der eine Notlandung vorgenommen hatte und dabei mitsamt seiner Verlobten fast ums Leben gekommen wäre, nur um sich mit ihr in einem Veilchenfeld zu vereinen.

Vor ihrer Hochzeit hatten sie sich drei Jahre gekannt, als er mit dem zweimotorigen Sportflugzeug, in dem er über Amaranta Ursulas Internat Pirouetten drehte, mit einem kühnen Manöver dem Flaggenmast ausweichen wollte, so daß das primitive Gestell aus Segeltuch und Aluminiumfolie mit dem Schwanz in den Hochspannungsdrähten hängenblieb. Von da an holte er trotz seines geschienten Beines Amaranta Ursula in der Nonnenpension, in der sie nach wie vor wohnte und deren Hausordnung nicht so streng war, wie Fernanda es gewünscht hätte, in seinen Sportklub ab. Sie liebten sich zum ersten Male in fünfhundert Meter Höhe über der Heide in sonntäglicher Luft, und je kleiner die Wesen der Erde wurden, desto tiefer wurde ihre gegenseitige Durchdringung. Sie erzählte ihm von Macondo als dem leuchtendsten, friedlichsten Ort von der Welt und von einem riesigen, von

Oregano duftenden Haus, wo sie bis ins hohe Alter mit einem treuen Gatten und zwei unbändigen Söhnen wohnen wollte, die Rodrigo und Gonzalo und unter keinen Umständen Aureliano und José Arcadio heißen sollten, sowie mit einer Tochter, die Virginia und unter keinen Umständen Remedios heißen würde. Sie hatte mit einer so begehrlichen Beharrlichkeit das von der Sehnsucht idealisierte Dorf heraufbeschworen, daß Gaston begriff, sie wolle unter keinen Umständen heiraten, sofern er nicht mit ihr in Macondo leben würde. Er stimmte zu, wie er später dem Seidenband zustimmte, da er es für eine vorübergehende Laune hielt, der mit der Zeit Herr zu werden war. Doch als zwei Jahre in Macondo vergangen waren und Amaranta Ursula ebenso glücklich war wie am ersten Tag, begann er unruhig zu werden. Schon zu jener Zeit hatte er alle Insekten zerlegt, die es in der Gegend zu jagen gab, er sprach Spanisch wie ein Einheimischer, er hatte alle Kreuzworträtsel der per Post empfangenen Zeitschriften gelöst. Er konnte nicht das Klima als Vorwand zu einer eiligen Rückkehr mißbrauchen, da die Natur ihn mit einer Kolonialleber begnadet hatte, die ohne zu murren der Mittagsschwüle und den Würmern im Trinkwasser widerstand. Die Kreolenkost mundete ihm so sehr, daß er einmal zweiundachtzig Leguaneier an einem Strang verzehrte. Amaranta Ursula hingegen ließ sich per Eisenbahn in eisgekühlten Kisten Fische und Seemuscheln, Büchsenfleisch und Kompotte kommen, das einzige, was sie essen konnte; sie kleidete sich weiterhin nach europäischer Mode, erhielt Modejournale per Post, obgleich sie nicht wußte, zu welchen Besuchen sie dergleichen tragen sollte, obgleich es ihrem Gatten zu jener Zeit an Humor fehlte, um an ihren kurzen Kleidern, ihren schiefgestülpten Filzhüten und ihren siebenmal geschlungenen Halsbändern Gefallen zu finden. Ihr Geheimnis schien darin zu bestehen, daß sie stets Mittel und Wege fand, beschäftigt zu sein, daß sie selbstgeschaffene häusliche Probleme löste und Schnitzer machte, die sie am nächsten Tag wiedergutmachen konnte, und zwar mit einem fast gefährlichen Eifer, der an Fernanda und ihr erbliches Laster erinnerte, aufzubauen, um abzubauen. Ihre Lust zum Feiern war damals so wach, daß sie, sobald sie neue Platten bekam, Gaston aufforderte, bis spät in die Nacht im Wohnzimmer mit ihr die Tänze einzuüben, die ihre früheren Internatsfreundinnen ihr auf Skizzen beschrieben, und das Ganze endete meist in Liebesfesten auf Wiener Schaukelstühlen oder auf dem blanken Fußboden. Das einzige, was ihr zu ihrem vollkommenen Glück fehlte, war die Geburt ihrer Söhne, doch sie achtete den mit ihrem Mann abgeschlossenen Pakt, vor Ablauf einer fünfjährigen Ehe keine Kinder zu bekommen.

Auf der Suche nach einem Zeitvertreib für seine toten Stunden pflegte Gaston den Vormittag mit dem menschenscheuen Aureliano in Melchíades' Kammer zuzubringen. Es machte ihm Freude, gemeinsam mit jenem die vertrautesten Winkel seiner Heimat wachzurufen, die Aureliano kannte, als habe er dort geraume Zeit verbracht. Wenn Gaston ihn fragte, wie er es angestellt habe, sich Auskünfte zu verschaffen, die nicht in der Enzyklopädie standen, erhielt er die gleiche Antwort wie José Arcadio: »Man weiß alles.« Außer Sanskrit hatte Aureliano Englisch und Französisch gelernt, dazu etwas Latein und Griechisch. Wie damals ging er jeden Nachmittag aus; Amaranta Úrsula hatte ihm ein wöchentliches Taschengeld für seine persönlichen Ausgaben zugebilligt; sein Zimmer glich einer Abteilung des Buchladens des katalanischen Weisen. Heißhungrig las er bis tief in die Nacht hinein, auch wenn Gaston nach der Art, wie er von seiner Lektüre sprach, vermutete, daß er erstens die Bücher nicht etwa kaufe, um sich zu bilden, sondern nur um die Genauigkeit seiner Kenntnisse zu prüfen, und daß ihn überdies nichts mehr fessele als die Pergamente, denen er seine besten Morgenstunden widmete. Gaston wie seine Frau hätten gewünscht, ihn dem Familienleben einzugliedern, doch Aureliano war ein verschlossener Mensch und hüllte sich in eine Wolke aus Geheimnissen, die mit der Zeit nur dichter wurde. Der Wall, den er um sich errichtet hatte, war so unüberwindlich, daß Gaston im Bemühen, ihm näherzukommen, scheiterte und andere Zerstreuungen suchen mußte, ihm seine toten Stunden zu füllen. Zu jener Zeit kam ihm die Idee, einen Luftpostdienst einzurichten. Das war kein neues Projekt. In Wirklichkeit war es bereits in seinem Kopf gediehen, als er Amaranta Ursula kennenlernte, freilich nicht für Macondo, sondern für Belgisch-Kongo, wo das Geld seiner Familie in Palmöl steckte. Seine Heirat, sein Entschluß, seiner Frau zuliebe ein paar Monate in Macondo zu verbringen, hatten ihn gezwungen, seinen Plan aufzuschieben. Doch als er sah, daß Amaranta Ursula sich anschickte, einen Ausschuß zur Förderung öffentlicher Einrichtungen zu gründen, begriff er, daß hier auf lange Sicht geplant wurde, und nahm wieder seine Verbindungen mit den vergessenen Brüsseler Partnern auf in der Annahme, Pionier könne man ebensogut im Karibischen Meer wie in Afrika sein. Während die Verhandlungen fortschritten, ließ er in dem alten verzauberten Gebiet, das damals einer riesigen Ebene aus Feuerstein glich, einen Flugplatz anlegen und studierte die Richtung der Winde, die Geographie des Küstenlandes und die für die Luftfahrt geeignetsten Strecken, ohne zu wissen, daß sein Mr. Herbert so ähnlicher Eifer im Dorf den gefährlichen Verdacht säte, sein Vorhaben ziele nicht auf die Einrichtung von Luftwegen, sondern auf den Anbau von Bananen. Begeistert über ein Ereignis, das letzten Endes sein Verbleiben in Macondo rechtfertigen sollte, unternahm er mehrere Reisen in die Provinzhauptstadt, suchte Behörden auf, erhielt Lizenzen und unterschrieb Ausschließlichkeitskontrakte. Mittlerweile unterhielt er mit seinen Brüsseler Teilhabern eine Fernandas mit den unsichtbaren Ärzten ähnliche Korrespondenz und überredete sie schließlich, in der Obhut eines erfahrenen Mechanikers ein erstes Flugzeug zu verschiffen, das dieser im nächstgelegenen Hafen zusammensetzen und nach Macondo fliegen sollte. Ein Jahr nach den ersten Vermessungen und meteorologischen Berechnungen hatte er im Vertrauen auf die wiederholten Versprechungen seiner Brieffreunde die Gewohnheit angenommen, durch die Straßen zu schlendern und den Himmel zu beäugen und in stetiger Erwartung des Flugzeugs die Geräusche der Winde abzuhorchen.

Auch wenn es ihr nicht auffiel, hatte Amaranta Ursulas Rückkehr dennoch Aurelianos Leben grundlegend verändert. Nach José Arcadios Tod war er ein eifriger Kunde der Buchhandlung des katalanischen Weisen geworden. Außerdem hatten die Freiheit, die er damals genoß, und die Zeit, die ihm zu Gebote stand, in ihm eine gewisse Neugierde nach dem Dorf geweckt, das er ohne Staunen kennenlernte. So durchlief er die staubigen, einsamen Straßen, erforschte mit eher wissenschaftlichem als menschlichem Interesse das Innere der halbzerfallenen Häuser, die verrosteten Gitternetze der Fenster und die todkranken Vögel sowie die von ihren Erinnerungen zermürbten Einwohner. Mit der Einbildungskraft versuchte er den vernichteten Glanz der alten Stadt der Bananengesellschaft zu rekonstruieren, deren trockenes Schwimmbecken bis zum Rande wimmelte von verfaulten Männerstiefeln und Frauenschuhen und in deren unkrautüberwucherten Häusern er das Skelett eines deutschen Schäferhundes fand, dessen Halsband noch an einer Stahlkette hing, sowie ein Telefon, das läutete, läutete, läutete, bis er den Hörer abnahm und hörte, was eine verängstigte und sehr ferne Frau auf englisch fragte, worauf er ihr antwortete, ja, der Streik sei vorüber, die dreitausend Toten seien ins Meer geworfen worden, die Bananengesellschaft sei abgereist, und Macondo lebe seit vielen Jahren endlich wieder in Frieden. Diese Wanderungen führten ihn in das zerstörte Vergnügungsviertel, wo zu anderen Zeiten Bündel von Banknoten zur Erheiterung verbrannt wurden und das nunmehr ein Labyrinth trostloser und kümmerlicherer Gassen war als alle anderen, wo noch ein paar rote Lämpchen brannten und noch etliche mit Girlandenfetzen geschmückte Tanzdielen gähnten, in denen die verblühten, feisten Niemandswitwen, die französischen Urgroßmütter und die babylonischen Matriarchinnen noch immer neben ihren Victrolas warteten. Aureliano begegnete niemandem, der sich noch an seine Familie erinnerte, nicht einmal an den Oberst Aureliano Buendía, mit Ausnahme des ältesten der uralten Neger, eines Tattergreises, dessen Wollkopf ihm das Aussehen eines fotografischen Negativs verlieh, der nach wie vor in seinem Portal die düsteren Psalmen der Abenddämmerung sang. Aureliano plauderte mit ihm in dem verdrehten Kauderwelsch, das er in wenigen Wochen erlernt hatte, und aß mitunter von der Hahnenkopfbrühe, die dessen Urenkelin zusammenbraute, eine gewaltige Negerin von solidem Knochenbau, mit Stutenhüften und munteren Melonentitten und dazu einem kropfrunden, vollkommenen Kopf, gewappnet mit einem harten Drahthaarhelm, welcher der Sturmhaube eines mittelalterlichen Kriegers glich. Sie hieß Nigromanta. Zu jener Zeit lebte Aureliano vom Verkauf von Bestecken, Kandelabern und sonstigem Hausrat. Wenn er keinen Centavo mehr besaß, was häufig vorkam, erreichte er, daß man ihm in den Marktkneipen die Hahnenköpfe schenkte, die sonst in den Müll wanderten, und er brachte sie Nigromanta, die ihm davon eine mit Portulak und Minze verstärkte Suppe kochte. Als ihr Urgroßvater starb, suchte Aureliano das Haus nicht mehr auf, traf sich aber mit Nigromanta unter den dunklen Mandelbäumen des Dorfplatzes, wo sie mit ihren Raubtierpfiffen die wenigen Nachtschwärmer anlockte. Mehrmals begleitete er sie und sprach mit ihr auf antillisch von Hahnenkopfsuppen und anderen Köstlichkeiten des Elends und hätte es auch weiterhin getan, hätte sie ihn nicht darauf aufmerksam gemacht, daß seine Gesellschaft ihr die Kundschaft verscheuchte. Wenngleich er einige Male die Versuchung verspürte und Nigromanta selbst es als natürlichen Höhepunkt der geteilten Sehnsucht betrachtet hätte, ging er doch nie mit ihr ins Bett. So war Aureliano noch Jungfrau, als Amaranta Ursula nach Macondo zurückkehrte und ihm eine geschwisterliche Umarmung gab, die ihm den Atem benahm. Jedesmal, wenn er sie sah, ja noch schlimmer, wenn sie ihm die Modetänze beibrachte, spürte er die gleiche schwammige Schutzlosigkeit in den Knochen, die seinen Ururgroßvater befallen hatte, als Pilar Ternera ihn unter dem Vorwand des Kartenlegens in den Speicher geschleppt hatte. Um seine Qual zu ersticken, vergrub er sich noch tiefer in seine Pergamente und ging den harmlosen Liebkosungen jener Tante aus dem Weg, die seine Nächte mit widerwärtigen Ausflüssen vergiftete, doch je mehr er sie mied, desto ungeduldiger wartete er auf ihr kieselklirrendes Gelächter, ihr befriedigtes Katzenmiauen und ihr dankbares Geträller, wenn sie zu irgendeiner Tageszeit und in den unvermutetsten Winkeln des Hauses vor Liebe girrte. Eines Nachts, zehn Meter von seinem Bett entfernt, schlug das Paar mit entblößten Bäuchen auf seinem Silberschmiedetisch den Glaskasten ein und liebte sich schließlich in einer Lache von Salzsäure. Aureliano konnte nicht nur kein Auge zutun, sondern fieberte wutschluchzend den ganzen nächsten Tag. Sie wollte und wollte nicht kommen, die erste Nacht, in der er Nigromanta im Schatten der Mandelbäume erwartete, von eisigen Nadelstichen der Ungewißheit durchzuckt, mit der Faust die eineinhalb Pesos pressend, um die er Amaranta Ursula gebeten hatte, weniger weil er sie brauchte, als um jene festzunageln, sie zu besudeln und irgendwie seinem Abenteuer preiszugeben. Nigromanta nahm ihn in ihre von Diebeslämpchen spärlich erhellte Kammer mit, zog ihn auf ihr Klappbett mit seinem von fehlgeschlagenen Lieben befleckten Leintuch, zog ihn an ihren Körper einer tollwütigen, steinharten, ruchlosen Hündin und schickte sich an, ihn abzufertigen, als sei er ein erschrockenes Kind, hatte aber alsbald einen Mann vor sich, dessen unheimliches Vermögen von ihren Eingeweiden eine erdbebenhafte Anpassung forderte.

Sie wurden ein Liebespaar. Nun verbrachte Aureliano den Vormittag beim Entziffern der Pergamente und verfügte sich in der Stunde des Mittagsschlafs in die betäubende Schlafkammer, wo Nigromanta ihn erwartete, um ihm zuallererst beizubringen, wie man es trieb nach Art der Würmer, dann nach Schnecken- und schließlich nach Krebsart, bis sie ihn verlassen mußte, um Liebeshungrige zu angeln. Mehrere Wochen vergingen, bis Aureliano entdeckte, daß sie um die Taille einen cellosaitenähnlichen Reif trug, der indes stahlhart war und keine Lötstelle aufwies, weil er mit ihr geboren und gewachsen war. Zwischen dem ersten und dem zweiten Liebesakt aßen sie fast immer nackt im Bett, in der betäubenden Hitze unter den Tagessternen, die der Rost im Blechdach funkeln ließ. Zum ersten Male hatte Nigromanta einen festen Freund, einen Dauerbeschäler, wie sie, von Lachen geschüttelt, ihn selber nannte, und begann sich sogar bereits Herzensillusionen hinzugeben, als Aureliano ihr dann seine ungestillte Leidenschaft für Amaranta Ursula gestand, die er jedoch nicht durch den ihm von ihr gewährten Ersatz hatte stillen können und die ihm desto peinsamer in den Eingeweiden rumorte, je mehr die Erfahrung seinen Horizont der Liebe erweiterte. Nigromanta empfing ihn zwar nach wie vor mit gleichbleibender Glut, ließ sich aber ihre Dienste so pünktlich bezahlen, daß, wenn Aureliano kein Geld mitbrachte, sie es ihm ankreidete, doch nicht in Zahlen, sondern in Kerben, die sie mit ihrem Daumennagel hinter die Tür ritzte. Gegen

Abend, während sie im Schatten des Platzes umherstrich, wanderte Aureliano wie ein Fremder in der Veranda auf und ab und begrüßte kaum Amaranta Ursula und Gaston, die zu dieser Stunde gewöhnlich zu Abend speisten, und schloß sich dann wieder in seinem Zimmer ein, ohne lesen, schreiben oder gar nachdenken zu können, vor lauter Begierde, die das Gelächter in ihm auslöste, das Geflüster, das verliebte Vorgeplänkel und bald darauf die Ausbrüche schmerzhafter Lust, welche die Nächte des Hauses füllten. So verlief sein Leben zwei Jahre lang, bis Gaston den Aeroplan zu erwarten begann, und so verlief es noch an dem Nachmittag, als er in die Buchhandlung des katalanischen Weisen ging und dort vier jugendliche Großmäuler traf, die wild über die Vernichtungsmethoden von Kellerasseln im Mittelalter stritten. Der alte Buchhändler, der Aurelianos Vorliebe für Bücher kannte, die nur Beda der Verehrungswürdige gelesen hatte, drang mit väterlicher Verschmitztheit in ihn, er möge doch an der Kontroverse teilnehmen, und so holte er nicht einmal Luft, um auseinanderzusetzen, die Kellerassel, das älteste geflügelte Insekt der Erde, sei zwar bereits im Alten Testament das beliebteste Opfer von Pantoffelhieben gewesen, als Gattung indes widerstehe es endgültig jedem Ausrottungsversuch, angefangen bei boraxgetränkten Tomatenscheiben bis zum gezuckerten Mehl, da ihre tausendsechshundertunddrei Abarten der ältesten, hartnäkkigsten und erbarmungslosesten Verfolgung widerstanden hätten, die der Mensch seit seinen Anfängen gegen irgendein Lebewesen einschließlich des Menschen selbst entfesselt habe, so daß man dem Menschengeschlecht, dem man bekanntlich den Fortpflanzungstrieb zuschreibe, einen noch bestimmteren, zwingenderen zuerkennen müsse: den Kellerasseltötungstrieb, und wenn diese Tiere der menschlichen Grausamkeit hatten entkommen können, so nur, weil sie in die Finsternis geflüchtet waren, wo sie dank der angeborenen menschlichen Dunkelheitsangst sicher waren; dann aber wurden sie von neuem empfänglich für den Glanz des Mittags, so daß bereits im Mittelalter, in der Gegenwart sowie in den kommenden Jahrhunderten die einzig wirksame Methode, der Kellerasseln Herr zu werden, die Sonnenblendung sei.

Dieser enzyklopädische Fatalismus wurde zum Beginn einer großen Freundschaft. Nun traf Aureliano sich jeden Nachmittag mit den vier Wortstreitern namens Alvaro, Germán, Alfonso und Gabriel, die ersten und letzten Freunde, die er im Leben hatte. Für einen in der schriftlich niedergelegten Wirklichkeit verschanzten Menschen wie ihn waren diese quälenden Sitzungen, die in der Buchhandlung um sechs Uhr abends begannen und gegen Morgen in den Bordells endeten, eine Offenbarung. Er hätte nie gedacht, daß die Literatur das beste Spielzeug sei, das je erfunden worden war, damit man sich über die Leute lustig machen konnte, wie es Alvaro in einer Bummelnacht bewies. Doch mußte einige Zeit vergehen, bevor Aureliano sich darüber klar wurde, daß eine so willkürliche Auffassung auf dem Beispiel des katalanischen Weisen fußte, für den die Weisheit nicht lohnte, sofern sie nicht dazu diente, eine neue Zubereitungsart der Kichererbsen zu erfinden.

Der Nachmittag, an dem Aureliano sein Referat über die Kellerasseln hielt, endete mit einer Diskussion im Haus der kleinen Mädchen, die aus Hunger ins Bett gingen, in einem Lügenbordell in Macondos Bannmeile. Die Besitzerin war eine grinsende Hebamme, die an der Sucht litt, unablässig die Türen zu öffnen und zu schließen. Ihr ewiges Lächeln schien von der Leichtgläubigkeit ihrer Kunden herzurühren, die ein Institut für echt hielten, das nur in der Phantasie bestand, weil hier sogar die greifbaren Gegenstände unwirklich waren: die Möbel, die unter dem Platznehmenden auseinanderbrachen, das ausgeweidete Victrola, in dessen Gehäuse eine Henne brütete, der Garten mit seinen Papierblumen, die aus den Jahren vor der Ankunft der Bananengesellschaft stammenden Almanache, die Lithographien nie erschienener Zeitschriften. Selbst die schüchternen kleinen Huren, die aus der Nachbarschaft herbeieilten, wenn die Hausherrin sie von der Ankunft der Kundschaft benachrichtigte, waren reine Erfindung. Ohne zu grüßen, kamen sie in geblümten Kleidchen, die sie im Alter von fünf Jahren getragen hatten, und zogen sie mit der gleichen Unschuld aus, mit der sie sie angezogen hatten, und im Höhepunkt des Liebesrauschs riefen sie wie gräßlich, sieh doch, das Dach fällt ein, und kaum hatten sie ihren Peso und fünfzig Centavos bekommen, gaben sie ihn auch schon aus für ein Stück Brot und ein Stück Käse, das ihnen die mehr denn je lächelnde Hausbesitzerin verkaufte, weil nur sie wußte, daß auch dieses Nahrungsmittel unecht war. Aureliano, dessen Welt damals bei Melchíades' Pergamenten begann und in Nigromantas Bett endete, machte in dem imaginären Bordellchen eine Roßkur gegen seine Schüchternheit durch. Anfangs kam er in keinem der Zimmer auf seine Kosten, da die Eigentümerin in den schönsten Augenblicken der Liebe hereinkam und sich in den unmöglichsten Randbemerkungen über die intimen Reize der Ausführenden erging. Doch mit der Zeit gewöhnte er sich so gut an diese Mißlichkeiten der Welt, daß er sich an einem besonders ausgelassenen Abend im kleinen Empfangssalon nackt auszog und dann, eine Bierflasche auf seiner unglaublichen Männlichkeit balancierend, durchs Haus rannte. So brachte er auch Ausgefallenheiten in Mode, für welche die Eigentümerin nur ihr ewiges Lächeln bereithielt, das weder Einspruch zu erheben, noch Beifall zu zollen schien. Wie bei der Gelegenheit, als Germán das Haus anzünden wollte, um zu beweisen, daß es gar nicht vorhanden war, oder als Alfonso dem Papagei den Hals umdrehte und ihn in den kochenden Hühnertopf warf.

Selbst wenn Aureliano sich den vier Freunden durch gleiche Zuneigung und gleiches Zugehörigkeitsgefühl so stark verbunden fühlte, daß er an sie wie an ein und denselben Menschen dachte, stand er Gabriel näher als den anderen. Die Verbindung entstand in der Nacht, als er zufällig von Oberst Aureliano Buendía sprach, und Gabriel war der einzige, der nicht glaubte, er mache sich über jemanden lustig. Bis die Eigentümerin, die sich für gewöhnlich nicht in die Unterhaltungen mischte, mit der wütenden Leidenschaft einer Klatschtante behauptete, Oberst Aureliano Buendía, von dem sie wohl einmal gehört habe, sei eine von der Regierung nur zu dem Zwecke erfundene Person, Liberale umbringen zu können. Gabriel hingegen bezweifelte nicht die Echtheit des Obersten Aureliano Buendía, da dieser ein Waffengefährte und unzertrennlicher Freund seines Urgroßvaters, des Obersten Gerineldo Márquez, gewesen sei. Dieser Wankelmut der Erinnerung erwies sich als noch ausgeprägter, sobald die Rede auf das Gemetzel unter den Arbeitern kam. Jedesmal, wenn Aureliano das Thema berührte, bestritten nicht nur die Inhaberin, sondern auch ältere Personen als sie den Schwindel mit den vor dem Bahnhof zusammengetriebenen Arbeitern und dem zweihundert Wagen langen, mit Toten beladenen Güterzug; überdies versteiften sie sich auf das, was anschließend in Gerichtsakten und Volksschullesebüchern festgelegt wurde: daß die Bananengesellschaft nie bestanden hatte. So waren Aureliano und Gabriel durch eine Art der Komplicität miteinander verbunden, die auf echten Tatbeständen gründete, an die niemand glaubte und die ihr Leben so geprägt hatten, daß sie beide auf der Dünung einer zu Ende gegangenen Welt trieben, von der nur die Sehnsucht übrig war. Gabriel schlief, wo die Stunde ihn überraschte. Aureliano brachte ihn mehrmals in der Silberschmiedewerkstatt unter, doch aufgescheucht durch die Umtriebe der Toten, die bis zum Morgengrauen durch die Schlafzimmer schlichen, konnte er kein Auge zutun. Später empfahl er ihn Nigromanta, die ihn in ihrem vielbesuchten Zimmer aufnahm und ihm auf dem hinter der Tür verfügbaren geringen Raum, den Aurelianos Schulden ihr übriggelassen hatten, ein Konto eröffnete.

Trotz ihres ungeordneten Lebens suchte die ganze Gruppe auf Drängen des katalanischen Weisen etwas Dauerhaftes zu leisten. Er war es, der mit seiner Erfahrung eines früheren Professors der Altphilologie und seinem Vorrat an alten Büchern sie in den Stand versetzte, eine ganze Nacht bei der Suche der siebenunddreißigsten dramatischen Situation zuzubringen, und das in einem Dorf, in dem bereits kein Mensch mehr weder das Interesse noch die Möglichkeit besaß, über die Volksschule hinauszukommen. Betört von der Entdeckung der Freundschaft, betäubt vom Zauber einer Welt, die Fernandas Kleinlichkeit ihm verwehrt hatte, gab Aureliano das Studium der Pergamente auf, als diese sich als Voraussagen in chiffrierten Versen zu enthüllen begannen. Als er jedoch später feststellte, daß die Zeit für alles ausreichte, ohne daß er dafür auf die Bordelle verzichten mußte, bekam er wieder Mut, um in Melchíades' Kammer zurückzukehren, entschlossen, sich in seinem Bemühen nicht beirren zu lassen, bis er nicht die allerletzten Schlüssel entdeckt hatte. Das war in den Tagen, als Gaston auf den Aeroplan zu warten begann und Amaranta Ursula so allein war, daß sie eines Morgens in seinem Zimmer erschien.

»Hallo, Menschenfresser«, sagte sie. »Wieder mal im Bau?«

Sie war unwiderstehlich in ihrer modischen Neuschöpfung und einer ihrer langen, aus Alsenrückgraten selbstgefertigten Halsketten. Überzeugt von der Treue ihres Gatten, hatte sie auf das Seidenband verzichtet und schien zum erstenmal seit ihrer Rückkehr über ein Mußestündchen zu verfügen. Aureliano hätte sie nicht zu sehen brauchen, um zu wissen, daß sie da war. Sie lehnte sich auf den Arbeitstisch, so nahe und so regungslos, daß Aureliano das tiefe Rumoren in ihren Knochen vernahm, und interessierte sich für die Pergamente. Bemüht, seine Verwirrung zu überwinden, packte er die Stimme, die ihm entfloh, das Leben, das sich ihm entwand, das Gedächtnis, das sich ihm in einen versteinerten Polypen verwandelte, und sprach ihr vom levitischen Schicksal des Sanskrits, der wissenschaftlichen Möglichkeit, die Zukunft durchsichtig in der Zeit zu sehen, so wie man auf der Rückseite eines Papiers Geschriebenes durchschimmern sieht, von der Notwendigkeit, die Voraussagen zu chiffrieren, damit sie sich nicht selber zugrunde richten, und von den Zenturien des Nostradamus und von der durch Sankt Millan verkündeten Vernichtung Kantabriens. Plötzlich, ohne seinen Vortrag zu unterbrechen, von einem Impuls bewegt, der von Anfang an in ihm geschlummert hatte, legte Aureliano seine Hand auf die ihre, im Glauben, diese letzte Entscheidung bringe sein Scheitern zu einem Ende. Indes, sie nahm seinen Zeigefinger mit der liebevollen Unschuld, mit der sie das so oft in der Kindheit getan hatte, und hielt ihn fest, während er ihre weiteren Fragen beantwortete. So verharrten sie, verbunden durch einen eisigen Zeigefinger, der in keiner Richtung auch nur das geringste vermittelte, bis sie aus ihrem augenblicklichen Traum erwachte und sich gegen die Stirn schlug. »Die Ameisen!« rief sie aus. Und schon vergaß sie die Manuskripte, lief im Tanzschritt zur Tür und sandte Aureliano von dort mit den Fingerspitzen den gleichen Kuß zu, mit dem sie sich von ihrem Vater an dem Nachmittag ihrer Abfahrt nach Brüssel verabschiedet hatte.

»Später erklärst du es mir«, sagte sie. »Ich habe ganz vergessen, daß heute der Tag ist, an dem ich Kalk in die Ameisenlöcher streuen muß.«

Gelegentlich, wenn sie in der Nähe etwas zu tun hatte, kam sie wieder in sein Zimmer und blieb ein paar Minuten da, während ihr Mann nach wie vor den Himmel absuchte. Von dieser Veränderung der Dinge getäuscht, blieb Aureliano nun zu den Mahlzeiten im Haus, was er seit den ersten Monaten nach Amaranta Ursulas Heimkehr nicht mehr getan hatte. Das gefiel Gaston. Während der Unterhaltungen bei der Nachspeise, die sich über eine Stunde hinzuziehen pflegten, beschwerte sich dieser, daß seine Teilhaber ihn hintergingen. Sie hatten ihm die Verschiffung des Aeroplans angekündigt, doch das Schiff kam und kam nicht, und wenngleich die Schiffahrtsagentur ihm versicherte, es würde nie und nimmer ankommen, weil es nicht in den Schiffahrtslisten des Karibischen Meers stand, behaupteten seine Geschäftsfreunde steif und fest, es sei in der Tat unterwegs, und ließen den Verdacht durchblicken, Gaston belüge sie in seinen Briefen. Der Briefwechsel erreichte einen derartigen Grad des gegenseitigen Argwohns, daß Gaston beschloß, nicht mehr zu schreiben und lieber rasch nach Brüssel zu reisen, um die Lage zu klären und mitsamt seinem Aeroplan zurückzukehren. Doch dieses Projekt fiel sofort ins Wasser, als Amaranta Ursula wiederholte, sie werde keinen Schritt aus Macondo weichen, selbst wenn sie dadurch auf ihren Mann verzichten müsse. In der ersten Zeit teilte Aureliano die allgemeine Auffassung, Gaston sei ein Trottel auf einem Veloziped, und das weckte in ihm ein vages Gefühl des Mitleids. Später, als er in den Bordells tiefe Einsichten über die Natur der Männer erlangte, dachte er, Gastons Sanftmut sei in seiner ausschweifenden Leidenschaft begründet. Doch als er ihn besser kannte und gewahrte, daß sein wahrer Charakter im Widerspruch zu seinem gefügigen Gebaren stand, kam er auf den böswilligen Verdacht, daß sogar das Warten auf den Aeroplan eine Posse sei. Nun dachte er, Gaston sei nicht so töricht, wie er wirkte, sondern im Gegenteil ein Mensch von unendlicher Beständigkeit, Geschicklichkeit und Geduld, der sich vorgenommen habe, seine Frau durch die Ermüdung ewiger Gefälligkeit, des Nie-Nein-Sagens, des Heuchelns eines grenzenlosen Einverständnisses zu gewinnen und dadurch, daß er sie ihr eigenes Spinnetz weben ließ bis zu dem Tag, da sie die Langeweile der in Reichweite gerückten Illusionen nicht mehr ertragen und selbst ihre Koffer packen würde, um nach Europa zurückzukehren. So verkehrte sich Aurelianos früheres Mitleid in heftige Feindseligkeit. Gastons System kam ihm ebenso verderbt wie wirksam vor, so daß er sich ein Herz nahm und Amaranta Ursula warnte. Doch sie lachte über seinen Verdacht, ohne darin auch nur von Ferne die herzzerreißende Last der Liebe, der Ungewißheit und der Eifersucht zu ahnen. Es war ihr nie in den Sinn gekommen, daß sie in Aureliano mehr als brüderliche Zuneigung geweckt hatte, bis sie sich beim Öffnen einer Büchse Pfirsiche in den Finger stach, er auf sie zustürzte und ihr das Blut mit Begierde und Hingabe saugte, was ihr eine Gänsehaut verursachte.

»Aureliano!« lachte sie nervös. »Du bist zu bösartig, um eine gute Fledermaus zu sein.«

Nun ging Aureliano das Herz über. Während er in die verletzte Handfläche Waisenküßchen drückte, öffnete er die geheimsten Kanäle seines Herzens und zog einen endlosen zermürbten Bandwurm hervor, jenes schreckliche Schmarotzertier, das er im Martyrium ausgebrütet hatte. Er erzählte ihr, wie er um Mitternacht aufstand und vor Trostlosigkeit und Wut in ihre Unterwäsche weinte, die sie zum Trocknen im Badezimmer ließ. Er erzählte ihr, mit welcher Ungeduld er Nigromanta bat, sie solle wie eine Katze miauen und ihm Gaston Gaston Gaston ins Ohr schluchzen, und mit welcher List er ihr Parfümfläschchen stibitzte, um sie am Hals der kleinen Dirnen wiederzufinden, die aus Hunger mit Männern schliefen. Amaranta Ursula zog ihre Finger wie eine Molluske zusammen, bis ihre verletzte Hand, von jedem Schmerz und von jeder Spur des Mitleids befreit, sich in einen Knoten aus Smaragden und Topasen, aus vereinten, unempfindlichen Knochen verwandelte.

»Dummkopf!« stieß sie wie spuckend hervor. »Ich fahre mit dem ersten Schiff nach Belgien.«

An einem jener Nachmittage war Alvaro in die Buchhandlung des katalanischen Weisen gekommen und hatte lauthals seine letzte Erfindung verkündet: ein zoologisches Bordell. Es hieß *Das goldene Kind* und war ein riesiger Saal unter freiem Himmel, in dem nicht weniger als zweihundert Rohrdommeln beliebig umherspazierten und mit ohrenbetäubendem Gekrächz die Stunden des Tages ausposaunten. In den die Tanzfläche säumenden Drahtzaunkorralen und zwischen großen amazonischen Kamelien gab es farbige Reiher, schweinsfette Kaimane, Schlangen mit zwölf Klappern und eine Schildkröte mit goldenem Schild, die in einem winzigen künstlichen Ozean Tauchen spielte. Auch ein zahmer, homophiler weißer Hund war da, der sich gegen Nahrungsleistungen auch als Beschäler verdingte. Die Luft war von einfältiger Dichtigkeit, als sei sie eben erst erfunden worden, und die schönen Mulattinnen, die hoffnungslos zwischen blutenden Blütenblättern und veralteten Schallplatten warteten, kannten Liebesdienste, die der Mensch im irdischen Paradies vergessen hatte. An dem ersten Abend, als die Gruppe diese Baumschule der Illusionen besuchte, fühlte die prachtvolle, wortkarge Greisin, die in einem Rohrschaukelstuhl am Eingang saß, daß die Zeit zu ihren ursprünglichen Quellen zurückkehrte, als sie unter den fünf Eintretenden einen knochigen, trübsinnigen, tatarwangigen Menschen entdeckte, der für immer und seit Anbeginn der Welt von den Blattern der Einsamkeit gezeichnet war.

»Ach«, seufzte sie, »Aureliano!«

Wieder sah sie den Oberst Aureliano Buendía, wie sie ihn im Lampenlicht lange vor den Kriegen gesehen hatte, lange vor der Trostlosigkeit des Ruhms und der Verbannung der Enttäuschung, an jenem fernen Morgengrauen, als er in ihr Schlafzimmer gekommen war, um den ersten Befehl seines Lebens zu erteilen: den Befehl, man solle ihm Liebe geben. Es war Pilar Ternera. Jahre zuvor, bei Erreichung ihres einhundertundfünfundvierzigsten Lebensjahres, hatte sie die schädliche Gewohnheit abgelegt, ihr Alter zu zählen, und lebte nunmehr in der stillstehenden Randzeit der Erinnerungen, in einer vollständig offenbarten, festgelegten Zukunft, über die von den Hinterlisten und heimtückischen Vermutungen der Kartenspiele verwirrten Zukunft hinaus.

Seit jenem Abend war Aureliano in die Zärtlichkeit und das erbarmungsvolle Verstehen der unbekannten Ururgroßmutter geflüchtet. In ihrem Rohrschaukelstuhl sitzend, rief sie die Vergangenheit wach, stellte die Größe und das Unglück der Familie und den zerstörten Glanz Macondos wieder her, während Alvaro mit seinem krachenden Gelächter die Kaimane verscheuchte und Alfonso die grausige Geschichte von den Rohrdommeln erzählte, welche vier Kunden, die sich in der vergangenen Woche schlecht aufgeführt hatten, die Augen ausgestochen hatten, und Gabriel im Zimmer der nachdenklichen Mulattin saß, die sich für ihre Liebesdienste nicht mit Geld, sondern mit Briefen an einen schmuggelnden Verlobten bezahlen ließ, der auf dem anderen Ufer des Orinoco verhaftet worden war, weil die Grenzwächter ihm einen Einlauf verabreicht und ihn anschließend auf einen Nachttopf gesetzt hatten, der vollief mit Diamantenscheiße. Jenes echte Bordell mit der mütterlichen Besitzerin war die Welt, von der Aureliano in seiner langen Gefangenschaft geträumt hatte. Dort fühlte er sich so wohl, so nahe der vollkommenen Übereinstimmung, daß er an dem Nachmittag, als Amaranta Ursula seine Luftschlösser zerstörte, an keine andere Zuflucht mehr dachte. Dorthin ging er, um sich mit Worten Luft zu machen, damit ihm jemand die Knoten löste, die ihm die Brust bedrückten, doch nur in Pilar Terneras Schoß vermochte er sich durch einen heißen, erlösenden Tränenstrom zu befreien. Sie ließ ihn sich ausweinen und kraulte ihm den

Kopf mit den Fingerspitzen, und ohne daß er ihr enthüllt hätte, er weine aus Liebe, erkannte sie unverzüglich das älteste Weinen der Menschheitsgeschichte.

»Schön und gut, Kleiner«, tröstete sie ihn. »Aber nun sag mir, wer es ist.«

Als Aureliano es ihr sagte, lachte Pilar Ternera ein tiefes Lachen, jenes uralte freimütige Lachen, das schließlich einem Taubengurren glich. Im Herzen eines Buendía gab es für sie kein unergründliches Geheimnis, weil ein Jahrhundert des Kartenlegens und der Erfahrung sie gelehrt hatte, daß die Geschichte einer Familie ein Räderwerk nicht wiedergutzumachender Wiederholungen war, ein kreisendes Rad, das ohne den unablässigen, unrettbaren Verschleiß der Achse sich bis in alle Ewigkeit drehen würde.

»Mach dir nichts draus«, lächelte sie. »Mag sie jetzt sein, wo sie will, sie wartet auf dich.«

Es war halb fünf Uhr nachmittags, als Amaranta Ursula aus dem Bade kam. Aureliano sah sie in einem zartgefälteten Morgenrock und einem auf dem Kopf zum Turban gerollten Handtuch an seinem Zimmer vorbeigehen. Schwankend vor Trunkenheit folgte er ihr fast auf Zehenspitzen und betrat ihr Schlafzimmer in der Sekunde, als sie ihren Morgenrock öffnete, dann aber erschrocken übereinanderschlug. Wortlos deutete sie zur halbgeöffneten Tür des Nebenzimmers, in dem, das wußte Aureliano, Gaston einen Brief zu schreiben begann.

»Geh!« sagte sie tonlos.

Aureliano lächelte, hob sie wie einen Begonientopf mit beiden Händen an der Taille hoch und warf sie mit dem Rücken aufs Bett. Bevor sie sich wehren konnte, riß er ihr den Bademantel mit brutaler Gewalt auf und stürzte sich in den Abgrund einer frisch gewaschenen Nacktheit, die keine Hautschattierung, kein Fläumchen, kein verborgenes Schönheitspflästerchen besaß, das er sich nicht bereits im Dunkel anderer Zimmer vorgestellt hatte. Amaranta

Ursula verteidigte sich ehrlich, mit allen Listen eines gewiegten Weibchens, und machte dabei ihren schlüpfrigen, geschmeidigen, duftenden Wieselkörper noch wieselhafter, während sie ihm die Nieren mit den Knien zu zermalmen suchte und ihm das Gesicht mit den Nägeln zerkratzte, doch ohne daß er oder sie auch nur einen Seufzer von sich gegeben hätten, der nicht mit dem Atem eines Menschen zu verwechseln gewesen wäre, der die zarte Aprilabenddämmerung durchs offene Fenster betrachtet. Es war ein wütender Kampf, eine Schlacht auf Leben und Tod, die dennoch jeder Heftigkeit zu entbehren schien, weil er aus verrenkten Angriffen bestand sowie aus gespenstischen, langsamen, bedächtigen, feierlichen Rückzügen, so daß es zwischen dem einen und dem nächsten Handgemenge Zeit gab, damit die Petunien wieder blühen möchten und Gaston im Nachbarzimmer seine Aeronautenpläne vergessen konnte, als seien sie ein feindliches Liebespaar, das sich in der Tiefe eines durchscheinenden Wasserbeckens zu versöhnen trachtete. In der Hitze des erbitterten zeremoniellen Nahkampfs begriff Amaranta Ursula, daß ihr besorgtes Stillschweigen widersinnig war und den Verdacht ihres nahen Ehemanns weit eher wecken konnte als der von ihnen behutsam vermiedene Kriegslärm. Nun begann sie mit zusammengebissenen Zähnen zu lachen, wobei sie zwar nicht den Kampf aufgab, sich jedoch mit vorgetäuschten Bissen verteidigte und ihren Wieselleib allmählich entwieselte, bis beide gleichzeitig merkten, daß sie Gegner und zugleich Komplicen waren, und jetzt entartete das Gefecht zu einem konventionellen Gebalge, und die Angriffe wurden Liebkosungen. Plötzlich, fast spielerisch, wie eine neue Finte, ließ Ursula in ihrer Verteidigung nach, und als sie erschrocken darüber, was sie selbst ermöglicht hatte, sich wehren wollte, war es schon zu spät. Ungewöhnliche Erregung lähmte sie in ihrem Schwerpunkt, nagelte sie fest, und ihr Verteidigungswille wurde von dem unwiderstehlichen Drang vernichtet, zu ergründen, was es mit den orangefarbenen Pfiffen und unsichtbaren Kreisen auf sich habe, die sie am anderen Ende des Todes erwarteten. Sie hatte nur noch Zeit, die Hand auszustrekken, nach dem Handtuch zu tasten und sich einen Knebel in den Mund zu schieben, um nicht das Katzengejaule auszustoßen, das ihr bereits die Eingeweide zerriß.

Pilar Ternera starb in ihrem Rohrschaukelstuhl an einem Festabend, als sie den Eingang zu ihrem Paradies bewachte. Ihrem letzten Willen gemäß wurde sie ohne Sarg beerdigt, im Schaukelstuhl sitzend, den acht Männer an Stricken in ein riesiges, mitten in der Tanzfläche ausgeschachtetes Loch hinabließen. Die schwarzgekleideten Mulatinnen veranstalteten tränenbleich eine Totenmesse, während sie ihre Ohrringe, ihre Broschen und ihre Ringe ablegten und in die Grube warfen; dann versiegelten sie diese mit einem Stein ohne Namen und Jahrestag und häuften darauf einen Berg amazonischer Kamelien. Nachdem sie alle Tiere vergiftet hatten, verschlossen sie ihre Holztruhen, innen ausgeklebt mit Heiligenbildchen, Zeitschriftendrucken und Porträts von fernen, phantastischen Eintagsverlobten, die Diamanten schissen oder Kannibalen fraßen oder auf hoher See gekrönte Kartenkönige waren.

Das war das Ende. In Pilar Terneras Grab, zwischen Hurenflitterkram und Psalmen, vermoderten die Ruinen der Vergangenheit, die wenigen übriggebliebenen, nachdem der katalanische Weise seine Buchhandlung versteigert hatte und, bezwungen von der Sehnsucht nach einem beharrlichen Frühling, in sein Mittelmeergeburtsdorf zurückgekehrt war. Auf der Flucht vor einem der zahllosen Kriege war er in der Glanzzeit der Bananengesellschaft nach Macondo gekommen, wo ihm nichts Besseres einfiel, als dieses Antiquariat aufzumachen mit Inkunabeln und Originaleditionen in verschiedenen Sprachen, in denen die Gelegenheitskunden argwöhnisch blätterten, als seien es anrüchige Bücher, während sie warteten, bis ihre Träume in dem gegenüberliegenden Haus gedeutet waren. Er verbrachte sein halbes Leben in der heißen Hinterstube dabei, mit seiner gekünstelten Handschrift in violetter Tinte Schulheftblätter vollzukritzeln, ohne daß jemand genau wußte, was er eigentlich schrieb. Als Aureliano ihn kennenlernte, besaß er bereits zwei mit diesen beschmierten Bogen gefüllte Kisten, die keineswegs an Melchíades' Pergamente erinnerten, und zwischen jenem Zeitpunkt und seiner Abreise hatte er eine weitere gefüllt, so daß er während seines Aufenthalts in Macondo vermutlich nichts anderes getan hatte. Die einzigen Personen, mit denen er in Verbindung gestanden hatte, waren die vier Freunde gewesen, deren Kreisel und Drachen er ihnen gegen Bücher umtauschte und denen er schon als Volksschülern Seneca und Ovid zu lesen gab. Über die Klassiker sprach er mit häuslicher Vertrautheit, als seien diese einmal alle seine Zimmergenossen gewesen, und er wußte viele Dinge, die man eigentlich nicht wissen durfte, wie etwa, daß der heilige Augustin unter seinem Habit ein wollenes Wams getragen, das er vierzehn Jahre lang nicht ausgezogen hatte, und daß Arnaldo de Vilanova, der Schwarzkünstler, infolge eines Skorpionbisses schon als Kind impotent gewesen war. In seinem Feuereifer für das geschriebene Wort paarte sich feierliche Ehrfurcht mit respektloser Klatschsucht. Auch seine eigenen Manuskripte waren nicht frei von dieser Verbindung. Da er das Katalanische zum Zweck des Übersetzens erlernt hatte, steckte Alfonso sich eine Rolle dieser Blätter in die Taschen, die stets strotzten von Zeitungsausschnitten und Handbüchern seltener Berufe, und eines Abends verlor er sie im Haus der kleinen Mädchen, die aus Hunger mit Männern schliefen. Als der betagte Weise das erfuhr, lachte er sich halb tot, statt ihm den befürchteten Marsch zu blasen, und meinte, das sei das natürliche Schicksal der Literatur. Dafür konnte ihn keine Menschenmacht davon abbringen, die drei Kisten in sein Heimatdorf mitzunehmen, und er erging sich in Schmähungen gegen die Eisenbahnbeamten, die sie unbedingt als Frachtgut schicken wollten, bis er es durchsetzte, sie im Personenabteil als Handgepäck zu verstauen. »Die Welt wird an dem Tag im Arsch sein«, sagte er damals, »wenn die Menschheit erster Klasse reist und die Literatur im Gepäckwagen.« Das waren seine letzten Worte. Mit den letzten Reisevorbereitungen hatte er eine düstere Woche verbracht, denn je näher der Abfahrtstag rückte, desto mehr schwand seine gute Laune; seine Absichten gerieten durcheinander, und die Dinge, die er an einen Ort gelegt hatte, tauchten an einem anderen auf, und nun setzten ihm die gleichen Gespenster zu, die Fernanda geplagt hatten.

»Hodenhunde!« fluchte er, »ich scheiße auf den Kanon Nummer siebenundzwanzig der Synode von London.«

Germán und Aureliano nahmen sich seiner an. Sie halfen ihm wie einem Kind, steckten ihm seinen Fahrschein und seine Ausweise mit Sicherheitsnadeln in den Taschen fest, stellten eingehende Reisevorschriften für ihn auf, damit er Bescheid wisse, was er von seiner Abreise von Macondo bis zu seiner Ankunft in Barcelona zu tun habe, doch dies hielt ihn nicht davon ab, ein Paar Hosen, in denen er die Hälfte seiner Barschaft verwahrt hatte, in den Müll zu werfen. Am Vorabend seiner Abreise, nachdem er seine Kisten zugenagelt und die Kleider in denselben Koffer gepackt hatte, mit dem er gekommen war, blinzelte er mit seinen Muschellidern, winkte mit einem dreisten Segenswunsch den Bergen von Büchern zu, dank derer er die Verbannung überstanden hatte, und sagte zu seinen Freunden:

»Diese Scheiße lasse ich euch!«

Drei Monate später erhielten sie in einem großen Umschlag neunundzwanzig Briefe und mehr als fünfzig Bilder, die er in seinen Mußestunden auf hoher See gesammelt hatte. Obwohl er kein Datum angab, war die Reihenfolge, in der er die Briefe geschrieben hatte, leicht zu erraten. In den ersten Briefen erzählte er mit seinem üblichen Humor von den Erlebnissen der Überfahrt, von seiner Lust, den Gepäckmeister, der ihm nicht erlaubt hätte, die drei Kisten mit in seine Kabine zu nehmen, über Bord zu werfen, von der hellsichtigen Blödheit einer Dame, die sich über die Nummer dreizehn entsetzte, doch nicht aus Aberglauben, sondern weil sie in ihr eine unvollendete Zahl sah, und von der Wette, die er beim ersten Abendessen gewonnen hatte, weil er in dem an Bord servierten Wasser den Geschmack von nächtlichen roten Rüben aus Léridas Quellen erkannt hatte. Im Verlauf der Tage jedoch hatte ihn das Leben an Bord immer weniger interessiert, während ihm die jüngsten, belanglosesten Ereignisse begehrenswert erschienen, da sein Gedächtnis desto trauriger wurde, je weiter sich das Schiff entfernte. Diese zunehmende Sehnsucht war auch auf seinen Bildern sichtbar. Auf den ersten, im Oktobergeflimmer des Karibischen Meers, sah er mit seinem schneeigen Schopf und seinem Invalidenhemd glücklich aus. Auf den letzten war er in einem dunklen Mantel und einem seidenen Halstuch zu sehen, ein Schatten seiner selbst und wortkarg durch Entfremdung, auf dem Deck eines Alptraumschiffes, das auf herbstlichen Meeren schlafwandelte.

Germán und Aureliano beantworteten seine Briefe. In den ersten Monaten schrieb er so viele, daß sie sich ihm jetzt näher fühlten als während seines Aufenthalts in Macondo und fast ihren Ingrimm über seine Abreise vergaßen. Anfangs berichtete er, alles sei beim alten, in seinem Geburtshaus sei noch immer die rosafarbene Muschel, die getrockneten Heringe auf Brotrinde schmeckten noch immer gleich, der Wasserfall des Dorfs dufte noch immer in der Abenddämmerung. Es waren noch immer die mit maulbeerfarbenem Geklecksе vollgeschmierten Schulheftbogen, auf denen er einem jeden von ihnen einen Absatz widmete. Und doch wurden, ohne daß ihr Verfasser es zu merken schien, diese Episteln des Nachholbedarfs und Aufschwungs zu Hirtenbriefen der Enttäuschung. In Winternächten, während die Suppe auf dem Herd siedete, sehnte er die Hitze seines Hinterstübchens, das Summen der Sonne in den staubigen Mandelbäumen, das Pfeifen des Zuges in der betäubenden Mittagshitze ebenso heftig herbei, wie er sich in Macondo nach der Wintersuppe auf dem Herd gesehnt hatte, nach dem Ausrufen des Kaffeeverkäufers und den flüchtenden Schwalben im Frühling. Eingekeilt zwischen zwei Sehnsüchten wie zwischen zwei Spiegeln, verlor er seinen wunderbaren Sinn für die Unwirklichkeit, bis er schließlich allen empfahl, Macondo zu verlassen und alles zu vergessen, was er sie von der Welt und vom menschlichen Herzen gelehrt hatte, auf Horaz zu scheißen, immer und überall daran zu denken, daß die Vergangenheit Lüge sei, daß das Gedächtnis keinen Rückweg kenne, daß jeder alte Frühling unwiderbringlich sei und die wahnsinnigste hartnäckigste Liebe auf jeden Fall eine vergängliche Wahrheit.

Alvaro befolgte als erster den Rat, Macondo zu verlassen. Er verkaufte alles, sogar den gefangenen Tiger, der sich im Innnenhof seines Hauses über die Vorübergehenden lustig machte, und kaufte einen Dauerfahrschein für einen Zug, dessen Fahrt nie zu Ende ging. Auf den Postkarten, die er von seinen Zwischenstationen absandte, beschrieb er großspurig die Augenblicksbilder, die er vom Zugfenster aus gesehen hatte, und es war, als schleuderte er das lange Gedicht der Vergänglichkeit schnipselweise dem Vergessen zu: die schimärischen Neger der Baumwollfelder von Louisiana, die geflügelten Pferde auf der blauen Weide von Kentucky, die griechischen Liebespaare im teuflischen Abenddämmerschein von Arizona, das Mädchen im roten Sweater, das an den Seen von Michigan Aquarelle malte und ihm mit ihren Pinseln ein Adieu zuwinkte, das kein Abschieds-, sondern ein Hoffnungslebewohl war, weil sie nicht wußte, daß sie einem Zug ohne Wiederkehr nachsah. Dann reisten eines Samstags auch Alfonso und Germán ab, zwar in der Absicht, am Montag wiederzukommen, doch zu guter Letzt hörte man nie mehr ein Wort von ihnen. Ein Jahr nach der Abreise des katalanischen Weisen war nur noch Gabriel in Macondo übrig, noch immer aufs Geratewohl dahinlebend und Nigromantas zufälliger Wohltätigkeit ausgeliefert, während er die Wettbewerbsfragebögen einer französischen Zeitschrift ausfüllte, deren erster Preis eine Reise nach Paris war. Aureliano, der die Nummern erhielt, half ihm beim Ausfüllen der Formulare, bisweilen in seinem Haus, doch fast immer zwischen den Porzellanflakons und dem Baldrianduft der einzigen Apotheke, die es noch in Macondo gab und in der Mercedes, Gabriels heimliche Verlobte, wohnte. Er war der einzige Überlebende einer Vergangenheit, deren Vernichtung sich nicht vollzog, weil sie sich endlos vernichtete, in sich selbst verzehrte, in jeder Minute aufhörte, doch ohne aufzuhören, jemals aufzuhören. Das Dorf hatte ein derartiges Ausmaß der Untätigkeit erreicht, daß, als Gabriel den Wettbewerb gewann und mit zweifacher Wäsche zum Wechseln, einem Paar Schuhe und Rabelais' Gesammelten Werken nach Paris fuhr, er dem Lokomotivführer winken mußte, damit der Zug hielt und ihn einsteigen ließ. Die alte Türkenstraße war damals ein verlassener Winkel, wo die letzten Araber sich von ihrer tausendjährigen Gewohnheit, vor der Türe zu hocken, dem Tod entgegenführen ließen, selbst wenn sie vor vielen Jahren das letzte Yard Schrägstreifen verkauft hatten und in den dunklen Schaufenstern nur die geköpften Modepuppen übrig waren. Die Stadt der Bananengesellschaft, von der Patricia Brown ihren Enkeln vielleicht an den Abenden der Intoleranz und der Essiggurken in Prattville, Alabama, erzählen mochte, war nun eine buschbedeckte Ebene. Der greise Pfarrer, der Pater Angel abgelöst hatte und dessen Name festzustellen sich niemand die Mühe gab, wartete, auf seinem Schmerbauch in einer Hängematte ausgestreckt, von Nervenschmerzen und der Schlaflosigkeit des Zweifels gequält, auf Gottes Güte, während die Eidechsen und Ratten sich um das Erbe des benachbarten Gotteshauses stritten. In jenem sogar von den Vögeln vergessenen Macondo, wo der Staub und die Hitze so hartnäckig geworden waren, daß sogar das Atmen schwerfiel, waren Aureliano und Amaranta Ursula, eingeschlossen von Einsamkeit und Liebe und von der Einsamkeit der Liebe in einem Haus, wo Schlafen infolge des Getöses der bunten Ameisen fast eine Unmöglichkeit war, die einzigen glücklichen Wesen und die glücklichsten auf der Erde.

Gaston war nach Brüssel zurückgekehrt. Vom Warten auf seinen Aeroplan müde, hatte er eines Tages die unentbehrlichsten Gegenstände und seinen Briefordner in ein Handköfferchen gepackt und war abgereist in der Absicht, auf dem Luftwege zurückzukehren, bevor seine Vorrechte einer Gruppe von deutschen Fliegern überlassen wurden, die den Provinzbehörden ein ehrgeizigeres Projekt als das seine vorgelegt hatten. Seit dem Nachmittag ihrer ersten Liebe hatten Aureliano und Amaranta Ursula die seltenen zerstreuten Momente des Gatten genutzt und sich bei gefahrvollen und fast immer durch eine unvorhergesehene Rückkehr unterbrochenen Treffen mit geknebelter Glut geliebt. Als sie sich jedoch allein im Haus sahen, stürzten sie sich in den Taumel einer Liebe, die vieles nachzuholen hatte. Es war eine unsinnige, hemmungslose Leidenschaft, die Fernandas Gebeine in ihrem Grab entsetzt erschauern ließ und die beiden in unaufhörlichem Reizzustand hielt. Amaranta Ursulas Katzengejaule, ihr Todesrauschgesang hallten ebenso um zwei Uhr nachmittags auf dem Eßzimmertisch wider als um zwei Uhr morgens in der Speicherkammer. »Was mir am meisten weh tut«, lachte sie, »ist die viele verlorene Zeit.« In der Betäubung ihrer Leidenschaft sah sie, wie die Ameisen den Garten verwüsteten und ihren prähistorischen Hunger am Holzwerk des Hauses stillten, sie sah den Gießbach der lebenden Lava von neuem die Veranda begraben, doch sie bekämpfte ihn nur, wenn er in ihr Schlafzimmer einbrach. Aureliano ließ seine Pergamente im Stich, ging auch nicht wieder aus und beantwortete die Briefe des katalanischen Weisen nur nebenbei. Sie verloren jeglichen Sinn für die Wirklichkeit, den Zeitbegriff, den Rhythmus täglicher Gewohnheiten. Sie schlossen wieder Türen und Fenster, um keine Zeit mit An- und Ausziehen zu verlieren, und bewegten sich durchs Haus, wie Remedios die Schöne es immer gewünscht hatte: Sie wälzten sich splitternackt auf dem Lehmboden des Innenhofs, und eines Nachmittags wären sie fast ertrunken, als sie sich in der Brunnenzisterne liebten. In kurzer Zeit richteten sie mehr Schaden an als die bunten Ameisen: Sie zerschlugen die Wohnzimmermöbel, zerrissen in ihrem Wahn die Hängematte, die Oberst Aureliano Buendías trostlosen Liebschaften widerstanden hatte, sie weideten die Matratzen aus und leerten ihren Inhalt auf die Fußböden, um sich in Sturmgewittern aus Baumwolle zu erstikken. Wenngleich Aureliano sich als ein ebenso wütender Liebhaber erwies wie sein Nebenbuhler, war Amaranta Ursula die, welche jenes Paradies der Verhängnisse mit ihrer launenhaften Findigkeit und lyrischen Gier beherrschte, so, als konzentriere sie all ihre unbezähmbare Energie, die ihre Ururgroßmutter auf die Herstellung von Karameltierchen verwandt hatte, auf die Liebe. Andrerseits, während sie vergnüglich trällerte und sich über ihre eigenen Erfindungen fast totlachen wollte, wurde Aureliano immer verschlossener und einsilbiger, weil seine Leidenschaft ihn stumm machte und ausdörrte. Im übrigen erklommen die beiden derartige Gipfel des Virtuosentums, daß sie sich nur zu erschöpfen brauchten, um ihrer Ermüdung die verstiegensten Lustgefühle abzuringen. Sobald sie entdeckten, daß die Langeweile der Liebe unerforschte Möglichkeiten barg, die reicher waren als die des Begehrens, ergaben sie sich der Vergötterung ihrer Körper. Während er Amaranta Ursulas reckbare Brüste mit Eiweiß massierte oder ihre geschmeidigen Schenkel und ihren Pfirsichleib mit Kokosbutter einrieb, spielte sie mit Aurelianos fabelhaftem Geschöpf Puppen, malte ihm mit Lippenrot Clownsaugen und mit Wimperntusche einen Türkenbart an, band ihm eine Organzakrawatte um und setzte ihm ein Hütchen aus Silberpapier auf. Eines Nachts beschmierten sie sich mit Aprikosenkompott, leckten sich wie Hunde und liebten sich wie die Wahnsinnigen auf dem Boden der Veranda, wo sie von einem Strom von fleischfressenden Ameisen geweckt wurden, die sich anschickten, sie lebendig zu verschlingen.

In den Pausen des Taumels beantwortete Amaranta Ursula Gastons Briefe. Sie empfand ihn als so fern und beschäftigt, daß seine Rückkehr ihr ein Ding der Unmöglichkeit schien. In einem der ersten Briefe erzählte er, seine Teilhaber hätten den Aeroplan wirklich abgeschickt, doch die Schiffahrtsagentur von Brüssel habe ihn versehentlich nach Tanganjika verladen, wo er an die weithin verstreute Gemeinde der Makondos ausgeliefert worden sei. Diese Verwechslung verursachte so viele Mißlichkeiten, daß allein die Wiederbeschaffung des Aeroplans zwei Jahre dauern konnte. Folglich verwarf Amaranta Ursula jede Möglichkeit einer störenden Rückkehr. Aureliano seinerseits pflegte außer den Briefen des katalanischen Weisen und den Nachrichten, die er von Gabriel über Mercedes, die schweigsame Apothekerin, erhielt, keinen Meinungsaustausch mehr mit der Welt. Gabriel hatte sich den Betrag der Rückfahrt auszahlen lassen, um in Paris bleiben zu können, wo er alte Zeitungen und leere Flaschen verhökerte, welche die Zimmermädchen eines düsteren Hotels in der Rue Dauphine auf die Straße warfen. Aureliano konnte sich ihn gut vorstellen, wie er in einem Rollkragensweater, den er nur auszog, wenn die Treppen von Montparnasse sich mit den Liebespaaren des Frühlings füllten, tags schlief und nachts in dem nach Blumenkohl riechenden Zimmer, in dem wohl Rocamadour gestorben war, schrieb, um seinen Hunger zu übertölpeln. Übrigens wurden seine Nachrichten nach und nach so vage und die Briefe des katalanischen Weisen so selten und schwermütig, daß Aureliano sich daran gewöhnte, an sie genauso zu denken, wie Amaranta Ursula an ihren Mann dachte, und so schwebten beide weiterhin in einem leeren Weltall, in dem die einzige tägliche und ewige Wirklichkeit die Liebe war.

Plötzlich platzte wie eine Explosion in diese Welt der glückseligen Bewußtlosigkeit die Nachricht von Gastons Rückkehr ins Haus. Aureliano und Amaranta Ursula machten große Augen, taten einen tiefen Blick in ihre Seelen, blickten, die Hand aufs Herz gepreßt, einander ins Antlitz und begriffen, daß sie bereits derartig ineinander aufgingen, daß ihnen der Tod lieber war als die Trennung. Nun schrieb sie an ihren Gatten einen von widersprüchlichen Wahrheiten wimmelnden Brief, in dem sie ihm ihre Liebe schwor und ihre Ungeduld, ihn bald wiederzusehen, doch gleichzeitig gestand sie, es sei ihr schicksalhaftes Verhängnis, nicht ohne Aureliano leben zu können. Wider beider Erwartung antwortete Gaston seelenruhig, fast väterlich, und ermahnte sie auf zwei ganzen Seiten, sich vor den Begierden der Leidenschaft zu hüten, während er ihnen in einem Schlußabsatz unmißverständlich wünschte, ebenso glücklich zu werden, wie er es in seiner kurzen ehelichen Erfahrung gewesen war. Diese Haltung kam Amaranta Ursula so unerwartet, daß sie sich gedemütigt fühlte bei dem Gedanken, ihrem Gatten den Vorwand geliefert zu haben, sie ihrem Schicksal zu überlassen. Und ihr Groll wurde noch stärker, als Gaston ihr sechs Monate später aus Leopoldville, wo er schließlich seinen Aeroplan wiederbekommen hatte, nur mit der Bitte schrieb, man möge ihm doch das Veloziped schicken, das als einziges von allem, was er in Macondo zurückgelassen hatte, einen Gefühlswert für ihn darstelle. Aureliano ertrug geduldig Amaranta Ursulas Kummer und bemühte sich, ihr zu zeigen, daß er im Unglück ein ebenso guter Ehemann sei wie im Glück, und die Not des Alltags, die sie bedrängte, als ihnen Gastons letzte Barschaft ausging, schuf zwischen ihnen ein Band der Einigkeit, das zwar nicht so betörend und blendend war wie die Leidenschaft, das ihnen jedoch dazu diente, sich ebenso zu lieben und ebenso glücklich zu sein wie in den verrückten Zeiten der Lüsternheit. Als Pilar Ternera starb, erwarteten sie ein Kind.

Während ihrer betäubenden Schwangerschaft versuchte Amaranta Ursula eine Heimindustrie von Halsketten aus Fischgräten aufzuziehen. Doch mit Ausnahme von Mercedes, die ihr ein Dutzend Ketten abkaufte, fand sie keine Kunden. Zum erstenmal wurde Aureliano sich bewußt, daß seine Sprachbegabung, sein umfassendes Wissen, seine seltene Gabe, sich an Einzelheiten von Tatsachen und entlegenen Orten zu erinnern, ohne sie zu kennen, ebenso nutzlos war wie das Kästchen mit echten Edelsteinen seiner Frau, das damals wohl ebensoviel wert war wie alles Geld, was die letzten Einwohner von Macondo zusammen besaßen. Sie überlebten wie durch ein Wunder. Wenngleich Amaranta Ursula nicht ihre gute Laune verlor, auch nicht ihre Erfindungsgabe in Sachen Liebe, nahm sie die Gewohnheit an, sich nach dem Mittagessen zu einem schlaflosen, nachdenklichen Schlummerstündchen in die Veranda zu setzen. Aureliano tat es ihr nach. Manchmal blieben sie bis zum Einbruch der Nacht so sitzen, einer dem anderen gegenüber, sich in die Augen blickend, sich in der Stille mit ebensoviel Liebe liebend, wie sie sich vorher im Aufruhr geliebt hatten. Die Unsicherheit der Zukunft ließ ihre Herzen in die Vergangenheit blicken. Nun sahen sie sich wieder im verlorenen Paradies der Sintflut, wie sie durch den Sumpf des Innenhofs stapften, Eidechsen tötend, um sie Ursula anzuhängen, lebend begraben mit ihr spielend, und dieses Heraufrufen offenbarte ihnen die Wahrheit, daß sie glücklich zusammen gewesen waren, so weit sie zurückdenken konnten. Tiefer ins Vergangene grabend, besann Amaranta Ursula sich auf den Nachmittag, an dem sie in die Silberschmiedewerkstatt gegangen war und ihre Mutter ihr erzählt hatte, der kleine Aureliano sei ein Niemandssohn, weil er in einem Körbchen schwimmend gefunden worden war. Wenngleich die Lesart ihnen unglaubwürdig vorkam, fehlte es ihnen jedoch an Nachrichten, mit denen sie die falsche hätten ersetzen können. Nach Prüfung aller Möglichkeiten stand für sie nur fest, daß Fernanda nicht Aurelianos Mutter war. Amaranta Ursula neigte zu der Auffassung, er sei der Sohn von Petra Cotes, von der sie nur niederträchtige Dinge in der Erinnerung bewahrte, und diese Vermutung löste in ihrer Seele Höllenqualen aus.

Von der Gewißheit gemartert, ein Bruder seiner Frau zu sein, schlich Aureliano eines Tages in das Pfarrhaus, um in den muffigen, mottenzerfressenen Archiven eine sichere Spur seiner Herkunft zu finden. Die älteste Taufurkunde, die er fand, war die Amaranta Buendías, die in ihrer Jugend von Pater Nicanor Reyna zu einer Zeit getauft worden war, als dieser die Existenz Gottes mittels Schokoladekunststückchen zu beweisen suchte. Er spielte sogar mit der Möglichkeit, einer der siebzehn Aurelianos zu sein, deren Geburtsurkunden er durch vier Bände hindurch nachspürte, doch die Taufdaten lagen für sein Alter zu weit zurück. Da er ihn zitternd vor Ungewißheit in den Labyrinthen des Bluts umherirren sah, fragte der gichtige Landpfarrer, der ihn von seiner Hängematte aus beobachtete, mitleidig, wie sein Name sei.

»Aureliano Buendía«, sagte er.

»Dann brauchst du dich nicht mehr mit Suchen umzubringen«, rief der Pfarrer mit unerschütterlicher Überzeugung aus. »Vor vielen Jahren gab es hier eine Straße, die so hieß, und damals hatten die Leute die Gewohnheit, ihre Söhne nach den Straßennamen zu nennen.«

Aureliano zitterte vor Wut.

»Ah!« sagte er. »Dann glauben Sie auch nicht daran?«

»Woran?«

»Daß Oberst Aureliano Buendía zweiunddreißig Bürgerkriege führte und alle verlor«, erwiderte Aureliano. »Daß das Heer dreitausend Arbeiter zusammentrieb und niedermähte und daß die Leichen in einem Güterzug von zweihundert Wagen abtransportiert und ins Meer geworfen wurden.«

Der Pfarrer maß ihn mit mitleidigem Blick.

»Ach, mein Sohn«, seufzte er. »Mir würde es schon genügen, wenn ich sicher wüßte, daß du und ich in diesem Augenblick existieren.«

So machten sich denn Aureliano und Amaranta Ursula die Lesart des Weidenkörbchens zu eigen, nicht weil sie daran glaubten, sondern weil diese sie vor ihren Ängsten beschützte. Je weiter ihre Schwangerschaft fortschritt, desto mehr wurden beide zu einem einzigen Wesen und verschmolzen mit der Einsamkeit eines Hauses, dem ein einziger Atemstoß fehlte, um einzustürzen. Sie hatten sich auf einen Hauptraum beschränkt, auf Fernandas Schlafzimmer, wo sie den Zauber der seßhaften Liebe ahnten, bis zum Anfang der Veranda, wo Amaranta Ursula saß, um für das Neugeborene Schühchen und Hütchen zu stricken, und wo Aureliano die gelegentlichen Briefe des katalanischen Weisen beantwortete. Das übrige Haus ergab sich willenlos dem hartnäckigen Ansturm der Vernichtung. Die Silberschmiede, Melchíades' Kammer, das primitive, schweigsame Reich Santa Sofías von der Frömmigkeit, sie alle versanken in der Tiefe eines häuslichen Urwaldes, den kein Mensch zu entwirren gewagt hätte. Umringt von der Gefräßigkeit der Natur, pflegten Aureliano und Amaranta Ursula weiterhin Oregano und die Begonien und verteidigten ihre Welt mit Trennlinien aus Kalk, sie gruben die letzten Schützengräben des unvordenklichen Krieges zwischen Mensch und Ameise. Ihr langes, ungepflegtes Haar, der im Gesicht zutage tretende Blutandrang, die Schwellungen der Beine, die Entstellungen des einst so liebestollen Wieselleibes hatten Amaranta Ursulas jugendliche Erscheinung aus der Zeit, als sie mitsamt dem Käfig und seinen unglücklichen Kanarienvögeln und ihrem gefangenen Ehemann ins Haus gekommen war, verändert, doch die Lebhaftigkeit ihres Geistes hatten sie nicht zu schwächen vermocht. »Scheiße«, sagte sie immer lachend, »wer hätte gedacht, daß wir am Ende wie Menschenfresser leben würden!« Das letzte Band, das sie mit der Welt verknüpfte, riß im sechsten Monat ihrer Schwangerschaft, als sie einen Brief erhielten, der offensichtlich nicht von dem katalanischen Weisen stammte. Er war in Barcelona aufgegeben, doch der mit Beamtenschrift in der üblichen blauen Tinte adressierte Umschlag machte den harmlosen, unpersönlichen Eindruck einer feindlichen Mitteilung. Aureliano entriß ihn Amaranta Ursula, die ihn erbrechen wollte. »Diesen nicht!« sagte er. »Ich will nicht wissen, was darin steht.«

Es war, wie er es vorausgesagt hatte: Der katalanische Weise schrieb nie wieder. Der fremde Brief, den niemand las, fiel den Motten zum Opfer auf dem Bord, auf dem Fernanda ihren Ehering hatte liegenlassen, und dort verzehrte er sich im Feuer seiner schlimmen Nachricht, während das einsame Liebespaar gegen die Strömung jener letzten Jahre ankämpfte, ruheloser, heilloser Zeiten, die im fruchtlosen Bemühen zergingen, die beiden bis in die Wüste der Entzauberung und des Vergessens zu verdrängen. Dieser Bedrohung bewußt, verbrachten Aureliano und Amaranta Ursula die letzten Monate, einander an der Hand haltend und den Sohn, das in der Tollheit der Unzucht begonnene Kind, mit der Liebe der Treue beendend. Nachts umarmt im Bett liegend, ließen sie sich nicht durch die sublunaren Explosionen der Ameisen schrecken, nicht durch das Getöse der Motten, nicht durch das unablässige, deutliche Pfeifen des wachsenden Unkrauts in den Nachbarzimmern. Mehrmals wurden sie vom fieberhaften Treiben der Toten geweckt. Sie hörten Ursula, die gegen die Gesetze der Schöpfung stritt, um die Sippe zu erhalten, sie hörten José Arcadio Buendía, der auszog auf die schimärische Suche nach großen Erfindungen, sie hörten, wie Fernanda betete, wie Oberst Aureliano Buendía bei Kriegslisten und goldenen Fischchen verrohte, sowie Aureliano Segundo, der in der Betäubung der Ausschweifungen vor Einsamkeit dahinsiechte, und nun lernten sie, daß die beherrschenden Besessenheiten den Tod überwinden, und wieder wurden sie glücklich in der Gewißheit, daß sie sich weiterhin in ihrer Natur als Gespenster lieben würden, lange nachdem andere Arten künftiger Tiere den Insekten das Elendparadies entrissen haben würden, das eben diese Insekten vollends den Menschen entrissen.

Eines Sonntags um sechs Uhr nachmittags bekam Amaranta Ursula Wehen. Die lächelnde Hebamme der kleinen Mädchen, die aus Hunger mit Männern zu Bett gingen, ließ sie auf den Eßtisch steigen, dann setzte sie sich rittlings auf ihren Bauch und galoppierte wild auf ihr herum, bis ihr Geschrei durch das Geheul eines prächtigen Jungen zum Verstummen gebracht wurde. Durch Tränen sah Amaranta Ursula, daß es ein Buendía von den Großen war, massiv und eigensinnig wie die José Arcadios, mit den offenen, hellsichtigen Augen der Aurelianos und bereit, die Sippe von neuem ganz am Anfang zu beginnen und sie von ihren schädlichen Lastern und ihrer Neigung zur Einsamkeit zu läutern, da er als einziger in einem Jahrhundert mit Liebe gezeugt worden war.

»Er ist ganz und gar ein Menschenfresser«, dachte sie. »Er soll Rodrigo heißen.«

»Nein«, widersprach ihr Mann. »Er soll Aureliano heißen und zweiunddreißig Kriege gewinnen.«

Nachdem sie die Nabelschnur durchgeschnitten hatte, wischte die Hebamme ihm mit einem Lappen den bläulichen Schleim vom Leib, während Aureliano mit einer Lampe leuchtete. Erst als sie ihn auf den Bauch legten, merkten sie, daß er mehr besaß als die übrigen Menschen, und beugten sich prüfend über ihn. Es war ein Schweineschwanz.

Sie machten sich keine Sorgen. Aureliano und Amaranta Ursula wußten nichts von dem Präzedenzfall in der Familie, erinnerten sich auch nicht an Ursulas schreckliche Ermahnungen, außerdem beruhigte die Hebamme sie mit der Vermutung, das überflüssige Schwänzchen könne abgeschnitten werden, sobald das Kind die Milchzähne verliere. Sie fanden auch keine Gelegenheit mehr, davon zu sprechen, denn Amaranta Ursula bekam gleich darauf fürchterliche Blutungen. Man versuchte diese mit Spinnwebkompressen und Aschenbelag zu dämmen, doch es war, als wolle man einem Springbrunnen mit der Hand Einhalt gebieten. In den ersten Stunden gab sie sich alle Mühe, ihre gute Laune zu bewahren. Sie faßte den erschrockenen Aureliano an der Hand und flehte ihn an, sich nicht aufzuregen, Menschen wie sie seien nicht geschaffen, gegen ihren Willen zu sterben, und sie schüttelte sich vor Lachen über die angestrengten Bemühungen der Hebamme. Doch je mehr Aurelianos Hoffnungen schwanden, desto weniger sichtbar wurde sie, als wische man sie aus dem Licht, bis sie in tiefe Betäubung sank. Am Montag im Morgengrauen holten sie ein Weib, das am Bett Ätzgebete aufsagte, die sich bei Mensch und Tier als unfehlbar erwiesen hatten, doch Amarantas leidenschaftliches Blut war gegen jeden Kunstgriff, der nicht die Liebe war, unempfindlich. Nachmittags, nach vierundzwanzig Stunden der Verzweiflung wußte man, daß sie tot war, weil der Blutstrom ohne Eingriff versiegte. Ihr Profil wurde feiner, und die Röte ihres Gesichts wich einer alabasterfarbenen Morgenröte, und sie lächelte von neuem.

Erst jetzt dämmerte es Aureliano, wie sehr er seine Freunde liebte, wie sehr sie ihm fehlten und was er dafür gegeben hätte, in diesem Augenblick bei ihnen zu sein. Er legte das Kind in das Körbchen, das dessen Mutter dafür zurechtgemacht hatte, breitete eine Decke über das Gesicht des Leichnams und irrte ziellos durch das verlassene Dorf, auf der Suche nach einem Rückweg in die Vergangenheit. Er klopfte an die Tür der Apotheke, die er lange nicht mehr besucht hatte, und fand statt ihrer eine Schreinerwerkstatt. Die Alte, die mit einer Lampe in der Hand öffnete, empfand Mitleid mit seiner verstörten Miene, sagte aber immer wieder: nein, hier sei nie eine Apotheke gewesen, sie habe auch keine Frau mit schlankem Hals und schläfrigen Augen namens Mercedes gekannt. Weinend lehnte er die Stirn gegen die Tür der alten Buchhandlung des katalanischen Weisen, und jetzt war er sich bewußt, daß er für einen Tod, den er nicht zu seiner Zeit hatte beweinen wollen, um nicht den Zauber der Liebe zu brechen, nachträglich den Zoll der Tränen zahlte. Er riß sich die Fäuste an den mörtelrauhen Mauern von *Das Goldene Kind* wund und rief klagend nach Pilar Ternera, gleichgültig gegen die orangefarbenen Lichtscheiben, die am Himmel kreisten und die er in Festnächten vom Innenhof der Rohrdommeln aus so oft mit knabenhaftem Entzücken betrachtet hatte. In der letzten noch offenen Tanzdiele des zerfallenen Vergnügungsviertels spielte eine Akkordeonkapelle die Lieder Rafael Escalonas, des Neffen des Bischofs, des Erben der Geheimnisse von Francisco-der-Mann. Der Schenkwirt, der einen verdorrten, wie versengten Arm besaß, weil er ihn gegen seine Mutter erhoben hatte, lud Aureliano ein, eine Flasche Branntwein mit ihm zu trinken, und Aureliano seinerseits lud ihn zu einer zweiten ein. Der Schenkwirt erzählte ihm vom Elend seines Arms. Aureliano erzählte ihm vom Elend seines Herzens, das verdorrt war und wie versengt, weil er es gegen seine Schwester erhoben habe.

Schließlich weinten beide gemeinsam, und Aureliano fühlte einen Augenblick, daß der Schmerz verschmerzt war. Doch als er im letzten Morgengrauen Macondos wieder allein war, breitete er mitten auf dem Dorfplatz die Arme aus, gewillt, die ganze Welt zu wecken, und schrie aus voller Seele:

»Freunde sind Hurensöhne!«

Nigromanta zerrte ihn aus einer Lache von Erbrochenem und Tränen. Schleppte ihn in ihre Kammer mit, säuberte ihn und gab ihm eine Tasse Fleischbrühe zu trinken. Im Glauben, das könne ihn trösten, tilgte sie mit einem Kohlestrich die ungezählten Liebesnächte, die er ihr noch schuldete, und rief absichtlich ihre einsamsten Traurigkeiten herauf, um ihn nicht allein weinen zu sehen.

Bei Tagesanbruch, nach kurzem, dumpfem Schlaf, fielen Aureliano wieder seine Kopfschmerzen ein. Er öffnete die Augen und dachte an seinen Sohn.

Er fand ihn nicht im Korb. Mitten im ersten Schock flammte plötzlich Freude in ihm auf in der Annahme, Amaranta Ursula sei vom Tode erwacht, um das Kind zu umhegen. Doch ihr Leichnam war ein steinerner Felsvorsprung unter der Decke. Wohl wissend, daß er bei seiner Ankunft die Schlafzimmertür offen vorgefunden hatte, durchschritt Aureliano die von den morgendlichen Seufzern des Oregano gesättigte Veranda und blickte ins Eßzimmer, wo noch die Trümmer der Niederkunft lagen: die große Schüssel, die blutigen Laken, die Ascheneimer sowie neben Schere und Binden auf einer auf dem Tisch ausgebreiteten Windel die verkrümmte Nabelschnur des Knaben. Der Gedanke, die Hebamme habe das Kind womöglich im Lauf der Nacht geholt, gab ihm eine Weile Ruhe zum Nachdenken. Er ließ sich in den Schaukelstuhl fallen, denselben, in dem Rebeca in den ersten Zeiten des Hauses gesessen, um Strickunterricht zu geben, in dem Amaranta mit Oberst Gerineldo Márquez chinesische Dame gespielt und in dem Amaranta Ursula die Babywäsche des Kindes genäht hatte, und in diesem Blitz der Hellsicht wurde ihm bewußt, wie unfähig seine Seele war, die erdrückende Last von so viel Vergangenheit zu ertragen. Verwundet von den Todesspeeren eigener und fremder Sehnsüchte, bewunderte er die Furchtlosigkeit der Spinngewebe auf den toten Rosensträuchern, die Beharrlichkeit des Unkrauts, die Geduld der Luft im strahlenden Februarmorgen. Und dann sah er das Kind. Es war eine geblähte, dürre Haut, die alle Ameisen der Welt auf dem Steinpfad des Gartens mühsam zu ihrem Bau schleppten. Aureliano konnte sich nicht rühren. Nicht, weil Verblüffung ihn gelähmt hätte, sondern weil sich ihm in diesem wundersamen Augenblick Melchíades' endgültige Schlüssel offenbarten, und nun sah er das Epigraph der Pergamente vor sich, folgerichtig eingeordnet in Zeit und Raum der Menschen: *Der erste der Sippe wird an einen Baum gebunden, und den letzten werden die Ameisen fressen.*

Nie in seinem Leben hatte Aureliano so hellsichtig gehandelt wie jetzt, da er seine Toten und den Schmerz seiner Toten vergaß und die Türen und die Fenster wieder mit Fernandas Querbalken verschloß, um sich von keiner Versuchung der Welt stören zu lassen, denn jetzt wußte er, daß in Melchíades' Pergamenten sein Schicksal geschrieben stand. Er fand sie unbeschädigt zwischen den prähistorischen Pflanzen und den dampfenden Pfützen und den leuchtenden Insekten, die aus dem Zimmer jede Spur menschlicher Vergangenheit auf Erden getilgt hatten; er hatte aber nicht die Ruhe, sie hinaus ans Licht zu tragen, sondern dort, stehend, begann er sie ohne die geringste Schwierigkeit laut zu entziffern, als seien sie im blendenden Glanz des Mittagslichts spanisch geschrieben. Es war die von Melchíades hundert Jahre vorausgesehene, bis in die belanglosesten Einzelheiten abgefaßte Familiengeschichte. In Sanskrit, seiner Muttersprache, hatte er sie niedergeschrieben und die gleichen Verse mit dem Privatschlüssel des Kaisers Augustus, die ungleichen mit lazedämonischen Militärschlüsseln chiffriert. Die letzte Schutzschicht, die Aureliano zu durchschauen begann, als er sich von Amaranta Ursulas Liebe verwirren ließ, fußte darauf, daß Melchíades die Fakten nicht in der althergebrachten Zeit der Menschen angeordnet, sondern daß er ein Jahrhundert alltäglicher Episoden vereinigt hatte, so daß sie alle gleichzeitig existierten. Gefesselt von dem Fund, las Aureliano mit lauter Stimme, ohne eine Zeile zu überspringen, die gesungenen Enzykliken, die Melchíades persönlich Arcadio vorgetragen hatte und die in Wirklichkeit die Voraussagen ihrer Ausführung waren, und so fand er auch die Geburt der schönsten Frau der Welt, die mit Leib und Seele zum Himmel auffuhr, angekündigt und lernte den Ursprung der nachgeborenen Zwillinge kennen, die darauf verzichteten, die Pergamente zu enträtseln, und zwar nicht nur aus Unfähigkeit und Unbeständigkeit, sondern weil ihre Versuche verfrüht gewesen wären. Hier machte Aureliano in seiner Ungeduld, seinen eigenen Ursprung kennenzulernen, einen Sprung. Nun kam der Wind auf, mild, tastend, voll von Stimmen der Vergangenheit, vom Geflüster uralter Geranien, vom Geseufze der noch vor den hartnäckigsten Sehnsüchten erlebten Enttäuschungen. Er nahm ihn nicht wahr, weil er in diesem Augenblick die ersten Anzeichen seines Seins in einem lüsternen Großvater entdeckte, der sich von der Leichtfertigkeit eines betörten Hochlands mitreißen ließ, auf der Suche nach einer schönen Frau, die er nicht glücklich machen würde. Aureliano erkannte ihn, verfolgte die dunklen Pfade seiner Herkunft und stieß auf den Augenblick seiner eigenen Zeugung zwischen den Rohrdommeln und den gelben Faltern eines Dämmerbades, wo ein Arbeiter seine Geilheit mit einer Frau befriedigte, die sich ihm aus Auflehnung ergab. Er war so versunken, daß er auch den zweiten Ansturm des Windes nicht merkte, dessen Zyklonengewalt Türen und Fenster aus den Angeln riß, das Dach der Westgalerie abdeckte und die Grundmauern entwurzelte. Erst jetzt entdeckte er, daß Amaranta Ursula nicht seine Schwester war, sondern seine Tante und daß Francis Drake Riohacha nur überfallen hatte, damit sie sich in den verwickelsten Labyrinthen des Bluts suchen konnten, bis das mythologische Tier gezeugt war, das der Sippe ein Ende setzen würde. Macondo war bereits ein von der Wut des biblischen Taifuns aufgewirbelter wüster Strudel aus Schutt und Asche, als Aureliano elf Seiten übersprang, um keine Zeit mit allzu bekannten Tatsachen zu verlieren, und begann den Augenblick zu entziffern, den er gerade durchlebte, und enträtselte ihn, während er ihn erlebte, und sagte sich im Akt des Entzifferns selber die letzte Seite der Pergamente voraus, als sähe er sich in einem sprechenden Spiegel. Nun blätterte er von neuem, um die Voraussagen zu überspringen und Tag und Umstände seines Todes festzustellen. Doch bevor er zum letzten Vers kam, hatte er schon begriffen, daß er nie aus diesem Zimmer gelangen würde, da es bereits feststand, daß die Stadt der Spiegel (oder der Spiegelungen) vom Wind vernichtet und aus dem Gedächtnis der Menschen in dem Augenblick getilgt sein würde, in dem Aureliano Babilonia die Pergamente endgültig entziffert hätte, und daß alles in ihnen Geschriebene seit immer und für immer unwiederholbar war, weil die zu hundert Jahren Einsamkeit verurteilten Sippen keine zweite Chance auf Erden bekamen.

Gabriel García Márquez
Die Liebe in den Zeiten der Cholera
Roman

Aus dem Spanischen von Dagmar Ploetz
KiWi 745

51 Jahre, 9 Monate und 4 Tage wartet Florentino Ariza auf Fermina Daza, auf die große Liebe seines Lebens. Er hat einst um Fermina geworben, sie gewonnen, aber dann an Doktor Juvenal Urbino verloren. Florentino Ariza hat nie aufgehört, sie zu lieben. Fast am Ende des Lebens, das für beide reich an Höhen und Tiefen war, weiß er, daß er nicht vergeblich gewartet hat. – Die schönste Liebesgeschichte der Welt.

Gabriel García Márquez
Hundert Jahre Einsamkeit
Roman

Aus dem Spanischen von Curt Meyer-Clason
KiWi 740

»Hundert Jahre Einsamkeit« ist García Márquez´ berühmtester Roman, der seit seinem Erscheinen eine Weltauflage von über 400 Millionen Exemplaren erreicht hat und zu den größten Romanen der Weltliteratur gehört. Er erzählt die Geschichte der Familie Buendía, ihres Aufstiegs und Niedergangs. In dem von den Buendías gegründeten Dorf Macondo enthüllt sich die ganze Tragödie Lateinamerikas, verschmelzen Mythos und Wirklichkeit.

Gabriel García Márquez
Der General in seinem Labyrinth
Roman

Aus dem Spanischen von Dagmar Ploetz
KiWi 742

In seinem bewegenden Roman erzählt García Márquez das Leben des faszinierenden Mannes Simón Bolívar, General und Held des Unabhängigkeitskrieges der lateinamerikanischen Kolonien gegen die spanische Krone, Liebhaber schöner Frauen und der Macht.

Gabriel García Márquez
Chronik eines angekündigten Todes
Roman

Aus dem Spanischen von Curt Meyer-Clason
KiWi 735

Ein Dorf an der kolumbianischen Karibikküste feiert ein rauschendes Hochzeitsfest, doch noch in der Hochzeitsnacht wird die Braut ins Elternhaus zurückgeschickt; sie war nicht mehr unberührt. Der mutmaßliche »Täter« muß sterben.

Gabriel García Márquez
Die Erzählungen

Aus dem Spanischen von Curt Meyer-Clason
KiWi 743

Diese Erzählungen von Gabriel García Márquez, zwischen 1947 und 1972 entstanden, sind thematisch und stilistisch miteinander verwoben. Immer wieder tauchen Figuren seines Kosmos' auf, führen hin zu seinem großen Roman »Hundert Jahre Einsamkeit«. Jugendlich schwermütig oder phantastisch zeigen sie ihn auch als Meister der kleinen Form.

Gabriel García Márquez
Der Oberst hat niemand, der ihm schreibt

Roman

Aus dem Spanischen von Curt Meyer-Clason
KiWi 738

Der Oberst wartet verzweifelt auf einen Brief, wartet seit 56 Jahren darauf, daß die Regierung ihm seine Veteranenpension bestätigt. Doch der Brief kommt nicht. Der einzige Besitz des Obersten, der mit seiner Frau in tiefer Armut lebt, ist ein Kampfhahn. Dieser Hahn wird für ihn und sein Dorf, das seit Jahren unter dem Ausnahmezustand der Militärdiktatur leidet, zum Symbol der Hoffnung und des Widerstands.

Gabriel García Márquez
Bericht eines Schiffbrüchigen

Aus dem Spanischen von Christiane und Curt Meyer-Clason
KiWi 737

Tagelang trotzt ein Schiffbrüchiger, allein auf einem Rettungsfloß in der Karibik, mit aller Kraft Hunger, Durst und der Gewalt des Meeres. Er überlebt – auch wenn er sich schon verloren geglaubt hat. García Márquez hat die Geschichte des Schiffbrüchigen aufgezeichnet und auf seine unvergleichliche Weise verdichtet.

Gabriel García Márquez
Der Herbst des Patriarchen
Roman

Aus dem Spanischen von Curt Meyer-Clason
KiWi 741

Der Roman erzählt vom Aufstieg und Fall eines lateinamerikanischen Diktators, vom Terror, von seiner usurpatorischen Willkür und dem grausigen Ende seines Lebens. In der Figur des Patriarchen, der von seinen Untertanen gehaßt und verehrt wurde, vereint García Márquez die autokratischen Herrscher der spanischsprachigen Welt Lateinamerikas der letzten 150 Jahre und schafft so eine unvergleichliche Parabel auf die Macht.

Gabriel García Márquez
Laubsturm
Roman

Aus dem Spanischen von Curt Meyer-Clason
KiWi 736

In diesem frühen Werk entwirft García Márquez seine Welt, die unverwechselbare Welt des verlorenen karibischen Dorfes Macondo, das in dem Roman »Hundert Jahre Einsamkeit« weltberühmt werden sollte. Über Bürgerkrieg, Bananenboom, Naturkatastrophen, Nachbarschaftsfehden und von ihrer Verlorenheit erzählen ein alter Oberst, seine Tochter und deren kleiner Sohn.

Gabriel García Márquez
Die böse Stunde
Roman

Aus dem Spanischen von Curt Meyer-Clason
KiWi 739

Die Geschichte eines karibischen Dorfes, das unter der Willkürherrschaft seines Bürgermeisters erstarrt ist und unter sintflutartigen Regengüssen leidet. Die Dorfbewohner werden plötzlich aus ihrer Apathie aufgeschreckt,als nachts anonyme Schmähzettel an den Häusern angesehener Bürger auftauchen. Der bisher harmlose Dorfklatsch steigert sich nun bis zum Verrat von Familiengeheimnissen, alte Feindschaften flackern wieder auf. Angst und Mißtrauen regieren das Dorf.